U0124322

中國意識與台灣意識

——一九九九澳門學術研討會論文集

夏潮基金會

會議前言

這原本是一場在台灣被扼殺的學術研討會。

夏潮基金會成立的宗旨之一是從事兩岸學術交流，藉由交流來增進兩岸學術界在特定議題的彼此瞭解。議題只有二類，一是兩岸關係的研究，另一是台灣研究，著重於歷史、文化、社會變遷等等。在過去二年中，由夏潮基金會單獨主辦的這類研討會已經有了四次。

一九九八年七月，基金會董事會成員一行，訪問了廈門大學台灣研究所、上海東亞研究所、上海台灣研究會，在會見海協會會長汪道涵先生後，於返台前夕，初步決定在一九九九年辦一場「中國意識與台灣意識」學術研討會。回台後先辦完了八月底的「一個中國原則」面面觀學術研討會，承蒙黃俊傑、李明輝、潘朝陽、王仲孚等教授先生們的大力協助，成立了研討會籌備會，擬定了研討會主題及論文寫作邀約名單等，並決定於一九九九年三月在台北市舉辦此會。二批大陸學者入台與會的申請，分別在一九九八年十一月十六日及一九九九年元月四日向入出境管理局提出。在等待批覆期間，基金會董事長宋東文及執行長毛鑄倫還拜會了陸委會吳安家副主委解釋此會議之宗旨並尋求協助。二月二十三日收到了入出境管理局的通知書：「請補渠等欲於研討會發表之論文的具體題目及摘要以便辦理」。雖然入出境管理局要審論文題目及摘要，實在是罕見，但我們還是遵照辦理。會議因遲未獲得大陸學者的入境許可而一再推延。

終於得到了入出境管理局一九九九年五月十五日的公函，謂「貴會申請大陸人士鄭勵志等十四人來台參加學術研討會乙案」，「經與相關部會召開會議決議」，「研討會主題及論文，易激化統獨爭議，與現行政策不符」，「所請未便同意」。

爲使研討會順利召開，爲使兩岸學者對此共同關心的重要議題有面對面討論的機會，我們徵求了年輕的歷史學者、澳門基金會管理委員、聯合國教科文組織澳門教科文中心主任吳志良博士的同意，以聯合國教科文組織澳門教科文中心爲共同主辦單位，並將此研討會移至澳門舉辦。

這個研討會將證明，像這樣的會議非但不會「激化統獨爭議」，反而將進一步「增進彼此瞭解」，「化解爭議」並「促進兩岸學術交流良性發展」。

我們將繼續舉辦這一類的學術研討會，並且希望將會議辦得更好。誠摯謝謝所有提供傑出論文及與會的學者專家。

財團法人夏潮基金會
董事長　宋東文　謹誌
一九九九年七月

中國意識與台灣意識
——一九九九澳門學術研討會論文集

目　錄

論「台灣意識」的發展及其特質

歷史回顧與未來展望

黃俊傑／台灣大學歷史系教授
中央研究院中國文哲研究所研究員

一、引　言

自從一九八七年七月戒嚴令廢除以後，「台灣意識」從過去潛藏的狀態，如火山爆發似地一湧而出，成爲後戒嚴時代台灣最引人注目的現象之一。但是，所謂「台灣意識」是台灣思想史的一個重要現象，內涵至爲複雜，在歷史上也有其段落淸楚的發展歷程。到底台灣意識的思想內涵如何？經歷何種發展階段？未來展望如何？這些都是最近十餘年來「台灣意識」從潛藏到外顯的發展過程中，所激發的問題。我在另文中對「台灣意識」中的「文化認同」與「政治認同」之兩項內涵已有所討論，①這篇論文

① 拙作：《論台灣的「文化認同」與「政治認同」的關係》（未刊稿本）。

寫作的目的，將集中焦點針對「台灣意識」的發展歷程提出初步分析，並就未來展望提出若干看法。

本文論述的展開共分四節，除第一節說明全文主旨之外，第二節分析「台灣意識」發展的四個階段以及每個階段的思想內涵，第三節分析「台灣意識」發展中所呈現的特質，指出「台灣意識」論述基本上是作爲一種抗爭論述而提出的，第四節則提出結論，指出「台灣意識」論述未來應朝向作爲文化論述發展，以作爲台灣在二十一世紀國際秩序中的一種對話的基礎。

二、「台灣意識」的發展階段：歷史的回顧

從歷史的角度來看，「台灣意識」的發展，可以分爲四個歷史階段：（2：1）明清時代的台灣只有作爲中國地方意識的「漳州意識」、「泉州意識」或「閩南意識」、「客家意識」等；（2：2）到了日本統治台灣以後，作爲被統治者的台灣人集體意識的「台灣意識」才出現，這半世紀（一八九五—一九四五）的「台灣意識」既是民族意識又是階級意識；（2：3）一九四五年台灣光復後，「台灣意識」基本上是一種省籍意識，尤其是一九四七年二二八事件之後，作爲反抗以大陸人佔多數而組成的國民黨政權的台灣人意識加速發展；（2：4）一九八七年戒嚴令廢除，台灣開始走向民主化；近年來由於中共政權對台灣的種種打壓，「台灣意識」乃逐漸成爲反抗中共政權的政治意識，「新台灣人」論述可視爲這種新氣氛下的思維方式。我們依序論證這四個歷史發展階段裡台灣意識的進展。

（一）明清時代

（2：1）在明鄭（一六六一—一六八三）以及清朝（一六八三—一八九五）統治下的台灣，從大陸閩粵各省移民台灣的漢人，並無相對於中國大陸人而言的台灣意識，當時表現比較明顯的是以移民的祖籍如漳州、泉州爲認同對象的地方意識。

這種地方意識形成的主要原因至少有二：（2：1a）一是從閩粵兩省移入台灣的移民在台灣的居住地分佈不同；（2：1b）二是各地移民以語言之不同而聚居，形成語言群認同。我們依序說明這兩點。

（2：1a）漢人移民台灣固然起源甚早，但較大規模移民至遲應始於公元一六三〇年代荷蘭人積極獎勵中國移民從事農業工作之後。當代學者推估，在一六五〇年以後，全台灣從中國大陸來的移民約有二萬五千戶至三萬戶之間，總人口約十萬人左右。②這些早期移民的職業以捕魚、貿易、耕種、狩獵爲主。③漢人移入台灣以後，以原籍分別聚居，《重纂福建通志》卷五十八云：④

② 參看郭水潭：《荷人據台時期的中國移民》，《台灣文獻》十卷四期（一九五九），頁一一—四六，所引收目見頁二〇。
③ 同上文，頁二一。
④ 《福建通志台灣府》（台北：台灣銀行，一九六〇，台灣文獻叢刊第八十四種），上，卷十九，風俗，頁二〇八，本段史料係錄自《重纂福建通志》卷五十八，嘉義縣。

自急水溪以下，距郡治不遠，俗亦頗同。自下加冬至斗六門，客莊（俗稱粵人所居曰客莊）漳泉人相半，稍失之野，然近縣，故畏法。斗六以北，客莊愈多，雜諸番而各自爲俗，高富下貧，好訾毀，以賭蕩爲豪，嫁娶送死傚郡治，遇事蠭起，喜鬥輕生，以歃血相要約（縣志）。

這段史料所說在台灣南部漢人移民中，客家人與閩南人約各居其半，「斗六以北，客莊愈多」，大致是早期移居的住居狀況。當代學者認爲：閩人先來，佔據平原肥沃之地；粵人較遲抵台，故聚居山區。早期客家人冒險偷渡來台，所入墾之地區多爲瘴癘盛行的下淡水流域及今日之彰化（昔日稱半線）以北的淡北山丘地帶。廣東原鄉生活方式，也影響粵籍人士擇居山區的選擇。⑤早期移民這種以祖籍分類而聚居的發展，是當時的客家及漳、泉等地方意識發展的原因之一。

（2：1a）其次，早期移民常以所使用之語言作爲認同標準而形成聚落。一九〇三年（明治三十六年，清光緒二十九年），日本殖民政府在台灣舉行一次比較詳細的戶口調查，這次調查曾分別列出漳、泉、客家以及其他漢語系人口的統計數字如下：使用漳州語者一百二十萬人；使用泉州語者一百一

⑤參看洪麗完：《清代台中地方福客關係初探—兼以清水平原三山國王廟之興衰爲例》，《台灣文獻》四十一卷二期（一九九〇年六月），頁六三—九三；施添福：《清代在台漢人的祖籍分布與原鄉生活方式》（台北：師範大學地理學系，一九八七）；連文希：《客家之南遷東移及其台的流佈—兼論其開拓奮鬥精神》，《台灣文獻》二十三卷四期，頁一—二三。

十萬人；使用客家語者五十萬人；使用其他漢語者四萬人。⑥這些不同的語言族群的住居地常反映在地名上。⑦言語異聲，同聲相求，正是明清時代台灣的客家、漳、泉等地方意識的形成的原因之一。

那麼，明清時代台灣的各種以祖籍爲認同對象⑧的地方意識，如何具體化呢？作爲普遍的歷史現象來看，各種地方意識由要具體表現在（2：1c）集體械鬥及（2：1d）宗教信仰之上。

（2：1c）台灣是移民之島，各種不同祖籍的移民形成聚落，集體械鬥之事史不絕書。《台灣采訪冊》對漳泉械鬥有動人的描述：⑨

> 漳泉分類，起自乾隆四十七年秋冬之際。彰化刺桐腳莊民林阿鑻，因賭爭較銅錢數文起叛鬥毆致命，邑門役貪婪索詐未遂，而不逞無賴之徒遂乘間散布謠言，慫恿激怒，人心惶惑。於是，村民有插居者，漳人及漳籍者移於漳莊，泉亦如之，各黨其衆，以神佛大旗爲號，泉大書「泉興」二字，

---

⑥ 調查資料見：陳漢光：《日據時期台灣漢族祖籍調查》，《台灣文獻》二十三卷一期（一九七二），頁八五—一〇四，數據見頁八五。

⑦ 參考陳國章：《從地名可以辨別泉、漳語群的分布—以台灣地名爲例》，《地理教育》第二十四期（台北：台灣師大，一九九八），頁一—一四。

⑧ 一九二八年（昭和三年），台灣總督府官房調查課編印一本《台灣在籍漢民族鄉慣別調查》，可能是日據時代關於台灣的漢人祖籍較爲詳密的調查文件，陳漢光曾據這份調查報告，整理當時在台灣的漢人祖籍如下：（1）福建：包括泉州、漳州、汀州、龍岩、福州、興化、永春等府。（2）廣東：包括潮州、嘉應、惠州等府。見陳漢光，前引《日據時期台灣漢族祖籍調查》，頁一〇四。

⑨ 《台灣采訪冊》（台北：台灣銀行，一九五九，台灣文獻叢刊第五十五種），卷一，第一冊，頁三五—三六。

漳大書「興漳滅泉」四字。伐木爲棍，斬竿爲鎗，菜刀、農具，持相鬥殺，禍延諸羅，日甚一日。有業產者，給之食；有人丁者，出其衆。搶殺焚燬，生民塗炭已極，官不能制，廈提督公黃、按察使司楊提兵來台，痛加搜捕、安撫，生員施彬、武舉許國樑、職員翁雲寬等，俱罹重罪，抄沒家產。彰邑主焦伏法，諸邑主冷廉明，人心悅服，亦被議去官。台鎭金、署安平協鄭、台道穆、台府蘇，各被參議有差，於是事平。

迨林爽文反，漳、泉仍各按劍相防。鹿港皆泉人也，殺賊首王芬，遂起義旗，以相掣肘，以故，鹿港水道行通，列憲提兵來台，由此起早者甚衆，然而漳泉之猜忌日以益深。

所謂「興漳滅泉」、「泉興」等集體械鬥時的標語，正是以祖籍作爲分類的指標，這種地方意識在當時深入人心，「北路自諸羅山鹽水港，上至彰邑之風俗人心，牢不可破；即在平時，凡遇面生之人，不遑問其姓名，而輒詢其祖籍，除同府最爲相親外，若漳問及泉，則稱曰『貴泉』。泉問及漳，則稱曰『貴漳』」。⑩早期移民不問陌生人姓名而先問其祖籍，這種做法生動地顯示：地方意識強有力掩蓋過個人意識，《淡水廳志》的作者感嘆當時的地方意識太強，「有分爲閩、粵焉，有分爲漳、泉焉，閩、粵以其異省也，漳、泉以其異府也，然同自內地播遷而來，則同爲台人而已，今以異省、異府苦分畛域……。」⑪在明淸時代各地移入台灣的漢人，尙無「同爲台人」的群體意識。

---

⑩《台灣采訪册》，卷一，第一册，頁三七—三八。

⑪《淡水廳志》，卷十九（上），頁四一七—七一八。

（2：1d）明清時代台灣的地方意識也清楚地表現在宗教信仰之上，《重修台灣縣志》云：⑫

按眞人廟宇，漳泉間所在多有，荷蘭踞台，與漳泉人貿易時，已建廟廣儲東里矣。嗣是鄭氏及諸將士皆漳泉人，故廟祀眞人甚盛，或稱保生大帝廟，或稱大道公廟，或稱眞君廟，或稱開山宮，通志作慈濟宮，皆是也。

這一段史料所說的是：漳泉移民崇奉保生大帝。這種以不同的祖籍所形成的祭祀圈，正是台灣的漢人社會的一大特徵，人類學家認爲這種現象頗有其台灣之獨特性。⑬

作爲各地移民的地方意識之表現的宗教信仰所崇奉的神祇，其廟宇香火之興衰也常隨信奉者勢力之興衰而變化。客家人所信仰的三山國王廟就是一個鮮明的例子。尹章義曾以台北縣新莊的三山國王廟的興衰，指出這個廟宇的變化可以顯示台北平原上閩、粵移民從容忍相安發展至矛盾、衝突、對立的過程。三山國王廟是客屬潮州人「群體意識」發展到顚峰的象徵，同時也是閩、粵對立達到高潮的具體表現。經過乾隆末期、嘉慶以至道光年間的長期紛爭，粵人終不敵閩人之力而他遷。客屬潮州人他遷之後，新莊的三山國王廟因乏人奉祀而香火立衰。台北平原成爲閩人天下之後，三山國王廟就趨於破損，

⑫《重修台灣縣志》卷六，《祠宇志》，頁一七九—一七八〇。

⑬參考許嘉明：《祭祀圈之於居台漢人社會的獨特性》，《中華文化復興月刊》，第十一卷第六期（一九七八年六月），頁五九—六八。

甚至焚燬。⑭洪麗完對於清代台中地方清水平原上的三山國王廟興衰的研究，也顯示與台北平原類似的情況。洪麗完指出：清水平原上的兩座三山國王廟隨客籍人士移居至今日之東勢、豐原一帶地方（部分成爲福佬化），而產生興衰變遷。無論沙轆保安宮因福佬化傾向而益見發展；或牛罵頭三山國王廟因保持原主神三山國王的祭祀，以致反而不如保安宮的發展，都反映三山國王廟的興衰與福客人群關係的變化，息息相關。⑮從以上當代學者所研究的客屬廟宇三山國王廟的實例，可以具體地顯示：明清時代台灣的祭祀圈之變化，可以視爲地方意識的一種表現。

（二）日據時代：一八九五—一九四五

（2：2）一八九五年台灣被割讓給日本而成爲日本帝國的殖民地，「宰相有權能割地，孤臣無力可回天」，這項歷史變局使台灣意識的發展進入一個嶄新的階段。由於日本帝國主義者統治台灣，使台灣人不分祖籍均居於被統治者的地位，於是在日據時代半世紀之間，「台灣人」在相對於「日本人」的脈絡中成爲一個社會政治群體，各種漳、泉、客家等地方意識退居其次。這五十一年間的「台灣意識」既表現而爲（2：2a）民族意識，又表現而爲（2：2b）階級意識。我們引用史料闡釋這段時期台

⑭　參考尹章義：《閩粵移民的諧和與對立—以客屬潮州人開發台北以及新莊三山國王廟的興衰史爲中心所作的研究》，《台北文獻》七十四期（一九八五年十二月），頁一—二七，尤其是頁二三。

⑮　參考洪麗完，前引《清代台中地方福客關係初探—兼以清水平原三山國王廟之興衰爲例》，頁七八。

灣意識的兩個面向。

（2：2a）**作爲民族意識的台灣意識**：在日本統治期間，統治者是日本人，被統治者是廣大的台灣人（漢人）及原住民，因此，在日據時代所謂「台灣意識」的重要面向就是「民族意識」。

在日據時代的台灣，作爲民族意識的「台灣意識」，表現在台灣人的文化生活的許多方面，其中最爲明顯的是漢文書房與詩社。日本佔領台灣以後，就確立並推行語言同化政策，但效果不彰，日據初期台灣人中絕大多數中、上階層家庭仍固守傳統的漢文書房教育。全台灣書房數目，雖然一時因鼎革戰亂而銳減幾達半數，但是其後復呈漸增之勢。吳文星指出：一八九七年三月，全台灣計有書房一千二百二十四所、學生一萬九千零二十二人；一八九八年三月，增爲一千七百零七所、學生二萬九千九百四十一人。傳統書房之數目及學生數無論是絕對值或增加率，均遠非國語傳習所所能比。由於書房一時難以遽行廢除，日本人紛紛提出「改良」書房之意見，或建議總督府以公費招訓書房教師，規定書房增設日語課程，派遣日本人出任書房教師，或編印新漢文教科書等，但收效均不如預期。⑯日據時代台灣的傳統書房與日語學校教育的對抗，正是民族意識的鮮明表現。其次，日據時代台灣意識的民族情感，表現在傳統詩社之中。約二百個詩社均以保存並發揚傳統的漢文化爲職志。陳昭瑛的研究指出：一九一一年以後由於受到梁任公的鼓舞，櫟社中有許多成員投入反日的文化啓蒙運動與政治運動，如中堅人物林獻堂

⑯ 參考吳文星：《日據時期台灣社會領導階層之研究》（台北：正中書局，一九九二），頁三一四—三一八。

（一八八一—一九五六）、林幼春（一八八〇—一九三九）、蔡惠如，以及後起之秀葉榮鐘（一九〇〇—一九五六）、莊垂勝（一八九七—一九六二），突破了棄地遺老、哀毀自傷的格局，並為中國古典詩史寫下最具現代精神的新頁。⑰櫟社中的連橫（雅堂，一八七八—一九三六）在《台灣通史》（出版於民國十—十一年）中更展現傳統儒學的嚴華夷之防的精神，《台灣通史》對鄭成功開台、中華文化的移植、抗清反日事業多所揄揚，藉寫史以維繫民族認同。⑱除此之外，日據時代台灣民間社會的鸞堂與祠堂則延續著儒學影響下具有民間宗教性的小傳統。鸞堂以神道設教的方式來宣揚儒家思想，祠堂以祖先崇拜的方式來發揚儒家的孝道、「愼終追遠」等家庭倫理。⑲這些也都是發揚民族意識的重要管道。

由於日據時代的「台灣意識」深深地被民族意識所浸潤，所以當時台灣知識份子或一般民間對漢文化的保存都十分注意。舉例言之，台南名醫吳新榮（史民，震瀛，一九〇六、十一、十二—一九六七、三、二十七）就說，他父親將畢生行醫所賺的錢都投入文化事業，並以全幅精神投入《台南縣誌》及

⑰ 參考陳昭瑛：《台灣詩選註》（台北：正中書局，一九九六），頁六。

⑱ 參考陳昭瑛：《當代儒學與台灣本土化運動》，收入氏著：《台灣文學與本土化運動》（台北：正中書局，一九九八），頁二九〇—二九一。

⑲ 陳昭瑛：《日據時代台灣儒學的殖民地經驗》，收入氏著：《台灣與傳統文化》（台北：中華民國中山學術文化基金會，一九九九）。

《南瀛文獻》的編輯工作，他認爲這完全是由於強烈的民族意識之驅使所致。⑳吳新榮自己在一九四〇年四月十日的日記也說，他畢生的「使命」就是希望埋骨於大陸。㉑一九四六年九月十三日，吳新榮的第五個兒子出生，他爲之取名爲「夏統」，即取其「大夏一統」之意，希望這個小孩成爲「漢天下的眞子孫」。㉒其實，吳新榮並不是特例，心向故國正是日據時代台灣人共同的祈嚮。台灣著名作家巫永福在一篇懷念二二八被害人陳炘（一八九三—一九四七）的文章裡，就回憶日據時代的生活經驗說：㉓

雖然當時台灣的教育文化及現代文明的生活水準遠優於中國大陸，我們卻有血濃於水的感情，每看中國節節敗退，就有如先生所詠「平生暗涙故山河」的感嘆，而不懼日本要求改姓名的壓力，不改姓名，而在皇民化運動聲中，我們得先生鼎力的支助演出蘇俄作家原作《怒吼吧！中國》的話劇以表我們的心態。

巫永福在中日戰爭期間日本人在台灣推動皇民化運動如日中天之日，推動《怒吼吧！中國》話劇的演出，這種勇氣與行動如非有強烈的民族意識作爲精神基礎，絕不足以成事。

---

⑳ 吳新榮：《吳新榮書簡》（台北：遠景出版社，一九八一），頁七八—七九。

㉑ 吳新榮：《吳新榮日記（戰前）》（台北：遠景出版社，一九八一），頁九一。

㉒ 吳新榮：《吳新榮日記（戰後）》（台北：遠景出版社，一九八一），頁二〇。

㉓ 巫永福：《三月十一日懷念陳炘先生》，《台灣文藝》一〇五期（一九八七年五—六月），頁八三。關於陳炘的生平及遇害，參考：李筱峰：《林茂生、陳炘和他們的時代》（台北：玉山社出版事業股份有限公司，一九九六）。

這種強烈的民族意識，也使在日本舉辦的萬國博覽會擔任嚮導的楊肇嘉（一八九一—一九七六）碰到中國大陸來的人就感到十分興奮，他這樣回憶在日本打工的那一段經驗：㉔

許多有地位的中國觀衆，也許是爲了同情我的處境，給了我不少接濟，勸我找機會到祖國大陸去走一趟。他們說：「祖國正需要像你這樣的台灣青年去工作，去參加國家建設。」這些話給我的印象極深。是的，我們都是黃帝的子孫，我們應該回到祖國，爲建設祖國而奮；做牛做馬爲日本帝國主義工作是可恥的，做日本帝國主義的奴隸更是可悲的。由此，民族意識的自覺驟然間使我振奮起來。

楊肇嘉所報導的他在日本時的民族意識，其實也是當時一段台灣民間的思想氛圍。楊肇嘉又說，在日據時代「台灣人民一直在使用著自己的語言和文字，很多詩社都在繼續活動，很多不公開的書房、義塾也依舊在維持著，各地仍存在有南管、北管等音樂團體，甚至酒館的藝妓也仍在唱著中國歌曲，她們並且表示賣藝不賣身，不願被日本人污辱。極少數賺日本人錢的，都被稱爲『番仔雞』；極少數嫁給日本人爲妻的，都被稱爲『番仔酒矸』，爲人所輕視不齒，在台灣是沒有立足之地的。我曾從戶口簿上蒐集材料，做了一個概略的統計，發現在整整五十年間，台灣婦女嫁給日本人爲妻的，爲數竟還不能屈滿兩手之指。」㉕

㉔ 楊肇嘉：《楊肇嘉回憶錄》（台北：三民書局，一九七七），頁一〇〇—一〇一。
㉕ 楊肇嘉：《楊肇嘉回憶錄》，頁四。

也正是日據時代瀰漫於民間社會的民族文化意識，使畢業於東京帝國大學的楊基銓（一九一八—）出任宜蘭郡守時，受到宜蘭人的熱烈支持。楊基銓認爲這是「因爲宜蘭有此種民族意識，所以我做郡守，他們認爲有一位年輕的台灣人爬上統治台灣人的日本人的上面，去作他們所恨的日本人、特別是日本人警察的上司，等於替他們出了一口氣，他們從我身上找到多年來受異族統治壓制、苦悶而無法散發的那種怨氣得以發洩的途徑。」㉖民族意識不但使楊基銓出任郡守廣獲支持，也使一九二五年（大正十四年）當中國有人提倡與日本共組「日華攻守同盟」時，《台灣民報》對此事特別撰文報導，頗表期待。㉗在二二八事變期間領導二七部隊與國軍作戰的鍾逸人（一九二一—），曾因抗日被囚於日本的監獄，他在獄中對中國人囚犯有一種特別的關懷，他說：「當我獲知他是中國人時，一種同胞愛和憐憫之心便油然而生。對常來帶他出去『修理』和拷問的那個『特高』的憤恨尤其使我久久不能平復。」㉘凡此種種歷史事實都一再說明：日據時代反抗日本人的「台灣意識」的重要成份就是民族意識。

但是，在結束這一小節討論之前，我必須進一步說明：日據時代「台灣意識」中的民族意識之基本內涵，**「文化認同」之成份遠大於「政治認同」之成份**。換言之，當時台灣人所認同的是源遠流長的漢文化，而不是當時統治中國的政權。台灣作家吳濁流（一九〇〇—一九七六）回憶幼時聽祖父述說抗日

㉖ 楊基銓：《楊基銓回憶錄》（台北：前衛出版社，一九九六），頁一三二。

㉗ 《台灣民報》第六十一號，大正十四（一九二五）年七月十九日，頁八。

㉘ 鍾逸人：《辛酸六十年》（台北：自由時代出版社，一九八八），頁一三六—一三七。

故事之後曾說：「台灣人具有這樣熾烈的鄉土愛，同時對祖國的愛也是一樣的。思慕祖國，懷念著祖國的愛國心情，任何人都有。但是，台灣人的祖國愛，所愛的絕不是清朝。清朝是滿州人的國，不是漢人的國，甲午戰爭是滿州人和日本人作戰遭到失敗，並不是漢人的戰敗。台灣即使一時被日本所佔有，總有一天會收復回來。漢民族一定會復興起來建設自己的國家。老人們即使在夢中也堅信總有一天漢軍會來解救台灣的。台灣人的心底，存在著『漢』這個美麗而又偉大的祖國。」㉙吳濁流這一段回憶之言很具體地告訴我們當時台灣人民族意識中的「文化認同」之本質。

（2：2b）但是，日據時代的「台灣意識」尚有另一個面向：**階級意識**。所謂「**作爲階級意識的台灣意識**」是指：絕大多數台灣人在與日本殖民者相對的政治經濟脈絡之下，都是被統治階級；而日本人以殖民者之地位而居於統治階級。因此，日據時代台灣人的民族運動與階級運動遂有其重疊性。將這個問題分析得最深入的仍是矢內原忠雄的《日本帝國主義下的台灣》這部經典性的著作。矢內原忠雄指出：日本佔領台灣以後，逐漸將台灣加以資本主義化。這種資本主義化的過程，使台灣社會中的階級關係由封建的前資本主義的關係變爲近代的資本主義的關係；而且因爲殖民者日本人與原住者台灣人及「生番人」一起生活在台灣，所以，台灣社會的階級關係就與民族的對立互相交錯而且互相競爭，出現了殖民地特有的複雜狀態。大體言之，官吏公務員、資本家及其從屬人員（如公司職員、銀行員等）均

㉙ 吳濁流：《無花果》（台北：前衛出版社，一九八八），頁三九。

由日本人獨占；他們的背後，又有在日本國內的政府及大資本家的強權為其後盾。農民勞動者階級則大部分是台灣人。至於中產商工階級，則日本人與台灣人互相競爭。在自由職業領域，則兩者並立，台灣人也形成一堅強的勢力。因為日本人獨占總督府及大資本家的企業，所以在政治及經濟方面成為台灣的支配者。農民及勞動者階級是台灣人的勢力，日本人在這一階級內的地位就很微弱。中產商工業及自由職業階級雖為日本人與台灣人的並立競爭，但既屬競爭，則日本人自然附於日本人的獨占勢力（即政府及大資本家），同樣的，台灣人則與農民勞動者階級合流而成為農民勞動階級指導者。日本人對台灣人的民族對立，同時也是政治上統治者與被統治者的對立，並與資本家對農民勞動者的階級對立相一致、相競爭。㉚**換言之，文化上「民族的矛盾」與政治經濟上「階級的矛盾」，在日據時代的台灣是合而為一的**。

因此之故，日據時代台灣人對日本統治當局的反抗，也同時是階級的反抗，我們舉實例加以說明。一九二五（大正十四）年二月，台灣總督伊藤多喜男（在任一九二四、九—一九二六、七）提出「台灣統治之對象，是在三百六十萬島民」的看法，結果遭到在台灣的日本人的強烈批評，認為總督的說法無視於在台的十餘萬日本人之權益。《台灣民報》就轉載大阪的《朝日新聞》的報導並指出：在台灣的日

㉚ 矢內原忠雄著，周憲文譯：《日本帝國主義下之台灣》（台北：台灣銀行經濟研究室，一九五六），頁四八。矢內原忠雄對於被壓迫者的同情與支持，對於受教於他門下的朱昭陽啓發極大。見《朱昭陽回憶錄》，（台北：前衛出版社，一九九五），頁三〇、三八—三九。

本人的抗議實起於他們要保持在台灣的統治階級地位之私心。㉛一九二四（大正十三）年，日本衆議院議員神田正雄發言同情台灣人，認爲台灣人之反日只不過是爲了參與台灣政治事務而已。《台灣民報》也特別報導此事。㉜同年，以在台日本人爲主的台北實業學會提出陳情書，要求總督安頓在台日本人。《台灣民報》就批評說這是「要求當局再加倍優待在台的日本人，而更壓迫差別台灣人。」㉝《台灣民報》甚至也藉慶賀皇孫誕生而申訴「我台灣三百八十萬新附島民，素雖苦於差等之遇，困於彼此之疏……。」㉞凡此種種都說明了當時的「台灣意識」，實涵有相當強烈的階級意識在焉。

總結上文的探討，日據時代是「台灣意識」發展的第二個階段，這個時期的「台灣意識」既表現爲民族意識，又是階級意識，這主要是決定於當時台灣是日本帝國殖民地這個歷史事實。

（三）光復後：一九四五—一九八七

（2：3）一九四五年八月十五日第二次世界大戰結束，日本宣佈無條件投降，台灣光復，「台灣意識」進入第三個發展階段。**這個階段的「台灣意識」基本上是在「台灣人—外省人」相對的脈絡中形**

㉛《台灣民報》第三卷第六號，大正十四（一九二五）年二月二十一日，頁七。
㉜《台灣民報》第二卷第十七號，大正十三（一九二四）年九月十一日，頁六。
㉝《台灣民報》第三卷第十四號，大正十四（一九二五）年五月十一日，頁六—七。
㉞《台灣民報》第八十三號，大正十四（一九二五）年十二月十三日，頁二。

成發展，所以，它基本上是一種省籍意識。從當時的人所留下來的第一手史料看來，光復初期作為省籍意識的台灣意識之形成，（2：3a）固然根源於日據五十一年的歷史斷裂所引起的台灣人與大陸人的隔膜，（2：3b）但是，更重要的是則是光復以後權力分配不平衡，使台灣人對「祖國」的期待落空所致。我們接著分析這兩項因素。

（2：3a）**歷史斷裂所造成的隔膜**：一九四五年台灣光復，台灣人心振奮，以為從此掙脫異族統治，恢復自由與平等，「喜離淒風苦雨景，快睹青天白日旗」，這幅當時台北市慶祝光復時的牌樓的對聯，烘托出當時台灣人的心情與期待。光復後，從中國大陸來到台灣參訪的各階層人士，對台灣的進步都一致稱讚。中國農村復興聯合委員會（農復會，一九四八、十—一九七九、三、十六）的農業專家對台灣農業基礎建設之進步、農產品之優良、農民智識之開發等均稱讚不已。㉟福建教育人員來到台灣，稱讚台灣人的樸實親切與火車之新奇。㊱京滬平昆記者團來台灣訪問，對台灣社會治安之安定印象深

㉟《中國農村復興聯合委員會工作報告》（民國三十七年十月至三十九年二月十五日），頁一二。當時隨農復會來台的美籍委員貝克（John E. Baker）對台灣與大陸的強烈也印象深刻，在他的回憶中對台灣大加稱讚，見：John Earl Baker, *JCRR MEMOIRS Part II. Formosa*, Chinese-American Economic Cooperation, February 1952, Vol.1, no.2, pp. 59-68，收入黃俊傑編：《中國農村復興聯合委員會史料彙編》（台北：三民書局，一九九一），頁九一—一一〇。

㊱柯飄：《台灣初旅》，《聯合報》，一九五一（民國四十）年十月二十五日，第八版。

刻，認爲與大陸之內戰混亂構成強烈對比。㊲時任《大公報》記者的著名作家蕭乾說：「由上海而台灣，再由台灣而廣州，這個弧形的飛翔，給我的刺激太深刻了」，㊳對台灣的社會、經濟、民情等各方面推崇備至。㊴但是，半世紀的歷史斷裂畢竟不是久別重逢的振奮與浪漫的欣喜所能立即癒合的。在民間社會及公私機構裡，台灣人與外省人的隔膜處處存在。當時從大陸來的外省人常有這樣的經驗：㊵

許多次，在戲院，茶室，街頭，碰著說「中國人」「中國官」「中國兵」的話頭語尾飛進我們的耳朵時，總使我們諤然，以爲置身異境，可是這明明是在中國境内，所看到的不是一樣而有掛國父遺像和國旗的地方，而且聽到的也不就是很熟悉的閩南話嗎？但爲什麼語氣是那樣地生疏呢？這使我們的心頭很悶氣，覺得有一股不可遏止的熱在激動著、敏感地去注視那個講這話的人，仔細觀察他們是否中國人。有幾次我們總是不怕麻煩、不顯唐突地找個機會去訪問他們，問他們「貴國是那裡」？但對方一聽到我們操著同樣的語言時，就毫不猶豫帶著奇異的眼光答道：「我們是中國人。」於是大家就在「我們都是中國人」的笑聲裡感到親切的友情，等到我們各解釋了剛才爲什麼冒昧地來訪時，他們就翻個白眼似醒悟了赧然地表示抱歉。

㊲《京滬平昆記者團台行觀感諸家》，《台灣月刊》第二期（一九四六年十一月），頁二五—二七。

㊳蕭乾：《人生採訪》（台北：聯經出版公司，一九九〇，初版於一九四八年在上海出版），頁二四九—二六〇。

㊴我將另撰《光復初期大陸人的台灣經驗》乙文，探討這個問題。

㊵張望：《我們都是中國人》，《新生報》一九四六（民國三十五）年六月二十六日，第六版。

這種狀況在光復初期的台灣社會十分普遍，另一位外省人也報導同樣的遭遇說：㊶

在無意的言談中，台灣同胞卻慣常說：「你們中國」怎麼怎麼，「我們台灣」怎麼怎麼，「你們中國人」怎麼怎麼，「我們台灣人」怎麼怎麼。有一次，我看到有個來客到某機關裡去找一位外省職員，那台灣門房告訴他：「先生不在，回去了。」「回到那兒？──他家住在那裡？」來客問。「他回到中華民國去了。」台灣門房答著。這當然不是有意的，而只是一種潛意識的表現。其實，他們這裡所說的「中國」，是指「國內」或者「外省」的意思，所說的「中國人」，是指「內地人」或者「外省人」的意思。

台灣民間社會中日常言談這種「潛意識的表現」，主要是由於歷史的斷層所造成的。

（2：3b）**權力分配不公**：造成光復後作為省籍意識的「台灣意識」之快速成長，與權力分配對台灣人極端不公平有直接關係。潛藏在權力分配問題之後的，則是光復初期來台的一些外省人的優越感。一位外省人在民國三十五（一九四六）年就有這樣的觀察：「在日本人統治時代，日本人就是處處自命為『優秀民族』，而把台灣人視為『劣等民族』，這是台灣同胞所最憤恨不平的。而現在，來自國內的同胞竟也有人拿這種優越感來對待他們，這無怪乎台灣同胞會直覺地感到這種待遇和日本統治時代沒有什麼兩樣，因之誤解國內同胞是一種『新的統治者』，而且又混淆地把這個罪名嫁到政府身

㊶ 姚隼：《人與人之間及其他》，《台灣月刊》二期民國三十五（一九四六）年十一月，頁六四──六五。

上。」㊷台籍作家張良澤（一九三九—）在台南師範學校讀書時所遭遇的是，校內老師或教官皆不准學生自稱「台灣人」而要說「閩南人」，罵學生時就說「你們台灣人……」，使學生自尊心受傷。㊸在政府機關任職的楊基銓也深深感受到外省人這種「優越感」，他說：「政府官員所作所爲處處顯示他們是台灣的拯救者，他們是統治者，台灣人是被統治者，大陸來的人地位高於台灣人。政府的官員大都是貪官污吏、濫用職權、牽親引戚、利用地位謀求私利，政府的行政既無規律也無制度，效率極差，加上官尊民卑的歧視心態使台灣人無法忍受。」㊹諸如此類的省籍歧視，瀰漫於光復初期的台灣社會，使台灣人從光復的期待墜入失望的深淵。

光復後台灣人所期待的是什麼呢？一言以蔽之，就是政治上的自由與平等。記者兼作家蕭乾在一九四七年一月來台灣，盛讚台灣的工業、軍事教育、工廠福利、現代生活等方面之凌駕大陸之處，並結論說：「台人投奔到祖國懷抱來，沒有別的苛求，祇求准他們噹噹自由。」㊺蕭乾並且預言說：㊻

傳統的中央集權觀念在大陸中國已造成了若干致命的病象，在文化政治經濟上脫節了五十一年之久的台灣，尤難行得通。台灣究將成爲中國的愛爾蘭呢，還是內向爲中國的一肢，那就端看大陸的政

㊷ 同上註引文，頁五七。
㊸ 張良澤：《四十五自述》（台北：前衛出版社，一九八八），頁五五—五六。
㊹ 楊基銓：《楊基銓回憶錄》，頁一九七。
㊺ 蕭乾：《人生採訪》，頁二五七。
㊻ 蕭乾：《人生採訪》，頁二五九。

治風度了。不能忘記台灣在心坎上以目前同往昔無時無刻不在比較。不能忘記他們要的不是鎖鍊轉了手，而且是更紐更緊的手。

蕭乾的預言竟不幸而言中！從大陸來的新統治者的「政治風度」的確使台灣人失望。陳儀的行政長官公署中，從行政長官、秘書長、主任秘書到各處處長、副處長的二十一個重要職位中，外省人占了二十個，台灣人只有一個當過北大教授的「半山」宋斐如擔任教育處副處長。在全台灣的縣市長中，只有台北市長黃朝琴、游彌堅，新竹縣長劉啓光、高雄縣長謝東閔等人而已。台灣人普遍感覺，大陸來的接收人員，素質參差良莠不齊；有些不學無術，得意忘形，僚氣逼人，牽親引戚，結黨營私，貪贓枉法，強取豪奪，把「接收」變成爲「劫收」，大演「五子登科」（「五子」指金子、房子、車子、戲子、女子），使在日本統治之下已經養成守法習慣的台灣人看得目瞪口呆，簡直是匪夷所思，弄得怨聲載道，民氣沸騰。㊼台灣人在這種權力結構之下備受壓抑，台灣人憤憤不滿，甚至曾以一篇《華威先生遊台記》的諷刺文字，刊在《公論報》上，對當時來台外省籍官僚之作威作福，極盡諷刺之能事，㊽這篇文章將作爲省籍意識的「台灣意識」宣洩無遺。當時台灣人普遍將外省人稱爲「阿山」，㊾則是這種省籍

㊼ 朱昭陽：《朱昭陽回憶錄》，頁九二—九三，對光復初期的政治，有第一手的報導。
㊽ 艾那：《華威先生遊台記》，《公論報》，民國三十七（一九四八）年九月二十三日，六版，第一頁。
㊾ 姚隼：前引《人與人之間及其他》，頁五八。姚隼曾歸納當時的「阿山」一詞涵義有四：（1）「阿山」是含有「非本地人」的意味，以示與台灣人有別；（2）「阿山」是指「特殊階級」而言；（3）「阿山」又含有蔑視的成分；（4）「阿山」又帶有「洋盤」，「冤大頭」的意思。

意識為內涵的「台灣意識」的具體表現。

總結上文的討論，光復以後的「台灣意識」之基本內涵是省籍意識，但是這種省籍意識之形成則與光復後權力分配對台灣人不公平有直接關係。這種省籍意識經過數十年的同學、同事以及通婚等管道，已漸趨融合，但是，自從一九八七年戒嚴令廢除後最近十餘年來，隨著民主化的潮流，朝野少數政客玩弄省籍意識以騙取選票，似有死灰復燃之勢，令人憂心。更值得注意的是：這個階段的台灣意識，潛藏一種**二分法的思維方式**：台灣人／外省人；本土的／外來的；被統治者／統治者。這三組對立的兩極中，第一種人被等同為一個範疇，第二種人則被視為同一範疇。正是在這個背景之下，我們進而探討第四階段「台灣意識」的發展。

（四）後戒嚴時期：一九八七至今

（2：4）自從一九八七年七月戒嚴令廢除以後，台灣開始進入歷史的新階段。戒嚴令的廢除，很像壓力鍋的鍋蓋一旦被掀開，過去四十多年來被壓制的社會力與經濟力一湧而出，在「民主化」的歷史潮流中要求取得相應的政治影響力，於是，所謂「後戒嚴時代」台灣，以驚人的速度邁向民主化，一方面固然使個人自由及群體意志都獲得空前的舒展機會，使台灣的民主成為全體華人社會的光輝成就；但是另一方面，社會力及經濟力之滲透到政治領域，則又使台灣的民主經驗沾染了過多的「黑金政治」的色彩。在意識型態領域裡，「台灣意識」也進入了第四個發展階段。

正如上文（2：3）所說，光復以降的「台灣意識」之主要內涵是省籍意識，但是，這個階段隨著一九八七年一月十三日李登輝政權的出現而宣告結束。自從一九八七年以後，以前所謂「台灣人／外省人」、「本土的／外來的」以及「被壓迫者／壓迫者」的二分法思維，隨著民主化的快速進展而愈來愈失去其說服力。進入後戒嚴時代的台灣，所謂「台灣意識」正在被賦予新的內涵，而在去（一九九八）年年底台北市長選舉白熱階段中，李登輝總統牽著台北市長候選人馬英九的手高喊「我是新台灣人」口號中完全成型。這十多年來**以「新台灣人」爲口號的台灣意識，（2：4a）對內而言以台灣作爲一個整體**，包括不同時代移居台灣的各種族群居民而言，**對外則是與整個中國大陸相對照，強調台灣的獨特性與先進性**。這種「新台灣人意識」，可以上溯到日據時代台灣知識份子的思想之中。（2：4b）但是，現階段的「新台灣人意識」其實是一個空白主體，缺乏「自性」，只是作爲一種「符號」（sign），常被不同立場的人注入不同的內容。我們接著分析以上這兩項論點。

（2：4a）現階段「新台灣人意識」中的所謂「新台灣人」泛指閩南人、外省人、客家人、原住民等在歷史上不同時期遷入台灣島嶼居住的人，將台灣視爲與大陸相對的一個整體。這種「將全體台灣居民視爲一體」的心態，是五十年來的歷史發展的自然結果。民國八十七（一九九八）年十一月二日下午，台灣省議會第八次定期大會第三十四次會議之省政總質詢後，當時的省長宋楚瑜有一段話說：㊿

> **楚瑜不會忘記過去五年多的時光，省府同仁陪著楚瑜的座車，行過包括台灣省所有省道、縣市鄉道**

㊿《台灣省議會公報》第八十四卷，第十四期（台北：台灣省議會，一九九八年十二月一日），頁一九七八。

> 在內，可以繞地球六圈的二十四萬公里道路；我們一起走過的台灣土地，豈只是八千里路雲和月；爲了快速回應省民亟需解決的生存、生活乃至發展的問題，省政府同仁陪著我飛過超過兩百八十次的直昇機，我們有數百次的機會，在星空下坐飛機中俯瞰台灣錦繡的山河與海角；當我們登上台灣土地的最高點──玉山，看到台灣的山川，是如此秀麗、如此壯闊，楚瑜內心的感動，眞是無以名狀。

這段話雖然是政治人物的門面話，但它透露的訊息是：經過長期的共同在台灣這個島嶼上生活與任事，不論台灣人或外省人都逐漸形成一個整體。這種「整體感」隨著近十年來中共政權在國際外交上對台灣強力打壓，以及一九九六年三月總統大選期間，中共的飛彈威脅而更爲強化，[51]使「新台灣人意識」取得了對外抗拒強權的新涵義。

但是，從思想淵源來看，近十年來的「新台灣人意識」似新而非新，它早已出現於日據時代台籍知識份子的言論之中。早在一九二五年（大正十四）年一月一日，黃呈聰就在《台灣民報》撰文呼籲要建設具有台灣特色的文化。黃呈聰主張台灣新文化是在固有文化的基礎上，整合並調融外來的文化，而建

---

[51] 關於一九九六年的飛彈危機的學術性研究論著，參看：Jaw-Ling Joanne Chang, "The Taiwan-Strait Crisis of 1995-1996: Causes and Lessons", in Chun-chieh Huang et. al. eds., *Postwar Taiwan in Historical Perspective* (College Park: University Press of Maryland, 1998), pp.280-303; James R. Lilley and Chunk Downs eds., *Crisis in the Taiwan Strait* (Washington. D. C.: National Defense University Press, 1998).

構適合於台灣環境的新文化。⑫也在同一年，甘文芳也提出建設「新台灣」的主張，合理地改造新台灣並建立新型的台灣政治與社會，尤其要革除舊台灣常見的眼界狹窄、缺乏歷史知識、認爲道理萬世不變等思想習慣。⑬戰爭期間的一九四一年八月一日，吳新榮在日記中更以台灣爲中心，環顧世界及中國大陸，提出「台灣爲東南亞最中心，故可稱地理上的聖地」的「台灣中心說」。⑭戰前台灣知識份子的「新台灣文化論」或「台灣中心說」，都爲今日的「新台灣人意識」的奠定意識型態的基礎。

（2：4b）但是，值得注意的是：**現階段的所謂「新台灣人意識」卻是一個空白主體，它缺乏足夠的具體思想內涵**，因此，現階段的「新台灣人意識」的口號意義遠大過於實體意義，正因爲「新台灣人意識」是一個「符號」（sign），所以許多不同政治立場或社會階級的人，都可以爲「新台灣人」讀入互異的內容。一九九四年九月《遠見雜誌》出版「新台灣人」專號，列舉不同人士對「新台灣人」一詞的不同解讀：⑮

「新台灣人就是能夠逃出大中國情結，徹底認同台灣命運共同體的人。」──彭明敏（一九二三──）

「新台灣人就是能夠走出台灣悲情歷史，面對海峽兩岸和解，停止民族內耗的積極作爲者。」──王

---

⑫ 黃呈聰：《應該著創設台灣特種的文化》，《台灣民報》第三卷第一號（大正十四年一月一日），頁七──八。

⑬ 甘文芳：《新台灣建設上的問題和台灣青年的覺悟》，《台灣民報》第六十七號，大正十四年八月二十六日，頁一五──一八。

⑭ 吳新榮：《吳新榮日記（戰前）》，頁一一二。

⑮ 《遠見雜誌》，一百期特輯「新台灣人」（台北：遠見雜誌社，一九九四年九月十五日），頁一九。

津平

「舊台灣人很悲情，有強烈的排他性；新台灣人是有包容性、族群融和，認同自己是台灣人的。」—歐秀雄

「新台灣人沒有省籍情結，沒有歷史包袱，前瞻進取。」—楊泰順

不同的統獨立場的人，可以爲「新台灣人」這個名詞進行不同的解讀，可見「新台灣人」一詞其實只是一個容器，可以被用來裝入不同的政治或社會思想。

我說所謂「新台灣人意識」是一個空白主體，欠缺「自性」，[56]無具體內容，可以在中國國民黨中央文化工作會對「新台灣人」一詞的詮釋中略窺消息：[57]

「新台灣人」不再意指任何族群，而成爲一個新概念，是透過包容與關懷來凝聚、整合全體力量的新人文觀。撤走了藩籬，生活在這塊土地上的每一個人，因此，都是共同迎接二十一世紀的「新台灣人」。現實亦復如是：幾十年來，這裡的每一個人胼手胝足一起投入台灣的建設，一起見證了台灣的發展，每一個人都在這個「生命共同體」裡立足與成長，而這個團隊少了任何組成份子，就構不成今天這樣的共同體。但也沒有英雄主義、不搞個人崇拜，因爲「台灣奇蹟」你、我都有份，是

[56]《大方廣佛華嚴經金師子章・明緣起第一》云：「謂金無自性，隨工巧匠緣，遂有師子相起」，本文在此使用之「自性」一詞涵義本此。

[57]黃麗卿：《我們都是新台灣人》，《中央綜合月刊》，三十二卷一期（一九九九年一月），頁八—九。

個集體創作的成就，我們每個人在團隊裡特有的價值都應該被彰顯，每個人在此都應該被公平對待，都有權分享這一切，也有義務和責任貢獻心力，共同面對更大的挑戰，迎接新世紀的來臨。

這樣對「新台灣人」一詞的說明，只是一連串的形容詞，缺乏具體的內容，爲各種立場人士留下了寬廣的自由詮釋空間。例如有人就將「新台灣人」解釋成「與時代同步的『新』經濟人：不再以低價格求訂單、不再依賴政府求保護、不再在法律邊緣經營求利潤、不再漠視公害求生產、不再只用家族求發展。此外，『新』經濟人必須重視研究與發展、發揮企業良知、善盡社會責任，並且樂意與員工分享利潤、與社會共創進步」。[58]這可以說是從資產階級觀點對「新台灣人」的解讀。類似的解讀可以無限繼續下去，而使「新台灣人」一詞獲得「語言膨脹」的效應。[59]但是「新台灣人」一詞是一個空白主體則是一項明顯的事實。

---

[58] 高希均：《「新」台灣人：改寫台灣生命力的新劇本》，《中央綜合月刊》三十二卷一期，頁三六—三八，引文見頁三七。

[59] 《中央綜合月刊》三十二卷一期頁四一—四五就列舉歌星、藝人、畫家、出版社負責人、廣告業者、家庭主婦對「新台灣人」一詞的各種解讀。

三、「台灣意識」的特質

我們將「台灣意識」的發展分爲四個歷史階段，可能引起一種研究方法論的質疑：「台灣意識」的進展是思想史的現象，如何能以政治史的斷代方式加以分期？這項質疑雖然在方法論上是合法的，但是這是不必要的質疑，因爲「台灣意識」的發展與台灣政治史之進程實有其桴鼓相應之關係。質言之，（3：1）「台灣意識」是在每個歷史階段的政治脈絡中形成的，這種脈絡性（contextuality）深植於各個階段的政治背景之中。（3：2）而且，值得注意的是，在各階段歷史脈絡中，「台灣意識」基本上都是發揮某種作爲抗爭論述的作用。我接著闡釋這兩項論點。

（3：1）**近百年「台灣意識」的發展與與政治史的發展互相呼應**：自從一八九五年日本帝國主義者佔領台灣以後，百年來「台灣意識」就是在具體而特殊的歷史脈絡中醞釀、形成、發展、轉變，有其強烈而清晰的「脈絡性」。

日據時代的「台灣意識」是在「台灣人/日本人」的民族矛盾，以及「被統治者/統治者」的階級矛盾的雙重脈絡之中形成發展的，所以，日據五十一年間的「台灣意識」既是民族意識，又是階級意識，兩者合而爲一。生於日據時代的葉榮鐘回憶他的經驗說，「（日本人的）歧視和欺侮，無異給台人的祖國觀念與民族意識的幼苗，灌輸最有效的化學肥料一樣，使他滋長茁壯而至於不可動搖。」⑥⓪葉榮鐘的親身經驗，的確可以說明日據時代的「台灣意識」是在日本殖民統治壓迫的脈絡中發展的。

光復後的「台灣意識」之所以以省籍意識爲其主要內涵，則是由於光復初期來台「接收」的黨政軍大員將「接收」變成「劫收」，使台灣人的祖國夢碎，台灣光復時葉榮鐘所賦「八月十五日」七言律詩的前二句「忍辱包羞五十年，今朝光復轉凄然」，⑥①將光復初期台灣人的失落心情完全表露無遺。接著一九四七年爆發二二八事變及其後的清鄉等白色恐怖，創造了一個新的歷史脈絡——台灣人＝被統治者／外省人＝統治者。雖然居統治地位的外省人僅佔一九四九年來台外省人的少數，而且光復後台灣的白色恐怖受難人中外省人也不在少數，但這種歷史脈絡一旦形成，它就成爲民間社會習慣性的思維方式。光復後的「台灣意識」在這種歷史脈絡中就以省籍意識爲其主要思想內容。

進入後戒嚴時代以後，隨著民主化的來臨以及權力結構的轉變，以前的「台灣人／外省人」的二分法思維架構遂被解構並重組。由於少數「台灣人」隨著權力重組而成爲新統治者，「外省人」成爲新的被統治者，所以近十年來台灣政治領域內的權力鬥爭極爲激烈，引發社會不安。所謂「新台灣人意識」是在後戒嚴時代這種特殊的歷史脈絡中形成並發展，其目的在於癒合由於權力重組所帶來的社會族群關係的緊張。正因爲「新台灣人意識」的目的性在此，所以「新台灣人」的概念是一種空白的論述，缺乏

---

⑥⓪ 葉榮鐘：《小屋大車集》（台中：中央書局，一九九七），頁二四。

⑥① 同上書，頁二一二。

具體的實體性，可以被各種立場人士注入不同的內容。

（3：2）從歷史的回顧中，我們又可以看到：**自從一八九五年以後，台灣意識的發展有其明顯的針對目標**，例如日據時代的「台灣意識」，是針對日本帝國主義與殖民主義而發，反對日本人的壓迫；光復後的「台灣意識」，是針對當時的國民黨政權對本省人的歧視與壓抑，以及權力分配的不公不義而發；進入後戒嚴時期以後的「新台灣人意識」對內追求各族群之台灣住民之團結，對外則是爲抗拒中共政權的蠻橫與打壓。作爲一個整體歷史現象來看，近百年來各階段的「台灣意識」論述，本質上是一種抗爭論述，其所發揮的是對內鞏固民心團結力量的作用，例如在日據時代「台灣意識」可以鼓舞異族統治下的漢民族的團結意識；在光復初期，「台灣意識」則強調「台灣人／外省人」的區分，向當時的國民黨政權爭正義；現階段的「新台灣人意識」，則對內要求各族群平等相待，團結以禦外侮，抵抗中共政權的打壓。**從近百年來「台灣意識」基本上是一種抗爭論述**這一點著眼，中共政權在外交及軍事上對台灣一再打壓，其所引起的反效果必可預期。中共的打壓將被解釋爲「與全體台灣人民爲敵」，其有助於「新台灣人意識」之成長，將是歷史的必然。

也從「台灣意識」的抗爭論述這項性質來看，我們可以說：在二十一世紀多元文化與國際政治秩序裡，台灣意識論述應從過去的抗爭論述轉化成一種文化論述，而成爲與中國大陸及世界進行有益的文化對話的基礎。所謂「**作爲文化論述的台灣意識論述**」，是指「台灣意識論述」在台灣與大陸互動的脈絡中，在「文化認同」與「政治認同」之間求取一個動態的平衡；而在台灣與世界互動的脈絡中，則作爲文化論述的「台灣意識論述」，正可以在國際政治秩序中，訴求「差異政治」（politics of difference），突顯台灣文化與政治在二十一世紀世界新秩序中的地位與價值。

四、結論

從本文的分析，我們可以發現：所謂「台灣意識」是一個複雜的觀念叢，層次既多，方面亦廣，它可以細分爲「文化認同」與「政治認同」兩個組成部分。在近代台灣數百年的歷史進程中，台灣意識中的「文化認同」與「政治認同」之關係頗爲錯綜複雜，兩者間既有互相依存性又有緊張性。從一方面來看，抽象的「文化認同」必須落實在政治活動中才能具體化；但是，從另一方面來看，則「政治認同」也必須以「文化認同」爲其基礎，華人社會的台灣更是如此。

本文的分析也顯示：從明清、日據、戰後到最近十年間，「台灣意識」歷經變化，但均在政治史之具體而特殊的脈絡中發展。早期的台灣只有作爲地方意識的漳、泉意識，到了日據時代由於居於殖民者地位的日本帝國主義者的壓迫，「台灣意識」逐漸形成。日據時代的「台灣意識」既是反抗大和民族的漢民族意識，又是反抗殖民統治者的階級意識。光復以後，尤其是一九四七年二二八事變以後，在當時國民黨威權統治之下，「台灣意識」與省籍意識結合並且受到省籍意識的滲透，以反對以大陸籍人士爲主的當時的國民黨爲其重要內容。一九八七年七月戒嚴令廢除以後，「台灣意識」的內涵又經擴大變化，包括台灣社會中的閩南人、客家人、外省人及原住民，成爲相對於中國大陸而言的新的政治意識。在這種新的政治意識中，反共、反專制是其重要內涵。

縱觀近百餘年來，「台灣意識」的轉折變化，我們可以發現歷史上的「台灣意識」基本上是一種**抗爭論述**——反抗日本帝國主義、反抗國民黨威權統治、反抗中共的打壓。展望未來，「台灣意識」應該**從抗爭論述轉化爲文化論述**，才是一個較爲健康的發展方向，庶幾「台灣意識」才能成爲二十一世紀新的世界秩序與海峽兩岸關係中發揮建設性的作用。

台灣意識的歷史軌跡

郭炤烈／上海國際問題研究所研究員

我在近十年前，曾經發表過一篇《談談「台灣意識」》的論文。①在那篇文章中，我說過，作爲「中國意識」一部分的「台灣意識」，是具有台灣特點的社會意識，是同中國意識並存的，而且是統一的。這同披著「台獨意識」的外交，卻爲著他們的政治目的而利用「台灣意識」的形形色色的「台獨意識」，是水火不相容的。因爲被一部分人用來包裝「台獨」內涵的「台灣意識」，都是無視客觀現實和不顧歷史傳統，主張獨立於「中國意識」，唯恐沾「中國意識」的邊。十年來，台海兩岸的形勢發展了，周圍的情況變得更加複雜，現在，很有必要就這個問題作進一步的闡明。

① 《上海台盟》創刊號，一九九〇年三月十五日出版。

一、「台灣意識」是作為中國人的台灣人的社會意識

意識，是人所特有的反映客觀存在的最高的形式。人的意識產生於社會生產的勞動活動的過程中，是社會發展的產物。人們的社會存在決定人們的社會意識，社會的存在怎麼樣，社會的物質生產、生活條件怎麼樣，社會的思想、理論、觀點也就怎麼樣。可以說，社會意識是社會存在的反映。由於在歷史上形成的原因，今天，在台灣客觀上是存在著具有台灣特點的社會意識的。而具有台灣特點的社會意識，是具有台灣特點的歷史（包括血緣、地緣、經濟、政治、信仰、文化傳統等）的產物，有它產生、發展和演變的過程。根據歷史的記載，公元十七世紀以前，台灣海峽兩岸就存在著人員的來往和關係的，但是從大陸去的人還不是很多，從十六世紀末開始到台灣的商人、漁民逐漸多起來，不過，來自大陸的漢族移民的較明顯的增多，還是十七世紀以後的事。當然，在這以前，台灣各地已經住有分爲各部族的高山族，而這些高山族（如泰雅族、賽夏族、布農族等）的祖先，有不少也是從大陸過去的。雖然他們各有各的信仰、文化和風俗習慣，但是各部族之間，基本上是分開的，而且是互相封閉的。因此，在這樣的階段，還不可能形成島內比較統一的社會意識。只有來自大陸的漢族移民增多，生產方式趨向先進，交通逐漸發展，人民的接觸和語言的交流漸趨頻繁，生活條件也逐步提高以後，那種繼承大陸傳統，並具有台灣特點的社會意識才逐漸形成、發展和演變過來。這種社會意識，從本質上來說，同中國其他地區的地方意識，並沒有兩樣，但在台灣出於它在歷史上的特殊遭遇，而表現得更爲獨特。不過，

不管它有多麼特殊，如果把它放在歷史的長河中來考察，人們不難發現，客觀存在著的「台灣意識」，應該是作爲中國人的台灣人在不同歷史時期的社會意識。我們應該歷史地、正確地去認識和把握它的內涵，並正確地對待它和處理它，增加兩岸的共識和互信，從而增強台海兩岸的民族凝集力，通過共同的努力去爭取中華民族的全面振興和光輝未來。

二、「台灣意識」在歷史長河中的發展和演變

（一）公元十七世紀以前

從十九世紀七〇年代在台灣省台南縣左鎭鄉考古中發現的離現在有三萬年前的「左鎭人」，到史前的台灣早期住民，經過考古學者的考證，台灣早期住民的大部分是從大陸過來的，有來自大陸的北方，也有來自大陸的南方沿海，有的是直接過來的，有的則間接過來的。因此，有些日本學者指出：「台灣先史文化的基層是中國大陸的文化，此種文化曾分數次波及台灣。」不少中國學者也持類似觀點。②

按照歷史的記載，在二千多年以前，中國大陸上的人就知道在東南沿海有一個美麗的島嶼，漢代的

---

② 陳孔立教授主編的《台灣歷史綱要》（一九九六年十月台北「人間出版社」出版），第一章中提到的金關丈夫，鹿野忠雄和凌純聲、徐松石、劉芝田等中日學者。

「東鯷」，三國時的「夷洲」，隋代的「琉求」，都指的是台灣。舉幾個例子來說，早在公元二三〇年（吳國黃龍二年），吳主孫權派遣將軍衛溫、諸葛直率將士萬人「浮海求夷洲」，但由於疾疫流行，水土不服，而不能久留，只得帶數千多夷洲人返回大陸，這是漢族軍隊最早去台灣的。③又有一次是，公元六一〇年（隋大業六年），隋煬帝武賁郎將陳稜及朝淸大夫張鎭州率領東陽（今浙江金華、永康等地）兵萬餘人，從廣東潮州起航，繞道到台灣。他們在台灣逗留一個時期，對當時台灣的民情風俗、生活情況作了調查研究。④唐代，浙江人施濟吾率族人到澎湖開發；到南宋時，澎湖已經隸屬福建省晉江縣，成爲中國行政區域的一部分；元朝時，在澎湖設立了「巡檢司」，雖然巡檢職位很低，但澎湖巡檢司的出現，說明了元朝政府已經具體地在這個地區設置了行政管理機構。⑤經過元朝到明朝，漢族人民移居澎湖，一小部分移居台灣的漸多，但公元十七世紀以前的漢族移民總的來說是比較少的。由於台灣原住民各部族分散居住，又互相封閉，接觸很少，所以，雖然大陸文化程度不同地對台灣各種住民有所影響，但比較普遍和統一的台灣的社會意識，這時候還沒有形成。

---

③ 陳碧笙教授在《台灣之將來學術討論會論文集》（一九八三年，中國友誼出版公司出版）上發表的論文：《中華民族在台灣》。

④ 同上。

⑤ 陳孔立教授主編：《台灣歷史綱要》第二章。

（二）荷蘭人入侵的三十八年

公元十七世紀初，正值明末、清初，這個時候，移居台灣的漢人逐漸多起來，除了漁民、農民外，還有不少走私商人同海盜（包括倭寇）勾結在一起，經常出沒在台灣、澎湖等地。這個時候，日本正是「安土桃山時代」，即「戰國時代」，武將豐臣秀吉統一了日本以後，從十六世紀後期就用武力迫使琉球國王稱臣納貢，並把侵略矛頭指向台灣、澎湖；繼豐臣秀吉之後而成爲霸主的德川家康，十七世紀初建立了江戶幕府後，繼續推行豐臣秀吉的侵台政策，在世紀之初多次組織了武裝侵台，但都遭到大陸沿海軍民和島上居民的頑強抵抗而始終未能得逞。

十六世紀是西班牙和葡萄牙等西方航海殖民勢力爭奪霸權的時代，它們紛紛從大西洋向印度洋和太平洋擴張它們的霸權，西方人習慣把「台灣」叫作「福摩薩」，而「福摩薩」這個詞正是十六世紀（一五四五年）葡萄牙航船通過台灣海峽的時候，水手們看到台灣的秀麗景色而喊出的「美麗之島」的意思。到了十七世紀初，荷蘭和英國興起，打破了西班牙和葡萄牙獨占殖民地的局面，荷蘭於一六〇二年在巴達維亞（現在的雅加達）設立荷蘭東印度公司，在一六二二年（明天啓二年）先占澎湖，後被明軍逼走後，一六二四年（明天啓四年）乘明朝無力顧及台灣防務的時候，侵占台灣，荷蘭入侵台灣南部以後，在今天的安平（當時叫大員）建設熱蘭遮城（中國人稱之爲「紅毛城」），作爲統治台灣的中樞，並於一六二五年，在赤崁（今天的台南）修築了赤崁樓（中國人稱之爲「紅毛樓」），以此爲基地開展東方貿易，與日本人爭奪，還同西班牙人爭奪。荷蘭人爲了獨霸台灣，一六四二年八月發兵進攻占據台灣北部的西班牙守軍，使其投降，結束了西班牙人在當地維持了十六年的統治。

荷蘭人對台灣住民的統治是完全依靠武裝的殖民統治，經濟上是殘酷的殖民地剝削，把最主要的生產資料——土地（即所謂王田）收歸荷蘭東印度公司所有，所有農民成爲公司的佃農繳納租稅，獵場、漁場也一樣，都收歸公司所有，獵民、漁民都必須繳納租稅，荷蘭的殖民統治激起了台灣住民（包括原住民和漢族移民）的激烈反抗，據荷方不完全的記載，自從荷蘭人入侵台灣以後，就發生了接連不斷的抗荷鬥爭，較大規模的反抗不下二、三十起。其中最大的反抗鬥爭發生在一六五二年（一說是一六五八年）的郭懷一起義，郭懷一在起義時曾動員起義隊伍說過：「諸君爲紅毛所虐，不久皆相率而死，然死等耳，計不如一戰，戰而勝，台灣我有也，否則亦一死，唯諸君圖之」。⑥這是一次壯烈的反抗鬥爭。〔清〕蔣毓英撰的《台灣府志》中有這樣的記載：「戊戌年（一六五八），紅毛肆虐，居民不堪。漢人郭懷一率漢民反叛，事覺，凡漢人屠殺殆盡。」⑦關於漢人死亡人數，一般史書記載，多說是「約四千人」，也有說是八千人。這次起義雖然被鎮壓下去了，但是沒有出幾年，不屈的台灣人民就舉起這次起義傳下來的火把，迎接鄭成功的大軍，把荷蘭殖民主義者永遠地逐出台灣。

從一六二四年到一六六一年這三十八年，荷蘭統治台灣的重點將從政治上和經濟上壓榨台灣人民，但在培植奴化思想、文化上所下的功夫卻不多，收效甚微，而高壓和重剝反而激起住民的反抗，增強了

---

⑥ 同前註。

⑦〔清〕蔣毓英撰、陳碧笙校注：《台灣府志——校注》（一九八五年廈門大學出版社出版）。

漢族人民的民族意識，台灣各地連綿不斷的反抗鬥爭，尤其是郭懷一的壯烈起義，說明了荷蘭殖民者統治台灣期間的台灣的社會意識，是堅忍不拔地反抗西方侵略者的強烈的中華民族意識。

（三）鄭成功收復台灣及鄭氏統治時期

鄭成功是中華民族的傑出英雄，他從荷蘭殖民者手裡把台灣收回了，並且奠定了台灣社會向前發展的基礎。堅決反抗滿清勢力的鄭成功，爲了抗清鬥爭的需要，也爲了從荷蘭手裡光復故土的需要，從一六六一年（即明永曆十五年）四月就率領大軍開始收復台灣之役，並在台灣居民的熱烈響應和大力支援下，於一六六二年二月攻克了熱蘭遮城，收復了台灣。鄭成功在給荷蘭總督揆一（cuyeit）的勸降書中就明確地宣示，「然台灣者，早爲中國人所經營，中國之土地也」。⑧鄭成功把荷蘭人經營的赤崁改爲「東都明京」，設立承天府。鄭氏把大陸的政治制度和文教制度移植到台灣，按照大陸的樣子，設立府縣、設學校、建孔廟、興科舉，並在原住民中提倡漢族文化，廢除基督教教堂，積極掃除荷蘭殖民地文化的影響。自從鄭成功收復中國的失地、先人的故土台灣，直到一六八三年鄭克塽投降清朝，鄭氏一族始終奉明朝的正朔，把台灣作爲「反清復明」的根據地。這種「反清復明」的思潮，對當時台灣的社會意識，有重大的影響。鄭氏三代經營台灣的歲月，清朝政府對鄭氏採取了隔離政策，強迫福建、廣東各

⑧ 王芸生：《台灣史話（修訂本）》，頁三二（一九六二年九月，中國青年出版社北京第三版）。

省沿海三十里內的居民，遷徙內地，嚴禁通海。但那些不願從清的閩、粵等地人民繼續東渡，在十分艱難的自然條件下，開拓了台灣。當時在台灣，雖然已經有相當數量的原住民，但實際起主導作用的還是日益增多，文化比較發達，掌握著比較先進的生產方式的漢族。當時，在大陸上雖是滿清的一統天下，但是清朝的壓力隔海達不到台灣，在台灣的漢人也不能自由地回到故鄉，所以，他們把台灣作爲新的故鄉，但也不忘父祖之國。這時，台灣起主導作用的社會意識是帶有強烈的反清復明思想的中國意識。

（四）清朝統治時期

由於鄭克塽投降清朝，一六八三年（即康熙二十二年）台灣歸入清朝的版圖，光緒十一年（一八八五年）成了一個行省。這時，兩岸隔絕的情況已不復存在，從閩、粵東渡的移民更多了，漢族在數量上也變成了絕對的多數。據一位學者的研究，十七世紀二〇年代到十九世紀末，台灣的漢族人口從十萬人發展到一八九八年的二百八十九萬人。⑨從一六八三年到一八九五年（光緒二十一年），清朝統治的二百一十二年期間，在台灣的社會意識，究其根源實際上是大陸的以中華民族傳統爲核心的社會意識，不過轉移到台灣以後，根據地處中國邊陲的遭遇，有更多的台灣特點。清朝統治的二百一十二年，總的來說是封建統治時代，但從鴉片戰爭中國淪爲半封建半殖民地社會以後，作爲中國的一部分，台灣也淪爲

---

⑨ 朱天順教授在《台灣之將來學術討論會論文集》上發表的論文：《略論台灣社會意識的發展與統一事業的關係》。

半封建半殖民地社會。這個期間，台灣人民遭受雙重壓迫，一個是國內的暴政，另一個是外來的侵略，因此，台灣人民的反抗也是雙重的，既有對內的，也有對外的，在對待雙重敵人的時候，台灣各族人民，包括原住民在內，大部分都是聯合起來反抗共同的敵人的。

自從台灣歸入清朝版圖以後，反抗封建王朝的人民起義也連續不斷，發生在一七二一年（康熙六十年）的朱一貴起義，是其中規模較大，影響深遠的一次。朱一貴自稱是「明室後裔，鄭氏遺臣」，這一年，台灣知府王珍特別苛斂暴虐，逮捕私伐山林的人民一百人，全處死刑，人民大憤，朱一貴痛心疾首地說：「滿勞官吏，文怡武嬉，沈緬酒色，榨民自肥，今軍民瓦解，人心思漢，吾人興明復清，此其時矣！」群衆情緒高漲，就在這一年的五月，朱一貴率衆起義，有一千多農民參加。⑩朱一貴還號召農民起來推翻滿清皇朝，並準備「橫渡大海，會師北伐，飲馬長城」。⑪從朱一貴起義可以看出，在當時的台灣社會存在著台灣和大陸一體的思想，這是不難理解的，因爲從台灣居民看來，壓迫他們的台灣官府是大陸皇朝官僚機構的延長，台灣的居民不但知道他們和大陸人民在地緣、血緣和經濟上同大陸都有千絲萬縷的聯繫，而且都面臨著共同的敵人，在這六十五年後發生的林爽文起義（一七八六年，乾隆五十一年），是台灣歷史上規模最大的農民起義，震撼了全台，迫使清朝政府幾乎調動了全國的兵力（遠至川、黔），歷時一年兩個月，才平定下去。在這以後，台灣人民的含有反淸內涵的人民起義還是連續不

⑩ 同註⑧，頁四三。

⑪ 同註⑨。

斷，直到積極響應太平天國革命。在這以前，一八四〇年（道光二十年），英國侵略者向中國發動了可恥的鴉片戰爭。鴉片戰爭是帝國主義變中國為半殖民地的開始。這次戰爭也波及台灣，作為中國人民一部分的台灣人民也積極地投入了中國人民的反侵略、反投降鬥爭。一八四一年、一八四二年，台灣軍民連續給侵台英軍迎頭痛擊，在這兩次構成鴉片戰爭組成部分的反侵略戰役中，台灣人民不但對外國侵略者打得很英勇，而且反對軟弱無能的清朝政府的投降表現得非常堅決。這不正是世代相傳的中國人民不畏強暴、堅決鬥爭的光榮傳統嗎？一八七四年的牡丹社反抗日軍的鬥爭由於清政府的妥協而結束。一八八四年的英勇抗擊法軍占領基隆、淡水之戰，是中法戰爭的組成部分。在整個反抗清朝政府的統治和反抗外國侵略者的鬥爭中，包括原住民在內的台灣各族人民是團結在一起的，他們一方面反抗英、日、法等外來侵略者，另一方面也接二連三地反抗滿清的暴政，同時繼續開拓自己的新故鄉，慢慢地形成了超越祖籍意識（如福建、廣東）又包容祖籍意識的台灣自己的籍貫意識。台灣人民的一生是比較辛苦的，他們要和天鬥，要和地鬥，還要和內外壓迫者與侵略者鬥，因此，他們的打拚精神是很強的，他們的反抗精神也很堅決的，但他們不忘自己的來源，自己的根，當他們不得不同內外敵人鬥的時候，也有意識地聯合海峽兩岸的力量共同奮鬥。這種社會意識同其他各地的地方意識，可能有更多的特點，但是同各地的社會意識是並列的，仍然是中國意識的一部分。

（五）日本統治時期

在明治維新以後，日本迅速地走上對外侵略擴張的道路，首當其衝的是朝鮮和中國，而台灣更是其垂涎已久的地方，奪取台灣成了日本急不可待的目標，早在一八七四年的牡丹社事件中就已有動作，並通過甲午戰爭拿到手。滿清政府在甲午（一八九四年）戰敗，乙未（一八九五年）割台後，台灣就淪爲日本的殖民地了，對清朝政府的割讓台澎，震動了全國，台灣人民更是痛不欲生，表示誓將同日本侵略者周旋到底，清朝政府與日本簽訂了《馬關條約》，把台澎割讓給日本，並不意味著中日之戰的結束。相反地，日本爲占領台灣的戰爭從此開始。爲了「平定」台灣，日本政府不得不保持爲甲午戰爭而設立的「大本營」，派出以皇族北白川宮能久親王中將爲首的精銳的近衛師團，損兵折將，付出了五百二十七名戰死者和二千九百七十一名戰病死者的重大代價後，才在第二年，一八九六年四月一日得以取消其「大本營」。⑫台灣人民在這個甲午戰爭的最後一戰中，不但打死了上述的日本皇族中將師團長，還打死了另外一個少將（旅團長山根信成少將）大長了中國人民的志氣，台灣兒女的這些英雄業績是永垂不朽的，我們爲有這樣的祖先而感到自豪。

在日本統治台灣的五十年中，台灣人民的武裝起義也可以說是連續不斷的。當日本的第一任台灣總督樺山資紀在一八九五年十月底剛宣布「全島平定」後不久，林大北就在十二月首先揭起反抗的旗幟，接著就是簡大獅起義、陳發起義、林少貓起義、羅福星的起義、余清芳的西來庵起義，到霧社起義，可以說還是接連不斷，而且許多是同原住民一起抗擊日本侵略者的。日本人在台灣歧視台灣人，把台灣人

---

⑫ 又吉盛清著：《台灣統治和日本人》（日本，同時代社，一九九四年六月三十日出版）。

看作三等國民（一等為日本人，二等為朝鮮人，三等才是台灣人），並稱台灣人為「清國奴」。因此，台灣人民對日本統治非常痛恨，儘管日本人在其統治台灣的五十年中，交替地使用了鎮壓、懷柔和同化（如「皇民化」）政策，但始終無法征服台灣人民的心。統治台灣四十三年的之後（一九三九年），日本在《台灣總督府警察沿革志第二編》的總序中不得不承認：「台灣人的民族意識之根本起源乃係於他們原是屬於漢民族的系統，本來漢民族經常都在誇耀他們有五千年傳統的民族文化，這種民族意識可以說是牢不可破的」。台灣人對福建、廣東兩省，「平素視之為父祖墳墓之地，思慕不已，因而視中國為祖國的感情，不易擺脫，這是難以否認的事實」。日本侵略者侵占了台灣，軟硬兼施地想軟化甚至想同化台灣人民的心，但歷史證明，日本侵略者始終未能征服台灣人民的心。台灣人民想的仍然是擺脫日本，回歸祖國。應該說這是台灣人民在極其困難的殖民地條件下的潛流意識。但卻是主流意識。所以，一九四五年，當台灣正式回到祖國版圖時，才會出現舉島歡騰，張燈結彩，宰豬宰羊，祭天拜祖，喜氣洋洋的熱烈場面，身臨其境的人至今仍然歷歷在目。當然，日本在長達五十年統治期間所施行的同化政策和奴化教育，對某些人還是程度不同地有影響的，在意識上也難免有所反映，但這些是被扭曲了的意識，而且是非主流的、沒有生命力的。

（六）台灣光復以後

一九四五年，中國人民經過八年艱苦的抗戰，打敗了日本侵略者，取得了抗日戰爭的偉大勝利，使台灣擺脫了日本的殖民統治，重新回到祖國的懷抱，衆所周知，中、美、英三國政府的首腦，於一九四三年十二月一日簽署了《開羅宣言》，宣言的宗旨「在使日本所竊取於中國的領土，例如滿洲、台灣、澎湖列島等，歸還中國」。《開羅宣言》在不久以後為《波茨坦公告》所確認，日本在投降書中也表示完全接受《波茨坦公告》，並遵照執行。當時的中國政府，根據《開羅宣言》，於一九四五年十月二十五日正式收復台灣，首任台灣省行政長官陳儀在受降典禮上鄭重宣告：「自即日起，台灣及澎湖列島已正式重入中國版圖。所有一切土地、人民、政事皆已置於中國主權之下」。

光復給台灣人民帶來了十分強烈的希望，他們以作中國人而自豪，並渴望祖國繁榮昌盛，這本來是好的、向上的、健康的，但代表中國政府到台灣接收的國民黨官員完全辜負了台灣人民的期望。他們不理解台灣人民在日本統治時代的痛苦，不理解台灣人民被日本人踩在腳下而想出頭天的迫切願望，更不理解台灣人民世世代代地想念祖國的主流意識，以征服者的姿態來到台灣後，搶敵產、搶肥缺，並說什麼「本島人受了五十年的奴化教育，敵視祖國，所以還不能派大用場，……如果給予高級幹部的地位，馬上會發生危險，只有施以再教育、再訓練」。在這種歧視政策下，再加上國民黨本身的腐敗，很快招致全島上下的反抗，引發了震撼內外的台灣人民二二八起義，當時，台灣人民以「前門趕走了一條狗（指日本人），後門鑽進來一頭豬」來諷刺台灣當局的貪婪和無能。這時漸漸形成的本省人意識，雖然反抗體現在某些外省人身上的台灣當局的暴政，但還不是一般地反對外省人的，更不是把矛頭指向祖國大陸的，即使在「二二八」事件矛盾十分激化的時候，台灣人民也只是對台灣當局提出了一些民主改革的要求，更談不上有什麼分離主義的主張。可是，當時的國民黨卻以極其殘暴的手段鎮壓了這次事件，在台灣人民的心靈上留下了難以癒合的創傷。一九四九年，國民黨從大陸退踞台灣。美國乘朝鮮戰爭的爆發，在台灣海峽插了一把刀，人爲地隔開了台海兩岸的同胞。國民黨爲了在台灣偏安、斷絕了同大陸的來往，大搞白色恐怖、嚴厲鎭壓進步人士，實行了長達三十八年之久的戒嚴體制，更加激起了台灣人民的不滿，同時也給分裂主義分子以可乘之機。有一位關心故鄉台灣，心懷祖國大陸的台灣青年，名叫張棟材，他在那黑暗的歲月，被國民黨槍殺在台北馬場町刑場前留給父母的遺書上寫著：「兒之宿願在人民解放也，惜乎中途挫敗，竟不能眼見祖國之長成與繁榮矣！然人類之前途已充滿輝煌之光明，懇請父母親切勿悲痛……。」⑬張棟材的遺言，是在歷史的長河中一脈相承的愛鄉愛國的台灣青年發出肺腑的心聲，同時也是當年在黑暗中尋找光明，在挫折中追求成功的不屈不撓的台灣人民意識的眞實反映。

歷史在滾滾向前，圍繞台灣的形勢不斷地在變化，台灣島內的情況也和幾十年前不一樣了。但是，如果我們仔細地研究已經過去的歷史和展望未來，我們就會感到歷史給我們作的結論是不可隨便違背的，那麼，什麼是歷史的結論呢？「台灣是中國不可分割的一部分」，「中華民族是不可侮的」，「台灣人是中國人」，「作爲中華民族的一部分，台灣人民將同全體中國人民一起，去振興中華爲世界多作出貢獻」。這不是什麼武斷，而是縱覽這幾百年的台灣史後自然地得到的啓示。最近，一位世代住在島內的同胞對我說了一席話，他不是達官，也不是政客，他只是一個平平凡凡的老百姓。他說：「台灣至今的安全，是靠美國支撐的，而美國所以要這樣做，不是爲了你好，而是爲了它自己的利益。美國的基

⑬ 王歡：《烈火的青年》第一篇，《「有光閃著」的瞳孔》（一九九九年四月，台北人間出版社出版）。

本國策有兩個，第一，不管在西方或在東方，它不允許出現能同它匹敵的國家；第二是它希望別的國家也能同它保持同一樣的制度，我們台灣人，怎麼把它洗，也是中國人，有什麼必要去獨立呢？我們知道大陸更強大了，而正因爲有日益強大的大陸，台灣才能保住今天的地位，否則老早就被美、日吞併了。」這裡沒有什麼達官政客的裝腔作勢，也沒有新聞媒體鋪天蓋地的幫腔和誘導，但是，這裡我們看到的是台灣人民世代相傳的愛國愛鄉、開拓向上的民族意識的底流，然而是主流。

三、台灣意識的幾個特徵

台灣是中國的一部分，台灣人民是中華民族的一部分，台灣人民的主流意識同祖國大陸人民的社會意識，同屬於中國意識，榮辱與共。在總的中國意識下面，各個省份或地區由於其特殊的歷史條件而產生有別於其他地區的地方意識是很自然的，也是完全可以理解的。但這種地方意識包括台灣意識，和總的中國意識是並存的，而且是統一的。那麼，台灣意識有哪些特徵呢？

（一）開拓性和拼搏性

從大陸陸續移居到台灣的漢族人民，有些是由於生活所迫，需要到台灣去開拓新的生存空間的，有些是不滿官府或異族（如滿清）的壓榨，而到台灣去開拓新的故鄉的。這些今天台灣人民的祖先，不滿現狀，想漂海到台灣，在那裡開拓新的天地，而到那裡，你們要和天鬥，要和地鬥，還要同可怕的瘟疫鬥，所以生產和生活都是很艱苦的。較早以前，台灣叫做「台員」，「台灣」和「台員」在閩南話的讀音是相同的，〔清〕徐懷祖著《台灣隨筆》說：「明李莆田周嬰著《遠遊編》，載《東蕃記》一篇，稱台灣爲台員，蓋諧音也」，由於大陸移民中福建移民居多，所以「台灣」二字由福建南部的話演變過來，是有可能的。⑭連橫著的《台灣通史》說：「或曰：台灣原名『埋冤』，爲漳、泉人所號。明代漳、泉人入台者，每爲天氣所虐，居者輒病死，不得歸，故以『埋冤』名之。蓋慘也。其後以埋冤爲不詳，乃改爲今名。」用閩南話來唸，「台灣」和「埋冤」，也是相同的。這是台灣名稱的又一種說法，這種說法形容了大陸人民開發台灣的千辛萬苦。⑮爲了戰勝他們面臨的重重困難，他們採取的辦法就是勇敢不屈的、堅韌不拔的拼搏，即台灣人民所說的「打拚」。他們無論在過去或現在，也無論在島內或島外，一直堅持這種拼搏精神。拼搏精神，在中華民族的開拓史上是普遍地存在著的，但在台灣的獨特環境中，呈現得更加突出，並且代代相傳，因而「打拼」也就成爲台灣人民的自豪。

(二) 愛國性和愛鄉性

台灣人民的祖先中，許多是從大陸來的，尤其是從福建或廣東來的，他們把大陸各地看作爲自己的祖地，也認爲是自己的根，除了這些地緣之外，同大陸還有悠久的血緣，並且還有成了民族紐帶的幾千

---

⑭ 同註⑧，頁一四一—一五。
⑮ 同註⑧，頁一四—一五。

年的燦爛的共同文化。這些東西，不管什麼時候到台灣的人都是永記不忘的，祖國是他們可親的概念，又是他們自豪的稱呼。他們熱愛父祖之地，熱愛可親的祖國，這種愛國之情，是他們開拓新故鄉的動力，是他們保衛新故鄉的動力，也成爲不幸淪陷後爭取光復祖國的強大動力。台灣老作家巫永福的詩《祖國》中的一段，生動地表達了大多數台灣人民的愛國眞情。

未曾見過的祖國
隔著海似近似遠
夢見的，在書上看見的祖國
流過幾千年在我血液裡
在我胸脯裡的影子
在我心裡反響
呵！是祖國喚我呢
或是我喚祖國？⑯

如此愛國的台灣人民，自然是很熱愛自己的故鄉的，從祖國大陸移居台灣，千辛萬苦地開拓新天地、建立新故鄉的台灣人民，是熱愛家鄉的。因爲這個新家鄉是祖國的一部分，這個家鄉的繁榮，是祖

---

⑯ 周青：《從鄉土文學窺視『台灣意識』》中引用《台灣愛國懷鄉詩詞選》（一九九八年六月，北京時事出版社出版的《台灣研究文集》）

國的繁榮，這個家鄉的衰弱，也是祖國的衰弱。同樣，祖國的強盛與否，也會影響，甚至左右家鄉的地位。因此，對於台灣人民來說，愛國與愛鄉是緊密聯繫在一起的，是統一的，絕不是分開的。

(二) 頑強的反抗性

台灣人民對於壓迫他們的內外統治者的反抗鬥爭是堅決的，有壓迫就有反抗，而這種反抗可以說是連續不斷的。台灣自從一六二四年起被荷蘭侵略者占據了三十八年，其中台灣的北部被西班牙占了十六年。而台灣人民就用大小起義同外國侵略者占了三十八年，迎接鄭成功大軍，於一六六二年永遠地趕走了荷蘭侵略者。一六八三年鄭克塽投降滿清後，德、英、日、美、法等外國侵略者都窺視過台灣。並多次武裝侵擾過台灣，但都遭到台灣人民猛烈而頑強的反抗。在鴉片戰爭期間，我大陸沿海許多地方遭到英國侵略者的武裝進攻而節節敗退的時候，台灣軍民就在基隆口英勇地迎擊來犯的英軍，並把英船擊毀，使侵略軍船在狼狽敗退時，「沖礁擊碎，夷人紛紛落水，死者不計其數，或是泅水上岸，或上舢板逃走」，⑰在清朝統治的二百一十二年期間，台灣人民反抗國內統治者暴政的大大小小起義也不下一百次。在日本帝國主義殖民統治台灣的五十年中，只是一八九五年到一九一五年的二十年裡，也發生了一百多次起義，規模較大的有二十多次。面對這樣的歷史事實，日本侵略者也只得承認日本雖在台灣苦心

⑰ 同註⑧，頁四四。

經營，但始終得不到台灣民心，日本統治台灣的最後一任總督安藤利吉在對居台日人領袖的一次訓話中，不得不承認，「占領台灣五十年，如今歷任總督政績的考核表格清清楚楚擺在眼前。換言之，如果統治眞正掌握了民心，即使敵人登場，全島化爲戰場，台灣人也會協助我皇軍，挺身粉碎登陸部隊，眞正的皇民化必須如此。但是，相反地，台灣人萬一和敵人的登陸部隊裡應外通，從背後襲擊我皇軍，情形不就極爲嚴重嗎？而且，據本人所見，對台灣人並無絕對加以信賴的勇氣和自信。」⑱這不是又一個歷史的結論嗎？

（四）盼「出頭天」的主人翁思想

台灣人民世世代代、千辛萬苦地用自己的汗水和鮮血，灌漑了自己的新家鄉，並想成爲自己土地上的主人，但由於歷史的局限，和內外統治者，尤其是帝國主義侵略者的高壓，始終未能實現「出頭天」當家作主的殷切希望。在日本統治時代，誰敢向日本要自由？誰敢向日本的侵華行爲說個「不」？誰敢公開宣布認同祖國？如果誰敢反對日本，「清國奴」、「亡國奴」等侮辱性的、歧視性的、撻伐性的帽子會鋪天蓋地向你拋過來，輕的要把你關起來，重者乾脆要你的命。在這樣的環境和條件下，台灣人民根本談不上當作家主「出頭天」。日本被趕出台灣後，善良的人們以爲這下子該可以出出頭了，但當時

⑱ 王曉波：《台灣史與台灣人》（一九八八年十二月，東大圖書股份有限公司出版）。

來統治台灣的國民黨政權，抄襲了日本人對台灣人的歧視政策，繼續把台灣人踩在腳下，當然也談不上什麼「出頭天」了，這些引起了台灣人民的強烈不滿，甚至引發了台灣人民二二八起義，隨著，國民黨政權的本土化，事態在發生變化，但人民當家作主「出頭天」的課題遠沒有解決。今天，在大陸、在新中國，雖然還有這樣那樣的缺點和短處，也正在積極地改，但人民已經是國家的主人，我們對過去的侵略者，甚至對世界最強大的霸權國家，都敢於說不，這是人民是否「出頭天」了的一個極其重要的標誌，我們對過去的侵略者日本對歷史的錯誤認識，敢於說「不」，對以美國為首的北約轟炸我駐南斯拉夫使館，敢於譴責它，要它作出道歉和交代，這在舊中國是不敢想像的，就是在今天的台灣也是作不到的。在沒有美國的支撐就一天也維持不下去的台灣，哪個為政者敢向美國說個「不」，甚至在那裡還有人在議論是否由美國來保障安全。因此，在台灣要做到眞正的「出頭天」，眞可以說是「任重而道遠」。但是，台灣人民追求「出頭天」當家作主的主張是正義的、合理的，是符合於歷史潮流和人民願意的、有生命力的，是台灣人民的主流意識之一。

上面舉出的開拓性和拼搏性、愛國愛鄉思想的統一、堅韌不拔的反抗精神以及盼「出頭天」的主人翁思想，都是台灣意識的特徵，是台灣人民一脈相承的主流意識。既然有主流，就會有非主流的，如奴化思想、軟弱妥協思想、狹隘性和分離性等，這些小貨色在一定的歷史階段，在力量對此暫時有利於內外統治者的條件下，有時也會顯出貌似龐大的假像，但它是意識的支流，是沒有前途的，最後會被掩葬在滾滾向前的主流下面。

四、要善於辨識披了「台灣意識」外衣的種種「分裂主義」

台灣從日本帝國主義的鐵蹄下解脫出來，光復到祖國的懷抱以後，確實出現了不少形形色色的「台獨」勢力，他們製造了種種理論根據，爲自己勢力的擴張而鳴鑼開道。

各類「台獨」中，首先找到的謬論就是「台灣人不是中國人，不屬於中華民族」。這是那些「台獨」爲當時十分時髦的「民族自決」主張創造理論根據的，台灣人是中華民族的一部分，這無論是從歷史上來看，從人種學來看，還是從地緣、血緣、文化、風俗、習慣來看，都是不爭的事實。在這一類「台獨」中，最拙劣的要算廖氏兄弟製造出來的台灣人的「混血化」的謬論了，按照這個謬論，台灣人是西班牙人、荷蘭人、日本人、漢民族和高山族等的混雜種，這不僅是與事實不符，而且是對台灣人民的很大侮辱。這種謬論不但理所當然地受到台灣人民的譴責，而且也爲其他當代「台獨」所不容，其他「台獨」，無論是從左的，還是從右的，也都需要製造一個受壓迫後需要「自決」的「台灣民族」。但他們的手法比廖氏兄弟爲代表的「舊台獨」要高明一些。不管是史明也好，還是彭明敏也好，都無法否認台灣人從人種學上來說是中國人的一部分，其主要部分是漢民族，但他們卻主張由於這個幾百年來，特別是這一百多年來的歷史的、地理的、政治的、經濟的、社會的、文化的各種特殊的原因或共同命運意識，台灣人已經不是原來的漢民族了，而已經形成了另外一種民族。既然台灣人不同於中華民族的另外一個民族，而且還受著這個「外來侵略者」的壓迫的，當然也就可以「自決」和「獨立」了。

史明的《台灣人四百年史》，是「台獨」史觀的代表作，他是打了馬克思主義反映論的牌子的，但實際上，他是不顧其他的重要要素，而用台灣的特殊地理環境來虛構「台灣意識」，並把這作爲構成「台灣民族」的根本條件。正如有些學者所指出的那樣，按照史明的「台獨」史觀，大陸移民只要踏上台灣這塊土地，他的中國意識就會消失，不由自主地會被台灣「風土」制約而產生「台灣意識」，這時的台灣人就不是中國人了，不屬於中華民族了，而是具有「台灣意識」的「台灣民族」了。這四百年來，台灣人是備受外來殖民統治的，這些外來統治者，不只是荷蘭人和日本人，也包括中國人；因此，台灣人求生存所能遵循的唯一出路就是「自決」，「獨立」，⑲這是閉著眼睛講瞎話，史明嘴裡的「台灣意識」，是他手中的分裂主義工具，是同形成在「中國意識」基礎上的台灣人民意識水火不相容的，是徹頭徹尾的「台獨意識」。

「台獨」的精神領袖彭明敏曾經寫了一本名叫《自由的滋味》的「回憶錄」，是由在《被出賣的台灣》一書中自稱爲「帝國主義者」的美國人卡爾筆錄他的口述以後整理出來的。彭明敏在這裡極力主張的是「一個中國，一個台灣」，他爲了把台灣從中國分裂出去，說什麼：「建國的基礎，不在於種族原始，文化，宗教或語言，而是在於共同命運的意識和共同利益的信念。」⑳在這裡，中國大陸和台灣的紐帶完全被剪斷了，他們企圖使人相信台灣人的共同命運意識就是既要脫離台灣的國民黨，也要脫離大

---

⑲ 史明著：《台灣人四百年史》（蓬島文化公司出版，一九八〇年九月初版）。

⑳ 彭明敏：《自由的滋味——彭明敏回憶錄》（台灣出版社一九八六年十二月十五日再版），頁八七—八八。

陸的共產黨，說得明白一點，就是要脫離中國，有些人喜歡給這種台灣的狹隘的「共同命運的意識」安上一個「台灣意識」的名詞，以便混淆視聽，但在台灣除了本地人以外，還有不少光復後從大陸各省去的人，他們通過同學、同事、通婚等多元的交流，同本地人的隔閡，矛盾也在趨於緩和。因此，那些主張分裂主義的人，就不得不去尋找包容性更大的定義來自圓其說，於是，「民進黨」的負責人之一的謝長廷就在其《新的台灣意識和新的台灣文化》一文中，又提出了「新的台灣意識」。謝長廷說：「由於國共的長期對峙，台灣島在社會、經濟、文化、政治各方面均形成有別於大陸的特色……相對於中國大陸的『台灣住民』意識乃自然成長，近年香港問題的統戰衝擊，還有武力解放的恫嚇壓力，在強化台灣住民的抵抗本能和自衛觀念，形成彼此命運一體，息息相關的共同意識，此種住民意識，與省籍意識不同，我們可以稱爲新的台灣意識或『台灣島命運共同體的意識』。」謝文出來以後，馬上就有外省籍的人附和著說：「令人可以告慰的是謝氏提出一個『新的台灣意識』，包含所有本省、外省同胞，以及國民黨，以對抗中共政權強大的威脅和壓力」，可見，這種「新的台灣意識」比「褊狹的台灣意識」，在共同「對抗」中共這一點上，也許可能更有用一些，給各種分裂主義勢力開啓更大的方便之門。

對有效地利用按照他們自己意願包裝起來的「台灣意識」來鞏固其統治這方面，台灣國民黨也下了功夫的，李登輝在接受日本《產經新聞》的專訪時就講過：「台灣意識愈強愈好」，問題是他的「台灣意識」同一些台胞所講的「台灣意識」不一樣，這位台胞說：「事實上台灣意識自始即和『祖國情懷』

密不可分，他既是台灣同胞對抗殖民統治的利器，也是台灣同胞要求當家作主的理論依據。」㉑但從李登輝看起來，或他正在走的路的方向，就是他去年在日本《文藝春秋》雜誌上發表的那句話：「中華民國·台灣作爲國家的認同，已經是成立已久的國家，這是沒有錯的。像過去那樣認爲國民黨和共產黨存在於內戰的沿線上的想法是錯誤的。中華民國·台灣是一個獨立的主權國家，這是基本的。」㉒白紙黑字，如何來解釋呢？因此，對於他在去年十二月的「三合一」選舉中提到的和這次在他的新著《台灣的主張》中發表的「新台灣人主義」，人們很有必要透過他的表述去研究其內涵。他在推出「新台灣人」理念時，主張不分先來後到，不分語言地域，統統生活在此地，爲台灣，爲「中華民國」在這裡打拚的一切人民，作爲一個生命體的身分認同。他在去年（一九九八年）十二月八日，在台灣的「國民大會」上說過：「新台灣人主義不是單純在選舉時爲馬英九拉票所提出的競選策略，不只是對內，對外也是。」這個「新台灣人」概念，在緩和島內族群矛盾也許起了一些作用，但是正如有些學者指出的那樣，對內，整合族群矛盾，以利於推行台灣獨立內部化，加速推行分裂進程，對外，模糊統獨矛盾，用獨立於中國人的新台灣人來對抗祖國大陸。因此，這個時候，對「新台灣人主義」所包含的分裂主義內涵，應該認眞研究，海峽兩岸人民，都是骨肉同胞，手足兄弟，從長遠的眼光來看，地緣、血緣、悠久

㉑ 朱高正：《「台灣意識」的困境與出路》（台灣旭坤彩色印刷有限公司，一九九八年十月）。

㉒ 李登輝：《日本啊，不要爲江澤民的「三不政策」所利用》（日本《文藝春秋》一九九八年十月號）竹一九〇頁。

的文化紐帶，共同的政治利益和經濟利益，把我們緊緊地聯繫在一起，我們只希望兩岸同胞更加密切各種交流和往來，增加共識和互信，爲了民族的全面振興，團結合作，努力奮鬥，促進祖國的完全統一，如果有人利用「新台灣意識」啦、「新台灣人」啦等含有分裂傾向的口號、製造和加深兩岸同胞之間的隔閡，那就會遭到包括日益覺悟起來的台灣人民在內的全中國人民的同聲反對。

台灣意識的探索

施正鋒／淡江大學公共行政學系副教授

一、前言

「台灣意識」（Taiwanese consciousness）這個名詞表面上是不說自明（defined by default），其實是含混籠統、卻又從未經過嚴謹地定義。①簡單來說，台灣意識就是「感覺到自己是台灣人的意識」（the consciousness of being Taiwanese），也就是「台灣認同」或是「台灣人認同」②（Taiwanese i-

---

① 葉石濤（一九九二：十五）的定義如下：「我們認爲認同台灣的土地和人民，認知台灣是獨立自主的命運共同體，且深愛台灣的大自然和本質精神文化，願意爲它奉獻犧牲的意識。」根據林央敏（一九八八：五五）：「所謂『台灣人意識』就是『台灣人立場』或『台灣人觀點』。」

② 「台灣人」也是歧異的概念，可以狹隘地指鶴佬人，也可以當作本省人的同義詞，近年來則泛稱台灣的所有住民。

dentity）。

台灣意識獨特之處在於它是一種多面向（multi-dimensional）、多層次（multi-layered）的集體認同（collective identity），③因此會作多形式的呈現；其界定的因素會隨著時空的推移而有所遞嬗，其構成的要素之間不一定會相互調和的。由於我們在定點看到的認同是局部的、割裂的，因此不同的人對它當然有片斷的、選擇性的、甚至迥異的詮釋：譬如有人視之爲族群意識（張文智，一九九三）；也有人矮化爲地方意識、鄉土認同，因此從屬於中國意識、或至少不會水火不容（鄭興，一九九四；尹章義，一九八八：八七；陳昭瑛，一九九八：一〇七）；而更多的議者尊崇爲民族意識，④與中國意識互相排斥（mutually exclusive）（林央敏，一九八八；施敏輝等人，一九八五）。

台灣對於台灣意識的眞正注意，大致始於一九八〇年代「台灣結」對「中國結」的熾熱論戰（施敏輝等人，一九八五）。其後，文學評論家、歷史學者、或政論家往往把它當作是一種特質，用來臧否作家、作品、歷史人物、或是當代政治人物（張炎憲，一九九八；史明，一九八〇；葉石濤，一九七九：四—五）。在一九九〇年代，台灣因政治解嚴，原有的國家定位、國家認同、族群認同、及政黨認同驟

---

③ 根據Greenfeld（1992：8），個人的認同得自社群的身份；既然如此，Gutmann（1994：7）甚至於認爲個人認同與集體認同的區分是多餘的。

④ 「民族意識」（national consciousness）也就是「民族認同」（national identity），是指一群人在意識上有彼此休戚與共的集體自覺，並且在主觀上希望建立一個國家來保障彼此的共同福祉，因此又被稱爲「國家認同」。

然解體，社會學、政治學者也開始加入研究的行列（Wong & Sun, 1988；Rigger, 1997； Watchman, 1994；徐火炎，一九九四；黃國昌，一九九二）。

政治學對集體認同、或意識如何產生的解釋，可以歸納成三大類。⑤首先是「原生論」（primordialism），認爲一群人的集體認同建立於在有形文化特色、或是生物上的特徵。⑥其次爲「結構論」（structuralism），以爲一群人集體認同的產生，主要是因爲不滿自己人在政治權力、經濟財富、或是社會地位上的分配不公，而血緣或文化的特色只不過是菁英動員的工具罷了。再來是「建構論」（constructuralism），主張認同都是人爲建構出來的，因此強調共同歷史、經驗、或記憶等基礎（不管是眞的或想像出來的），才是決定民族認同的關鍵。

學者多採縱切的方式觀察台灣意識，雖著重的時空有別，但大致同意其兩面門神特性（Janus-

---

⑤ 在政治學上，「認同的承認」（recognition），「錯誤認知」（misrecognition），或是「拒絕承認」（nonrecognition），代表的就是社群之間的權力關係。比如說，一群人的集體認同到底是被硬加上的（imposed）、或是據自己的主觀意願來定義的，反映出來的就是支配者與被支配者的垂直關係。因此，「認同的政治」（identity politics）反映的就是「承認的政治」（politics of recognition）；見 Taylor（1994）。有關集體認同產生的機制，請參考施正鋒（一九八八a）、廖咸浩（一九九五）。「原生論」者主張先有民族，再建立國家；「建構論」者主張在現有的國界塑造民族。前者爲原生的文化性民族（cultural nation），後者爲政治性民族（political nation）。「結構論」者則合成二者。參見Le Vine（1997）、Prinsloo（1996）、Esman（1994）。

⑥ 含外表或基因上的特色。

faced）（林瑞明，一九九六；尹章義，一九八八）。我們接續先前的研究（施正鋒，一九九八a），橫切台灣意識的發展，大致在「原生論」、「結構論」、及「建構論」三個場域交織沖積而成。就本質來看，原生論建立在華人文化、以及漢人血統的基礎上，試圖以想像的優越性來作自我心理防衛；結構論則以本土住民的正當性來進行負面的抗爭；建構論源於外來的民族自決思潮，要求正面建立自己的國家。

在這裡，我們根據原生、結構、及建構三個面向，將台灣意識解構為漢人血統主義、華人文化主義、反日本殖民主義、反外省人族群主義、官式民族主義、及獨立建國意識六種成分（見圖一），下面將一一抽絲剝繭各成分的特質，剖析各自可能的變遷，最後再嘗試以台灣民族意識作整合。

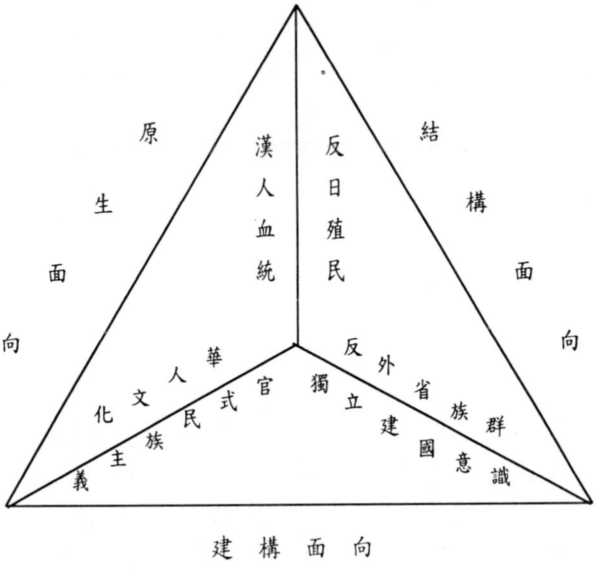

圖一：台灣意識的三個面向

二、原生論——漢人血統主義、華人文化主義

原生論者主張認同是天生自然而成的，相信有一個眞正的核心，建立在觀察得到、或想像的特色當作是認同的本質，不管是種族、族群、文化、或是宗教的認同，也因此又稱爲「本質論」（essentialism）。

在日據時代，異族鐵蹄下的台灣人對於未曾謀面的唐山懷有無限的「祖國意識」（王曉波，一九九七；吳濁流，一九七七），那股濃得化不開的鄉愁，除了表達對故國眷戀的浪漫情懷，還熱切期待台灣回歸祖國的懷抱（irredentism），因此這些華人墾殖者（Chinese settler）的後裔，大致可以視爲「離散的華人」（Chinese diasporas）。⑦

對於當時的台灣人來說，遙遠的祖國（ancestral homeland）似乎是一個永遠可以提供心靈寄託的地方。他們寄望祖國趕快強大，思慕有朝一日來解救同胞⑧（吳三連，一九九一：七四）；二二八事件

⑦「離散」（diaspora）原本是指猶太人亡國後，被迫流亡世界各地，顚沛流離的慘狀。廣義來說，離散又衍生泛指慘遭劇變，而被迫大量離鄉背井、客居他國的民族，譬如亞美尼亞人、美洲的黑人。

⑧在二二八事件後，少數人流亡中國；在白色恐怖之後，仍有知識份子心向共產黨統治的中國，見謝里法（一九八八）、許曹德（一九九〇）。

爆發後，少數左翼份子成功流亡中國，逃過國民黨的圍捕；即使在白色恐怖之後，仍有知識份子心向共產黨統治的中國（謝里法，一九八八；許曹德，一九九〇）。若非有這個方便的自我逃避之處，台灣人或可能更積極地思考自力決定命運的途徑。這時的台灣意識，充其量只能算是前民族的台灣認同（pre-national Taiwanese identity）。

根據圖二來看（見下頁），⑨目前大多數的台灣住民迄今仍自認為「中國人」，卻不知道「中國人」代表的是甚麼？在這裡的是中國，到底是對歷史、文化、或地理中國的羈絆，或是將故國當作香格里拉般的憧憬呢？我們很難遽下斷語說這些鄉愁是否指對政治中國的認同，但我們認為至少有血緣上的漢人、以及文化上的華人兩個層面。⑩

（一）漢人血統主義

戰前的台灣人只有漢人意識，⑪尚未有台灣意識。在台灣人的意識裡，祖國代表的是「血濃於水的感情」，也就是原生的血緣關係（lineage）帶來的認同感。父母可以說是血緣與認同形成的中介變數，

---

⑨ 整理自徐火炎（一九九四：九）。

⑩ 除了有一部分是外省人面對本省人的自我防衛集體族群意識外，當然，也有眞正信仰統一者。

⑪ 也就是「漢民族意識」，意思是指漢族的認同。但因為這裡的「民族」為「夷夏之辨」、或是漢、滿、蒙、回、藏的ethno，而非現代「民族國家」（nation-state）出現以後的nation，為避免混淆，我們在本文用漢人。

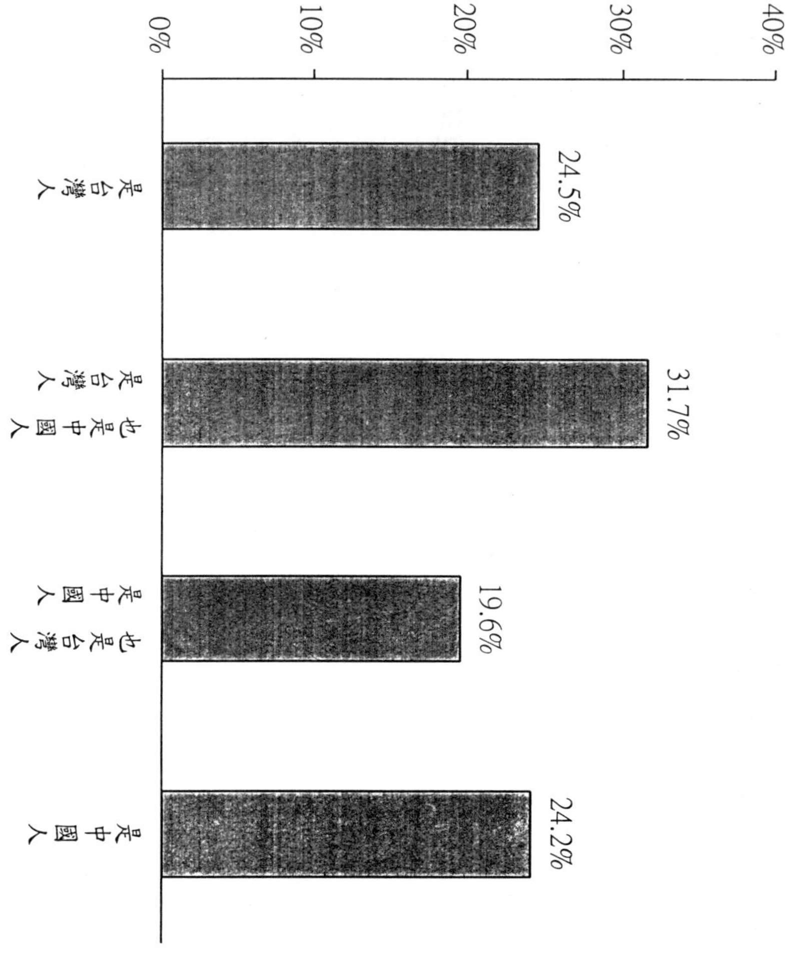

圖二：國家認同的分佈

是提供歷史與共同記憶的直接來源，這些都是在子女未出生之前就已產生，是子女必須作調適的情境，以建立自己的認同（Wheelis, 1958：174；Graafsma, 1994：170）。然而，長輩所留下來的記憶，並沒有區分位於唐山的漢人種族、華人文化、或政治中國，無助台灣漢人釐清自我的認同。

對台灣的漢人來說，鄭成功驅逐紅毛番荷蘭人，台灣才能成為漢人的天下，更進行反清復明大業，所以他是民族英雄；⑫相對地，施琅降服鄭氏，使台灣淪為滿清殖民地，當然是漢奸。同樣地，站在漢人的立場，日本人和滿洲人也都是異族統治；⑬相對地，日後的中華民國（或國民黨政權）被視為漢人統治，台灣人並未加以挑戰或懷疑，甚至以「重見天日」來看待「光復」。

李登輝的中華民國在台灣，甚至於有爭取漢人正統後裔（direct descent）的企圖心，以為在台灣的中國人是「比中國人還來得漢人」（better Han-Chinese than the Chinese），彷彿台灣漢人的自尊心，非得要託附那古老而又虛無飄渺的中國。

台灣人的認同來自於其想像中的純正漢人血統。不管是古中原河洛人、炎黃子孫、或是戰後國民黨「龍的傳人」的說法，使得台灣的漢人顯示出強烈「非漢即番」的「漢人自我中心」（Han ethnocen-

---

⑫ 廖文毅認為「鄭氏時代是台灣人第一王國，台灣民主國是第二王國，現在的獨立運動是第三個王國復國運動」（王育德，無出版日期：二三一）。

⑬ 史明（一九九二：十五）獨排眾議，主張荷、鄭、清、日、蔣都是殖民統治。如果以國民黨的中國正統來看，只有荷、日是異族；如果以一般人的漢人中心來看，鄭、蔣不能算異族；台獨運動者似乎也多傾向於不願對鄭氏王朝有所針砭。

trism）心態，其實骨子裡蟄伏的就是排他性的「種族式民族主義」（racial nationalism）意識。

不管是台灣的鶴佬人、還是客家人，對於其祖先在中國閩、粵可能與土著通婚而有所「混血」，必然要避諱不談。同樣地，在早期的台獨論述裡，原住民只不過是漢人墾殖的小插曲，並未構成台灣人認同的一部分。⑭戰前的台灣人動輒被日本殖民者辱罵爲「清國奴」，私下以「四腳仔」投桃報李，而台奸被稱爲「三腳仔」，意爲人獸的混種，脫不了血統主義；戰後的台灣人視外省人爲「清國奴」、甚至是非人的「咬柑仔」，也是由原生的觀點著眼。無怪乎，仍有少數死硬的獨派以語言、甚至是血統來定義台灣人。民進黨時常揶揄國民黨在外交上專門結交非洲的「黑朋友」或「黑鬼」國家，種族主義的鄙夷心態上如出一轍。

一直到近年來，才漸漸有人願意承認台灣平埔族幾乎已完全被漢人同化。也有人嘗試以遺傳指標來證明台灣漢人與中國漢人在基因上已不同，彷彿新的「台灣人種」（Taiwanese ethnos 或 ethnic Taiwanese）於焉誕生；這種排他性的「新原生論」，似乎又暗示外省族群除了通婚外，很難在本質上蛻變取得台灣意識。

---

⑭ 台灣獨立運動中有一派主張台灣人有荷蘭人、西班牙人、平埔族血統，因此已經發展成一種新的民族，與中國人有別（吳睿人，無出版日期：七五）。這種說法大致可說延續類似的史觀。

（二）華人文化主義

台灣意識有一股相當強烈的「種族決定論」（racialism）色彩，認爲漢人血統上的純度代表著華人文化的優越性。⑮台灣的漢人在日據時代面對日本人引入的西洋文化及現代化建設，相形見慚下只得向文化中國尋求奧援，試圖以文化的特色來支持自己。這種對傳統的依戀，正顯現他們在文化認同上的困擾。

語文與台灣意識的依存關係在統治者的壓迫下獲得結合。台灣的本土語言先後受日本及國民黨的「國語政策」壓制（陳美如，一九九八；林進輝，一九八三），因此使用語言來作自我肯定，不只要求語言使用的平等，要揚棄「台語只不過是方言」的污名，進而誇耀台語是更典雅的語言。這種對於文化獨特性的強調，提供了一種文化上的集體認同，也就是「文化式民族主義」（cultural nationalism）。

戰後國民黨君臨台灣，以大中華意識爲官方意識形態，企圖以優越的文化強行中國化，貶抑本土文化粗鄙野俗。文化的霸權反映的是政治上的支配，反倒幫助台灣意識的凝聚，尤其是對國民黨推動的「國語政策」的強烈反彈，日據時代的自卑感與疏離感並未能消退。不過，日語在戰後反而成爲本島人凝聚的工具。

⑮ 有關種族與文化的關係，請參閱Yoshino（1992：27-28）。

在一九七〇年代出現的鄉土文學（folk literature）運動，以「愛鄉愛土」（local patriotism）主張台灣文學不是中國文學在台灣（游勝冠，一九九六；彭瑞金，一九九五；高天生，一九九四；葉石濤，一九七九）。雖然作者本身並不一定了解其作品隱含的深層意義，⑯但這種自我定位的努力，是對抗官方文學的文藝復興運動，算是準民族文學運動。

一九八〇年代起又有台語（或台灣話）文學出現，打的旗幟就是政治色彩鮮明的台灣民族文學（呂興昌，一九九九；林央敏，一九九六；林瑞明，一九九六；胡明祥，一九九五）。這些推動者模仿德國「浪漫式民族主義」（romantic nationalism）的作法，相信文化特色爲民族的本質，希望以文化的本土化（cultural indigenization）來鞏固台灣意識，可以看作是一種防衛性的文化民族主義的努力。這些語言式的民族主義（linguistic nationalism）強調本土語言的優美，決心提高本土語言的地位，要求學校推行母語，議員要求官員以本土語言回答質詢，大學教授嘗試以本土語言教學。

平心而論，華人文化（或文化中國）是阻礙台灣民族意識成長的最大障礙。由於台灣與中國在地緣上相近，在血緣上又是血濃於水，很難對華人文化視若無睹，也很難建立文化上的自信，而文人尤其是尷尬。如果根據文化民族主義的說法，民族決定於文化，台灣相對於中國沒有自己獨特的文化，豈不就無法有自己的民族？

---

⑯ 譬如說王拓（一九七七）便宣稱其作品爲「現實主義文學」，而非鄉土文學。

華人文化是台灣意識中不可磨滅的一部分。台灣人往往透過中國這面鏡子來看自己。面對五千年文化，台灣人如何克服自卑感，走出中國邊陲的陰影。對於華人文化，可以有兩種對策：我們可以復古、擁抱、模仿；也可以加以排拒，而以原住民文化作基礎，重新建構新文化，也就是，堅持不再重回中國的懷抱，主張台灣人並不是另一個華人國。李登輝的「新中原」似是前者，獨立建國者則多主張後者。

然而，在新的政治現實下，台語缺乏充足的表達機制，標準化與現代化過程百家爭鳴，迄今無法取得共識，⑰更遑論取得官方地位。如果硬要以語言來定義民族，語言反而淪爲族群衝突的因素，因爲共同的語言或文化並非民族認同的充分或必要條件。本土的文化傳統不足，加上對原住民的鄙視，我們看到的是折衷式的文化相對主義，恣意而亂無章法摭拾，表面上是海納百川般多元包容，事實上是缺乏自信般窘蹙。

三、結構論—反日本殖民主義、反外省人的族群主義

根據結構論，認同的起源於社群之間在政治權力、經濟資源、或是社會地位上分配的不公平，菁英在心理上產生相對剝奪（relative deprivation），開始進行集體動員，因此又稱爲「工具論」（instru-

---

⑰ 有關台語的現代化，大致有復古的「全漢」、激進的「全羅」、以及折衷的「漢羅並用」三種主張。

mentalism）。

「沒有壓迫，就沒有所謂『台灣人意識』」許曹德如此說。台灣人認同的建構，往往強調四百年來迭遭外來政權殖民統治，長期在政治、經濟、或文化上被壓迫、歧視、剝削、及掠奪，因此產生諸如「亞細亞的孤兒情結」般的悲情式集體認同。⑱早期的台灣民族運動，以愛鄉愛土的立場來呈現「抗爭精神」，比如「反對運動」就是「反國民黨」的同義詞；而「反阿山」的說法，原本就是要「反外省人」；近年來的台獨論述也有從國籍（nationality）著手，主張凡是反對台獨的人就是外國人，稍有義和團式的「仇外」（xenophobia）心態。

台灣抗爭的論述往往追溯到鄭成功，當時現代「人民主權」（people's sovereignty）的思想尚未出現，先民只好託附「反清復明」來合理化其反抗外來異族統治，其實是反清重於復明，因此台灣在清領時期「三年一小反，五年一大亂」的民變（primary resistance），可以說是民族運動的雛型（nascent nationalism）。台灣雖經中國正式割讓日本，雙方卻未徵求台灣人首肯；既然大和民族是異族，自然要作抗爭。

台灣戰後回歸祖國的懷抱，台灣人經歷陳儀的劫收、白色恐怖、獨裁戒嚴、甚至是種種不公平待遇，在幻滅的過程裡，台灣人開始把林爽文事件（滿清）、西來庵事件（日據）、二二八事件（國府）

---

⑱ 李喬（一九八八；二十—二一）便指出，台灣人意識就是「孤兒意識」，是在被拋棄後孕育的。

相提並論，重新思考其本質有何共同點。如果說滿清與日本都是異族統治，那麼同文同種的國民黨政權顯然不是異族，然而，國民政府卻視台灣人爲異族，傳統的漢人/異族二分法無疑已經無法解釋戰後台灣意識的發展，外來政權才是抗爭的對象。

在有限資源的競爭下，以「本地人」（或土著，即natives）的身份來抵抗外侮，要求「台灣人要當家作主」（nativism）。大體來說，這種保守的反異族的抗爭，只能算是負面的民族意識；正面的民族運動是要建立自己的主體性，以國家獨立及民族塑造爲要務。

（一）反日本殖民主義

「台灣民主國」號稱是亞洲第一個共和國，但以「恭奉正朔、遙作屏障」來表達對清廷的效忠，自我矮化台灣爲中國的一部分，本質上頂多是中國民族主義的表現，⑲並非眞正要求獨立。當官家及士紳相繼逃回中國，說明這只不過是一齣鬧劇罷了（黃昭堂，一九九三）。然而，台灣人以爲這塊土地是祖先辛苦開墾留下來的，不容滿人私相收授，民間自發性的武裝抗爭持續二十年之久，一直到西來庵事件（一九一五）是台灣人武力抗日的最後一役。

台灣人的現代民族認同初試啼聲，是在日本人的殖民統治之後，開始有人體會到台灣人也是一個民

⑲ 更正確的說法是現代的中國民族主義此時才出現。

族（黃昭堂，一九九六）。日本人提供台灣人民族運動所需的敵人，對日本人的仇恨將本島人的共同意識鞏固起來，比如河洛人與客家人開始共同自稱「台灣人」，用來與日本人區別。日本人以國家機器帶來現代化的基本建設（infrastructure）、教育制度、及經濟整合，加速本島人全島性的政治溝通（簡炯仁，一九九五；張炎憲，一九九三）；太平洋戰爭的共同經驗，更凝聚了包含原住民在內的所有台灣人；而殖民者的語言日後竟成爲台灣人互通的工具。⑳

在這段期間，儘管日本切斷台灣人與唐山的連繫，也有不少人回到久別的祖國——此時已稱爲中華民國。「遺民意識」或「棄民意識」是用來描述當時被迫亡命中國大陸的台灣知識份子，比如劉錦堂、王白淵。㉑既已回到祖國，爲何還是棄民？遭到祖國捨棄的台灣人，在潛意識裡似乎自認有原罪一般，不算正正當當的中國人，是爲虎作倀而內疚，還是因爲日本人身份而相形見慚呢？㉒總之，台灣人面對日本是無人疼的養子，面對中國卻又是悲憤的棄民、庶子，逐漸培養出「孤兒意識」。

日本殖民者的民族偏見及歧視（黃昭堂，一九八九；尹章義，一九八六），是刺激台灣意識成長的觸媒。日本統治者處心積慮進行政治控制、經濟壟斷、及文化歧視，㉓把不平等的權力結構關係制度

---

⑳ 二二八事件時，鶴佬人及客家人雖母語不通，卻可以使用日語來辨識外省人（即福建人）。

㉑ 參考周亞麗（一九九六）、及謝里法（一九八四）。

㉒ 王育德（無出版日期：一四八—四九），台灣人在日據時代前往中國、滿洲及南洋打天下，往往被視爲日本人，因而有優越感。

㉓ 譬如一九三九年禁用漢文。

化。被支配的台灣人對自己的認同刻骨銘心，卻又敢怒不敢言，必得要去尋求出路。在這種情況下，使遭到歧視的認同總比空無一物來得好，反而能孕育出更強烈的認同感（Klapp, 1969：14－16）。這種被壓迫的共同命運，正是台灣人集體認同形成的基礎。

台灣人的民族意識顯然在菁英留學日本時獲得進一步釐清，因此，日本統治的經驗不全然是負面的。一次大戰結束後，威爾遜的民族自決思想方興未艾，在日本的台灣留學生接受西方民族自決思潮的洗禮。在林獻堂的領導之下，台灣人改採委婉的政治抗爭策略來爭取自己的尊嚴，要求政治上的自治（許世楷，一九九八；連溫卿，一九八八；王詩琅，一九八八），並開始創辦文化刊物來保存文化認同、進行民衆的文化啓蒙、鼓吹台灣人的意識（葉石濤，一九九〇）。

隨著戰事惡化，日方加緊同化政策（即皇民化運動），㉔希望透過對台灣人在意識、及生活上的控制來確保其忠誠度；只有通過一次又一次考驗的人，才有資格當「皇民」，否則就是「非國民」。皇民派所採取的是自我殖民的策略（vicarious），是希望透過主動的接受同化來改變自己，打破殖民者所加的歧視障礙，㉕祈望能獲得和日本人一樣的公平待遇。

日據時代台灣人的認同是依違於台灣（故鄉）與大陸兩地之間，同時又制約於中國（祖國）與日本

㉔ 一九四〇年推動「改姓名運動」；一九四一年成立皇民奉公會。

㉕ 見Serge（1980：ix, 8-9）。戰後的台籍政客也有此種扭曲人格完整的作法。根據Smith（1983：136-37）被殖民者可以採取的積極對策，除了接受同化外，還可以選擇浪漫地回歸傳統，或是進行改革以建立新的認同。

（內地）兩國之間（參見圖三）。菁英的頓挫原本可以用來推動台灣民族意識，可惜因爲二次大戰爆發，日本加緊控制台灣，發展萌芽中的台灣民族意識未及深入民心。

戰後，當菁英開始浪漫地懷念日本時代「夜不閉戶，路不拾遺」的烏托邦境界，完全忘了日本嚴厲苛酷的統治，也就對國民政府否定。當戰後出生、未曾受過日本教育的一代，競相以說日語爲自豪、以聽日本歌謠爲傲，也就是民間對國民黨同化政策的無言抗議。當政治人物爲接班而進行無情的鬥爭傾軋之際，老一輩的人不由自主肯定唯有李登輝饒富「日本精神」，㉖可見台灣人的意識裡頭，不知不覺中已擺脫不了「日本意識」的成分。

㉖ 只能用英文解釋爲具有 integrity、commitment 的人格特質或訓練。

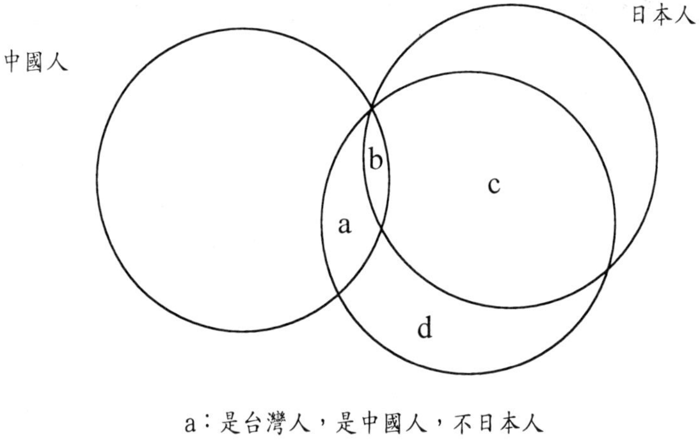

a：是台灣人，是中國人，不日本人

b：是台灣人，是中國人，也是日本人

c：是台灣人，也是日本人，不是中國人

d：是台灣人，不是中國人，也不是日本人

圖三：日據時代台灣人的認同

（二）反外省的族群主義

美國於戰後將台灣交還中國，台灣人幾乎毫無異議，㉗至少民間是歡天喜地回到祖國的懷抱。與日據時代的困惑經驗相較，此回與祖國的第二次接觸是悲劇的，當祖國來的國軍登陸掃蕩，被同胞視爲異族、思想中了日本毒素、不再是純種的中國人、需要改造之際，台灣人懊惱地自問：「爲什麼同胞比殖民者還可惡？」從此對中國不再存有任何的幻想。

台灣人是在中國國民黨的統治下，才眞正反中國。國民黨在中國的內戰中敗給中共，不得不於一九四九年避秦台灣，與中共進行反共的意識型態競爭。從此，華人有兩個國家—分別是在台灣的中華民國、以及在中國大陸的中華人民共和國。㉘面對充滿敵意的台灣人，國民黨進行少數統治：由國家以父權的方式宰制著民間，由佔人口百分之十五的外省人藉著維持中國的法統、抗拒中共武力犯台、捍衛自由的堡壘等理由，長期控制黨、政、軍等國家機器，儼然成爲世襲貴族階層（施正鋒，一九九八b）。有意無意間，國民黨的差別待遇政策惡化台灣人原來對所有大陸人的敵意。

不可諱言，戰後的台灣是個族群階層化（ethnic stratification）的社會，㉙歷經白色恐怖的本地人

㉗ 或者是沒有選擇的餘地。
㉘ 如果我們將民族作文化上的解釋，此刻的兩岸可以視爲「一個民族、兩個國家」。
㉙ 或者說是「國家的族群化」（state ethnicization）。

如驚弓之鳥，傳統的地主在「土地改革」下消失殆盡，新興的中產階級在「幣制改革」下破產，百姓在統治經濟下苟延殘喘，幸存的少數菁英只得自我流亡海外。國民黨提供軍事鎮壓、政治不平等、經濟控制、文化羞辱、掛狗牌等共同記憶，幫助台灣人意識的凝聚。

台灣意識有很大的比重是以「台灣人要出頭天」的「反外省人族群主義」（ethnic nationalism）㉚爲動力。由「二二八事件」（一九四七）一直到「美麗島事件」（一九七九）爲止，不管是島內的黨外運動、或是海外的台獨運動，基本是以反在台灣的中國人（外省人）、以及推翻國民黨外來政權爲運動推進的主軸。「狗去豬來」的「反阿山」訴求，不只是不滿接收者的貪婪，更把外省人當作異族看待，因而帶有種族主義的排外色彩。㉛譬如美麗島事件大審，「坐在上面判刑的都是外省人、站在下面被告的都是本省人」的認知，很難區分到底是反異族、還是反外省人。

大體而言，我們可以說反外省人是台灣民族認同的準備期。二二八事件提供台灣民族運動所需的烈士，隨後的白色恐怖製造政治犯，菁英份子缺乏往上流動的管道，除了少數接受收編的樣板外，大多數的人選擇自我流亡，百姓對國民黨政權及外省族群開始萌生敵意。一直到一九九〇年代，台灣的政治大

㉚ 即Birnbaum（1996）所謂的「族群化的民族主義」（ethnicization of nationalism），又稱爲ethnically based nationalism 或 ethnonationalism。

㉛ 當然，早期的黨外運動爲了擴大支持的基礎，勢必要作聯合陣線，因此打的旗幟是追求民主化，不分統獨、族群。

致上是沿著「本省／外省」的主軸運作；不管是「李登輝情結」、「棄彭保李」、「棄黃保陳」、還是所謂的「本土牌」，都洋溢著濃厚的反外省人意識。連李登輝的台灣國民黨，也很難不被詮釋爲台灣人的奪權。

從中、美建交（一九七九）到蔣經國後期，國民黨政權逐漸體認到反攻大陸無望，外省人也開始不得不土斷，尤其是一九八七年開放「大陸探親」後，老兵猛然驚覺自己竟已變成「台胞」。從此，在台灣認同的論述裡，外省人不再是未來要驅逐出境的中國人，而是台灣政治場域的一個「新住民」族群，必須正式面對本土人士要求政治權力重分配的挑戰，不再是躲在國民黨少數統治下的扈從。

自從李登輝當上總統，國民黨政權逐漸本土化（naturalization），族群間的關係逐漸由垂直調整爲水平，本省人還我公道（ethnic justice）的要求逐漸實現，本省人當家作主的迫切感頓失，原有的政治認同秩序逐漸崩盤。外省族群過去習於效忠三位一體的國家、政黨、領袖，認同並無疑問；但隨著總統變成本省人，國民黨分裂爲兩派，加上國家認同出現疑慮，外省人在徬徨失措之際，必須尋求新的認同對象。而新黨由國民黨出走，表面上打著是「捍衛中華民國」的旗幟，其實就是以外省族群的代言人作自我定位。而外省籍權貴頓時萌生危機意識，甚或有被迫害的認知。

本省人與外省人的省籍分歧，在政治上往往會表現在國家認同與統獨之爭。一般來說，本省人則比較傾向於自認爲「是台灣人而非中國人」、並贊成獨立；相對地，外省人會比較傾向於自認爲「是中國人而非台灣人」、並支持統一；而大多數人恐怕是兩種認同混淆不清，比如李登輝的「是台灣人、也是中國人」），或是蔣經國、林洋港的「是中國人、也是台灣人」。（見圖四，下頁）

其實，外省族群和大多數的本省人相仿，都是非原住的漢人移民（immigrants）或其後裔，對於歷史上的唐山難免有感情上的藕斷絲連、甚至於文化或血緣上的優越感。但兩者最大的不同，主要在於前者以追隨國民黨流亡政權（expatriate）來台的政治難民爲主，仍有少數追求統一者或復辟份子（restoration）殘留，相對之下，後者原先多爲自願前來的墾殖者（settlers），可以說是經濟性難民，在九死一生冒險渡過烏水溝之後，早已死心塌地將台灣當作是他們的母國（motherland）。

在一九九八年的台北市長選舉裡，民進黨赤裸裸喊出「台灣人投給台灣人」，同時又暗示李登輝支持他，無形中就是要放棄外省人的票，只要能固守獨派及客家票即可。在這種偷懶而墮落、倚人爲多的族群主義式傳統論述中，不只是外省人找不到自我定位，連客家族

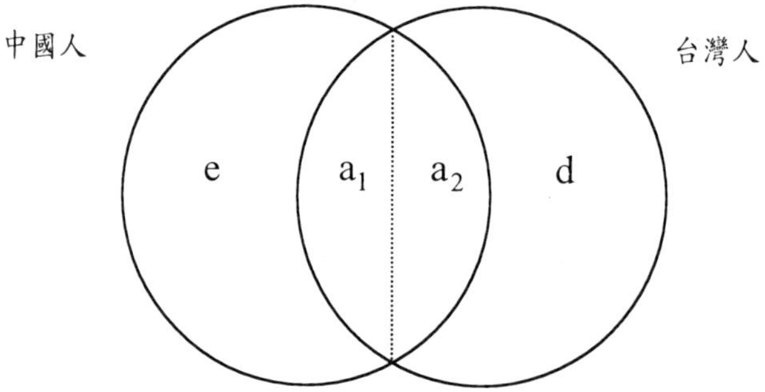

e：是中國人，不是台灣人

a_1：是中國人，也是台灣人

a_2：是台灣人，也是中國人

d：是台灣人，不是中國人

圖四：戰後台灣人的認同

群也多湧上舊有的疏離感，懷疑是否為「福佬人沙文主義」陰魂不散，因此有六成投給馬英九，只有二成支持陳水扁。㉜回顧一九九六年總統大選，民進黨在桃、竹、苗的支持者喊出「國代選民進黨、總統選李登輝」，多少反映出客家族群對民進黨支持者的鶴佬沙文主義表示抗議。㉝

直言之，外省族群對於集體認同（group identity）是否會被壓制的擔憂，恐怕是比台灣獨立建國帶來的衝擊還強。然而，少數台獨理念的推動卻流於狹隘的族群主義、粗糙的語言排他主義、甚或血緣至上的種族主義式，在這建構過程中被邊陲化的外省族群，對於原本被朝野污名化的獨立建國運動當然裹足不前。一般傾向於否認族群區別的存在、將族群競爭提高為國家認同矇蔽、甚或將之等同於（conflation）國家定位的作法，只會硬將兩個原本不同軸線的分歧聚合而使其相互強化。

四、建構論──官式民族主義、獨立建國意識

根據建構論，集體認同是人為建構、想像、創造出的。不過，這並不意味認同是憑空杜撰出來的，若無共同的有形原生特質，至少要有無形的共同的歷史、經驗、或是記憶——即使是高度選擇性的。建

㉜見《聯合晚報》一九九八／十二／六。

㉝目前民進黨又面臨二〇〇〇年總統人選如何產生的難題，支持者對許信良的嫌惡，與其說是許的「大膽西進」不受歡迎，不如說是鶴佬沙文主義作祟，因為角逐的陳水扁並無明確的中國政策。

構論也不否定結構因素，因爲這些現在的經驗正構成未來的歷史；當然，記憶並不限於過去，是可以由現在來建構。

戰後的台灣人意識裡頭，一直有兩股相互重疊而又拉鋸的國家認同，一爲歷年來國民黨以國家機器由上而下灌輸的官式民族主義，一爲民間由下而上宣揚的獨立建國意識。前者告訴百姓說：「我們都是中國人」，後者則明確主張：「我們都是台灣人」。不過，兩者卻有共同點，都不願中國統治台灣。

（一）官式民族主義

台灣原本是地理名詞，即使在清朝，亦不過在行政上有鬆散的結合，政治鞏固是在戰後國民黨的統治，使土地負載的國家固著化（territorialization），爲現代化的台灣認同鋪路。眞正的反中國統治、效忠台灣的認同，也是在這個時期深植民心；由蔣介石的「反攻大陸」、蔣經國的「以三民主義統一中國」、到李登輝主張的「立足台灣、胸懷大陸、放眼世界」，台灣與中國的分離逐漸確立。

早期的國民黨政權除了以軍事統治來穩住政局，中華民國的政治認同是建立在三個支柱：強調外來中共的威脅；以經濟發展提供物質誘因；以正統來鼓勵對國家的效忠。中華民國體制提供共同的政治制度、行政體系、以及法律制度。㉞國旗、國歌、忠黨愛國的國民教育是用來塑造國民意識，雖然是不確

㉞ 譬如《港澳條例》管制誰可進出，無形中定義了公民的資格。

定的民族認同，卻至少與中國明顯區隔。尤其是地理上的隔絕，台灣的住民可以進行全島性的自我社會溝通、及內部經濟交換。事實上，百年來的台灣與中國已經政治分離。

原本中華民國的國家認同是排他性的，也就是說由外省人來作定義。蔣經國雖然人在台灣、當台灣人的總統，卻不諳台灣人的語言，而生前表達自己應該也是台灣人了，想必是以不能當台灣人爲憾。蔣經國適時以李登輝爲接班人，化解本地人的反外省人情結。

鄭氏王朝、蔣氏政權、以及中華民國在台灣都是忠誠者（loyalist）。㉟然而與反清復明的鄭氏王朝或反攻大陸的蔣氏政權相較，李登輝的中華民國第二共和國已放棄對中國大陸的領土訴求，㊱無心與中共政權競爭中國的正統。然而，由「新中原」的論述來看，李登輝除了試圖以繼承中華傳統文化傲人，還自詡台灣的中國人爲較優秀的華人，大體是要將中華民國轉變爲另外一個華人的國度（Chinese state），也就是想要同時保有華人的文化認同、以及台灣的政治認同，心態上是權宜考量下的漢人忠誠者，仍然以擺脫不了漢人文化的認同臍帶，而非要建立以台灣本土爲中心的新國度。

面對內外的挑戰，李登輝以「主權在民」爲基礎，使用「社群主義」（communitarianism）的思維

㉟ 有關「忠誠者」的概念，請看Kohn（1957）。

㊱ 正式的說法是主權包括中國大陸，而治權僅及台、澎、金、馬。不過，李登輝政府已在一九九八年底進一步以領海範圍，間接確認領土範圍不及金、馬。

來建構「生命共同體」（community）。㊲不管是Taiwanese people或是people of Taiwan，他心中的台灣人大致上是以台灣的所有住民爲優先，隱約打著隱性的「地域式台灣民族主義」（territorial Taiwanese nationalism）旗幟，因爲民族就是一個建立在主權國家的生命共同體。

除了以民主化來提高政權的正當性，李登輝以「生爲台灣人的悲哀」來取得本省人的認同，近來又具體以「新台灣人主義」的說法㊳來整合多元族群，想讓具有原罪的外省族群驟然取得救贖，使其順利進行認同的轉換。不過細看李登輝的「新台灣人主義」，並未打算處理國家認同的問題，尤其是外省族群的國家認同。㊴

面對中國外交上的封鎖，李登輝爲了應付在野黨挑戰，轉而採取口頭上的「反中國」來凝聚民氣，

㊲ 不過，李登輝的基本國家觀論述仍付諸闕如。譬如，如果要由地方性的社區擴展到全國性的社群，兩者在質、量上有何不同？彼此的關係如何？又如，生命共同體的本質爲何？是血緣的、文化的、還是政治的？公民的條件、權利、及義務爲何？再者，新台灣人的認同及權利是自由主義、或組合主義、社群主義式的？是個人的、還是集體的？

㊳ 李登輝在「馬英九牽成之夜」：「不論是四、五百年來的，或是四十年、五十年前從大陸來的，或是原住民，攏是咱們台灣人，爲台灣，爲了中華民國在這裡打拼，就是新台灣人」。此舉可以視爲政治菁英爲了選票而作的工具性認同論述，但也可以詮釋爲政治人物爲了重新建構認同競爭的秩序所作的努力。

㊴ 因爲即使外省人願意接受土生土長爲「新台灣人」的認同，其國家認同仍然懸而未決。近日已有少數外省菁英表示其爲新台灣人，同時也是（或更是）中國人，似乎仍自我位爲「在台灣的中國人」，含混地將新台灣人定義爲純粹的地域認同，堅持將台灣人認同矮化，在位階上低於中國人認同。

譬如稱中國爲「土匪」、「惡霸」、「歹厝邊」。海峽兩岸的分離自然有其國際上的脈絡可尋（戴天昭，一九九六），然而，在中國逐漸放棄社會主義路線、改採經濟開放之際，即使台灣不再爲異族統治，兩岸的交流反而強化彼此的分離感，尤其是開放探親及台商投資中國日漸，與中國的第三度接觸未曾扭轉台灣人對中國人的嫌惡。中國儼然成爲台灣人自我定位的「反模型」（anti-model），而民間對中國的反感日漸，除了「經濟式民族主義」（economic nationalism）的思考外，要歸功中國一再以武力威脅。一九九六年的飛彈演習的惡意挑釁，已經超越內戰的本質，中國政府把兩岸間的最後一絲聯繫斬斷，使國民黨不必再仰賴中國的正統來合理化自己的存在。因此，中國終究要爲台灣民族意識的高漲負責。

國民黨近年來雖走「獨台」路線，㊵大量吸納台獨的論述，卻對台獨運動楬櫫的台灣民族主義仍敬而遠之。李登輝的「官式民族主義」㊶（official nationalism）㊷以爲民族爲虛幻的，傾向於將民族主義作選擇性的負面詮釋。如此看來，中華民國在台灣一方面以中華民國爲軀殼，一方面又企圖吸取台灣國的靈魂，國家認同依舊是模稜兩可的「在台灣的中國人」，即使對外面對中國能擺脫尷尬、對內又能避

㊵ 譬如對僑民的限制性解釋、以台商出任僑選立委。而李登輝的「戒急用忍」、及「三不政策」，大致爲台獨人士接受。

㊶ 這是Anderson（1991）的用字。

㊷ 即對內爲排他性的族群運動，以及對外爲沙文、仇外、擴張性的民族運動。其實，民族主義對內可以積極地用來整合社會分歧，對外是反抗帝國主義、追求自我解放的利器（Prinsloo, 1996）。

免百姓認知的錯亂，距台灣民族的認同仍有一大段距離。

（二）獨立建國意識

台灣意識有一個面貌是以台灣要獨立建國的型態呈現，也就是「台獨意識」。台獨意識發軔於日據時代的「留學生運動」，他們接受西方「民族自決」（self-determination）理念的薰陶，也受到愛爾蘭及韓國獨立成功刺激，主張「台灣是台灣人的台灣」。不過，前者多止於自治的訴求，只要求台灣能與日本內地平等已足（蔡培火等，一九七一；葉榮鐘，一九六〇）。

雖然台灣共產黨在戰前（一九二八）早已揭櫫「台灣民族」、「台灣獨立」的概念、以及「建立台灣共和國」的主張（陳芳明，一九九八；盧修一，一九九〇），不過是在國民黨統治時期，獨立建國意識才開始由海外台獨運動者積極推動。他們主張台灣人四百年來一直爲外來政權統治，應該有權利決定自己的命運、建立一個屬於自己國家，他們尤其是強烈主張不應再與中國有任何糾葛（黃昭堂，一九九八，一九九六；陳隆志，一九九三）。

台獨運動起源於島外是有道理的，在二二八悲劇及接踵而來的白色恐怖之後，台灣頓時淪爲一個不完全的社會，一夜之間菁英消失殆盡，幾十年內台灣人群龍無首。年輕的一代面臨凍結的社會流動，不得不遠走他鄉，尤其是日本及美國。對於這些留學生來說，一旦踏上松山機場，原先多誓言不願再回來，卻終究狠不下心來。這些留學生是「離散的台灣人」（Taiwanese diasporas），因爲他們夢牽魂縈的祖國已經不是中國，而是番薯狀的台灣島。荒謬的是，這些人的接生婆竟是來自中國的國民黨流亡政

權、以及追隨而來的中國難民（Chinese refugees），也就是來台的第二批「離散的華人」。㊸

這些留學生並非單純的個人自我流亡（exile），因爲他們是在遭受民族浩劫之後，不得不集體出走。他們也非虛無而失落的一代，因爲他們在異域固守著在故國被壓抑的獨特集體認同，拒絕被寄居地的主流文化所同化，同時也因此無法被接受，不時爲強烈的疏離感所困。他們又不甘以寄居國的少數族群（ethnic minority）自居，因爲他們對台灣的眷戀縈迴不斷，日夜苦思，終有一天一定要回到故土。他們絕非一般的移民（immigrant），因爲不可磨滅的集體記憶，使他們對故鄉的關切不曾稍減。更重要的是，他們將故國的前途與個人的福禍相繫，因此矢志重返獻身家園的重建。

這些人在國外的圖書館搜尋一九四六年的外文報刊雜誌，饑渴而激動地閱讀外國人對二二八事件的報導。留學生台獨組織「台灣人的自由台灣」（Free Formans' Formosa，簡寫爲「三F」，美國）、「台灣青年社」（日本）相繼在一九五六、一九六〇年成立。一九六四年的「彭明敏事件」促成島內外台灣菁英的結合。世界性的「台灣獨立聯盟」更於一九七〇年合併；同年的「刺蔣事件」更振奮人心（陳佳宏，一九九八；宋重陽，一九九六；陳銘城，一九九二）。

留學生偷偷地閱讀《被出賣的台灣》（Kerr, 1965）、《苦悶的台灣》（王育德，無出版日期）、《台灣人四百年史》（史明，一九八〇）、《自由的滋味》（彭明敏，一九九五）、及《台灣青年》，

㊸ 根據Robin Cohen 的說法，前者爲「離散的受害者」，而後者爲「離散的帝國主義者」。

落淚中再度體會到台灣人的命運悲哀，很多人毅然參與台灣獨立建國運動。老台灣留學生孤心苦詣，以刻己待人、捐輸不落於人的方式關心台灣的獨立建國。在解嚴之前，海外的台獨運動就是由這些無名的留學生的方式，摸索建立起來的，他們也因此被列入黑名單，變成有家歸不得，只得在他鄉低吟《黃昏的故鄉》、《媽媽請您也保重》。

不過在戒嚴下，台獨意識在島內無法深入民心，尤其是教育、文化、傳統機構不過是殖民者進行社會控制的工具，加上嚴峻的國語政策雷厲風行，台灣意識無從生根發展。一直到台灣長老教會於一九七一年主張「人民自有權利決定他們自己的命運」之前（宋泉盛，一九八八），島內反抗國民黨的意識端賴少數的「黨外」代議士所維繫（李筱峰，一九八七）。在一九八〇年代，社會經濟條件改善，逐漸恢復自信的民間公開不滿政、經分配不公，開始以台灣意識來對抗國民黨版的中國意識，才有「台灣政治受難者聯誼總會」在一九八七年成立，由許曹德與蔡有全正式宣示「台灣應該獨立」。

第一個本土政黨民進黨於一九八六年成立，在政黨認同上自詡傳承黨外時代反國民黨的精神，以「台灣人的政黨」自居。一九八八年通過充滿修辭的《四一七主權獨立決議文》，主張在四個假設條件下，民進黨才要支持台灣獨立。一直到一九九一年，民進黨爲了防堵海外的台獨運動人士鮭魚集體返鄉，才匆匆通過所謂的《台獨黨綱》，不得不靦腆接受台灣民族主義的訴求。回頭來看，民進黨本質上是不折不扣的本省人族群政黨，㊹頂多是延續「自決派」的「公投派」，而「台獨黨」的稱號則未免當之有愧。

平心而論，台獨運動者雖宣稱一個嶄新的台灣民族已經在國際舞台出現，應該要有自己的國家。但是百姓半信半疑，除了中國的威脅外，主要在人們不願放棄華人文化。可見台灣人民族的建構尚未成熟，頂多只能算是建構中的民族。

五、台灣民族意識

在台灣意識發展的過程中，六個面貌在三個場域出現。在不同的時空裡，新的認同雖然企圖將前者中立化，卻無法完全取代；認同之間時而又彼此強化，因此是鼎足並存的（見下頁圖五）。如果將民族當作有機體的話，原生論是血肉，結構論提供骨幹，而建構論就是總其成的精神。

民族並非天生而成的，它的建構是一個持續的過程，必須經過想像、建構、及成熟的步驟；而這個任務永無止境，甚至於要不斷地做建構、重建。台灣民族運動就是如何把鬆散的「台灣人」（Taiwanese people），塑成「台灣民族」（Taiwanese nation）的努力。台灣民族主義是台灣意識的政治表

㊹ 尤其是在外省籍的創黨元老費希平（一九八八）、林正杰退黨之後（一九九一）。

現，主張台灣島上的住民雖然未完全凝聚成台灣民族，但已發展成福禍與共的命運共同體；對外要行使民族自決權，有權建立自己的國家，對內要確保成員的公民權。因此可以說是一種「公民式民族主義」（civic nationalism）。

從原生面來看，早期台灣人的意識是建立在漢人（或漢民族）的基礎上，是天生被賦予的，而非本身積極爭取而來的；不論是在文化、或是政治上，台灣人老是引領而望祖國的煦光照拂。這種信心不足的心態，使台灣人養成幼兒般的依賴性，無法發展出成熟的台灣意識。

我們主張的目標是以「多元文化主義」（multiculturalism）來建立一種超越族群的台灣人認同（trans-ethnic Taiwanese identity）：一方面尊重各個族群獨特的價值觀及文化特色，給他們有集體的安全感；另一方面，每個人都可以坦然地同時擁有個人、族群（原住民、外省人、客家人、或鶴佬人）、及國家的認同。

從結構面來看，台灣人對自己的了解，向來是建立在

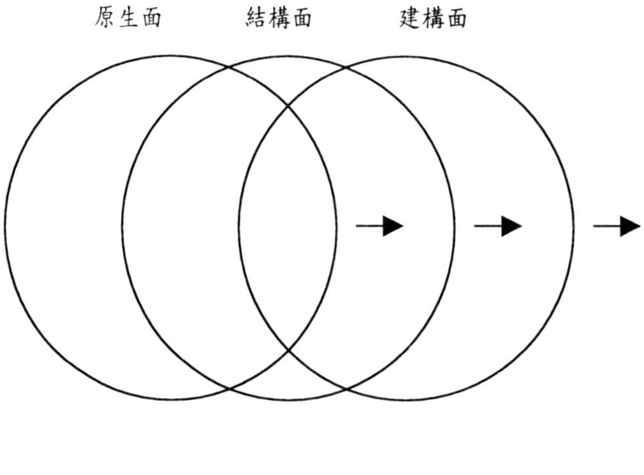

圖五：台灣意識的發展

對他人的反應，譬如異族、外來政權、外省人、外國人、中國，台灣人的集體認同往往是由他人所逼（pushed）、由他人硬加上的（imposed），而非經由理念的感召（inspired）、或由自己去爭取而來（attained）。大體而言，民族運動在推動的初期，往往是負面的抗爭，尤其是武裝抗爭；在後期（或是同時），民族運動的課題在於建立自己的主體性，也就是合宜的文化、社會、經濟、及政治制度，或稱「國家的打造」（state-building）。對於墾殖國（settler state）而言，台灣對內除了有面對原住民的原罪外，更有如何整合不同波的移民、使其土著化，即「塑造新興民族」（nation-building）的課題；對外則有如何擺脫祖國羈絆的難題。

對外來看，台灣人並未捲入當年國共之間的鬥爭，而且在國民黨的教育下，「反共」並不一定等於「反中國」。然而在中國歷年來的文攻武嚇下，讓台灣人體會到中國霸道的本質。台灣人的認同在與中國的三度接觸（encounters）裡——戰前的半山、戰後的外省人、及當前台商與台胞——逐漸由中國人、在台灣的中國人、最後發展到台灣人，卻沒有要仇視中國的必然性。但是在當前以民族國家爲主體的國際體系裡，不論在理論還是實踐上，多國籍的台灣國民仍需豐富的想像力來構思，因爲國家認同的選項卻是相互排斥的，不容半點灰色地帶或雙重效忠，在政治上只能在台灣人或中國人擇一，尤其是兩者相互敵視的情況下。

對內來看，儘管政治人物在表面上呈現出過度的自信，一再表示沒有族群問題，事實上卻曝露出我們缺乏自信的困窘。由近年台灣對國家認同的辯論來看，正顯示出台灣人的國家認同並不穩固，我們甚至於可以說台灣並沒有一個爲各方接受的國家認同。國家認同的歧異，正反映出選民對國家獨統定位的徬徨。多數族群在追求獨立建國之際，當然會擔心自己的安全是否會被前者與外力勾結而危及，因此稍嫌誇張而激化的「新賣台集團」說法，除了有試圖以否定對方（un-Taiwanese）來建構自我的認同的意義外，更暗示著期待外省族群放棄對政治中國的效忠。

平心而論，外省族群對於中國除了有鄉愁般的眷戀外，並無強烈的統一慾念，他們對於台灣的歸屬感，應該是毋庸置疑。我們甚至於可以大膽的說，台灣目前只有名目上的統派罷了。對於他們來說，如何追求公平的個人權及集體權、如何確保第二代起碼不被排斥，可能是較爲具體而務實。然而，即使對外的國家定位能獲得合理的解決，族群間的齟齬仍有待解套，不是二二八事件或白色恐怖就能解釋清楚，還牽涉到一個人數多的族群被少數族群長期統治的不平，這是本省人揮之不去的共同記憶，是無法要求他們集體失憶的。

在經歷一連串政治、經濟危機之後的反省，台灣的住民比較關心的將是如何肯定自我的認同，而非報復式的思考。如果我們眞的要講族群和解（reconciliation），不能片面要求一方忘卻過去的苦難及壓抑。雙方一定要先勇敢地面對過去，設法了解在大環境下對方的角色，如果換成是你（empathy），是不是也會作相同的事?然後，外省族群要誠心誠意要求本省人諒解，唯有如此，族群間才能取得眞正的和解，雙方的心靈才能重歸安寧。

從建構面來說，台灣認同的定義在一九八〇年代有重大的轉變，海外的台獨開始採取開放式的民族主義，主張以台灣爲效忠的對象，要求以「認同台灣」來定義台灣人的身份，依據住民的身份來提供公民權。也就是說，台灣民族意識是要主觀地建立在大家對於這塊土地的愛，不再堅持以血緣、或文化特徵來決定身份認同。

不管來台先後，命定要安身立命於台灣的四大族群要共同組成一個國家，這就是「政治式民族主義」（political nationalism）的眞諦。我們更要具體的去找出彼此共同的地方，比如共同的敵人、經濟發展的參與，尤其較正面的共同記憶。而記憶不限於過去，更可以朝未來去建構的，透過這個建構過程來建立更多的共識，比如現代國家的政治、經濟、文化制度，尤其是大家可以接受的權力分配公式。

未來的台灣應該是一個多種族、多元文化、及多族群的國家。眞誠期待一個認同台灣爲祖國的嶄新台灣民族出現。

參考文獻

張炎憲　一九九八。《台灣人意識回憶錄的出現》，《台灣史料研究》十一號，頁六五—七二。

———　一九九三。《台灣史上的政治運動與國家認同》，收於《國家認同學術研討會論文集》，頁九七—一一三。台北：現代學術研究基金會。

張文智　一九九三。《當代文學的台灣意識》。台北：自立報社。

鄭　興　一九九四。《評史明所虛構的「台灣意識」》，收於許南村編：《史明台灣史論的虛構》，頁二八三—三〇七。台北：人間。

陳昭瑛　一九九八。《台灣文學與本土化運動》。台北：正中。

陳佳宏　一九九八。《海外台獨運動史》。台北：前衛。

陳芳明　一九九八。《殖民地台灣—左翼運動史論》。台北：麥田。
陳隆志　一九九三。《台灣的獨立與建國》。台北：月旦。
陳美如　一九九八。《台灣語言教育政策之回顧與展望》。高雄：復文。
陳銘城　一九九二。《海外台獨運動四十年》。台北：自立報社。
周亞麗　一九九六。〈祖國認同與台灣關懷——劉錦堂的「台灣遺民圖」〉，收於《何謂台灣？近代台灣美術與文化認同論文集》，頁二九〇—三〇六。台北：行政院文化建設委員會。
戴天昭　一九九六。《台灣國際政治史》。台北：前衛。
黃國昌　一九九二。《中國意識與台灣意識》。台北：五南。
謝里法　一九八八。《重塑台灣的心靈》。台北：自由時代。
———　一九八四。《台灣出土人物誌》。台北：台灣文藝。
許曹德　一九九〇。《許曹德回憶錄》。台北：前衛。
徐火炎　一九九四。〈台灣選民的國家認同與黨派投票行爲，一九九一至一九九三〉，發表於台灣政治學會主辦「邁向台灣政治學學術研討會」。台北。
簡炯仁　一九九五。《台灣開發與族群》。台北：前衛。
高天生　一九九四。《台灣小説與小説家》。台北：前衛。
許世楷　一九九八。《許世楷文集》。台北：前衛。
李　喬　一九八八。《台灣人的醜陋面》。Irvine, Calif.: Taiwan Publishing Co.

李筱峰　一九八七。《台灣民主運動四十年》。台北：自立報社。
廖咸浩　一九九五。〈在解構與解體之間徘徊—台灣現代小說中「中國身分」的轉變〉，收於張京媛編：《後殖民與文化認同》，頁一九三—二一一。台北：麥田。
連溫卿　一九八八。《台灣政治運動史》。板橋：稻鄉。
林進輝編　一九八三。《台灣語言問題論文集》。台北：台灣文藝。
林瑞明　一九九六。《台灣文學的歷史考察》。台北：允晨文化。
林央敏　一九九六。《台語文學運動史論》。台北：前衛。
———　一九九八。《台灣人的蓮花再生》。台北：前衛。
呂興昌　一九九九。《台語文學運動論文集》。台北：前衛。
盧修一　一九九〇。《日據時代台灣共產黨史（一九二八—一九三二）》。台北：前衛。
黃昭堂　一九九八。《台灣那想那利斯文》。台北：前衛。
———　一九九六。《台灣淪陷論文集》。台北：現代學術研究基金會。
———　一九九三。《台灣民主國之研究》。台北：現代學術研究基金會。
———　一九八九。《台灣總督府》。台北：自由時代。
王育德　無出版日期。《苦悶的台灣》。台北：鄭楠榕。
胡明祥　一九九五。《胡明祥台語文學選》。新營：台南縣立文化中心。
彭瑞金　一九九五。《台灣文學探索》。台北：前衛。

彭明敏　一九九四。《自由的滋味—彭明敏回憶錄》。台北：彭明敏文教基金會。
史　明　一九八〇。《台灣人四百年史》。San Jose, Calif.：蓬島文化。
司馬遼太郎　一九九五。《台灣紀行》。台北：台灣東販。
施正鋒　一九九八a。《族群與民族主義—集體認同的政治分析》。台北：前衛。
———　一九九八b。《台灣族群結構及政治權力之分配》，發表於台灣省政府文化處、台灣省文獻會主辦「族群台灣：台灣族群社會變遷研討會」。台北。
施敏輝編　一九八五。《台灣意識論戰選集》。Irvine, Calif.：Taiwan Publishing Co.
宋泉盛編　一九八八。《出頭天——台灣人民自決運動史》。台南：台灣教會公報。
宋重陽　一九九六。《台灣獨立運動私記》。台北：前衛。
蔡培火等人　一九七一。《台灣民族運動史》。台北：自立晚報。
王曉波　一九九七。《台灣抗日五十年》。台北：正中。
王詩琅譯　一九八八。《台灣社會運動史》。板橋：稻鄉。
王　拓　一九七七。《街巷鼓聲》。台北：遠景。
吳三連　一九九一。《吳三連回憶錄》。台北：自立報社。
吳濁流　一九七七。《亞細亞的孤兒》。台北：遠景。
吳睿人　無出版日期。《命運共同體的想像：自救宣言與戰後的台灣公民民族主義》，收於彭明敏文教基金會編：《台灣自由主義的傳統與傳承》，頁五七—八六。台北：彭明敏文教基金會。

游勝冠　一九九六。《台灣文學本土論的興起與發展》。台北：前衛。
葉石濤　一九九二。《台灣文學的困境》。高雄：派色文化。
———　一九九〇。《台灣文學的悲情》。高雄：派色文化。
———　一九七九。《台灣鄉土文學作家論集》。台北：遠景。
葉榮鐘編　一九六〇。《林獻堂先生年譜》。台中：林獻堂先生紀念編纂委員會。
尹章義　一九八八。《抽濃菸喝烈酒——台灣歷史與台灣前途》。台北：台灣史研究會。
———　一九八六。《台灣近代史論》。台北：自立報社。
Anderson, Benedict. 1991. *Imagined Communities*: *Reflections on the Origin and Spread of Nationalism*. Rev. ed. London: Verso.
Birnbaum, Pierre. 1996. " From Multiculturalism to Nationalism. " *Political Theory*, Vol. 24, No. 1 (EBSCOhost Full Display)。
Cohen, Rpbin. 1997. *Global Diaspora*: *An Introduction*. Seattle: University of Washington Press.
Esman, Milton. 1994. *Ethnic Politics*. Ithaca: Cornell University Press.
Graafsma, Tobi L. G. 1994. " A Psychoanalytic Perspective on the Concept of Identity, " in Harke A. Bosma, et al., eds. *Identity and Development*: *An Interdisciplinary Approach*, pp. 41-61. Thousand Oaks, Calif.: Sage.
Greenfeld, Liah. 1992. *Nationalism*: *Five Roads to Modernity*. Cambridge, Mass.: Harvard Univer-

sity Press.

Gutmna, Amy. 1994. " Introduction, " in Amy Gutmann, ed. *Multiculturalism*, pp. 3-24. Princeton: Princeton University Press.

Kerr, George. 1965. *Formosa Betrayed*. Boston: Houghton Mifflin.

Klapp, Orrin E. 1969. *Collective Search for Identity*. New York: Holt, Rinehart & Winston.

Kohn, Hans. 1957. *American Nationalism*. New York: Collier.

Le Vine, Victor T. 1997. " Conceptualizing 'Ethnicity' and 'Ethnic Conflict': A Controversy Revisited. " *Studies in Comparative International Development*. Vol. 32, No. 2 (EBSCOhost Full Display) 。

Prinsloo, R. 1996. " Studying the Cleavaged Society: The Contributions of Eric Hobsbawm. " *South African Journal of Sociology*, Vol. 27, No. 1 (EBSCOhost Full Display) 。

Rigger, Shelley. 1997. " Competing Conceptions of Taiwan's national Identity: The Irresolavable Conflict in Cross-Strait Relations. " *Journal of Contemporary China*, Vol. 6, pp. 307-17.

Serge, Dan V. 1980. *A Crisis of Identity: Israel and Zionism*. Oxford: Oxford University Press.

Smith, Anthony D. 1991. *National Identity*. Reno: University of Nevada Press.

Smith, Anthony D. 1986. *The Ethnic Origins of Nations*. Oxford: Basil Blackwell.

Smith, Anthony D. 1983. *Theories of Nationalism*. 2nd ed. New York: Holmes & Meier.

Taylor, Charles. 1994. "The Politics of Recognition," in Amy Gutmann, ed. *Multiculturalism*, pp. 25-73. Princeton: Princeton University Press.

Yoshino, Kosaku. 1992. *Cultural Nationalism in Contemporary Japan*. London: Routledge.

Wachman, Alan M. Taiwan: *National Identity and Democratization*. Armonk, N. Y.: M. E. Sharpe.

Wheelis, Allen. 1958. *The Quest for Identity*. New York: W. W. Norton & Co.

Wong, Timothy Ka-Ying, and Milan Tung-Wen Sun. 1998. "Dissolution and Reconstruction of National Identity: The Experience of Subjectivity in Taiwan." *Nations and Nationalism*, Vol. 4, Pt. 2, pp. 247-72.

台灣在中國歷史主體中的進出
「台灣意識」與「中國意識」矛盾的歷史學與未來學的分析

黃枝連／香港浸會大學社會學教授

一、台灣進入中國歷史主體——主流的曲折過程

香港企業家霍英東在其講演集《我的參與：改革開放二十年》（香港霍英東基金會，一九九八年十一月出版）中，努力地從中國近現代史中，來理解香港之回歸中華及香港特別行政區建立之後在中國大陸現代化及整體中國發展中的特殊地位和特殊作用等問題；同樣地，對於澳門過去四百五十多年在葡萄牙人統治下歷史的分析研究，是瞭解澳門現狀並探索澳門特別行政區在二十一世紀發展大計的一個重要出發點。

根據此歷史—現實—未來是一脈相承—層層推出的道理，對於台灣歷史做深刻系統的研究—探討，正是瞭解台灣現狀及尋思其未來動向的不二法門。

在這樣的歷史觀—世界觀—發展觀下，細讀連橫的《台灣通史》（北京：商務印書館，一九九六年

三月版）便是研究台灣問題必須做的一項基本工夫了。

完成於一九一八年八月的這本台灣歷史研究的巨著，在「凡例」中說，它始於隋大業元年，終於清光緒二十一年（六〇五—一八九五年），凡一千二百九十年；可是，在《自序》中卻說，「台灣固無史也，荷人啓之，鄭氏作之，清代營之，開務成基，以立我丕基，至於今三百有餘年矣……。」看來，正確的理解是，中國人（漢民族）自隋大業以來便絡繹不絕地到澎湖和台灣……等大陸東南沿海外圍島嶼去發展，不過始終沒有在台灣島上形一個移民社會和嚴密的社會網絡；那是一種「前政治時期」，即，利用普通的社會規範和社會組織即可處理社會問題的時代。因此，也就不需要設立政府加以經營管理，而未進入中華帝國的版圖；一直到荷蘭人占領台灣，以及鄭成功把他們從台灣趕出去，建立鄭氏政權（東寧國），開啓新的歷史時期，這樣的新社會和政治體系才開始出現，因此，台灣也有了明確可靠的歷史（信史），或者說，一部以漢民族爲中心的台灣歷史，自此宣告正式開始……

連橫曰：

台灣爲荒服之地，中古未入版圖，草衣木食之民，自生自養，老死不相往來，固不知所謂政治也。及隋、唐之際，避遁之民，群聚澎湖，推年大者爲長，畋漁爲業，牧羊山谷間，各贍其食，毋相憑陵，故無訟獄之事，又不需所謂政治也，蒙古崛起，威震南邦，澎湖亦爲所略。至元中，設巡檢司，隸同安，澎湖之置吏始於此，然是時居人不及二千，旦僻遠不易治。尋廢其官，而元亦遁歸蒙古。明初，天下未平，無業之民，相爲嘯聚，侵掠閩粵，洪武五年（一三七二年），信國公湯和經略海上，而墟其地，自是澎湖遂爲海寇巢穴，嘉靖四十二年（一五六三年），都督俞大猷討林道乾，留師駐防，仍設巡檢司，已復裁之，而澎湖遂爲荷蘭所略。荷人既據澎湖，復入台灣，築城戍兵，布教撫番，設知事以治之，隸爪哇總督之下，西班牙亦據淡水，墾土殖民，以相抗衡，而台灣遂爲二國所分矣。當是時，延平郡王奮起金、廈，經略中原，以光復舊業，金陵敗後，窮蹙兩島，乃議取台灣，一鼓而下，荷人降伏，送之歸國，而台灣復始爲我族有也……。（頁一〇一）

這裡，可以看到，繼澎湖列島之後，台灣進入中國歷史，成爲中華帝國版圖的一部分，是相應於島上的社會發展從初級進入高級的階段，需要引進—建立嚴密的政治組織來進行社會管理，是經歷了一個曲折的過程。

二、東亞和南亞—南洋和西洋交通網絡中的一個中途站

如果以一千三百年的歷史來分析，可以發現，台灣自古以來便是亞洲—太平洋地區一個十分活躍的中途站，出現過多種社會網絡，卻未曾進入政治和政府加以經營管理的時期。

首先，它是波里尼西亞人一個活動的天地，這個太平洋上最偉大的航海民族，大概是在五千至一萬年前，一波又一波地，從南太平洋北上，經過現在的印尼，馬來西亞以及菲律賓等群島，繼續向東北亞地區發展。顯然地，他們在海南島登陸，是爲黎族的先人；在前往沖繩—琉球群島和日本列島途中，成爲倭奴的先人之前，發現了台灣，有部分人留居，成爲台灣土著民族（原住民）的祖先，有趣的是，他們登陸後便捨棄其祖先的航海傳統，在山地定居，成爲山地民族（高山族）——即是連橫《台灣通史》

中的一個主要族群（番人）；當然還不是現代政治意義上的中國人，亦無中國意識可言。

不過，這種海上的遷徙活動是持續不斷的，一直到唐代還有馬來族（波里尼西亞人的一支）北上定居的紀錄；見之於《台灣通史·開闢記》者有……

唐貞觀間，馬來群島洪水，不獲安處，各駕竹筏避難，漂泊而至台灣……居於海澨，以殖其種，是爲外族侵入台灣之始，故《台灣小志》曰，生番之語言，出自馬來者六之一，出自呂宋者十之一，迤北十七村多似斐利賓語。說者謂自南洋某島遷來，其言近似。而統一之者爲卑南王，王死之後，各社分立，以至今日。及唐中葉，施肩吾率其族遷居澎湖……。終唐之世，竟無與台灣交涉也。歷更五代，終及兩宋，中原板蕩，戰爭未息，漳泉邊民漸來台灣，而以北港爲互市之口……。當是時，馬人之在台灣者，族強勢大，遂攘土番而分據南北焉。淳熙之間，琉球酋長率數百輩猝至泉之水澳、圍頭等村，肆行殺掠……。與那國者沖繩之一島也。昔有長耳國人渡來，掠人爲害……。是爲台灣番族侵掠外洋之始，而此爲馬人也。其黠者且乘艋舺，渡大海，至呂宋，以物交易，轉貿於高山之番……。（頁五）

其實，這裡，可以有新的理解：連綿不斷地北上的海上民族，同日本列島和中國沿海省份紛紛南下的海上探險集團交集，構成了西太平洋一幅活躍的貿易圖；而這些活動家，亦商亦盜。其實，在那個時代，所謂國際貿易和江洋大盜根本是難分難解（其實，時至二十一世紀到來前夕，東南亞海面的海盜仍然十分猖狂）；而在天朝禮治體系之下的所謂朝貢制度，可能就是由統治集團和私商集團聯合組織的武裝貿易體制—活動；或者說，是由沿海的富商—海商推動的大型的貿易活動；其間，海盜亦有其一席之位。

比如說，明代嘉靖以來嚴重地困擾中國沿海地區的倭寇，有很大一部分是福建漳泉地區的海商。由於地理條件的關係……即，農業因山地多難於開展，而靠海卻有利於同世界各地來的商人貿易，因此與番舶和夷商的貿販，十分活躍……

當時私人海上貿易不僅規模龐大，而且活動範圍也很廣。浙江海商「雖極遠番國，皆能通之」，福建海商「皆擅海舶之利，西至歐羅巴，東至日本之呂宋（？），長崎，海一舶至則錢貨充物」，海外的貿易據點也不斷增多，除原有聚居地之外，又在世界各地如大泥，萬丹，馬尼拉，平户，是長崎等地開闢了貿易點，如爪哇新村「中華人客此成聚，遂名新，約千餘家」，在吉蘭丹（今馬來半島）「華人流寓甚多，趾相踵也」。（林仁川著：《明末清初私人海上貿易》，上海華東師範大學出版社，一九八七年四月出版，頁六七。）

可是，明延的海禁政策和重農輕商政策，不能給予他們一個合法—合理的經商環境；政治和經濟，政府和海商的格格不入，使他們和外商的海上貿易活動成爲非法的活動。因此，他們便走黑幫和海盜……

……明代中葉以前，大多數海商都是零星的，獨家經營的小商人，「各船所認所主，承擔貨物，裝載而返，各自買賣，未嘗爲群。」後來由於海上貿易的競爭，「強弱相凌，自相劫」，同時也爲了對付明朝官兵的追捕，他們「因各結綜，依附一雄強者，以爲船頭」，到嘉靖時遂漸形成了「或五隻，或十隻，或十數隻，成群分黨，紛泊各港」的私人海上（非法武裝）貿易集團。這些貿易集團，不僅使用本國的舡、水手，而且「又哄帶日本各島貧窮倭奴，借其強悍，以爲護翼」，有的海商還「糾合富實倭奴，出本附搭買賣」。他們一方面到日本、暹邏、南洋各地做買賣，一方面又

「天沿海兼行劫掠」，嘉靖時期所謂倭奴的首領，……實際上就是這些既是海商，又是海盜的私人海上貿易的頭頭，他們都是中國人，而被稱爲「王峰舡主」的王直，則是這些海上貿易集中商船最多，勢力最大的個集團，他們往來於日本與中國沿海之間，進行海盜式的海上貿易活動……。（《台灣通史》，頁七〇）

台灣顯然涉及這種海上武裝貿易集團的活動，《台灣通史》裡便提及七下西洋的鄭和（一四〇五—一四三三年間），曾經率領艦隊在南海地區清剿海盜，因此還到過澎湖和台南呢……

明初宇內未平，桀驁之徒，蟹爲海盜，出入澎湖，以掠沿海。洪武五年（一三七二年），信國公湯和經略海上，議徙澎民於近郭，以絕邊患，延議可之。二十年（一三八七年），遂廢巡檢，盡徙其人於漳泉，而墟其地。自是，澎湖遂爲海寇巢穴。永樂中，太監鄭和舟下西洋，諸夷靡不貢獻，獨東番遠避不至。東番者台灣之番也。和惡之，率師入台，東番降服。……初，和入台，舟泊赤嵌，取水大井，赤嵌番社名，爲今台南府治，其井尚存，……則和入台且至內地，或謂在大岡山。嘉靖四十二年（一五六三年），海寇林道乾亂，遁入台灣，……既居台灣，從者數百人，以兵劫土番，役之若奴……。（同上，頁七）

顯然地，鄭和到底有沒有到過台灣，是需要更多的史料和出土文物及考古資料等來證明的，不過，這裡要說明的是，在那個時代，東海和南海既是海商—海盜予取予求的大舞台，而台澎等島嶼便是他們的合法和非法活動的庇護所。其實，鄭和下西洋之所以需要那麼大陣仗，全副武裝，其中的考慮，除了防患海盜的襲擊之外，也在於打通海上的通道；其作用或可使海上絲綢—絲瓷之路可以暢通無阻……

東南沿海，海盜活動本來就十分猖獗……。

西洋諸國，更是海盜與流民藏身出沒的淵藪，成祖剛上台，就有使臣還報，「諸番夷多遁居海島，中國軍民無賴者濟與相結爲寇」。海盜與流民，土著加上流寓，使那裡本已十分複雜的關係便加微妙。特別是一些奸黠逞雄的海寇，進而登岸到中國擄掠，退而以海國爲窠穴，剽劫信使，襲擾商旅，使中外往來增添了種種危險……。（范金民：《鄭和下西洋動因初探》，輯入《鄭和下西洋論文集》第二集，南京大學出版，一九八五年四月，頁二八二—三）

台灣不是鄭和下西洋的必經之地，主要的原因是島上的土著並未出現一個經濟活躍，制度複雜，生活豐盛的社會文化體系；因此，它既無內需去發展對外（對大陸）的交流協作關係，也沒有力量去威脅彼岸人民。

由此亦可見，台灣沒有成爲海上絲綢之路的一個重要環節，是源於它的低度發展狀態；因此，它甚至不是來自日本南部島嶼的倭寇襲擊的對象（後者的搶掠地區主要是大陸東南沿海地區）。

但是，進入十七世紀後，台澎這種無人問津的情況便開始發生變化。

沿著海上絲綢之路的西端，從東南非和西南亞前來東亞地區的歐洲人，由於明清兩代施行海禁政策，對他們的亦盜亦商活動心存芥蒂，拒人於千里之外；爲了尋找跳板，葡萄牙人，荷蘭人，西班牙人，英國人以及美國人，除了寄身澳門之外，都對化外之地的澎湖和台灣發生過興趣，企圖在那裡建立軍事和商業的據點，渡海西進，開展在大陸的事業。

《台灣通史·開闢記》對於日本和西方國家這樣的野心都有所記載……

先是，萬曆初，有葡萄牙船航東海，途過台灣之北，自外望之，山岳如畫，樹木青蔥，名曰福摩沙，譯言美麗。是爲歐人發見台灣之始。越三十餘年，而荷人乃至矣。荷蘭爲歐洲強國，當明中葉，侵奪爪哇，殖民略地，以開東洋貿易之利。萬曆二十九年（一六〇一年），荷人駕夾，皮攜巨炮，薄粵東之香山澳，乞互市。粵吏難之，不敢聞於朝，當是時，中國閉關自守，不知海外大勢，而華人之移殖南洋者已數百萬，政府且欲禁之……。（頁九）

這裡說明，葡荷等國人士到華南地區的活動，都有南洋華僑帶路；如廣東澄海李錦久者，通曉荷語，便爲荷人出謀獻策，要爲他們在漳泉地區的活動鋪路，如果在今日，是引進外貿—外商的創舉，是經濟建設的功臣了；可是，李某之流卻被當著罪犯來看待：「犯者誅，錦等旋論死，荷人亦去澎湖……。」（頁一〇）

由此可見，鄭和七下西洋和數以萬計的閩粵華僑在東南亞的經商活動；即，陸上和海上絲綢之路在明初的發揚光大，並不能使北京的思想僵化—妄自尊大—作風保守的統治菁英意識到一個新時代的到來；當然，更談不上利用他們來發展資本主義，開啓一個嶄新的歷史時期了。因此，對於西洋人的以武力爲後盾的通商活動及其殖民主義，不可能有正確而又深刻的認識，更無危機意識可言；而只是出之以簡單粗暴的，近乎本能反應的一味「說不」的下策……

天啓二年（一六二二年），荷人再乞互市，不許，遂侵掠沿海。冬十月，荷將以船艦十七艘再至澎湖，據之，澎民數千謀拒守，荷人劫以兵，奪漁舟六百餘，築城媽宮，役死者千三百人，復於風柜尾……諸島設炮台，以防守海道。初，荷人撤退澎湖之時，巡撫南居益上疏，請修防備，未舉而荷人再至，復上疏請逐。天啓三年（一六二三年）夏六月，以兵二千入鎮海港，破炮台，進攻媽宮城。荷人恐，潛結海寇，以八船窺福建，出沒金、廈間。四年（一六二四年）春正月，居益復遣總兵俞咨皋伐之，荷人大敗，擒其將高文津，斬之。八月，荷人請和，許之，與互市，乃退澎湖，而東入台灣。先是，澄海人顏思齊居台灣，鄭芝龍附之。既去，而荷人來，借地於番，不可，紿之曰，願得地如牛皮，多金不惜。許之，乃剪皮爲縷，周圍里許，築熱蘭遮城以居，駐兵二千八百人，附近土番多服焉……。（頁一〇）

荷蘭人在台灣還來不及扎根，西班牙人便從呂宋趕到；以其遠征軍，強占基隆，經營淡水，「以台灣爲南洋所經之地，往來頻繁……。」（頁一〇）

由於台灣的逐漸開發，在台澎地區的閩粵移民，便日益熱心地利用台澎的戰略地位，同日本人和西洋人進行不同形式的貿易；所以對於北京朝廷「對洋人說不」的海禁政策是陽奉陰違的，特別是地方上的有勢力人士，熱衷海外貿易，對禁令更是視若無睹；當北京朝廷的統治菁英堅持「對洋人說不」政策時，他們卻忙於同東洋人（日本人）和西洋人拉扯……

……夫澎湖大灣（台灣）上下，官兵船只把港，則番船不許出入，紅夷不許互市，無待言者。然泉、漳二郡商民，販東西南洋，以代農賈之利，比比然也。自紅夷肆掠，洋船不通，海禁日嚴，民生憔悴。一伙豪右奸民，倚藉勢官，結納游官兵，或假給東粵高州，閩省福州及蘇杭買貨文引，載貨物，出外海，徑往交趾、日本、呂宋等國買賣覓利，中以硝磺器械違禁，接濟更多，不但米糧飲食也。禁愈急而豪右出沒愈神，法愈嚴而衙門役賣放更飽……。

三、東西文明衝突中華夏情境架構在台灣的開張

顯然地，明朝萬曆和天啓及崇禎年間（一五七三—一六四四年）是中國人和東洋人及西洋人在台灣開發上，進行激烈競爭的一個關鍵時期。據《台灣通史》的記載：

—日本豐臣秀吉在侵略朝鮮王朝（萬曆二十至二十六年，一五九三—一五九八年），曾經派遣船隻入侵淡水和基隆等地，企圖一舉吞併琉球群島和台灣（頁八）；

—天啓元年（一六二一年），海澄人顏思齊率其黨人入居台灣；鄭芝龍附之，他們便是海商—海盜的結合體，「復居台灣，劫截商民，往來閩粵之間……」（頁九）；

—天啓四年（一六二四年），荷蘭人（紅毛）定居台灣（頁一〇）；

—天啓六年（一六二六年），西班牙人占領基隆和淡水；同日荷人士發生齟齬，爭奪在台灣的權益（頁一〇—一一）……

荷蘭人在群雄角逐中終於勝出，壓倒了日本人和西班牙人。原來，繼葡西之後，荷蘭人沿著海上絲綢之路，亦步上在東亞進行武力擴張的道路，東印度公司取得了對亞洲經營的特權。一五九六年六月五日是一個重要的日子，因為，這一天，它的船隊抵達蘇門答臘西岸。很快地，它便發現馬六甲海峽和新加坡海峽的活躍商港，如亞齊、巴丹、耶加達以及馬六甲；更從華僑那裡知悉華南沿海的情況，唯利是圖的荷人也就不失時機地，用欺詐和衝突的手段，一方面征服爪哇和安汶等地的土著政權，另一方面又

同葡萄牙人在馬來群島展開了激烈的競爭—鬥爭—戰爭。三幾十年後，便在馬來群島找到了立足點，建立其殖民地統治體系。比如說，一六一九年三月十二日，把現在的耶加達改名爲巴達維亞，一六四一年更從葡人手中奪取馬六甲。可見，他們是挾著威勢和信心及經驗抵達台灣海峽的（Bernard H. M. Vlekke, *Nusantara*: *A History of Indonesia*, W. van Hoeve Ltd-the Hague, 1965, chpts. IV, V）。

在荷蘭人這個擴張的過程中，華人和日本人有時是其盟友，有時是敵人；而這一點正反映出，整個南中國海地區，在歷史上是一個海商—海盜活躍的天地，因此，荷蘭人一旦在台南立足，延用其「爪哇經驗」，他們知道如何落地生根。

《台灣通史》卷一的記載說……

……當是時，土地初闢，森林未伐，麋鹿之屬滿山谷，獵者領照納稅，其皮折餉，售於日本，肉則爲脯，荷人以牧畜之利，南北二路設牛頭司，放牧生息，千百成群。犢，大設欄禽之，以耕以輓。永曆二年（一六四八年），荷人始設耶穌教堂於新港社，入教者已二千餘人，各社設小學，每學三十人，課以荷語荷文及新舊約。牧師嘉齊宇士又以番語譯耶教問答及摩西十誡，授番童，拔其畢業者爲教習。於是番人多習羅馬字，能作書，削鵝管略尖斜，注墨於中，揮寫甚速。凡契券公文均用之。三年（一四五〇年），五學學生凡六百餘名，荷人又與番婦婚，教化之力日進……。（頁一五）

顯然地，繼巴達維亞之後，荷蘭人是下定了決心，要把台灣經營爲一個在東北亞的殖民地；因此，決定了在島上採取分而治之政策。即，對高山族施行傾斜的扶植政策，以基督教文明來同化之；而對於漢族移民卻採取限制性的措施。其實，他們在馬來群島的殖民地鬥爭—戰爭中，已經和中國人有深刻的交往經驗；知道後者的實力和缺點，而形成了一種既恐懼又藐視的複雜心理，在華南沿海的不愉快遭遇，爭取用土著來對付遷民是順理成章，深謀遠慮的策略—戰略。因此，也就無可避免地引起了閩粵人士的強烈反抗……

十年（一六五六年），荷人復築城赤嵌，背山面海，置巨炮，增戍兵，與熱蘭遮城相犄角，華人移住雖多，終爲所苦，遂進而謀獨立。十一年（一六五七年），甲螺郭懷一集同志，欲逐荷人，事泄被戮。懷一在台開墾，家富尚義，多結納，因憤荷人之虐，思殲滅之。九月朔，集其黨，醉以酒，激之曰：「諸君爲紅毛所虐，不久皆相率而死。然死等耳，計不如一戰。戰而勝，台灣我有也，否則亦一死，唯諸君圖之！」衆皆憤激欲動，初七夜伏兵於外，放火焚市街。居民大擾，屠荷人，乘勢迫城，城兵少，不足守，急報熱遮，荷將富爾馬率兵一百二十名來援，擊退之，又集歸附土番，合兵進擊，大戰於大湖，郭軍又敗，死者約四千，是役華人株夷者千數百人……。（頁一五—一六）

無可否認，在華人與荷人之間，已經就台灣的開發問題展開了一場激烈的鬥爭；而一場族群利益和東西文明的衝突，也在醞釀中。因此，鄭成功後來能在永曆十五年（一六六一年）一舉攻取此「盛陳沃野千里，爲天府之國」，結束荷人在台灣三十八年的殖民地統治，是同島上受到壓迫的有強烈民族意識的華人的拔刀相助，有密切的關係。於是，「台灣復爲中國有矣」，「台灣之名入中國始於此……」（頁一七—一八）。

台灣之正式進入中華帝國的版圖，成爲台灣領土不可分割的一個組成部分；在一個意義上，也可以說是自鄭氏政權的統治開始。（中共中央台灣工作辦公室，國務院台灣事務辦公室合編：《中國台灣問題》，北京：九洲圖書出版社，一九九八年九月出版，頁六。）

鄭成功在台灣立足後，建立了一個「東寧國」，「東都明京，開國立家，可爲萬世不拔基業」。因此，重用儒生陳永華，開始引進內地漢民族的生產方式—社會制度—生活方式—價值體系，使台灣進入中國社會文化的主體……

……〔命永華〕親歷南北各社，相度地勢。既歸，復頒屯田之制，分諸鎮開墾，插竹爲籬，斬茅爲屋，以藝五穀，土田初闢，一歲三熟，戍守之兵，衣食豐足，又於農隙以講武事，故人皆勇知方，先公而後私。東寧初建，制度簡陋。永華築圍檽，起衙署，教匠燒瓦，伐木造廬舍，以奠民居，分都中爲東安，西定，寧南，鎮北四坊，坊置簽首，理庶事，制鄙爲三十四里，里有社，社置鄉長，十户爲牌，牌有首，十牌爲甲，甲有首，十甲爲保，保有長，里户籍之事，勸農桑，禁淫賭，詰盜賊，於是地無游民，番地漸拓，田疇日啓，其高燥者，教民植蔗，制糖之利，販運國外，歲得數十萬金。當是時，閩粵逐利之氓，輻輳而至，歲率數萬人，成功立法嚴，永華以寬持之，險阻集，物土方，台灣之人是以大治。永曆十八年（一六四四年）十二月，請建聖廟，立學校，經從之，擇地寧南坊。二十年（一六四六年）春正月成，經行釋菜之禮。三月，爲學院，以葉亨爲國子助教，聘中土之儒，以教秀士，各社皆設小學，教之養之，台灣文學始日進，永華教民造士，歲又大熟，比户殷富，猶恐不足國用，請經令一旅駐思明，與邊將交歡，彼往此來，以博貿易之利，而台灣物價

大平……。（頁二九）

陳永華的工夫—貢獻在於促使—教導島上的移民和原住民，利用漢族文化來確立人與人，人與物，人與自然等層面的關係。政治體系和國家制度的開張，使到人民可以在大框架下，相安無事地過其群體生活；並且，在政府主理下，有一個產業政策，可偶因地制宜，唸「山海經」；即，利用台灣的自然條件和自然資源，建立農業—漁業—林業及其粗加工（曬海鹽，製蔗糖……）體系，以滿足其衣—食—住—行的物質生活要求；而境內外的商業網絡也得以形成（販運國外，廣備興販）。有了經濟基礎，上層建築便可相應建立；因此可以「建聖廟，立學校，教之養之」；制訂了一些必要的規章制度和價值標準及社會理想。

上引《台灣通史》關於物質文明和精神文明建設的段落，顯然地，是連橫參考清代江日昇《台灣外記》（福建人民出版社，一九八三年八月出版）的這麼一個段落……

……（康熙四年乙巳〔附稱永曆十九年〕〔公元一六六五年〕八月），以諮議參軍陳永華爲勇衛，初兵部侍郎王忠孝與談時事，大有經濟，遂荐於〔鄭〕成功。功用之……故鄭經毋論大小，番諮之……迨授任勇衛，〔永華〕益加心思，不惜勞苦，親歷南、北二路各社，勸諸鎮開墾，栽種五穀，蓄積糧糗，插蔗煮糖，廣備興販。於是年大豐熟，民亦殷足，又設立圍柵，嚴禁賭博，教匠取土燒瓦，往山伐木斬竹，起蓋廬舍，與民休息。以煎鹽苦澀難堪，就瀨口地方，修築丘埕，潑海水爲卤，暴曬作鹽，上可裕課，下資民食，華見諸凡頗定，啓〔鄭〕經曰：「開闢業已就緒，屯墾有成法，當速建聖廟，立學校。」經曰：「荒服新創，不但地方局促，而且人民稀少，姑暫待之將來。」永華曰：「非此之謂也。昔成湯以百里而王，文王以七里而興，豈關地方廣闊？實在國君好賢，能求人才以相佐理耳，今台灣沃野數千里，遠濱海外，且其俗醇；使國君能舉賢以助理，則十年生長，十年教養，十年成聚，三十年眞可與中原相甲乙，何愁其局促稀少哉？今既足食，則當教之，使逸居無教，何異禽獸？須擇地建立聖廟，設學校，以收人才，庶國有賢士，邦本自固，而世運日昌矣。」經大悅，允陳永華所請，令擇地興建聖廟，設學校……。（《台灣外記》，頁一九一）

當時這樣做，其實也有其逼切性。原來，前幾年（淸順治十八年，南明永曆十五年〔公元一六六一年〕），鄭成功的北伐軍事行動失敗後，抵擋不住淸軍的凌厲攻勢；從江浙到閩南，節節敗退；在大陸難於立足了，只好「進平台灣」。找個化外之地，「招我百姓回家樂業」，「總必創建田宅等項，以遺子孫……」，「永爲世業」，想不到，對於此「一勞永逸」的「文武各官開墾田地」開發台灣大計，並不獲得官兵的支持。因此，像陳永華這樣的熟讀中華經典和執著中國歷史正統的知識份子，既以天下爲己任，便有了一個大展鴻圖的機會，利用中華文明來營造一個未來發展情境，用於處理人—人，人—物，人—天的關係；爲生民—移民安身立命，使他們可以安居樂業—敬業樂群。（楊英：《先王實錄》，頁二四六—二五八）

可以說，台灣的歷史和文明是從十七世紀下半葉，以漳泉人士爲主的漢族移民社會出現之後才眞正開始；即，此後，台灣地區的人民，是在華夏情境架構裡來開展其生存發展的活動。

這是一件意義深遠的大事，至於在原住民之中推行的荷式基督教文明，也因此沒有機會落地生根，自成一體，成爲一個次文化……

從此之後，台灣的歷史，社會，文化的發展便同中國大陸，同中國歷史和中華文明分割不開來了；而海峽兩岸人民的同胞意識—國家意識—中國意識也從此展開。

這裡，可以提出一個有趣的假設性問題是：如果，當年荷蘭人有更多的時間，從五十年，一百年，到兩百年……來經營台灣，建立其完整和成熟的殖民地體系；並使荷式基督教文明在原住民之中落地生根，自成一體。那麼，中國人今天所遭遇到的挑戰，可能便是類似印尼和東帝汶之間發生的矛盾。即，葡萄牙人長期統治所孕育的一個接受葡式基督教文明的土著族群，難於融入印尼的主體民族及其伊斯蘭教文明。那麼，二十和二十一世紀之交海峽兩岸所面臨的所謂「統獨之爭」，便可能是台灣土著和大陸遷民之間壁壘分明的種族的—文明的衝突，而不是什麼「省籍紛爭」，「舊台灣人」和「新台灣人」……之類「同文同種」的「族群」矛盾了……

四、台灣在「天朝禮治體系」中的進出

如果以一六四四年爲一個歷史的轉折點，那麼，這一年，淸人入關，在北京建立滿淸王朝，標誌著中國邊疆地區的一個少數民族進入了華夏文明—中華文化的主體，也是滿洲人進入中國歷史的主體—主流；與此同時，鄭氏政權在台南別樹一幟，在全島推廣中華文明，以確立其反淸復明的政經體系，也就把台灣納入中國歷史的主體—主流之中。

那麼，可以說，東北的滿清人和鄭氏政權所代表的東南的台灣人，是不約而同地，從不同的方向加入了並加強了中國歷史—中華文明，使其主體—主流有進一步的開發—開展；莫不使中國的政治，社會，文化的傳統得到加強。

這一點，可以從康熙王朝和鄭氏政權對兩岸關係的處理，得到證明。

原來，從康熙三年（一六六四年）秋七月，「以施琅為靖海將軍，征台灣。」（《台灣通史》，頁一七〇）到二十二年（一六八三年）閏六月戊午，「施琅克澎湖……八月戊辰，施琅疏報師入台灣，鄭克塽率其屬劉國軒等迎降，台灣平。」（頁二一二）一始一終，前後長達二十年，在這期間，兩個族群—群體，為了爭奪中華正統，打打談談，就兩岸關係的新型態問題，糾纏不清，卻始終跳不出中華傳統—正統—一統的框框……。

顯然地，滿清入關，雖然輕易取得政權，但是它的鞏固與發展是有一個曲折的過程的；可以說，從順治元年（一六四四年）一直到施琅奪取台灣的四十年間，它一直在「打天下」的狀態；鄭成功是他們面對的許多挑戰中的一個。清順治十六年（南明永曆十三年，公元一六五九年）春天，他「統領大師，北伐醜虜，肅清中原，以建大業」；因此，由福建揮師北上，「不憚數千里長驅遠涉，進入長江」。引發了一系列非常劇烈的戰鬥。（《先王實錄》，頁一八三—二一八）

實際上，針對鄭軍的挑戰問題，能否在大一統（即，中國歷史主體）之外來息事寧人；在清廷也有兩派的鬥爭。

比如說，一六六七年（康熙六年，所謂「明永曆二十一年」），河南人總兵孔元章自告奮勇，到台灣去「招撫」；施琅知道了，大不以爲然。因此馬上給康熙上疏，認爲鄭氏王朝「盤踞於台灣，沃野千里，糧食匪缺。上通日本，下遠呂宋，廣南等處，火藥軍器之需，布帛服用之物，貿易備具……。」因此，「若恣其生聚教訓，是養癰爲患……。」況且，澎台是東南四省的藩屏，大意不得。康熙「著施琅作速來京面行奏期所見，以便定奪」，施琅表錯情，以爲皇上贊賞他的主戰見解，又上了一道密奏，突出了台灣落在敵對勢力手中，對沿海五省形成的威脅；並提出了進攻台灣的方案。想不到，康熙一點也不贊賞；「授琅內大臣，裁水師提督缺，悉焚諸戰船……」，反映出康熙並不熱衷於用武力奪取台灣，把它納入版圖；或者說，他曾經尋思，在體制之外來解台灣問題。（《台灣外記》，頁二〇〇）

康熙八年（一六六九年），「四海無事，天子厭兵」，朝廷再派派刑部尚書明珠給鄭經（錦）送去一封信，用了中華傳統中的「天朝禮治體系」的模式，要求鄭式王朝稱臣納貢，「是以車書一統之盛，振古無儔，……使海隅變爲樂土，……不亦千古之大快……。」又曰：「若能翻然削髮歸命，自當藩封……。」鄭經和群臣談過後，對清廷「前後招撫」不感興趣；提出的反要求是承認它鄭氏王朝爲一個獨立的政治實體，曰，「倘貴朝果以愛人爲心，不谷不難降心以從，尊事大之禮……。」（《台灣通史》，頁二〇三—二〇九）

這裡，關鍵在於雙方是否能在天朝禮治體系框架下，「照朝鮮事例」來建立兩岸關係（關於天朝禮治體系的理論，參考拙著《天朝禮治體系研究叢書》，上中下三卷，北京：中國人民大學出版社，一九九二，一九九四，一九九六年出版）。

從鄭氏王朝來說，能夠按照「朝鮮模式」來解決問題，可能還不失爲一個好出處，因此，有一派人確是主張「隔峽而治」；以「藩邦」的地位來「以小事大，事大以禮」，跟對岸的滿清王朝相安無事，和平共處……

……不谷（鄭經自稱）深憫民生疾苦，暴露兵革，連年不休，故遂會師而退，遠絕大海，建國東寧，於版圖疆域之外，別立乾坤，自以爲休兵息民，可以相安於無事矣……。而況大洋之中，晝夜無期，風雲變態，波濤不測，閣下兩載以來，三舉征帆，其勞費得失，既已自知，豈非天意之昭昭者哉？……倘以東寧不受羈靡，則海外列國，如日本，琉球，呂宋，越南，近接浙，粵，豈盡服屬？……東寧偏隅，遠在海外，與版圖渺不相涉……。」（《台灣通史》，頁三二—三三）

這裡，邏輯是很清楚的：鄭氏東寧，是海外的一個新興國家，本來就不是中華帝國的一個組成部分，其領土亦不入中國版圖，因此，當滿清人占領大明帝國的領土時，它本來就沒有必要把台澎（東寧領土）計算在內的；更何況，有一道風雲險惡的海峽，清軍要想渡海作戰，談何容易！

顯然地，清廷是舉棋不定的；主持對台事務的明珠是主張「照朝鮮事例」來處理兩岸關係；這一點，實際是同島上的「主和派」不謀而合；而雙方爭執的，台灣受封後，做爲獨立的政治體系，只需「事大以禮」，還需要「削髮」嗎？因爲，朝鮮，越南，暹羅，琉球……等「藩邦」，並無其例。

與此同時，台灣方面一度也傾向於自肅，「株守而無西意」；即，不渡海西進去干擾清廷；「然台灣遠隔汪洋，貨物難周，以致興販維艱。當令一旅駐札廈門，勿得騷擾沿邊百姓，善與內地邊將交，便可接濟，並無偵探邊事……。」（《台灣外記》，頁一九三）這就難辦了，因爲，在戰亂中，雙方不能建立互通有無的關係，只要鄭軍一日駐紮在大陸，以便奪取土地和物資；那麼，它同清廷的衝突便是不可避免的了。實際上，鄭成功從江浙敗退後，鄭經不久也捲入了大陸的內亂，在沿海地區攻擊清軍，打得難分難解，根本不可能相安無事的。

如果，當年，雙方能脫離接觸，互相迴避，並很快地「照朝鮮事例」來確立關係；兩岸的關係型態便是「天朝禮治體系」下天朝與藩邦那樣的鬆散關係。如此一來，台灣與大陸關係的歷史可能要改寫……正如荷蘭人如果有機會在台灣再待多三幾十年，建立一個以原住民爲主體的所謂「漢番—民番對立」的西方化的殖民地，台灣在西方殖民帝國主義的衝擊下，是完全有可能從中華帝國—中國版圖中脫離出去，自成一體。這就像越南、暹羅，緬甸，朝鮮，琉球……等天朝的藩邦，先淪爲歐洲國家的殖民地，後成爲獨立國家那樣；始終是在中國歷史主體—主流之外。

不過，鄭經的「小朝廷」和康熙的「大朝廷」是不能用「朝鮮模式」來解決問題；除了在意識形態上它們已經完全接受中華傳統，雙方都在爭「正統—法統」，爭著進入中國歷史主體—主流；而不是脫離接觸，各自爲政。其實，安全考慮和政經利益，也使到它們是糾纏不清，難分難解，軍事衝突不過是這種政治抗爭的一種表現形式罷了……

比如說，鄭氏政權的朝臣—儒臣，是把台灣視反清復明—反攻大陸的基地，更何況那個時候的滿清王朝政權並未鞏固，「蓋自以代表明朝，而與清爲對等之國也」；那麼，中華大地誰主浮沉，言之過早。因此，接受清廷的「冊封」，「招撫」，「歸順」之，因小失大，豈非笑話？這可見之於東南沿海一帶在康熙初年仍然戰火遍地，正在蔓延中的平西王吳三桂和平南王尚可喜及靖南王耿精忠的「三藩之亂」，使清廷首尾失顧，疲於奔命，鄭經便在群臣鼓動下，一度熱心於繼承乃父鄭成功未了的大業，建

立反清力量的統一戰線。他們「欲伸大義於天下……建天下之大義……號召人心，而感奮忠義之士……。」（《台灣通史》，頁三四）

另一方面，滿清爲了鞏固其政權，也只有加緊其「正統化─法統化」（或曰「中華化─中國化─漢族化」）的過程；一方面改變戰略，追求軍事勝利，另一方面陣前招降。甚至遲至康熙三十一年（一六七七年），北京方面還願意用「朝鮮模式」來息事寧人。曰：「……〔鄭方〕如感朝廷〔清方〕之恩，則以歲時通貢，如朝鮮故事，通商貿易，永無猜疑，豈不美哉？」（頁三七─三八）後來，更以「台灣本非中國版圖」，還要有所鬆動；曰：「不必登岸，不必削髮，不必易衣冠，稱臣入貢可也，不稱臣不入貢亦可也……。」但是，赤嵌的小朝廷還是有人以民族大義和文化傳統來大力反對，「執不可，議遂破。」（頁三九）

因此，到頭來，康熙唯一的選擇便是叫施琅渡海進攻；一旦兵臨城下，確立了滿清王朝對中國（包括台澎地區）的統治權，成爲中國歷史主體的掌門人，小朝廷只有徹底投降了。鄭克塽的降書已經不可能再「走出中國」，要求沿「朝鮮模式」來行事了；而代主東寧國主權的王印，帥印，派人送到施琅軍前，曰：「繳奏版籍土地人民，待命境上，數千里之封疆，悉歸土宇，百餘萬之戶口，並屬版圖……。」而他一家人所要求的待遇，不外是留在福建苟且偷生。施琅接到這些文件─文物後，即命令他們削髮，表示對滿清政權的「傾心向化，納土輸誠。」（頁四一）

至此，台灣成爲自立於中國之外的天朝禮治體系之「藩邦」的可能性，便根本地消失了；而今而後，它必須在中華帝國的軌道上運行，也就是說，島上的人民要在一個中國和中華文明的直接的和壓倒性的規範下來開發—開展其「五理系統」（關於「五理系統」的理論，參考拙著《社會情境論》，香港：中華書局，一九九〇年十二月版，緒言及第一章）。

這裡，亦顯示出，中國，中國人，中華民族，中華文化……做爲一個客觀存在的綜合性的巨系統；其理論與實踐，已經自成一體，有其內在邏輯。任何族群—群體，如果要在中華大地上和海峽兩岸建立其號召天下的統治地位，長治久安，都不可能同此「系統」背道而馳；而必須認同它，向它靠攏，以致於替天行道，成爲它的繼承者—捍衛者；並向天下證明，只有它才可以把此系統—道統—正統加以發揚光大的……滿淸王朝和鄭氏政權曾經爲此進行了三，二十年的競爭—鬥爭—戰爭，最後是以前者的全面勝利告終。

五、劉銘傳新政揭開了台灣現代化的序幕

滿淸朝廷本來可以用「朝鮮模式」，放「東寧國」一馬，使它逍遙於中華帝國之外（即「走出中國」）……這可見之於取得台灣後，有人居然主張置之不理，「廷議欲墟其地」，「議棄其地」。還是靖海侯施琅大加反對，反覆分析利害，這才使康熙下定經營台灣的決心。

施琅可以說是第一位從東亞的形勢來探索台灣的戰略價值的政治家；指出它對東南沿海各省（閩、粵、江，浙）的護衛作用。有曰：在歷史上，「台灣一地，原屬化外，土番雜處，未入版圖」；因此，是海寇和內地不安其分份子的生聚之地，更嚴重的是，近年來，紅毛（荷人）等西方國家「聯絡土番，

招納內地人民，成一海外之國，漸作邊患」。後來，鄭氏集團更利用它，「糾集亡命，窺視南北」。換句話說，內外形勢已經使北京朝廷不能輕言放棄；更何況，台灣本身有著優厚的自然資源，可加以經營的；據《台灣通史》的記載……

……臣奉命征討，親歷其地，備見野沃土膏，物產利溥，耕桑並耦，漁鹽滋生，滿山皆屬茂樹，遍地俱植修竹，硫磺水藤，糖蔗鹿皮，以及日用之需，無所不有，向之所少者布帛爾，茲則木棉盛出，經織不乏。且舟帆四達，絲縷踵至，此誠天以未闢之方輿，資皇上東南之保障，永絕邊海之禍也，豈人力所能致哉！夫地方既入版圖，民番均屬赤子，善後之計，尤宜周詳……。

施琅既然有實踐經驗，又做過大量的調查研究，對台灣的前途和開發及作用問題，可以說最有發言權了。他在上疏中，指出，如果要「墟（虛）其地」，「棄爲荒陬，復置度外」；那麼，原住民受到衝擊，而安土重遷的閩、粵遷民一旦面臨失業流離，必然會抗拒，逃入深山窮谷，「和同土番，從而嘯聚」。如果遇上「無時不在貪涎」的荷蘭人伺機反攻，「乘隙以圖」，有此數千里膏腴之地可以利用，他們必「無敵於海外」，華東華南的省市必然會後患無窮矣……

……將來沿邊諸省，斷難晏然無虞，至時動師遠征。兩涉大洋，波濤不測，恐未易建成效。如僅守澎湖而棄台灣，則澎湖孤懸海外，土地卑薄，異於台灣，遠隔金、廈，豈不受制於人，是守台灣即所以固澎湖也。台、澎聯爲臂指，沿海水師汛防嚴密，各相犄角，聲氣關通，應援易及，可以寧息……。

很淸楚地，亞太地區和國際形勢的變化，已經使到北京當局意識到，防止台澎落入敵對性的國家或政治集團手中，事關中國的領土完整和國家安全……

施琅在一六八三年根據地緣政治所提出的戰略理論，看來仍可以爲二百多年後的中國人所高度認同者，曰：

> 蓋天下之形勢，必求萬全；台灣一地雖屬外島，實關要害。……棄留之際，利害攸關。……棄之，必釀成大禍；留之，誠永固邊疆……。（《台灣通史》，頁四六）

在施琅之後，把台灣納入中國人的國家—民族—文化軌道之內，對台灣的政經發展發生方向性—結構性影響的人，當推沈葆楨和劉銘傳了。

沈葆楨在同治和光緒之交（一八七四年），因「牡丹社番人」殺害日本人，授人以把柄，引起中日糾紛；他以欽差大臣的身份，被派前往台灣，進行實地調查研究；調解之餘，瞻前顧後，提出了「移福建巡撫駐台，而後一舉而數善備」；即，台灣建省的意見；更重要的是，還把「善後」和「啓前」結合起來，建議對寶島進行全面性的開發—開展計劃。

除了「開山撫番」，還要對閩粵移民加緊進行教化的工夫；即，加緊中華制度與文明在台灣的傳播，使它成爲居民對其「五理系統」加以開發—開展的根據。特別是面對「環海口岸，處處宜防，洋族敎堂，漸漸分布」，「欲循例而無自」；即，無前例可援的情況下，「創始」和「善後」就是國家安全和民族發展的不二法門了。如此，「則能預撥亂本，而塞禍源。」他更提出了以攻爲守，有所突破；即，在台灣引進國防現代化和經濟現代化建設的計劃……

> ……開煤鍊鐵，有第資民力者，有宜用洋機者，就近察勘，可以擇地而興利……，夫以台地向稱饒

沃，久爲他族所垂涎，今雖外患暫平，旁人仍耽耽，未雨綢繆之計，正在斯時。而山前山後，其當變革者，其當創建者，非數十年不能成功，而化番爲民，尤當漸積優柔，不能渾然無間，與其苟且倉皇，徒滋流弊，不如先得一主持大局者，事事得以綱舉目張，爲我國家億萬年之計，況年來洋務日密，偏重東南，而台灣孤懸海外，七省以爲門户，關係非輕。……而夙夜深思，爲台民計，爲閩省計，爲沿海籌防計，有不得不出於此者……。（《台灣通史》，頁一〇五）

沈葆楨是高瞻遠矚，在日本人第一次企圖進攻並奪取台灣後便做出這些建議；「以現在情形而論，區處台灣，非善後之謀，實創始之事」（頁一〇六），而這個能夠「主持大局」的人，就是光緒十一年（一八八五年）建省後，出任新台灣第一任巡撫的劉銘傳。

渡海上任後，他做的第一件事便是清理田賦，糾正「強者有田無賦，弱者有賦無田」的情況；並且，不怕土豪劣紳的「造作蜚語」，「舉辦丈量」，把台灣田園「化甲爲畝」，以便建立一個完整的經濟體系……

……台灣財政至是稍平，而銘傳乃得展布矣。築鐵路，購輪船，闢商場，通郵傳，設學堂，行保甲，制軍器，籌邊防，勸農業，振工藝，凡百新政，次第舉行。又以外幣紛入，制錢日亡，鄉曲細民，每以小錢之故，攘臂相爭，怒起械鬥，殺人罷市，層見疊聞，有司雖歲時示禁，數月而弛，國法之亂，莫此爲甚，乃議籌自鑄，飭通商局辦之。十六年（一八九〇年），向德國購入機器，設官銀局於台北……。先鑄副幣，面畫龍文，重七分二厘，歲鑄數十萬圓，南北各通用焉……。（頁一五六）

從歷史發展的觀點來看，劉銘傳最大的貢獻是引進現代化建設和「改革開放」的概念—策略，而不是把大陸的一套封建體制搬到台灣去。其精神是，在充分估計境內外—國內外形勢的前提下，來對台灣的發展大計做出嶄新的規劃和策略，如此，鐵路和水路交通網絡等基本建設項目的開張，便是當急之務了……

……台灣既爲我國海防之要，當此建省之時，宜速振興殖產，招徠工商，以爲富強之計，而欲行其事，必先利其器，曩者奏派革職道張鴻祿，候補同知李彤恩等，考察洋商務，今既歸台復命，新設輪船公司，以往來淡水，新嘉坡，西貢等港。然以台灣內地運輸未便，遂致沿山貨物，不能配至港口，據該委員稟稱，南洋僑商素聞台灣土地肥沃，出產繁盛，官府又竭力鼓勵，多欲來台經營，然荆棘滿地，道路崎嶇，欲期工商聚集，實非易事，擬請築鐵路，起自基隆，以達台北，與各港連絡，不特可以振全台之商務，而亦大有裨於海防也。（頁三六七）

這裡，可以看到，早在一百多年前，中國的統治菁英中已有頭腦清醒—智識更新之士，深刻地認識到，政治—經濟—國防三者的有機關係，並且知道搞大型建設必須把境內和境外，國內和國外的一切積極因素調動起來；而不可以閉門造車—墨守成規的，更難能可貴的是，他們也認識到，搞現代化項目，不可能（也沒有必要）由國家—中央來包辦代替，而要讓地方自行引進境外的資金，技術，人材，見之於對南洋僑資的招徠，而要引進外商，從中央到地方的各級政府便要在基本建設上下功夫；用今天的話來說，便是營造投資的環境是也。

劉銘傳對於在全島修建鐵路網絡並將它和海港系統及產業開發相互促進，是有一套相當完整的構想的。其功夫甚至已做到細節上，如台北至基隆，台北至新竹……的路軌和收費及班次等事項之上，都有一番設想（頁三六七—三六九）。

可惜，劉銘傳的「新政」並未大功告成；其中的一個重要原因，便是他的清賦加税，丈量土地的政策得罪當地的土豪劣紳；諸多舉措又不能獲得普通民衆的贊賞與支持；而他的頂頭上司（北京朝廷）也不見得欣賞。「民怨其苛，而政府又多方掣肘，物議沸騰，工事遲進」；在四面不討好，心力交瘁的情況下，「遂稱病辭職」，近乎落荒而逃，「而台灣鐵路爲之一挫矣！」（頁三六九）

洪詩鴻（日本大阪阪南大學經濟學系副教授）在他的研究中指出，劉銘傳在台灣開發的，實際上是大清帝國的「特區」；中國大陸十九世紀下半葉改良主義—洋務運動的一大「實驗特區」……

……一八六〇年以後，第二次鴉片戰爭的失利促使清朝實權派官僚興起洋務運動，引進西方近代工業，增強國力，改良一些舊體，洋務實業首先在沿海省份及幾大城中進行，當時台灣也是洋務派推動的一大地區……

一八八五年中法戰爭之後，台灣的建設更得到重視。在左宗棠極力推舉下，早在一八七四年沈〔葆楨〕上奏清廷讓台灣獨立建省的建議終於得以批准，台灣的獨立建省使洋務派官僚的改良運動有了一個基地，一些在大陸難以推動的事業就這樣在台灣得以進行，第一任巡撫由洋務派官僚劉銘傳從福建調任，劉的新政國防民生並重，劉重視通過商務「與敵爭利」，他在行政制度改革，產業發展實驗上大膽嘗試，有不少「特區特辦」之舉，在制度，政策上，劉以「情形特殊，因時制宜；特設官司，而不見諸大清令典者尚多……」。

在一個意義上，由於台灣是「化外之地」，是可以引進一種特殊的未來發展情境，使到官僚，工商業人士，技術人員，勞工，洋商……這些現代化人物都可以找到一席之位，在其位謀其政，發揮「特區特辦」的作用……

從清末洋務官僚在台的近代化建設事業中，可以看出如下特點……

一、改革了不適合於經濟發展的舊體制，如，特設官司，土地私有權的實質性確認，稅制的變革等，這些舉措都促進了商品經濟的發展，促使資本主義萌牙，有利於近代工業的發展；

二、重視基礎設施的建設，創造工商業及近代工業發展的基本條件；

三、摸索出了一條以出口導向外向型經濟爲主的道路；利用台灣茶糖，樟腦等生產性高的天然稟賦優勢，積極參入世界市場……

……清末期的台灣區建設，實際上，爲使台灣進入工業經濟起飛階段準備了……基本條件，同時經濟成長的三要素中的資本，勞動力仰仗於大陸，也正因爲與大陸母體有著分工、協作的有機聯繫，台灣才能在短期內最大限度地發展出外向型的經濟結構，台灣特化了自己的比較優勢產品，對外出口，其餘的日用工業品則從大陸購入……

所謂「台灣特區」論，其中便意味著，台灣現代化經濟體系的建立是同祖國大陸的發展分割不開來；正因爲它和母體有千絲萬縷的關係，利用了沿海開放城市（廈門，上海，廣州，香港……）的資金，技術，人才，台灣在十九和二十的世紀之交，隱然已成爲「中國的大出口加工基地」……

……劉銘傳興業重商的目的也在於在中外貿易中與敵爭利，「使敵無利可圖，必然思退」。面對世界政治與經濟的大趨勢，閉關鎖國的制度改良是無法避免的事實已爲進步的洋務官僚所認識，但地大事雜的中國，其制度的改革的最佳途徑應是「漸進式」的。此即，從局部到整體的漸變過程，劉的治台理念中的「以一島基國之富強，以一隅之設施爲全國之範」。在這個意義上說，台灣的洋務運動應可稱爲中國因應海洋時代的一種特區式的改良實驗與示範，其效果是顯著的。然而，經濟進入起飛階段，並不意味著「特區」經驗的有效擴散，甲午戰爭的失利，台灣的割讓，使得洋務運動只能偃旗息鼓……。（洪詩鴻：《「台灣特區論」與一國兩制多階段協作發展》，在「中華經濟協作系統第四屆國際研討會」，一九九八年二月，澳門）

由此可見，在台灣現代化進程中，「大陸因素」是舉足輕重；可是，在大陸的發展中，「台灣因素」基本上是沒有重大的作用的。

六、大日本帝國對台灣現代化進程的扭曲

當劉銘傳等人指出台灣現代化的計劃，必須以宏觀取向來處理時，在他們的認識中，是鑒於國際形勢的嚴竣以及大清帝國內部的腐化；已經到了不進行改革開放，台灣這個「海外之孤島」防不勝防，而它做爲「東南七省之屏障」也將是有名無實，以致於構成禍端（《台灣通史》，頁三六八）——因爲，一旦台灣失守，落入敵對性國家手中，它們將利用台灣做跳板，對祖國大陸東南七省展開攻擊……

這並非杞人之憂，或者危言聳聽；因爲，台灣建省本來就是針對日本人利用同治十年（一八七一

年）牡丹社番人殺害琉球藩民事件而企圖進對台灣進行軍事占領而做善後措施（頁六三）。

實際上，在歷史上，日本的八幡船及倭寇到華南沿海和南海—南洋活動是常到台灣歇息，並開始建立其據點；而明代的倭寇，是福建沿海地區海商和老百姓及不法之徒的跨國活動組合。反映出，自元代以來，華南沿海地區的中國人（特別是漳泉人士）是東亞地區海洋活動的主體；而日本列島（特別是九州和四國地區的海港）有不少活動的據點，鄭氏一家是其中之佼佼者；這可見之於鄭芝龍（一官）在日本進出，同當地女子結婚，生下鄭成功一事……

> 天啓元年（一六二一年）辛酉，一官年十八；性情蕩逸，不喜讀書；有膂力，好拳棒，潛往粵東香山澳（即，澳門）尋母舅黃程，程見雖喜，但責其「當此年富，正宜潛心。無故遠游，擅離父母。」一官詭答以「思慕甚殷，特候起居，非敢浪游。」程留之。
>
> 至天啓三年（一六六三）癸亥夏五月，程有白糖，奇棉，麝香，鹿皮欲附李旭船往日本，遣一官押去……。

這裡，清楚地說明了一件事：鄭芝龍的母舅黃程等人，是閩南地區的海商；他們在南洋和東洋地區從事海上貿易活動有一段很長的歷史，也有了一個網絡，而澳門便是其活動據點之一，年輕的鄭芝龍如果不留在鄉下讀書做官，便在社會風氣影響下，到海外去探險，他的舅父的日本業務網絡，便成了他大展鴻圖的一個媒介……

> ……然前日本與今不同：今之日本，凡船只到港，人都入在班中拘束，不許四處數歇。交易只許六十萬兩，各船均攤，數足將餘貨發返，給水米蔬菜駕回。昔之日本，最敬唐人（凡各洋悉唐朝與

> 通，故稱中國人曰唐人）。船一到岸，只有值日庫街搬頓公司貨物（公司乃船主的貨物洋船通稱）。其餘搭客暨船中頭目、伙記、貨物悉散接居住，轉爲交易。婦人雖跣足蓬頭，而姿色羞花，宛如仙女；且頭髮日日梳洗，燻以奇楠，不似中國抹以香油也，客至其家，最敬者或茶或酒，杯盞必擦以頭髮，然後斟而送客。……所以抵日本者，即沾泥柳絮亦欲逐春風而往，況一官正在方剛之年乎？亦是天數該然，赤繩系足，本街有倭婦翁氏（倭，日本別號），年十七，天驕絕俗，美麗非常，見一官魁梧奇偉，彼此神契，第不得即爲雙棲並一耳，一官遂聘之，合巹後隔冬住下（凡洋船乘南風而去，東北風而回，而未回者則曰隔冬）……。（《台灣外記》，頁三）

由此可見，閩南海商在東洋的活動已深入民間，在一定程度上，融入了日本的社會；可以在彼邦安居樂業了。

在另一方面，亦反映出，日本列島的海商和華南海商及琉球海商三者的關係是錯綜複雜的；他們既競爭—鬥爭，也互相依賴，更有意思的是，漳泉人顏思齊，既是海商，又是海盜，他們在海內外已經掌握龐大的網絡，所以可以招兵買馬，鄭芝龍便成爲他網羅的英雄人物之一。顯然地，他們在中日貿易中也有一席之位——實際上，顏某躊躇滿志，意氣風發；居然妙想天開，居然想到在日本建立據地，來建立其政治勢力範圍……

> ……自此之後，〔顏思齊〕親契友愛，勝於同胞，惟天生每用言挑撥諸人，說日本地方廣闊，上通遼陽，北直，下達閩，粵，交趾，眞魚米之鄉；若得占踞，足以自霸……。（《台灣外記》，頁五）

顏某曾經率領其黨徒前往台灣，鄭氏家族同台灣的關係，也可以說是就這樣開始；即是說，顏某的霸業沒有實現，卻是爲鄭芝龍及其後人（鄭成功和鄭經及鄭克塽）的霸業製造了有利的條件（李金明著：《明代海外貿易史》，北京：中國社會科學出版，一九九〇年四月出版，第八章）。

不過，顏思齊的攻占日本論及鄭成功父子和日本的密切關係，卻從另一個角度反映出日本人和台灣的歷史淵源。倒過來，他們也利用華南海商在中國沿海和台灣建立許多活動據點。只要政府—政治的力量—因素加入，馬上可以把這些據點轉變爲基地，用於擴大日本人在海外的勢力。因此，葡萄牙人和荷蘭人到東亞來，都得同日本人妥協；荷人對台灣的占領，亦不例外（《台灣通史》，頁一一二—一一三）。

由此亦可見，對台灣垂涎的外國勢力中，日本人的處心積慮，是由來已久；在沈葆楨和劉銘傳的防患大計中，日本是首當其衝；而甲午戰爭後，東京方面提出以台灣爲其戰利品，是圓其幾百年來占領台灣的美夢，李鴻章爲代表的清廷之所以輕易地將台灣全島及附屬島與「永遠讓與日本」者，正反映出滿清統治菁英中有人不昧國際形勢之險惡，還有便是他們對台灣的偏見；所謂「台灣素稱難治，聚衆戕官，視爲常事……。」（《台灣通史》，頁六九）

殊不知，台灣人民對日本軍國主義的反抗是義正詞嚴，堅決果敢的……這可見之於紳士丘逢甲率人民等上大總統之章給唐景崧，宣告建立抗日政權的檄文……

……我台灣隸大清版圖二百餘年，近改行省，風會大開，儼然雄峙東南矣，乃上年日本肇釁，遂至失和，朝廷保兵恤民，遣使行成，日本要索台灣，竟有割台之款，事出意外，聞信之日，紳民憤恨，哭聲震天，雖經唐撫帥電奏迭爭，並請代台紳民兩次電奏，懇求改約，内外臣工，俱抱不平，爭者甚衆……。

當時的愛國志士沒有政治鬥爭的經驗，不知道帝國主義之險惡，以爲透過國際壓力可以逼使日本把咬在口中的肥肉吐出來；他們當然失望，因爲英，俄，法，美，德……等大國，關心的是如何來個「利益均霑」，乘機也從腐朽的大清帝國及其無能無恥的統治菁英那裡也割取一塊大肥肉，誰還會有什麼「天良」，出來爲慘國之痛的台灣人民「主持正義」呢？……

……嗚呼，慘矣！

查全台前後山二千餘里，生靈千萬，打牲防番，家有火器，敢戰之士，一呼百萬，又有防軍四萬人，豈甘俯首事仇？今已無天可吁，無人肯援，台民惟有自主，推擁賢者，權攝台政，事平之日，當再請命中國，作何辦理？

倘日本具有天良，不忍相強，台民亦顯顧全和局，以與利益。

惟台灣土地政令非他人所能干預，設以干戈從事，台民惟萬衆御之，願人人戰死而失台，決不願拱手而讓台。所望奇材異能，奮袂東渡，佐創世界，共立勳名……

可見，台灣有識之士已經作出最壞的打算；即，最大程度地爭取外援來進行中國近現代史上的第一次抗日戰爭，特別是爭取閩粵同胞和海外僑胞，伸予援手。

日本方面，既然早有吞併台灣的野心，又有一支訓練有素的現代化軍隊，當然是不會不行使武力，以雷霆之勢，震懾孤立無援的台灣人民的。總的來看，它是在由北向南的一系列血腥的戰爭行動中，擊垮了各地的抗日力量後，才得以施行對台灣有效的占領；而台灣民主國也宣告滅亡（頁七四—七八）。

在五十年的殖民主義統治裡，出於大日本帝國戰略上的需要，由劉銘傳啓動的台灣現代化策略—模式—進程在不同的形式下，有進一步的開展。

土生土長的台灣學者張讚合教授認爲，在軍事鎭壓反日運動過後，世紀之交的總督兒玉源太郎和他的民政長官後藤新平是兩個重要的治台人物……

> 兒玉及後藤的成就主要表現在下述四項政策的推動上：第一是實行土地改革，先對台灣平原地區進行一次精密的土地調查，使得歷年來許多無人繳稅的「隱田」全部曝光，然後開始收購租權，拿出三百八十萬圓公債給大地主，鼓勵地主拿公債參與工商金融業，同時確定小租户才是業主，雖然並沒有廢棄土地租佃制度，卻大大簡化了土地所有權關係。當時土地調查的記錄，至今仍是台灣地籍資料的基礎。第二是建立流通網絡，自一八九九年起，興建南北縱貫鐵路，至一九〇八年完成通車，也完成了劉銘傳未了的心願，同時在縱貫鐵路兩端各建高雄，基隆兩大港，成爲台灣產品輸出的門户，第三是改善衛生環境，建立公醫制度，強制疫苗接種。建設都中的下水道，並於一九〇〇年成立台北醫學校。第四是樹立法治權威，仔細訂法，嚴格執行，加上由警察、户口制度形成的嚴密控制系統，使台灣由一個械鬥頻繁的地區變成治安良好的社會……。（《兩岸關係歷史變遷》，台北：周知文化事業股份有限公司，一九九六年一月出版，頁三〇—三一）

比較之下，可以發現，日本人的作爲，並沒有超出劉銘傳的規劃—規模，洪詩鴻亦指出，日本人是順著清末的洋務運動之勢，把台灣當作一個特殊的地區來統治；施行不同本宗主國的政治和經濟制度，讓它可以更有效地爲大日本帝國服務，因此，台灣亦可視爲日本的一個「特區」。

一九三一年的「九一八事變」以後，出於侵略戰爭的迫切需要，日本人在台灣大力開發軍事工業；使它成爲日本軍國主義滲透並進攻華南及東南亞地區的一個重要跳板，不同於張讚合的見解，大陸生長而在日本受教育的洪詩鴻卻認爲，這是對台灣現代化進程的一個重大扭曲……

清末期劉銘傳在台灣的近代化改革目標及措施，堪稱是一種特區式的實踐，除其時代背景不盡相同外，與一九七〇年代末期（新中國）的特區有許多酷似之處，劉的激進改革在國內招來了不少非議。加之甲午戰爭的敗戰，使中國的改良和特區的實踐終於夭折。但這一時期的建設使台灣的基礎設施，對外貿易，農業生產性的提高，制度以及觀念上的革新都有了長足的進步，若依照經濟發展階段理論來考察的話，這一時期使台灣具備了經濟起飛的前期條件，並使其發展速度高於大陸大多省份。可惜「台灣特區經驗」和洋務運動本身隨著日本據台而中斷。台灣的全面工業化的持續及經驗的推廣終成泡影。日據期台灣成了日本米糖等農產加工品的殖民地經濟特區，後期則作爲南進軍事基地。台灣本地資本被排擠在外，靠傳統加工業和勞動密集型日用工業品延續生存。這期間不能忽略與大陸貿易是維續這些中小資本存在的一個條件。這時期台灣的出口結構（主要以大陸爲主）來看，與大陸的經濟交流基本上處於水平分工階段，經濟發展階段與大陸也並無太大實質差別。（上引論文）

這一點，既應驗了當年施琅及其後劉銘傳所反覆指陳的，台灣在東亞地區的戰略地位，以及台灣的自然資源富饒，只有政策對頭—經營得當，可以自給之外，還可以爲母國—母體—主體添加有生力量；不過，也從另一個角度反映出，台灣政治經濟發展的一個結構性特點；即，做爲一個「特區」，它的從屬性－附屬性是與生俱來的，離開這個「母體」，便投入另一個「母體」；「特區」終極的發展動力和模式，是受「母體」的控制的。但，不管哪一個「母體」，都擺脫了同中國大陸的關係的。

七、帝國主義勢力干擾下台灣返回中國歷史主流－主體的天路歷程

在他的成長過程中，同大陸沒有過任何直接關係的台灣學者張讚合，既不能正視脫離中國對台灣現代化進程的扭曲作用；而由於他未經歷大陸人民的悲慘壯烈－生死存亡的八年抗日戰爭，對日本人在台灣五十年殖民統治是有很高的評價——在台灣土生土長的統治菁英中，看來這是有一定的代表性的。

其實，人們完全可以理解張教授這樣的思想和感情；因為，他們對於清廷割讓台灣，被迫離開「中國母體」，讓台灣人民單獨負起代價慘重的抗日戰爭（比大陸同胞的抗日戰爭〔特別是八年抗戰〕早了三、四十年），因而耿耿於懷，認為祖國母親拋棄了他們；使他們不得不進入「日本母體」，做日本人的「養女」。日久生情，發現「養父」也不一定那麼可怨－可恨－可惡的：……

……台灣人的「養女命」實際上也有獲益的一面，就像許多富裕人家的養女那樣，雖然在養父家的地位比不上人家的親生兒女，但是比自己的老家的同胞兄弟姐妹，日子可能好過多了。經過日本五十年的統治，台灣在教育水準，環境衛生，社會治安，經濟發展各方面，都不是大陸所能比擬的。日本人在台灣的現代化建設，一方面促進了台灣全島性企業的發展，一方面也反映了台灣及經濟活動整體化的程度，原來清治時期在台灣頗為活躍的地方族群意識，例如泉州意識，漳州意識，客家

意識等的區別，隨著全島性的整合而日趨淡化，過去困擾台灣治安的族群「分類械鬥」，在日據時期已不復現。可以說，這是「台灣，台灣人」意識形成的內在因素……。（《兩岸關係歷史變遷》，頁三二）

這裡，對張讚合教授這樣的人來說，台灣「離開中國，走進日本」，並不存在著帝國主義和殖民地掠奪的問題；同日本帝國本土的人民來說，日本軍國主義只是「親生父母」和「養父母」這樣的差別。殊不知，日本列島的人民，也是飽受軍國主義的戕害；比如說，後來，美機對日本列島的地氈式轟炸和投下的兩顆原子彈，死的都是飽受戰火摧殘的無助的人民，在這個意義上，張教授所說的走出中國的「台灣，台灣人的意識」其實是不存在的；因爲，存在著的只是日本殖民的子民或順民及相關的意識。

但是，一九四五年八月以來的光復，使台灣返回原先的「母體」，重新「回歸中華」，進入中國歷史的主體；因此，亦恢復─產生了中國意識，見之於張教授所強調的，台灣人對中國大陸現代化，民主化方面的「特有的」，「自然的使命感」，以及「對祖國同胞兄弟姐妹的責任感」……之類的「台灣優越感」。

這一點，從大陸青島撤退而在台灣生長的「省籍不良」的毛鑄倫教授，便有不同的看法……

……甲午戰敗，清廷以《馬關條約》割台灣予日本，新興的日本帝國主義因此獲致較快速和有力的強化；相對的，如何長期有效的統治與保有台灣，亦成爲日本鞏固其在東亞霸業的重要工作，而先使台灣人「非中國化」，繼而再使台灣人日本化，乃爲必要步驟即所謂「皇民化」。

「皇民化」在台灣造成的影響，在今天看來，大致上是懷疑，鄙視中國的一切，並對自己跟中國的一切關連感到羞慚，悲哀，因而分外愛慕與感激各類能同情，支持台灣與中國一刀兩斷或台灣優先於中國大陸的外國理論與勢力，公平言之，日本帝國主義對台灣人的「皇民化」改造工作，只進行了一半即因戰敗亡國退出台灣而終止，但是日本仍在台灣留下了一個已經不太中國的士紳階層，這個階層在台灣的形形色色大陸中國人的言行，暗自印證日本人曾經教導過的對支那與支那人的描繪與評論，並經由這一行爲保衛或重建了自己精神或道德上的優越意識。他們也是因此而對殖民主的日本人心懷感念的……。(《海隅微言集》，台北：海峽學術出版社，一九九八年七月出版，頁七五—七六)

後人可以提出的一些問題是，清廷有沒有權力在未經台灣人民同意的情況下，把台灣永遠割讓給日本；在大陸執行中國中央政府職能的現北京政府，是否需要就此事向台灣人民道歉，而大陸人民在道義上，對在台灣的同胞有什麼虧欠之處？

與此同時，日本明治政府有沒有權力在台灣人民反對的情況下，強占台灣；或者說，在建立其殖民主義統治的過程中所進行的戰爭，而後世的日本人民有沒有必要向包括台灣人民在內的中國人民道歉呢？

再者，因爲當年的「台灣民主國」給日本人消滅了，五十年後，戰敗國日本只能把台灣交返給繼承清政權法統的中華民國政府手上，而不存在著移交給一個「台灣人的國家」的問題的。

換句話說，台灣回到祖國的懷抱，不是由於台灣人民終於戰勝日本軍國主義，而後轉手把它「歸返中國」，而是由於祖國大陸的同胞和政府透過八年壯烈的抗日戰爭，因勝利而得以從日本人那裡直接地奪回台灣及其附屬島嶼的。

毛鑄倫教授的另一段議論是很有意思的……

……台灣的尋求獨立是二十世紀中國問題的一部分，而所謂的二十世紀中國問題，若抽離了各階段帝國主義強權國家各自對中國的操控企圖，也是不可理解的。

……中華民國肇建之時，台灣早已是日本國土，《馬關條約》之後的中國人抗日大業，主要還是由英勇的台灣人民來承擔的，但總的來說，這個運動並未克成功，而與此平行的則是日本有系統的執行同化與改造台灣人的政策。在台灣，除了悲壯淒厲的抗日鬥爭之外，其餘人民的接受或選擇做爲順民的命運，應是歷史事實。而吾人對此均不能否認，正如中國歷史不能否認元史與清史，其最大差別僅在於日本只霸占與統治了中國領土最小一部分的台灣，至於日本人企圖「入主」中國的妄想，則被八年抗日聖戰所粉碎。因此，吾人可以強調，今日之中國人，並無任何必要嫉視台灣部分人內心仍崇奉日本正朔之「皇民族群」，這是對歷史事實的坦然接受，因爲人類是無能爲力去改變歷史的。但公平言之，台灣「皇民族群」也並無任何權利要求中國人因尊重歷史事實而必須坐視彼等主動被動的在今天所推動的分離主義運動。台灣已在一九四五年日寇敗亡後由祖國光復，此一歷史事實鐵案如山是不容許否認的，任何顛覆這一史實的圖謀也都是中國人所不能接受與不會容忍的……。（頁九七）

如果，人們能夠對上一個世紀之交，台灣各階層人士的抗日戰爭及反日心理加以分析研究，可以窺見日本侵略者曾經遭遇到仍然崇奉大淸正朔的華人族群的反抗－困擾。這裡，涉及人的社會實踐決定其政治動向和精神狀態的根本道理。因此，在這一個世紀之交，在台灣居民中，所謂「皇民族群」和「親美族群」及「中國人族群」之間的矛盾，或曰「省籍之爭」，「統獨之爭」，也是一個延伸向未來的歷史事實和社會現實。

換句話說，存在既然決定意識，而現實又是在發展之中，「回歸中華」和「中國意識」的產生及發展，必然有一個曲折的過程。

八、李登輝的「新台灣人」論能夠回到中國歷史的主體—主流嗎？

這裡，可以對新近出版的李登輝《台灣的主張》（台北：遠流出版社，一九九九年五月出版）一書中有關「台灣認同」論和「新台灣人」論的歷史觀—現實觀—未來觀加以分析研究；下引段落可以說是作者的中心思想：

> 我曾多次提到，台灣最早的居民是原住民，而原住民在文化上也分成好個族群，至十七世紀前後，才開始有居住在中國大陸福建省和廣東省的漢族移民來台。而後，台灣曾有一段時間受荷蘭統治，明朝遺臣鄭成功也在台建立過政權。
>
> 及至清朝，漢民族才大批移居台灣，在這之前，台灣約只有十幾萬的漢民族人口，到了晚清，據稱已增加到二百多萬人。
>
> 一八九五年，台灣被割讓給日本，開始日本統治的時期；一九四五年，第二次世界大戰結束後，台

灣回歸中國；一九四九年，國民黨政府播遷來台，許多原居中國大陸各省份的人也隨之來台，帶來了多元的文化和風俗習慣，經過半個世紀的共同生活，塑造出今天台灣的新風貌，也讓不同的族群融合成「新台灣人」。

今天，我們在展望二十一世紀的同時，也要特別重視台灣歷史的發展，幾個世紀以來，台灣接納了許多不同的民族，也融匯了許多不同的文化，發展成爲一個現代化的文明國家，並以此爲基礎，來開創更恢宏的未來，這就是台灣存在的事實與意義……。（《台灣的主張》，頁二六五）

作者承認台灣的居民是不同時期從中國大陸遷居台灣的移民；這當然包括從福建遷台的客家人，即李家的祖先；而且，他也承認，一九四五年日本是把台灣交返給當時的中國國民黨政府；曰：「台灣回歸中國」。可是，在展望二十一世紀時，他完全不提中國……實際上，《台灣的主張》這本書的要義－要害，便是隻字不提「一個中國」；他說過蔣經國和他「有著不同的想法」，顯然便是在「一固中國」和「認同台灣」問題上的分歧……

所謂「認同台灣」，我想最重要的，是對於台灣的愛，我經常提到，將來領導台灣的人必須是非常愛台灣，而且是可以爲了台灣，不惜粉身碎骨來奮鬥的人。

所謂「台灣認同」，到底是什麼呢？有人會認爲是台灣獨立。但是，我認爲，即使台灣的國際地位必須明確化，卻不一定拘泥於「獨立」，反而是將「中華民國台灣」或者是「台灣的中華民國」實質化，才是當務之急。

我在推動政治改革，曾經提出「中華民國在台灣」，將台灣的統治權限定在台灣，澎湖，金門和馬祖，暗示不及於中國大陸，雖然有人因而批評我，無意保有與大陸的整體關係。我認爲，台灣必須確實立穩腳步才行，如果台灣本身的認同不明確，又何以考慮大陸問題。因此，最重要的是，台灣必須先取得國際間的認同與地位，至於思考中國整體的問題，則是以後的事……。（頁六二—六三）

這裡，由於反對「一個中國」，所以在台灣是否「回歸中華，共建中國」大原則上，作者是做「模糊處理」。顯然地，由於同大陸割裂大半個世紀，在國民黨的反共宣傳下生活了四、五十年的台灣統治菁英，同大陸的發展割絕；對於中國共產黨領導的新民主革命運動及其社會主義建設更是充滿誤解與偏見，難免使到他們抗拒由中共來代表中國及中國歷史主體—主流，在他們的眼中，中共政權「無視民權主義」，不談「天下爲公」，「只是一味強調，與霸權主義相結合的民族主義」。這裡，對台灣未來發展必須在中國歷史主體—主流的大取向—大框架下來開展的觀點，在李登輝看來，可理解爲，「對民族主義的重視，源自於對霸權主義的過度解釋，是極端危險的想法。」（頁五七）

由此可見，強烈的反共主義使到李登輝所代表的統治菁英，在「認同台灣」下的「新台灣人」，是不可能回到中華人民共和國所代表的中國歷史主體—主流裡去的。

可以說，這個集團是主張台灣不要這樣去做；因爲，一旦這樣做，他們將失去從蔣家政權那裡取得的大好江山。

九、台灣重返中國歷史主體—主流的境內外—國內外因素

這裡，人們看到，歷史觀不僅僅是一個學術問題，而且是一個政治問題，一個關乎台灣內外發展和兩岸關係開發及中國用什麼方式來統一的問題；一個關乎整體中國二十一世紀發展大計的問題，而「歷史觀—發展觀—世界觀—未來觀」統一的必要性與合理性，是關乎兩岸四地人民生存發展的大是大非的問題。

有一點，李登輝和他所代表的台灣統治菁英似乎都承認的：「台灣認同」論和「新台灣人」論，其出處，決定於大陸政權的反應；即，它的反對與接受，直接決定台灣和中國歷史發展的大動向的。其實，人們對台灣「回歸中華—共建中國」的「天路歷程」，還得從歷史中去找尋未來的……

—日本統治以前是一個統合時期；

—日本統治的五十年是一個分離時期；

—光復後五十年，特別是最近十年，是一個模糊時期；

—今後五十年，是用於再確認的時期。

相形之下，中英和中葡的《聯合聲明》以及應運而生的兩部《基本法》，清楚地指出，要把現有的社會制度保留下來，而且在「一國兩制」下可以做進一步的發揚光大。這一來，就使到兩地（特別是香港）的統治菁英免去一個對殖民主義的歷史時期（即脫離中國歷史主體—主流時期）進行全面—深刻—

系統的批判與反省；而兩地的統治菁英雖然不乏所謂「親英」和「親葡」份子，亦不敢—不必公然抗拒港澳「回歸中華」，返回中國歷史主體—主流，在台灣的例子是很特殊的。如果，人們接受一九四五年八月以來中國國民黨政府對台灣統一的理論與實踐，在一個意義上，它已經在大半個世紀前「回歸中華」。不過，由於國民黨在台灣進行了四十幾年反共的白色恐怖統治，又無可避免地干擾台灣重新進入中國歷史主體—主流。

台灣著名的作家陳映眞對於港澳台地區的知識份子—統治菁英能否在形形色色的殖民地主義和帝國主義的影響下走入中國歷史主體—主流的問題，向來是很關注，並且有其特出的見解……，比如說，對於台灣地區某些反共反華的傾向—暗流—慣性，使許多人不能正視大陸地區一九五〇年以來發生的翻天覆地的變化，也不能對一九七八年以鄧小平所開展的改革開放以及建設有中國特色社會主義的中國「第四代工業化」進程……做實事求是的評估，他認爲這是忐忑不安的……

……台灣的工業化則走了不同的道路。相對於西方的斷裂，台灣在美國軍經援助下進行了農地改革和進口替代的工業化，繼而在政治，軍事，經濟全面依附於美國的條件下，納入美、日和「新興工業化」經濟體之間三角貿易構造下，完成由外資推動的加工出口的資本主義化，整編到美國亞太戰略秩序中。

在日本統治下，殖民地台灣的現代化教育，造就了傾向於殖民地現代性的統治菁英，配置到殖民地台灣支配體制的中下層，但殖民地現代教育也使一部分台灣現代知識份子認識帝國主義的繆理，起而革命。因此，終日據二十年代到日本戰敗，台灣一直存在著活躍的，批判日本殖民主義的現代性，從而傾向依靠祖國的現代化以求台灣最終解放的知識份子……

顯然地，抗日戰爭的勝利和台灣的回歸祖國懷抱，由於國民黨白色恐怖的反共統治，使它和大陸隔絕，並沒有使它進入中國歷史發展的主體—主流；特別是第二次世界大戰後，亞太地區有一段很長的時期是在冷戰系統和美式和平的籠罩下，使到海峽兩岸的現代化進程是不可能進行交流協作的；反而有分道揚鑣之虞。因此，台灣意識和中國意識的矛盾是不足爲奇的……

相形之下，在五〇年代以國家暴力剷除台灣日據以來民族解放運動的傳統後，因美國「援助」體系，美新處和與美國在華機關人員選訓，人員培訓教育，留學體制和內戰／冷戰雙重構造下，爲台灣培育了一代又一代極端反共，又極端親美的新殖民地菁英知識份子，八〇年代中後，一個完全依照早在四〇年代就由美國規劃完成的規格——「親美、非（反）共，脫離赤色中國的台灣」而打造的本地資產階級國家政權出台，而全面反中國，脫中國的意識形態，以藉不分省內外的朝野美國化菁英知識份子爲中心，不斷地擴大再生產，成爲今日台灣的主流政治和思潮。

這個思潮無忌悍地對歷史上的殖民帝國主義現代化給予正面積極的評價，對於在殖民地時代民族解放，救亡和祖國復歸的運動和思潮，採取全面抹殺，歪曲和污衊的態度。他們，藉不分省內外，政治不分野，大率以殖民地現代菁英意識自外於中國和第三世界，以海峽分裂，民族分斷的永久化爲合理，罹患了祖國喪失症的沉痛，對當代中國充滿了驚人的誤解，歧視，鄙薄，憎惡，和偏見，對於分裂的祖國的另一個大半部的歷史，絲毫沒有一份進行科學，客觀的理解的起碼的動念……。

（《海隅微言集・陳映眞序》，頁Ⅳ—Ⅴ）

由此可見，在中華一統相關的「歷史—世界觀—發展觀—未來觀」的融會貫通上，由於差異性的存在，不但在台灣內部，在海峽兩岸四地都存在著一個互相接近—互相認識—互相尊重以致於互相融合和交流協作的問題。

其實，結合張讚合一派，陳映眞和毛鑄倫一派，他們之間的爭論，如果人們一定要在「統獨」，「離合」的框架裡來進行分析議論，可以發現，在他們的差異性之間，還是存在著趨同性和整合性的。比如說，從張教授「台灣歷史命運的六個特殊性」論，如以「國際化」，「外向型的」，「進取性的」來看，無可否認，在過去五百年裡，由於「孤懸海外」，台灣是亞太地區許多交通網絡必經之地。這一點，決定了，許多外來的力量建立它們在亞太地區的勢力範圍時，台灣可以是一個很有戰略價值的跳板……荷蘭人這樣做，日本人這樣，現在美國人還是在重覆歷史嗎？（張讚合：《兩岸關係歷史變遷》，頁三二—三）

如果，在大陸的中國中央政府不能有強大的政治，經濟，軍事，文化……的力量，可以壓倒性地籠罩台灣及其附近海域，境外—國外的強勢力量入侵台灣，把它從中國歷史的主體中拿出來是必然的；而當它們這樣做時，爲了天長地久，勢必培育特殊的統治菁英，削弱其「中國意識」；以便配置到其支配體制的各個層面，這其實是運作體制層面的工夫，大可見怪不怪……這樣的情境，在歷史上發生過，現在還在發生，也不排除它在未來的世紀裡會歷史重演的。

這裡，可以用一個簡表來探索台灣可能面臨的幾種歷史—現實—未來情境……

—以「X」爲「大陸因素」，「Y」爲台灣境內因素，「Z」爲境外—國外因素；

—「X」，「Y」，「Z」三者力量對比可能產生的關係型態—發展情境爲：

情境（一）/〔Scenario 1〕：「X」>「Y」>「Z」

S2　　　　　　　　　：「X」<「Y」>「Z」

S3　　　　　　　　　：「X」>「Y」<「Z」

S4　　　　　　　　　：「X」=「Y」=「Z」

S5　　　　　　　　　：「X」<「Y」<「Z」

那麼，從台灣的歷史—現實—未來發展規律中，可以得到這麼一些結論……

其一，台灣歷史發展的一個決定性因素，是在於它對大陸來說，可以起著仲介性的作用；因此，「X」可以在很大程度上決定著「Y」的建制和發展，以及它和「Z」的關係（即，情境S1）；

其二，「Y」的社會制度和統治菁英固然有其土生土長的一面，產生「台灣意識」，有別於「X（中國）意識」和「Z意識」（即，「Z1（日本）意識」或「Z2（美國）意識」……）；但，由於台灣的地緣政治使它高度地受境外—國外勢力的操縱利用，它不可能自立更生和自我掌握，在「X」和「Z」之間維持均勢（即，S2，S4情境是不可能的）；

其三，境外—國外的力量（Z（1，2，3…））入侵台灣「Y」的型態，決定於中國大陸綜合國力及其對亞太地區形勢操控能力和程度「X」（即，S5）；

其三，由於各種境外—國外力量對台灣的操縱（即，S5），主要是源於大陸因素（如，中央的軟弱無能和兩岸關係不順暢所引發的），在一個意義上，後者「X」自一九五○年代以來，對島上受

「Z」操控的「非中國式」的社會制度和統治菁英的型態「Y」，是必須採取容忍，諒解，尊重的態度和政策。換句話說，每一次，一個境外—國外的支配體制（Z，如，荷蘭（Z1），日本（Z2），以及美國的（Z3）……）結束後，台灣都可能有一個「回歸中華，進入中國」的問題；

其四，進入二十一世紀，大陸在各個層面（包括其綜合國力）的持續性發展「X」，可以在很大程度上改變境外—國外勢力（Z2，Z3）對台灣及其在台灣「Y」的活動型態（即，抗拒S5，重建S1）；同時，亦可以因此引進一種新的形勢，新的宏觀發展情境，那麼，在島上，將會相應地—逐漸地出現一個新的「回歸中華—共建中國」爲其依歸的社會制度及統治菁英的。也就是說，毛鑄倫所謂的「皇民化」的「不太中國的士紳階層」，和陳映眞所謂的「不分省內外的朝野美國化菁英知識份子」……是歷史和現實的現象，在二十一世紀裡會爲另一種型態（主要是同〔X〕有密切關係）的統治菁英所取代的。

（一九九九年六月十九日初稿）

正史中分裂時代的「中國」

黃麗生／國立台灣海洋大學共同科歷史組副教授

一、前　言

有幾個理由在廿世紀末的今天重新審視「中國」的內含：

首先，兩岸分裂對峙五十年以來，其衝突的焦點一直與「中國」的稱號、內含與關係糾纏不清，並逐漸惡化。由在國際上的代表中國權之爭→中國．台北或中華．台北之爭→一個中國各自表述→一個中國就是中華民國／中華人民共和國→台灣是／不是中國的一部分→中國台灣，一邊一國→……到民國八十八年中華民國的行政院長在公開答詢時宣稱：要回答自己是不是中國人是一件很複雜的問題等等。「中國」似已爲台灣朝野的忌諱。勢至如此，我們豈不應弄清楚：兩岸所爭執或排斥的「中國」究竟爲何？

又我們體認到一種說法：中國特有的歷史經驗和文化傳統固爲中國民族所承傳，亦是世界文明重要的一環，當爲人類共同的遺產。我們有義務深掘其中對全人類而言都有價值的文化資源（張光直，一—四；許倬雲，三—四）。而且作爲人類社會的重要成員，我們也有責任讓中國文化與世界其他文化對話，並能針對全球性的重大問題發言，才能使古老的中國文化傳統歷久彌新重現活力（杜維明，三一一—三一六）。再者，近年來研究後殖民理論的學者也從現實的觀點開始反省：要如何在跨國資本經濟和國際學術的框架裡針對本地的文化政治提出自己的見解？要如何擺放自己的文化位置？如何對自身的文化處境進行反思？到底「中國」的含義爲何？……等問題。（張京媛，一九—二〇）

可見重新審思「中國」的內含，已是多元問題意識下的新需求。研究了解「中國」以及「中國」稱號代表的歷史文化，既是中國本身及世界文明延續的一部分，也是世界政經濟體系和兩岸關係的一環。

唯近百多年來西方文明對傳統中國的衝擊，使當代中國人對本國的傳統文化質疑、疏離，乃至唾棄；而在清末民初時已有學者質疑「中國」一詞的正當性，以及隨之而來護衛答辯的立論，說明中國進入近代世局以後，傳統中國意識已經動搖（王爾敏，二一）。民國初年，五四新文化運動以反傳統爲其基調，至中共政權成立，更棄數千年中國文化道統如敝屣，而以西方馬列主義爲依據建立了「新中國」；後來又爆發以國家力量進行文化自殘運動的文化大革命。這些歷史事實，已造成中國文化在大陸本土延續的重大裂痕與危機；也使「中國」所代表的事物與價值意識皆與過往所知的「中國」有重大的落差。

牟宗三先生對此有極嚴厲的批判，他指出中國文化在大陸只是材料，喪失了自己可以決定原則和方向的身份，而可以加上任何外來的形式，決定形式的原則是馬克斯主義；如果一個文化只剩作爲材料的身分，而形式是外加的，這文化就算斷滅了。就此而言，中國文化在大陸已經形同斷滅。①按照牟說，現今爲國際政治上所承認的「中國」，其據以爲合理、正當的國家靈魂，其實是非出於中國文化的；數千年來中國之所以爲中國的文化原則已被抽離更換。金耀基亦認爲：傳統中國的文化系統係以天人合一、調和協合爲中心價值的；而中國之爲中國，係在於人民高度的「文化認同」而非「國家認同」。但近代以降在雪恥圖強追求現代化的過程中，中國之爲中國的中心價值，已轉變爲以國家機構追求「權力」與「財富」爲目的（金耀基，一二一——一二六）。

對中國之國家認同和文化認同的混淆和分歧，確爲近代中國意識的特徵；而且愈發以國家結構凌駕並取代文化道統，甚至是兩相乖隔、背道分歧。政治中國和文化中國的疏離斷隔，不但造成了世人對「中國」內含認識的混淆不清，也使當代中國人產生嚴重的認同危機——數千年來以文化道統摶凝中國民族的功能，事實証明並不能由外來的意識型態及國家機器所取代。

而在海峽此端的台灣，雖然表面上仍未放棄對中國政統和道統的承擔，但台獨主義者視「中華民

---

① 牟宗三在民國六十九年八月二日一場名爲「中國文化的斷續問題」的演講中指出：「若一民族存在，但它的文化卻不能盡其作爲原則並自己決定方向的責任，則此民族的文化就不能算是延續下去。不能夠作爲原則，不能夠自定方向，則這文化就只是材料，而不是形式。……如果一個文化只剩作爲材料的身份，而形式是外加的，這文化就算斷滅了。但現在在大陸上中國文化就只是個材料，可以加上任何的形式，這個形式就是馬克思主義。……這時中國文化喪失了自己的原則性，自己決定方向的特性，不能作爲生活的原則……原則是馬克斯、共產主義所決定的……，這就是文化的斷滅。」見牟宗三：《中國文化的省察》，一九八三，頁一—七。

國」爲外來政權，不承認她的正當性；②而外省來台的移民不少已經歷五四反傳統文化運動的洗禮，本省民衆亦有人深烙了日本殖民統治的遺痕，再加上台灣處在資本主義世界經濟體系的龐大壓力之下，又非位在中原本土，對中國及中國歷史民族文化的一貫認同，難免有日久侵蝕之憂。

影響尤大者，爲近十年來所謂台灣本土化運動。部分人士以爲反中國、去中國化、非中國化就能突顯台灣的主體性。這些人的對立於中國，已絕非僅止於政治層面，而是以幾近於詆譭的情緒與言論完全否定中國民族和歷史文化的價值。這樣的意識倒與當年「新中國」反中國文化傳統的精神頗爲神似。不同的是「新中國」還冠著中國的稱號，保留著中國文化之材料的身份。但某些強調台灣要去中國化、非中國化的人士則早已是唾棄「中國」的稱號，並亟意切斷與中國的任何關聯；而不願意認眞面對台灣人民的生活材料乃至於價值信仰，主要係深源於中國文化的事實與意義——畢竟到目前爲止，台灣人民絕大部分姓中國姓、寫中文、說漢語、甚至維持中國傳統的民俗信仰。「中國」在歷史上曾是莊嚴尊榮的代稱，降至近代曾一度沾染卑微；而今，有的台灣人卻之爲邪惡和恥辱的象徵。

事實是，海峽兩岸都面臨了「中國」根源的困擾——大陸政權的「中國」名份背後，其實是缺乏中國文化的價值意識的；台灣則面臨了日趨嚴重的「中國身份」的認同困境（廖咸浩，一九三－二〇〇）。這樣的困擾應是來自於近代中國人不能解決以下問題的後遺症：（一）在傳統中國文化和現代

---

② 如施正鋒即對國民黨內戰失敗避秦台灣，猶以中國正統自居的所謂法統嗤之以鼻（施正鋒，一九九八，六－四）。

化之間尚未取得互以爲力的平衡；（二）對中國的國家認同和文化認同混淆分歧；（三）大陸以國家意識壓制文化道統，台灣又不能在國際社會彰顯其中國身份。而由此衍生的問題是：如果「新中國」依然欠缺中國文化意識並繼續以國家體制壓制文化道統；或有一天台灣放棄了中國身份和對中國文化的認同，則海峽兩岸將要如何在世界文明圈內，恰如其份地對延續中國文化作出貢獻，或代表中國文化對世界性的重大問題發言？

當前兩岸關係纏繞在「一個中國」問題之上，卻不願深究「中國」的內涵爲資源以擴大共識和互信，反而各說各話，使歧見更深。可以預見的是，若不從根本處上反省釐清，化解成見，兩岸將不可能有穩定和平的良好關係，也無以解決國家認同和文化認同混淆分歧的歷史問題。

本文鑑於「中國」一詞創自遠古，歷經數千年沿用至今，必有其多重的、在不同歷史情境中的含意與指涉，若能加以爬梳釐清，正本溯源，或可供今人認識「中國」內涵，面對歷史和現實問題的參考。因著兩岸分裂的現實，茲擬就「中國」一詞的起源及含意原型加以探討，並檢視正史③中記述分裂時代之「中國」的詞義類型、指涉範圍及與之相關的意識，觀察其在不同時代的演變發展；並思考其結果對前揭問題的啓示。

③　本文利用電腦檢索系統查詢二十五史「中國」一詞的出處及相關內容，並查考鼎文版二十五史的書面資料。詳細書目列於文後「徵引文獻」。

二、「中國」一詞的起源與含意原型

據出土文獻，早在西周武王、成王的時期即已出現「中國」一詞。在考古文物方面，有一九六三年陝西寶雞賈村出土的何尊銘文曰：

在四月丙戌，王誥宗小子京室曰：「……惟武王既克大邑商，則廷告于天曰：『余其宅茲中國，自之辟民……。』」④

「中國」一詞亦早見於我國最古老的典籍《尚書》和《詩經》。例如：

皇天既付中國民，越厥疆土于先王；肆王唯德用，和懌先後迷民，用懌先王受命。（《尚書・酒誥》）

民亦勞止，汔可小康。惠此中國，以綏四方。……
民亦勞止，汔可小休。惠此中國，以爲民逑。……
民於勞止，汔可小息。惠我京師，以綏四國。……
民亦勞止，汔可小愒。惠此中國，俾民憂泄。……

---

④ 見於于省吾：《釋中國》，《中華學術論集》，中華書局，一九八一，頁五。此轉引自陳連開：《中國・華夷・蕃漢・中華・中華民族》，頁七七。

民亦勞止，汔可小安。惠此中國，國無有殘。（《詩經．大雅．民勞》）

文王曰咨，咨汝殷商，女炰烋于中國，斂怨以爲德。……文王曰咨，咨汝殷商。……內奰于中國，覃及鬼方。（《詩經．蕩之什．蕩》）

天降喪亂，滅我立王，降此蟊賊，稼穡卒痒。哀恫中國，具贅卒荒。靡有旅力，以念穹蒼。（《詩經．蕩之什．桑柔》）

由上述經文可知，「中國」一詞在《尚書》、《詩經》中不只是指涉周王朝繼殷商之後所統治的疆土和人民，並伴隨相關的天命思想、方位觀念、天下結構、政治關係和價值意識等叙述呈現其含意。之所以如此應與「中國」一詞之複雜悠久的淵源有關。

由於黃帝以降至於中國的第一個王朝「夏」，均在黃河中下游一帶所謂中原的地方活動，乃使當地成爲相對優勢的文化區。隨著夏王權的擴張以及中原地區認同於「夏」的各族群所凝聚共有的文化意識與價值觀念，遂使「夏」或「諸夏」成爲中原民族與文化的代稱，以別於中原以外文化較低的夷狄苗蠻等。商以東夷之一支代夏後，中原列國仍沿稱諸夏，並不因改朝換代而放棄對夏的認同及其所代表的優越意識。

據前人的研究，「中國」一詞的出現當晚於「夏」（蔡學海，一三九），而且應是濫觴於商朝之「中商」的觀念。商人以東、西、南、北等方位構成天下。其中君王居中，上通天帝，下撫四方。商人雖居夏地，因夏制，但其自稱「中商」或「天邑商」，乃因其自認居天下之中，爲受天命之國。「中商」亦稱「商方」、「大邑商」，即居天下之中的王畿或天子都城，故「古者中國之義本指京師」（胡厚宣，三八六—三八七）。天下的結構即是以此爲中心，以諸夏爲外圍，再以四夷爲更外圍的同心圓。故相對於四夷，諸夏即爲「中央之國」。商人中央—四方的方位觀，乃爲後來中國人天下觀的基本要素（邢義田，四三五—四四一）。

迨至西周，「中國」稱號才正式出現，代表（一）天子所居之城，即京師，以與四方諸侯相對。（二）諸夏民族文化猶勃然活躍的領域；即包括豐鎬、雒邑爲中心的黃河中下游，即後世稱「中原」的地區。（三）夏、商、周三族融爲一體，而以「夏」爲族稱的民族與文化（陳連開，七九）。⑤周人本諸商人受有天命、居天下之中的政治觀念，以「中國」之名取代「中商」；又強化諸夏的文化意識，故創「華夏」一詞強調中原諸夏文化的優越性，常與「中國」並稱（田倩君，一七—二四）。此外，周人以其超越的天命思想和源於歷史心靈的憂患意識，以人文精神重新詮釋了「天命」的信仰。他們認爲天命靡常，而以「敬德」爲受有天命的條件，以「文王之德」爲天命的具體型範，更以「民命」爲天命的歸向（徐復觀，二〇—三〇）。故相信周以蕞爾小邦而受皇天託付「中國」的土地和人民，便背負了道德的承擔。

⑤ 王爾敏亦曾從先秦古籍中探討「中國」一詞的含義，約有五端：（一）京師；（二）國境之內；（三）諸夏領域；（四）中等之國；（五）中央之國。其中除了第四項之外，其它四項在「中心—四方」的天下結構下，有其意義延展上的關聯。又本文以爲第二項、第三項和第四項按王文所引原典，其實皆指位於中原一帶的諸夏領域。見於王爾敏：《「中國」名稱溯源及其近代詮釋》，頁一。

按此，則「中國」的含意就不僅是指中原的土地和人民，亦是居天下之中，受有天命的執政中心，以及克紹夏業傳承歷史文化，實踐人文理想的所在。故「中國」應可說是周人承繼夏、商的土地、政權、文化和天下觀並進一步賦以特定人文精神爲內含創衍而成的稱號。

此外，周人也以「九州」和「禹跡」稱中國或天下。如此則「中國」也是天子分土殖民，討叛扶順，化成人文的行政教化領域，在前述同心圓的結構下，「中國」的範圍也就可能隨此領域的擴大而擴大（邢義田，四四五—四四七），而未必限於黃河中下游一帶原本諸夏活動的中原地區。東周以降，夷狄交侵，激起諸夏列邦對「華夏」或「中國」強烈的認同共識。到秦漢統一以前，「中國」已普遍成爲諸夏列邦國土的共稱，並代表上古文化一統觀念的整合（王爾敏，一—二）。

綜前所述，「中國」一詞有其悠久的淵源，乃歷經夏、商、周三個氏族集團在政治上興衰更迭，在文化上相互傳承，在國土民族上交疊發展的結果。它代表具有天下意識和歷史文化意識的執政中心或國家政體的代稱，也是以中原爲中心之廣袤連綿的疆土、長期複雜之民族摶凝的結晶，以及延續華夏歷史的文化體。而這些都應共同爲「中國」一詞基本含意的原型。

三、《史記》的記述典範

後代史書利用「中國」一詞不絕，殆皆以其含意的原型爲據。但由於「中國」創詞的概念起源於天下意識和方位觀，故它通常與相對的政體、文化、方位或其它陳述出現在史書中，它的含意及指涉也就視史事的情境而有所不同。因此，隨著歷史的演進，歷代史書上的「中國」詞義也以其含意原型爲基礎有所發展而呈現多重性。再者，由於中國歷史分合交迭，又有邊族入主中原，華夏子民南遷的演變，歷代人物政體之自稱、被稱乃至交相爭稱「中國」，亦顯示其獨特豐富的稱號性質。

《史記》作爲中國第一部通史暨正史的鼻祖，在中國史學史上有其典範的地位。其記史上及遠古下及漢武當代，故所記「中國」一詞歷經氏族部落、封建王朝到秦漢統一帝國等不同的時代，反映了多樣的詞義類型，並與周代的用法有密切的延續性，堪爲正史記述「中國」一詞的典範。《史記》中「中國」的詞義殆有下列數端：

（一）帝王接受天命踐天子位的都城

按《史記》首次出現「中國」一詞，是在《五帝本紀第一》：

堯立七十年而得舜，二十年而老，令舜攝行天子之政，薦之於天。……堯崩，三年之喪畢，……謳歌者不謳歌丹朱而謳歌舜。舜曰「天也」，夫而後之中國踐天子位焉，是爲帝舜。

由上述引文及劉熙於《集解》所注：「帝王所都爲中，故曰中國。」可知「中國」即是帝王接受天命、踐天子位的都城。《史記》本文全篇所記「中國」唯此處可解釋爲天子都城。此一解釋頗能呼應五帝時代社會發展的狀況。蓋「中國」最原始的詞義與範圍，按前文所述應即是京師、都城之意。

（二）天子劃分行政的區域或分封諸侯的所在。

《史記》記禹劃分九州後，「衆土交正，致愼財賦，咸則三壤成賦。中國賜土姓……。」（《夏本紀第二》）此處「中國」是指劃分爲九州，按等級徵收田賦，並分封給諸侯的區域。迨至周代，行政區劃已增加爲十二州，《史記》亦以十二州爲中國：

太史公曰：自初生民以來，世主曷嘗不曆日月星辰？及至五家、三代，紹而明之，內冠帶，外夷狄，分中國爲十二州……天則有列宿，地則有州域……而聖人統理之。（《天官書第五》）

太史公又列出十二州內四方的主要諸侯：西則秦，南則吳、楚，東爲宋、鄭，北有燕、齊與晉。⑥並指出其中秦及吳、楚本爲夷狄，但春秋以降已成疆伯，故亦在中國之內（《史記・天官書第五》）。可見「中國」的範圍可隨夷狄之爲諸侯而擴大。⑦

---

⑥ 此處係參考唐人張守節：《史記正義》所注各諸侯國之星宿方位立說。見於《史記三家注》世界書局版，頁一三四六—一三四七。

⑦ 據陳連開研究，在《春秋》、《左傳》、《國語》等書中，春秋時期之齊、魯、鄭、晉、陳、蔡等諸侯皆爲「中國」、「諸夏」、「華夏」，秦、楚仍爲夷狄；到了戰國時代，七雄幷稱「諸夏」，同列「中國」。見前引文，頁八〇。則《史記》的用法與《春秋》、《左傳》、《國語》等書相符。

（三）相對於邊陲的核心中樞——中原諸夏各國。

雖然《史記》將春秋以降的秦、吳、楚等列入十二州，包含在「中國」之內。但該書也以「中國」代表相對於秦、楚、吳、越的中原地區或中原各諸侯國。例如：

周室微，諸侯力政，爭相併。秦僻在雍州，不與中國之會盟。（《秦本紀第五》）

吳王北會諸侯於黃池，欲霸中國以全周室。（《吳太伯世家第一》）

楚伐隨。隨曰：我無罪。楚曰：我蠻夷也。今諸侯皆為叛相侵，或相殺。我有敝甲，欲以觀中國之政，請理室尊吾號。（《楚世家第十》）

王無彊時，越興師北伐齊，西伐楚，與中國爭彊。（《越王句踐世家第十一》）

此處「中國」顯然係指黃河中、下游中原一帶不包括秦、楚、吳、越等原屬夷狄的地區。同為諸侯卻被摒除於「中國」之外，並非與前所述十二州之「中國」互為矛盾，而是在天下結構中有內外差等的區別。《春秋公羊傳》謂：「內其國而外諸夏，內諸夏而外夷狄。」（成公十五年）故雖均為諸侯亦有內為核心，外為邊陲之別。《史記》述范睢進秦王之言曰：「今夫韓、魏，中國之處而天下之樞也，王其欲霸，必親中國以為天下樞，以威趙、楚。」（《范睢蔡澤列傳第十九》）太史公又以下列文字說明何以中原之地乃天下中樞：

昔唐人都河東，殷人都河內，周人都河南。夫三河在天下之中，若鼎足，王者所更居也，建國各數百千歲，土地小狹，民人衆，都國諸侯所聚會。（《貨殖列傳第十九》）

故代表中原諸夏的「中國」亦有位處核心，為天下中樞的意思。

（四）仁義禮樂教化的文明優越之國

如前所述，「中國」一詞的創成，有其濃厚的人文道統意識為背景。區分華夏夷狄的依據不在種族血統或固定的空間方位，而是人文教化之有無。《史記》所記趙公子成對趙武靈王胡服政策的批評，即說明優越的禮教文明是中國之所以為中國的根本：

臣聞中國者，蓋聰明徇智之所居也，萬物財用之所聚也，聖賢之所教也，仁義之所施也，詩書禮樂之所用也，異敏技能之所試也，遠方之所觀赴也，蠻夷之所義行也。今王捨此而襲遠方之服，變古之教，易古人道，逆人之心，而怫學者，離中國，故臣願王圖之也。（《趙世家第十三》）

據所言，「中國」乃仁義禮樂教化、器用技能匯聚，文明優越的國度，捨此即非中國。其意甚明。但趙武靈王的反駁卻強調：固守外在的禮俗服制並非聖人教化之旨。言其所以胡服騎射乃為拒攘諸胡，護衛國土，以保住所以有禮俗服制等文明的根本；而不願因固守中國之俗，恥變胡服而忘鎬京陷戎狄之恥，聽諸胡侵暴而不能備：

夫服者，所以便用也；禮者，所以便事也。聖人觀鄉而順宜，因事而制禮，所以利其民而厚其國也。……是以聖人果可以利其國，不一其用；果可以便其事，不同其禮。儒者一師而俗異，中國同禮而教離，況於山谷之便乎？故去就之便，智者不能一；遠近之服，賢聖不能同。……異於己而不非者，公焉而求盡善也。今叔之所言者俗也，吾所言者所以制俗也。……而叔順中國之俗以逆簡、

裏之意，惡變服之名以忘鄗事之醜，非寡人之所望也。（《趙世家第十三》）

是以所謂聖人的禮樂教化在趙武靈王看來，並非重在形式之禮俗服制，而無寧是因地制宜、便事、利民、厚國等盡善於公之義理。趙武靈王言必稱聖人、儒者之教，可見其不但不是趙公子成所說之「離中國」，而且他爲胡服騎射政策的辯護，無寧說反映出一種思想：中國之以禮樂教化立國，其旨不在固守外在的文化形式，而是所以能制成這些外在形式之更根本的保國利民的義理。而且表現了不排斥外來文化、不畏變古求新的文化器識。按此，則「中國」之爲一延續歷史的文化體，有其一貫傳承的文化核心價値——即所謂的「聖人之教」；但也並非因此就沒有對外吸納學習，對內調適求變的可能。

（五）天下一統之帝國

如前所述，合中國華夏與相對於四方的戎狄蠻夷的世界是爲「天下」。但太史公亦稱戰國諸侯割據的「中國」爲天下：

秦地被山帶河以爲固，四塞之國也。……天下嘗同心并力而攻秦矣。（《秦始皇本紀第六，太史公曰》）

昔秦皇帝任戰勝之威，蠶食天下，并吞戰國，海內爲一。（《平津侯主父列傳第五十二》）

當秦始皇兼併六國，一統天下，海內皆爲郡縣以後，領土所及包括原來的六國及以外的蠻夷戎狄。所刻頌秦德的石刻文曰：「六合之內，皇帝之土。西涉流沙，南盡北戶。東有東海，北過大夏。人跡所至，無不臣者。」（《秦始皇本紀第六》）此時「天下」自非僅止於六國領域，而包含了皇帝遍置的郡縣；「中國」亦理非僅指於中原諸夏，而是代表天下一統後設有郡縣而相對於四方邊族或外國的領域，「天下」與「中國」所指實為重疊的領域。所不同的是，「天下」一詞重在描述統一的中國乃是固有之中原與四方的「合而為一」；而「中國」一詞則強調：已合而為一的天下相對於國境之外的四方仍為「中央之國」。如《平津侯主父列傳第五十二》記曰：

昔秦皇帝……務勝不休，欲攻匈奴，李斯諫曰：「不可，……輕兵深入，糧食必絕；……勝必殺之，非民父母也。靡獘中國，快心匈奴，非長策也。」秦皇帝不聽，遂使蒙恬將兵攻胡……然後發天下丁男以守北河……又使天下蜚芻輓粟，……百姓靡敝，孤寡老弱不能相養，道路死者相望，蓋天下始畔秦也。……

今欲招南夷，朝夜郎，降羌僰，略濊州，建城邑，深入匈奴，燔其龍城，議者美之。此人臣之利也，非天下之長策也。今中國無狗吠之聲，而外累於遠方之備，靡敝國家，……未見休時，此天下之所共憂也。

文中所用「天下」或「中國」顯然同義，概指秦漢以降天下一統的帝國。此係在天下結構中，以舊有「中國」——即戰國時代的七國為基礎，由內推擴而外，合原來的夷狄為同一國體的結果。而此詞義為後世各統一帝國的時代所沿用。

（六）與四夷外國來往互動的中央之國。

隨著歷史的演變，「中國」所代表的領域由狹而廣：從天子都城，而三河諸夏，而九州十二州，而五霸七雄，而統一帝國；其所指涉的地理範圍亦由內而外，從京師王畿，而黃淮中下游的中原地區，而含包括黃河、長江中下游流域的地方，而統合黃河、長江、珠江流域爲一體的廣袤疆土。唯在此發展過程中，「中國」仍有其一脈相傳，延續不斷的詞義和內涵：一爲強調仁義禮致文化的重要及其優越性；二是位於與四方外夷互動關係中的核心性。

自舜及「中商」以降，天子都城和王畿相對於諸夏各國，即所謂「中國」；降至春秋，相對於中原以外的秦、楚、吳、越與四方夷狄，諸夏亦爲中國；到了戰國時代，相對於諸侯爭強兼併範圍之外的蠻、夷、戎、狄，七雄仍稱中國；迨秦漢以下，相對於設郡置縣領地之外的諸胡、藩屬乃至更遙遠的外國，天下一統的帝國還是中國。⑧此類「中國」皆有中央之國的含意，強調中國與四方外夷互動關係中的核心地位。以漢朝而言，例如：

天子既聞大宛及大夏、安息之屬皆大國，多奇物、土著，頗與中國同業，而兵弱，貴漢財動；其北有大月氏、康居之屬，兵彊，可以賂遺設利朝也。且誠得而以義屬之，則廣地萬里，重九譯，致殊

⑧ 葛劍雄以東漢末年北越學者許靖言其一路往北「不見漢地」，而認爲福建在漢時不是「中國」。（見氏著《統一與分裂：中國歷史的啓示》，頁三六）就《史記》的記述來看，葛氏此說有誤；殊不知其所引許靖傳出自《三國志》，《三國志》「中國」詞義特色係指中原地區或中原政權而言，（詳見後文）以《三國志》之記述特色論斷漢朝「中國」的範圍並不恰當。又葛氏認爲廣義的「中國」即指中原王朝，狹義的「中國」只能是指經濟文化相對發達的漢族聚居區或漢文化區（見前引書，頁三六）。若對照《史記》或其他正史所記述之「中國」的複雜詞義和多元的稱謂情境，葛氏的說法不夠精確。

> 俗，威德遍於四海。……於是漢以求大夏始通滇國。初，漢欲通西南夷，費多，道不通，罷之，及張騫言可以通大夏，乃復事西南夷。（《大宛列傳第四十三》）

由《大宛列傳》可知，漢朝時代「中國」所相對的四方部國範圍，已顯然較前遐遠；其詞義所代表的領域自是擴及於整個一統的帝國。因此「中國」之爲中央之國，其內含與所指涉的範圍，須視文本中與之相對的四方其對象性質爲何而定；而且中國與四方部落或國家的互動關係，也成爲中國確立其中央之國地位的重要依據。例如春秋時代，周室衰微，夷狄交侵。諸侯爭霸必攘夷會盟以確保「中國」存在，來樹立其政治權威。如《史記》記齊桓公會盟中國而自稱：

> 南伐至召陵，望熊山；北伐山戎、離枝、孤竹；西伐大夏，涉流沙；束馬懸車登太行，至卑耳山而還……九合諸侯，一匡天下。（《齊太公世家第二》）

降至漢朝，四出征伐仍爲執政中國的大事：

> 是時漢方南誅兩越，東擊朝鮮，北逐匈奴，西伐大宛，中國多事。天子巡守海內，修上古神祠，封禪，興禮樂。（《萬石張叔列傳第四十三》）

又太史公曰：

> 自三代以來，匈奴常爲中國患害；欲知強弱之時，設備征討，作《匈奴列傳》……漢既平中國，而佗能集楊越以保藩，納貢職，作《南越列傳》……漢既通使大夏，而西極遠蠻，引領內鄉，欲觀中國，作《大宛列傳》。（《太史公自序第七十》）

可見中國之於四方絕非僅止於征討，武力不逮之處亦通使、封貢、立藩。甚至於對不免軍事相向的四方戎夷，也藉由歷史強調彼此雖有華夷之別，實乃血緣兄弟的關係：

匈奴，其先祖夏后氏之苗裔也，曰淳維。（《匈奴列傳第五十》）

自太伯作吳，五世而武王克殷，封其後爲二：其一虞，在中國；其一吳在蠻夷。……太史公曰：余讀《春秋》，乃知中國之虞與荊蠻句吳兄弟也。（《吳太伯世家第一》）

如此一來，在中國據以與蠻夷互動之「中心—四方」的結構中，猶存有相連共通的關係；因此在對立相抗之外，也保留了以夏變夷、化夷爲夏的可能空間。「中國」的範圍也就因此而往外推擴。綜上所述，「中國」之爲中央之國，非僅具有中心優越的意識，亦意指其與四方部國往來不絕、多元互動、由內而外密切的關係本質。

由於《史記》在正史中所記歷史跨越時代最長，故能呈現「中國」詞義豐富的內涵型態。後世所撰斷代史殆不能及之。唯漢亡以後千餘多年，中國分合迭見，又有歷代邊族競逐中原——或與華夏在中國境內分立並治，或入主中國一統天下，遂使「中國」稱號出現在更複雜的歷史情境中，反映了不同的歷史意義，則是《史記》所無。以下擬將《史記》之外正史中分裂時代使用「中國」一詞的情形，較之前史，有何一貫的延續性及時代的獨特性。本文所謂分裂時代係指秦漢帝國以後，同時有二個或以上之政權並存的時代。以下將分爲四個階段，探討各個不同階段所使用的「中國」一詞，因歷史情境不同而呈現何種意義和特性。

四、三國時代「中國」詞義的特性

魏蜀吳三國鼎立，爲秦漢天下一統的中國成立後第一次的分裂；而且三個政權皆由漢人建立，是唯一未由邊族入主而造成的分裂時代。《三國志》所記「中國」一詞，約有三義：

（一）代表舊有天下一統的中國

此多用在引述秦漢歷史的場合，或鑑暴秦之驟亡：

且當六國之時，天下殷熾，秦既兼之，不脩聖道，乃構阿房之宮，築長城之守，矜夸中國，威服百蠻，天下震竦，道路以目；自謂本枝百葉，永垂洪暉，豈寤二世而滅，社稷崩圮哉？（《魏書二十五高堂隆》）

或言漢末天下喪亂之大勢：

初平元年，（公孫）度知中國擾攘，語所親吏柳毅、陽儀等曰：「漢祚將絕，當與諸卿圖王耳。」（《魏書八公孫度》）

建安五年，……（孫策）創甚，請張昭等謂曰：「中國方亂，夫以吳越之衆，三江之固，足以觀成敗。公等相善吾弟！」（《吳書一孫策》）

然烏桓、鮮卑稍更彊盛，亦因漢末之亂，中國多事，不遑外討故得擅漠南之地，寇暴城邑，殺略人

民。（《魏書三十烏桓》）

（二）相對於四方邊族之民族歷史文化的中國

天下雖已三分，但因三國皆爲漢人政權，彼此之間對立係因政爭，而非民族文化的差異，相對於四方蠻夷，皆爲華夏。《三國志》述及相對於華夏之鄰近四夷動態乃至西域風土的特色時，所用「中國」一詞，顯然即意指涵括爲三國所共同繼承的歷史文化民族之整體的中國。如：

> 軻能比本小種鮮卑，……部落近塞，自袁紹據河北，中國人多亡叛歸之，教作兵器鎧楯，頗學文字。故其勒部衆，擬則中國。（《魏書三十鮮卑》）
>
> 長老說有異面之人，近日之所出，遂周觀諸國，采其法俗，……。雖夷狄之邦，而俎豆之象存。中國失禮，求之四夷，猶信。（《魏書三十東夷》）
>
> 〔弁辰〕國出鐵，韓、濊、倭皆從取之。諸市買皆用鐵，如中國之用錢。（《魏書三十東夷·韓》）

（三）代表位於中原的曹魏政權

《三國志》所用「中國」一詞，大部分是指稱位於華北中原地區曹魏政權。其中，《魏書》記曹魏自爲「中國」，而稱吳、蜀爲虜或賊。例如：

> 〔黃初〕六年秋，帝欲征吳，臣大議，〔鮑〕勛面諫曰：「王師屢征而未有所克者，蓋以吳、蜀脣

齒相依，憑阻山水，有難拔之勢故也。……今又勞兵襲遠，日費千金，中國虛耗，令點虜玩威，臣竊以為不可。」（《魏書傳第十二鮑勛》）

今吳、蜀二賊，非徒白地小虜，聚邑之寇，乃據險乘流，跨有士衆，欲與中國爭衡。（《魏書傳第二十五高堂隆》）

陳壽撰《三國志》雖為魏帝立紀而未帝蜀，但實亦未嘗尊魏。蓋其以三國之史並列而分署魏書、蜀書、吳書，突顯天下三分鼎足之勢（金毓黻，一九七四，五七—五八），並未以吳、蜀為僭偽（尹達，一〇五）。則陳壽何以為魏帝立紀？又何以稱曹魏為「中國」？有關前者，後世以為，其一：「晉以承魏，魏以承漢，壽身為晉臣，若帝蜀漢，必蒙駢首之誅。」（金毓黻，一九七四，五七）其二：「魏氏先實漢北，控弓朔代，南平燕趙，遂通秦涼，出令作法，天地有奉，生人有庇，且居先王之位，宅先王之國，子先王之人矣。」（宋·張方平，《南北正閏論》）

張氏係以曹魏地居古來諸夏所在與秦漢故國的中原，與東、西、朔北諸胡相抗，來解釋何以陳壽以魏為正統。本文以為此亦應是陳壽稱魏為「中國」的原因——蓋相對於蜀漢之於西南、孫吳之於東南，陳壽係以魏居中原，故稱之為「中國」，也才為魏帝立紀。

不獨陳壽如此，就連為裴松之所引，與《三國志》持相對立場而以蜀漢為正統的《漢晉春秋》，亦稱魏為「中國」。此殆因其不能無視魏處中國故地的客觀事實而然：

袁淮言于（曹）爽曰：「吳楚之民，弱寡能，英才大賢不出其土，比技量力，不吹足與中國相抗，然自上世以來常為中國患者，蓋以江漢為池，舟楫為用，利則陸鈔，不利則入水，攻之道遠，中國之長技無所用之也。孫權自數十年以來，大畋江北，繕治甲兵，精其守禦，數出盜竊，敢遠其水，陸次平土，此中國所願聞也。」（裴松之引習鑿齒《漢晉春秋》見於《三國志・魏書三少帝紀第四》正始七年注）

引文中「中國」既指在空間地理上相對於江南的華北中原，也指相對於孫權的曹魏。同理，在陳壽筆下的蜀漢和孫吳亦稱曹氏政權爲「中國」。如：

先主至於夏口，亮曰：「事急矣，請奉命求救於孫將軍。」時權擁軍在柴桑，觀望成敗，亮說權曰：「海內大亂，將軍起兵據有江東，劉豫州亦收漢南，與曹操並爭天下。今操芟夷大難，略已平矣，……若能以吳、越之與中國抗衡，不如早與之絕……。」（《蜀書五諸葛亮》）

黃龍三年，公孫淵降而復叛，權盛怒，欲自親征。（薛）綜上疏諫曰：

……天生神聖，顯以符瑞，當平喪亂，康此民物；嘉祥日集，海內垂定，逆虜凶虐，滅亡在近。中國一平，遼東自斃，當拱手以待耳。（《吳書八薛綜》）

可見《三國志》中代表曹魏政權的「中國」一詞，係著重客觀描述曹魏之國位在中原。畢竟三國本皆華夏，彼此之間並非夷夏對立，曹魏固爲「中國」，蜀、吳亦仍自認在歷史文化民族之整體的中國之內。《三國志》毋須突顯三國民族文化的高下優劣，也不會是爲了刻意強調曹魏係以仁義禮教立國故爲「中國」；因此代表曹魏的「中國」相對於東吳和蜀漢，自非民族文化上華夏之相對於夷狄，也不會是天子王畿之於諸侯，而是單純的地理方位上中原之相對於東南和西南。

因此，「中國」也代表地理的概念，在統一的時期，它包括所有由朝廷統轄的地方；在分裂時代，則通常是指稱黃河中下游地區，⑨三國時代的用法即是如此；唯並未就因此意指蜀漢、孫吳等即外於華夏而爲夷狄。此自與當前台灣有些人士和媒體，因爲國際上以中共代表「中國」，即自外於歷史文化民族之中國；或每稱大陸爲「中國」而語含非我族國之意的情形不可同日而語。⑩

五、東晉南北朝時代「中國」稱號情境的趨於雜異

稱中原之國爲「中國」係源自於春秋戰國的傳統。東周以後，並非獨曹魏爲然。西晉雖然結束三國分立而締造了短暫的統一，卻因五胡競逐中原、晉室東遷而告結束，天下復陷於紛亂分裂。此時，原爲「中國」人的晉人，大量南下至本屬吳、楚的邊陲之地，但並未捨棄「中國」的稱號和身份認同；而原爲戎狄的五胡，卻從荒服蠻夷之地躋身中原，也成爲使用「中國」稱號的主角。此時，「中國」的詞義未必超出《史記》記述的範圍，唯其被使用的情形遠比三國時代要複雜得多，爲前此歷史所無。

綜觀東晉南北朝分裂時代，「中國」一詞的含意與它被使用的情境息息相關，殆可分爲下列數端：

---

⑨ 陳連開亦持此種看法。見前引文，頁九二。但在東晉南北朝以及金朝南宋對峙的時代，南方政權亦自稱「中國」，則「中國」所指就未必是中原地區，此爲陳氏所未見。

⑩ 有關台灣族群由中國人認同到自外於華夏現象與問題的分析，可參考王明珂：《華夏邊緣》第十二章《華夏邊緣的變遷：台灣族群經驗》，結語「資源競爭、歷史記憶與族群認同」，頁三七五—四二七。

（一）意指中原地區或位於中原的國家

其中又分為三種情形：

（1）代表中原的地理形勢

如：「河自龍門東注，橫被中國，每漂決所漸，寄重災深，堤築之功，勞役天下。」（《宋書・志第一志序》）此處「中國」即黃淮中、下游一帶的中原地區，意甚顯然。自《史記》以降諸正史多採此一用法來描述中原的地理形勢。

（2）代表故國所在中原或華北地方

此對南移的政權而言，即指中原故國。如：「大晉受命，于今五十餘載。自元康以來，王德始闕，戎翟及於中國，宗廟焚為灰燼，華夏無冠帶之人。」（《晉書列傳第五十二虞預》）對新入主中原的胡人政權而言，則為相對於南方政權而立於中原的北方政權。如：「（符）堅曰：帝王曆數豈有常哉？惟德之所授耳！……劉禪可非漢之遺祚，然終為中國所併。」（《晉書載記第十四符堅下》）此外，記東晉南北朝時代的史書每以「中國」描述為諸胡入據的以中原為核心的華北地方。如：「自勒初起，則季龍為爪牙，百戰百勝，遂定中國，境土所據，同於魏世。」（《晉書列傳第四十七蔡謨》）顯然沿用了先秦以中原為「中國」的詞義。

（3）邊族入主中原後以「中國」自居

與歷代立國於中原的漢人政權一樣，邊族在中原建國以後，相對於四方的民族或政權亦自稱「中國」，並自居於文化優勢的立場：

呂光發長安，〔符〕堅送之於建章宮，謂光曰：「西戎荒俗，非禮儀之邦。羈縻之道，服而赦之，示以中國之威，導以王化之法，勿極武窮兵，過深殘掠。」（《晉書載記第十四符堅下》）

〔北魏〕高祖時，〔宕昌王〕遣使子橋表貢……自此後，歲以為常。……後朝於京師，殊無風禮。高祖顧謂左右曰：「夷狄之有君，不如諸夏之無也。宕昌王雖為邊方之主，乃不如中國一吏。」（《魏書列傳第八十九宕昌羌》）

由引文可知，前秦、北魏之視其它邊族為夷狄，是由於他們本身已經華化，甚至自比為諸夏，所言「中國」即其立國所在，當然自居為「中國」。

建國於中原的邊族政權，不獨相對於其它的邊族以「中國」自居，隨著歷史勢態的發展，亦逐漸對南遷的漢人政權而然。如在慕容儁稱王時期，前燕猶受東晉遣使承制封拜侍中、都督、州牧、大將軍、大單于、燕王等官職爵位。甚至在（東晉）永和八年，慕容儁稱帝以後，雖謂晉使曰：「汝還白汝天子，我承人乏，為中國所推，已為帝矣！」（《晉書載記第十慕容儁》）意即已自帝於中國，不再受晉朝策封。但慕容儁並未因此無視於正朔唯東晉所繫的現實。事實上，他在稱帝前不久猶言：「吾本幽漠射獵鄉，被髮左衽之俗，曆數之籙寧有份邪！」（《晉書載記第十慕容儁》）自知其源於鮮卑，華化未久，雖為中國，並不能輕言取代東晉為正朔所寄的地位。

邊族政權的如此心態，至前秦符堅統一北方，每欲南伐以「混一六合」之際，猶未盡除。如秦臣多諫符堅不可輕言用兵南方，其中宰相王猛臨終前即曾建言：「晉僻陋吳越，乃正朔相承。臣死之後，願不以晉爲圖。」（《十六國春秋輯補卷三十四前秦》）所謂正朔相承，應即言東晉所繼承者華夏之政統與道統也，不可斷絕。秦將符融在王猛死後，亦力陳符堅：「國家，戎族也，正朔會不歸人。江東雖不絕如延，然天之所相，終不可滅。」（《晉書載記第十四符堅下》）顯然王猛和符融都認爲，雖前秦已爲中國，但正統仍在東晉。

北方邊族政權不再承認南方漢人政權的正統地位，是北魏時候的事。太和年間，孝文帝南伐不克，中書監高閭上表班師還京，以便「踵太武之成規，營皇居於伊洛。畜力以待敵釁，布德以懷遠人，使中國清穆，化被遐裔。淮南之鎮，自效可期！」又引《詩經》：「惠此中國，以綏四方。」建議孝文帝：北魏國土就在三代諸夏領域，即爲中國；當以經營京師洛陽爲先，不必亟於用兵南方，也不再認爲南朝爲正統或政治的中心。他說：「使德被四海，中國緝寧，然後向化之徒，自然樂附。……漢之名臣不以江南爲中國。且三代之境，亦不能遠。」北魏君臣不但自爲中國，還稱南朝爲吳寇、小賊、島夷（《魏書列傳第四十二高閭》）。又在招討梁朝武帝蕭衍的檄文曰：

> 則我皇魏握玄帝之圖，納水靈之祉，……致符上帝，援溺下土，……恢之以武功，振之以文德，宇內反可封之俗，員首識堯舜之心。沙海荒忽之外，瀚漠羈縻之表……莫不繩谷釣山，依風託水，共仰中國之聖，同欣大道之行。唯夫三吳百越獨阻聲教，匪民之咎，責有由焉。（《魏書列傳第八十六島夷蕭衍》）

由此可見拓跋魏已比慕容燕或符秦的華化更深，也更自信於自己的「中國」身份。北魏對「中國」身份的自信，部分應來自於它與西、北方其它部族互動的經驗——西域諸部與中國的來往攻伐，皆以北魏爲對象，強化了她作爲國際關係中的「中國」身份。《北史西域列傳》即云：「太延中，魏德益以遠聞，西域龜茲、疏勒、烏孫、悅般、渴槃陁、鄯善、焉耆、車師、粟特諸國王始遣使來獻。」可見其國際關係的密切。

北魏之後的西魏、北周以其立國所在即古來中原的政治核心區域，又是與西域接觸的前線，因而延續了北魏對外關係之「中國」的地位（詳見《北史列傳第八十五西域》）。故突厥人以西魏大將史寧所圖必破，皆畏憚之而稱其「中國神智人」（《周書列傳第二十史寧》）；北周於保定四年猶受焉耆王遣使所獻名馬（《北史列傳第八十五西域》）。又西魏北周皆對巴蜀之地而自稱「中國」，如北魏然（《周書列傳第十三尉遲迥》，《列傳第三十一辛慶之族子昂》）。相對之下，東魏與北齊的對外關係，因東邊之朝鮮、百濟、新羅、倭國、扶桑等國便於以海運聯絡南朝而被取代（詳見下文），也就缺少了強烈的對外代表「中國」的身份。這些都反映在史書對東魏、北齊有關中國稱號和相關史實的記述極爲有限之上。

（二）南朝之自稱中國

東晉以降至劉宋雖仍稱胡人所據的中原故土爲「中國」，但他們在南方新土並不忘標舉自己的「中國」身份。南朝所自稱「中國」的內涵可分爲二層面來說：

（1）為中國歷史文化民族的傳承者

如前文所述，前燕、前秦雖已立於中國，仍認爲東晉才是正朔所寄。北魏朝廷雖不再承認東晉的正統地位，但迨至北齊文宣帝（高洋）時依然感歎：

江東復有一吳兒老翁蕭衍者，專事衣冠禮樂，中原士大夫望之以爲正朔所在。（《北齊書列傳第十六杜弼》）

可見東晉以後的南朝，其代表中國禮樂文化傳承的地位仍堅不可破。也因此劉宋稱北魏爲「索虜」（《宋書列傳第五十五索虜》），蕭齊稱之爲「魏虜」（《南齊書列傳第三十八魏虜》）。梁朝更認爲前秦大將呂光之征服龜茲乃「亦猶蠻夷之伐蠻夷，非中國之意也。」（《梁書列傳第四十八諸夷西北諸戎》）此應是南朝基於歷史文化民族傳承者的立場，不承認北朝的中國身份，甚至賦以醜化敵對的名稱。梁朝在與龜茲、前秦的關係中，便自稱爲「中國」，而稱苻堅爲「秦主」（《梁書列傳第四十八諸夷西北諸夷龜茲》）。蓋對南朝而言，既已離開中原，只有繼續扮演中國之歷史文化民族傳承者的角色，才能維持「中國」的身份認同。

（2）是相對於海南諸國、東夷、西北諸戎等外邦的中國

此與前述所言實一體兩面，共同勾勒出南朝自稱爲「中國」的歷史背景與含意。雖華夏分裂影響了中國各政權對外的關係，但東晉之後各朝仍繼續維持與外邦部落的來往。劉宋之於天竺的佛教（《宋書列傳第五十七夷蠻西南夷天竺》），蕭齊之於東南夷的扶南國（《南齊書列傳第三十九東南夷扶南》），皆以「中國」自稱。到梁朝時對外的關係更蓬勃，也就更強化確定了其「中國」的立場和身份。

按《梁書》，海南諸國在宋、齊時有十餘國至中國；「自梁革運，其奉正朔，修職貢，航海歲至，

踰於前代。」這些國家自以梁而非北朝爲「中國」（《梁書列傳第四十八諸夷海南諸國、干利國》）。在東夷方面，自曹魏起朝鮮即已世通中國。至東晉過江，仍泛海東使者，有高句麗、百濟，宋、齊時期亦常通貢職。齊、梁年間，陸續有新羅、倭國、扶桑等國來使不輟。對這些國家而言，南方的梁朝比北方的東魏與北齊更能代表中國（《梁書列傳第四十八諸夷》）。在西北諸戎方面，自梁朝受命，奉其正朔而朝闕廷者，有仇池、宕昌、高昌、鄧至、河南、龜茲、于闐、滑諸等國（《梁書列傳第四十八諸夷西北諸戎》）。與這些西域的國家來往，尤使梁朝的「中國」的身份不拘限於東、南海面諸國。

人文主義地理學家以爲：空間是意義組成的世界，有它的主觀性和客觀性。客觀的空間是由歷史過程和物理條件型塑而成。主觀的空間指的是人們爲了滿足各種情感和需要，而決定空間的走向或賦予它某種意義的內含；是人們以其精神意識，或對未來的想望，投射於空間的結果。空間的主觀性是由人所決定的（Yi-Fu Tuan, 118-123, 179）。南朝自稱「中國」，使歷史上原爲邊陲的江南轉化爲具有核心地位意義的「中國」，這種空間內涵的轉化，也有其主、客觀的要素。主觀因素即是南朝對中國歷史文化民族的認同，並欲賦予江南以「正統所在」的空間內涵；客觀因素則是江南本爲秦漢統一帝國的國土，原即是傳承中國歷史文化的地區，而且南朝能以中國身份維持實際的對外關係等。台灣是否爲「中國」，亦繫於有否充份的主客觀條件。

（三）代表歷史文化民族的中國

如前所述，前燕、前秦之以東晉爲正朔，北朝以鮮卑族入主中原而自稱「中國」，以及南朝遠離中原猶以「中國」身份與四方邦國相來往，乃由於彼皆繼承了古來以中原爲中心而不斷由內往外推擴，包含了長期民族摶凝及綿延華夏文化的歷史整體。故「中國」之所以爲中國，不能離此歷史文化民族的整體而存在。在記述東晉南北朝時代的正史中，所用「中國」一詞亦多有此含意者。如《魏書》記星宿：

天街二星，昴畢間，近月星，陰陽之所分，中國之境界。天街以西屬外國，旄頭氈褐，引弓之民皆屬焉。天街以東屬中國，縉紳之士，冠帶之倫皆屬焉。（《魏書術藝》）

又如《北史》記蠕蠕曷多汗兄社崙：「學中國，立法，置戰陣，卒成邊害。」記阿那□「因入洛陽，心慕中國，立官號，僭擬王者，遂有侍中、黃門之屬。」（《北史列傳第八十六蠕蠕》）所言「中國」顯然皆指歷史文化的中國。

此外，在記述相對於四方邊族外邦之風土文化時的「中國」亦概爲此義。如《宋書》錄慧琳所著《均善論》曰：「有白學先生，以爲中國聖人，經綸百世，其德弘矣，智周萬變，天人之理盡矣，……有黑學道士陋之，謂不照幽冥之途，弗及來生之化，雖尙虛心，未能虛事，不逮西域之深也。」（《宋書列傳第五十七夷蠻西南夷天竺慧琳》）《梁書》記倭國：「富貴者以錦繡雜采爲帽，似中國胡公頂。」（《梁書列傳第四十八諸夷/東夷/倭》）文中「中國」所指，自當不是某一、二政權，而是代表了整體的歷史文化民族的中國。

同理，由於入主中原的鮮卑人雖已華化，但與中原漢人畢竟有別。故北朝仍有人用「中國人」來指稱華裔以有別於當時已貴爲統治者的鮮卑。如《北齊書》記高洋問其僚杜弼：治國當用何人？杜弼對曰：「鮮卑車馬客，會須用中國人。」高洋即以爲杜弼有譏諷之意而不悅（《北齊書列傳第十六杜弼》）。杜弼所謂「中國人」當為世居中土，而有深厚悠久之歷史傳統和文化教養的民族。

由此可見，歷經三代、秦漢到魏晉南北朝，不論世局為統一或分裂，皆無動於「中國」一詞所代表的歷史文化民族的整體性；反過來說，亦由於此一整體性為在中土的華夷各族所認同傳承，才能在東晉南北朝長期的分裂時代維持中國文明的延續，並醞釀日後復為一統的契機。

六、五代十國時期「中國」的狹義化

東晉南朝之遠離中原而猶自稱「中國」，突破了古來以中原諸夏地區為中國或中國核心區域的藩籬；換言之，它開創了不在中原亦為中國的成例，不能不說是歷史的突破。唯新、舊《五代史》記述五代十國所用「中國」一詞，除了少數係代表相對於四方夷狄外邦之歷史文化民族的中國外，其餘概指稱中原地區或位於其上的五代政權。換言之，在經過隋唐一統及百多年的藩鎮割據之後，史家筆下五代十國時期的「中國」，就空間言之有二特色：相對於秦漢、隋唐的統一時代其範圍大幅縮小；相對於東晉南北朝時代的分裂，所指僅限於中原及其上政權所轄之區，並不包含所轄以外的十國，也沒有南北俱為「中國」的情形。

按《新五代史》，五代更迭，「中國」的範圍也隨有變化，計後梁有七十八州，後唐有一百二十三州，後晉有一百零九州，後漢有一百零六州，後周有一百一十八州。此外南方之吳、浙、荊、湖、閩、漢，西邊之岐、蜀，北之燕、晉俱不在中國之內，而稱之為外屬。其中燕晉之地後為石敬塘割予契丹。

（《新五代史職方考第三序言》）揆新、舊《五代史》中之「中國」大多係代表五代政權及其轄地，殆有以下幾個背景：

其一，五代立國所在的中原，即古來「中國」一詞所指的發源地和核心區；而且五代政權係承自唐朝，自然沿襲了唐朝所遺之中國正統的地位。有如三國時代之以曹魏爲中國者然。

其二，五代諸朝據有領域最大，與契丹及其它邊族來往互動最爲頻繁，最能在對外關係中突顯其「中國」身份。

其三，以《舊五代史》而言，所據多爲五代累朝實錄，故五代諸朝自爲「中國」，乃爲宋人修史時所沿襲。又新、舊《五代史》著者俱爲宋人，宋因五代政權而得天下，宋人又最重正統觀念，其將「中國」所指範圍限於五代領域，不無強調相對於十國，五代方爲正統之意。如歐陽修竟謂：「十國皆非中國有也，其稱帝改元與不，未足較其得失。」（《新五代史十國世家年譜第十一序言》）又說十國之中雖有朝貢者，但「外而不書，見其自絕於中國焉爾。」（《新五代史十國世家十譜第十一》）歐氏之意用現代的話來說，即十國並不是中國的一部分，十國不屬於中國。更突顯出此時「中國」僅指五代政權。

不過，這種無視於自秦漢隋唐以降，十國的土地之在中國境內，十國的人民是爲中國人民已有數百年的歷史；只因十國不爲五代所領，便斥之爲「外於中國」的史觀，等於是自囿於政權和地域觀念，窄化了「中國」一詞的含意與範圍。不但對十國的歷史並不公平，也無以解釋稍後宋朝偏安江南而爲中國，不受中原地域之限的事實。由此可知歐陽修此一史觀有偏於政權主義的傾向，此亦爲新、舊《五代史》使用「中國」一詞的特色。

綜觀新、舊《五代史》之以五代政權及其領地為「中國」，可從下列二方面了解其內涵：

（一）五代政權及其所在的中原，為相對於契丹及其它四方邊族外邦的中國，但已不復如過去具有比夷狄優越的地位。

就此而言，史書一則延伸了古來諸夏夷狄的意識，以及五代與四方互動頻繁的事實，著墨當時「中國」與四夷的關係。正如歐陽修所言：「自古夷狄之於中國，有道未必服，無道未必不來，蓋自因其衰盛。……其得之未必為向，失之有足為患。」（《新五代史四夷附錄第一序言》）五代之於四夷，不但是當時位於中原的「中國」，亦為延續歷代中國與四方邊夷關係的象徵。

唯另一方面，因值「五代亂世，中國多故，不能撫來四夷，其嘗自通於中國者僅以名見。」（《新五代史四夷附錄第三于闐》）當時名見中國的夷狄約有十七、八，而以契丹為強（《新五代史四夷附錄第一序言》）而五代諸朝國勢不敵契丹，至石晉甚乃因契丹助得天下而奉之為大國，自為兒皇帝。自古以來「內中國而外夷狄」——中國乃天下政治中心的尊榮已經失色。當時的晉臣安重榮即對此深有感觸：

〔晉〕高祖與契丹約為父子，契丹驕甚，高祖奉之愈謹，重榮憤然，以謂：「詘中國以尊夷狄，困已敝之民，而充無厭之欲，此晉萬世之恥也！」（《新五代史雜傳第三十九安重榮》）

（二）相對於十國，五代諸朝因位於中原承續唐朝政統而為「中國」，但十國之中或有不通於五代，與中國隔絕者。就此而言，「中國」一詞不僅對四夷不具有優勢的地位，對十國而言也不再有政治中心的含意。

在新舊《五代史》中，五代諸朝之爲「中國」，十國之外於「中國」判然劃分。但五代或稱吳、蜀爲「寇」（《舊五代史列傳十三趙德鈞》），或稱金陵爲「南邦」（《舊五代史周書本紀三顯德三年》），而吳越，荆、楚仍常行中國年號（《新五代史十國世家年譜第十一序言》），畢竟有別於夷狄。故歐陽修曰：

或問：十國固非中國有也，然猶命以封爵，而稱中國年號來朝貢者，亦有之矣，本紀之不書，何也？曰：封爵之不書，所以見其非中國有也。其朝貢之來如夷狄，以夷狄書之則甚矣。……以中國而視夷狄，夷狄之可也。以五代之君而視十國，夷狄之則未可也。（《新五代史十國世家年譜第十一》）

但十國之中稱帝改元者有六，如劉陟即稱號於廣州，國號大漢，而稱後梁爲「僞庭」。劉陟「每對北人自言家本咸秦，恥爲蠻夷之主。又呼中國帝王爲洛州刺史。」（《舊五代史僭僞列傳二劉陟》）尤突顯五代諸朝之爲「中國」，在十國之間絕非衆星拱月之位，大異於歷史上「中國」一詞含有爲諸夏核心的意思。此或爲歐陽修批判十國自外於中國的背景。

雖然如此，新舊《五代史》，仍隱含了「中國」一詞所代表的整體的歷史文化民族的含意。唯有認清此含義，才能正確解釋耶律德光「用中國之人，依中國之制，置百官，服衣冠。」（《新五代史四夷附錄第一契丹太祖阿保機》）中的「中國」當不只指五代政權；也才能理解雖五代多故，四方邊族外邦猶來往中國不絕如舊的事實。此外，如南漢王劉陟之所以在稱號改元後，猶念「家本咸秦，恥爲蠻夷之主」，而有「中原多故，誰爲眞主？」的感傷（《舊五代史僭僞列傳二劉陟》）；以及後晉出帝母安太妃從出帝北遷，徙於建州，於途中臨終前遺言，將其骨灰南颺俾能魂返中國的心意（《新五代史晉家人傳第五出帝母太妃安氏》），亦無不是此一整體中國意識的反映。

七、兩宋遼金時期「中國」多重複合的詞義

北宋承五代政統，立朝之初，天下政局類似後周，南北猶未歸宋，契丹仍爲強鄰；迨至統一諸國，又與遼、夏互爲犄角。金代遼而興，復迫宋室南遷而據有中原，唯北面卻有蒙古崛起；南宋偏安江南與金對峙百餘年，再次出現南北皆稱「中國」之勢。中原複雜的局勢與政權的更迭交錯，使此時期的「中國」一詞在不同情境下呈現多重含義，或一詞而有複合之義。約可分爲下列幾端說明之：

（一）指中原一帶的地區

此乃沿襲先秦用法。一如其它史志，《宋史‧天文》、《地理》、《河渠》等志中，常見以「中國」代表以中原地區爲中心的國境。如：

流星入，北方兵起，將入中國。（《宋史志第三天文三》）

〔黃〕河流至蘭州始入中國……行太行西，曲折山間。（《宋史志第四十四河渠一黃河上》）

大河東流，爲中國之要險。……河入海之地雖屢變遷，而盡在中國。（《宋史志第四十五河渠二黃

河中》）

唯經歷漢唐盛世迨至兩宋遼金時代，「中國」所代表的中原地區，範圍已較先秦有所擴大，約涵蓋了今華北大部分漢人生活住息的地區。例如《遼史》即記契丹稱石晉割讓的燕雲地區爲「中國」：

〔遼〕太祖帝北方，太宗制中國。……北班國制，南班漢制。（《遼史志第二十五儀志二國服》）

〔遼〕大安末，〔劉輝〕爲太子洗馬，上書言：「西邊諸蕃爲患，士卒遠戍，中國之民疲於飛輓，非長久之策。」（《遼史列傳第三十四文學下劉輝》）

引文中所謂「中國」，自非指全部的中原地區，事實上是華北地方的邊陲地帶。但相對於西夏和契丹，它是漢人世代生活的漢地，故稱「中國」。《金史》尤喜以「中國」稱呼已爲金朝國境的中原領土。如：

〔金〕朝廷以（宋將吳）曦初附，恃中國爲援，欲先取襄陽以爲蜀漢屏蔽。（《金史列傳第三十六完顏綱》）

宋雖羈栖江表，未嘗一日忘中國，但力不足耳。（《金史列傳三十一獨吉思忠千家奴》）

以上引文之「中國」即爲中原，意甚顯然。

（二）北宋繼承唐及五代的政統立朝於中原而為中國

宋朝代後周興於中原而稱爲「中國」，可分爲二方面說明之：

（1）是相對於各區域政權的中原政權

宋朝取代後周而爲「中國」，唯此「中國」在宋朝立國之初，因諸國未平，其實是延續了五代時期狹義的用法，係指稱位於中原的政權而言。如：

當祖宗時，四方割據，中國才百餘州，民力未完，耕植未廣。（《宋史列傳第六十一呂景初》）

朝廷既復河、隴，欲因勢戡定夔、蜀、荊、廣諸夷，〔張〕璪言：「先王務治中國而已。今生財未盡有道，用財未盡有禮，不宜遽及徂征之事。」（《宋史列傳第八十七張璪》）

宋朝因立於中原一帶地區，相對於其它的地方割據諸國，而有「中國」的稱呼；正類如三國時期曹魏之於吳、蜀，或五代十國時期五代之於十國；蓋以漢唐帝國所締造的統一中國爲歷史背景，而具有短暫過渡的性質。因此在北宋統一諸國後，此含意下的「中國」，就因失去現實基礎而不復見用。

（2）是相對於四方外邦而稱為中國

自古以來中原政權之爲「中國」，除了係指相對於地方諸侯外，亦指相對於四方夷狄而言，於宋朝亦然。宋統一諸國以後，其自稱「中國」尤多用於相對於契丹、西夏、吐蕃等外邦的場合。如：

國家與契丹常有往來書，彼有稱號，而中國獨無，足爲深恥。（《宋史禮十三嘉禮一上尊號儀》）

今四夷蕩然與中國通，在北則臣契丹，在其西則臣元昊，二國合從，有犄角中國之勢。（《宋史列傳第四十四賈昌朝》）

大抵蕃部之情，視西夏與中國強弱爲向背。若中國形勢強，附中國爲利。（《宋史志第一百四十四兵五鄉兵二蕃兵》）

由引文可知，北宋之相對於四夷外邦而自稱的「中國」，自非單純地指稱中原地區，而是代表在當時國際關係的結構下，北宋的整個政權及其所統御的世界。其範圍與內含與前述相對於區域政權的「中國」畢竟有別。相對地，它也爲四方外邦用以稱呼北宋。據《遼史》所記，契丹早以「中國」稱五代時期的中原政權（《遼史列傳第一后妃太祖淳欽皇后述律氏》）。後亦稱立朝於中原的北宋爲中國：

〔韓〕綜使契丹，契丹主問其家世，綜言〔韓〕億在先朝嘗持禮來，契丹主喜曰：「與中國通好久，父子俱使我，宜酌我酒。」（《宋史列傳第七十四韓億子綜》）

此外，高麗亦稱北宋爲中國：

〔契丹〕嘗詰其西向修貢事，高麗表謝，其略曰：「中國，三甲子方得一朝；大邦，一周天每修六貢。」契丹悟，乃得免。（《宋史列傳第二百四十六外國三高麗楷》）

（二）金朝取代北宋立於中原而自為中國

史上常將永嘉之禍與靖康之難並論，乃因宋朝因金兵入侵擄走徽、欽二帝而倉惶南去，一如晉室之南遷。較契丹之據有燕雲十六州，女眞掩有整個淮水以北的中原地區；遼定都於東京（遼陽府），而金自上京（會寧府近今哈爾濱）遷於中都（今北京），故金人立朝於中原的性格更爲鮮明。因此，遼猶稱北宋爲中國，而金朝之言「中國」即其本朝矣！北魏和南朝爭稱「中國」的故事再度重演。金朝之自稱中國可分兩端言之：

（1）為相對於外邦自稱為中國

例如：

〔興定元年〕十二月……戊申，即墨移風砦於大船中得日本國太宰府民七十二人，因糴遇風，飄至中國。有司覆驗無他，詔給以糧，俾還本國。（《金史本紀第十五宣宗中》）

（2）為相對於南宋與吐蕃、西夏、蒙古等其它邊族自稱為中國

例如：

青宜可者，吐蕃之種也。宋取河湟，夏取河西四郡，部落散處西鄙，其酋黎族帥曰冷京……冷京卒，子耳骨延嗣，宋不能制，縻以官爵。傳六世至青宜可尤勁勇得衆，以宋政令不常，有改事中國之意，曹佛留爲洮州刺史。（《金史列傳第三十六完顏綱元奴》）

海陵欲伐宋，琉因極言宋劉貴妃絕色傾國。海陵大喜……議者言琉與宋通謀，勸帝伐宋，徵天下兵以疲弊中國。（《金史列傳第六十九宦者梁琉》）

上諭之曰：「北兵〔按指蒙古〕所以常取全勝者，恃北方之馬力，就中國之技巧耳，我實難與之敵。至於宋人，何足道哉。」（《金史列傳第五十七完顏婁室三人》）

上述引文之「中國」即指金朝本身。女眞華化的政策雖與北魏鮮卑有別，唯其入主中原、取法中國體制、廣設學校以漢人經典爲教育內容的事實，已足以構成其中國意識的基礎。⑪無論如何，它與已經

---

⑪ 女眞的統治者對教育的重視，遠超過前此任何一個邊族政權，建立了上下一體，遍及全國的教育網絡，教育內容完全是漢文化的經典。除此之外，在科舉、典章、禮樂等方面莫不大量吸取漢人的文化。見張晶：《遼金元詩歌史論》，頁六一——六五。

遠離中原猶自稱「中國」的南宋，已成分庭抗禮之勢。

（四）南宋偏安江左仍自稱中國

據《宋史》，南宋失去中原國土，猶能自稱中國，所依恃者三：其一，強烈的民族意識與社稷觀念並有效延續宋朝的政權；其二，與邊夷外邦來往互動的關係；其三，強調中國之所以爲中國之禮教仁義等文化傳統。故南宋所自稱「中國」的內含，亦可由此三端言之：

（1）延續宋朝社稷和漢人政統而自稱中國

宋室南遷延續了北宋政統，也沿襲了源自中原故土的中國意識。靖康之難既由金兵入侵而起，南宋人的中國意識便最常表現在相對於金人而自稱「中國」——一來它象徵了對抗女眞的漢人民族意識，二則它代表延續北宋政統，未忘中原故國。此於《宋史》有關「中國」一詞的記述中頗多見。如：

〔岳〕飛數見帝，論恢復之略，又手疏言：「金人所以立劉豫於河南，蓋欲荼毒中原，以中國攻中國，粘罕因得休兵觀摩。臣欲陛下假臣月日，……然後分兵濬、滑，經略兩河，如此則劉豫成擒，金人可滅，社稷長久之計，實在此舉。」（《宋史列傳第一百二十四岳飛》）

岳飛的疏文反映出二層意識：一、相對於金人，劉豫政府與大宋王朝皆爲漢人政權，故均稱「中國」；二、相對於宋朝社稷，爲金人傀儡的劉豫乃是必須擒滅的對象。故岳飛疏文中的「中國」，實包含了漢人的民族意識與國家社稷的觀念；而漢人失去了中原故土，「中國」名號自是在與金人相抗的情勢下，凝聚漢人民族意識以及延續宋朝政統的代稱。

因此，南宋人自稱「中國」頗見於主張與金人對抗的言論中，並依然在天下結構中陳述中國（我朝）與女眞（讎敵）的關係。如中書舍人胡寅上疏曰：

女眞驚動陵寢，殘毀宗廟，劫質二聖，乃吾國之大讎也。頃者誤國之臣遣使求和，以苟歲月，九年於茲，其效如何？……臣但見丙午而後，通和之使歸未息肩，而黃河、長淮、大江相繼失險矣。夫女眞知中國所重在二聖，所懼在劫質，所畏在用兵，而中國坐受此餌，既久而不悟也，天下謂自是必改圖矣。（《宋史列傳第一百九十四儒林五胡安國子寅》）

胡寅疏文末「天下謂自是改圖」，反映了南宋久失中原的焦慮。畢竟古來天下結構中的「中國」乃位在中原，江南僅爲邊陲。事實上，南宋有不少朝臣疏文中的「中國」即是指中原而言。如：

司勳員外郎朱松、館職胡珵、張擴、淩景、夏常明、范如珪同上一疏言：「金人以和之一字得志于我者十有二年，以覆我王室，以弛我邊備，以竭我國力，以懈我不共戴天之讎，以絕望我中國謳吟思望之赤子，以詔諭江南爲名，要陛下以稽首之禮。自公卿大夫至六軍萬姓，莫不扼腕憤怒，豈肯聽陛下爲仇敵之臣哉。」（《宋史列傳第二百三十二姦臣三秦檜》）

引文中「中國」所指顯然就是爲金人所據的中原。聯名上疏的朝臣所慮者在於：如果宋朝長期困於江南，將很難避免金人以據有中原之「中國」身份詔諭江南之宋室的難堪。岳飛在評論和議政策時尤對此有直接的表述：

救暫急而解倒懸，猶之可也；欲長慮而尊中國，豈其然乎？（《宋史列傳第二百三十二姦臣三秦檜》）

可見南宋自稱「中國」的背後，隱含了源自於中原故土的中國意識和事實上偏安江南的矛盾。南宋既無法重返中原，則化解此一矛盾唯有賴於：（一）繼續以「中國」身份與四夷外邦的互動來往；（二）強化以義理詮釋「中國」的內含，加深南宋雖不在中原猶爲中國政統所繫的合理性。而南宋強化其中國身份，有助其保有漢人對其政權的認同而不致被取代；此實爲其對抗金朝——一個以外夷身份入主中原成爲「中國」的政權，不可不有的條件。

（2）相對於四夷外國而自稱中國

據《宋史》外國列傳及蠻夷列傳，宋室南遷後北方諸國與宋朝官方的來往大都已經斷絕。如西夏在北宋時期猶「上書自言慕中國衣冠」（《宋史外國列傳第二百四十四外國一夏國上》），並受北宋「封冊爲夏國主」；紹興四年西夏仍與南宋通書「有不忘本朝之意」，但至九年宋詔其入貢，已不見報；到嘉定四年時，西夏已受金遣使冊爲「夏國王」（《宋史列傳第二百四十五外國二夏國下》），宋之於西夏的朝貢關係已被金人取代。

高麗在北宋時期雖與中國通使不絕，但自淳化五年以降即已受契丹冊封，奉其正朔。建炎以後高麗與南宋雖仍有來往，唯已較前疏遠。如建炎二年，浙東路馬步軍都總管楊應誠上言，請身使三韓，以圖迎二聖；不料使韓之行雖成，所請卻爲高麗王所拒。對此結果南宋只能感歎：「彼鄰金人，與中國隔海，利害甚明。」而無可如何。至紹興三十二年以後，南宋懼高麗使爲金人間諜遂與之絕（《宋史列傳第二百四十六外國三高麗王楷》）至於日本，昔雖頗曾通使北宋，但宋室南遷後，除了零星的民間商旅活動外，僅於「乾道九年，附明州綱首以方物入貢。」（《宋史列傳第二百五十外國七日本》）迥異於北宋時熱絡的情況。

以上史實顯示：南宋對於北方各外邦雖猶自稱「中國」一如北宋，但疏遠的外交關係，已使她的中國身份難以在北方諸國伸展。

不過這個缺憾由於南宋與部分南海外邦以及西南蠻夷猶保持互動來往而得以彌補。據《宋史》，繼北宋之後仍受南宋封王授爵的外國有：交阯、大理、占城、眞臘、闍婆國；遣使入貢的有：三佛齊國、大食等（《宋史列傳第二百四十七—二百五十一》，《外國四—七》）。在此封貢關係中，南宋之以「中國」自居，毫不受宋朝早已國不在中原的影響。如：

〔乾道〕九年，〔交阯王〕天祚復遣尹子思、李邦正求入貢，帝嘉其誠，許之，詔館於懷遠驛。廣南西路經略安撫使范成大言：「本司經略諸蠻，安南在撫綏之內，其陪臣豈得與中國王官亢禮？政和間，貢使入境，皆庭參，不復報謁。宜遵舊制，於禮爲得。」朝廷從其請。（《宋史列傳第二百四十七外國四交阯》）

在西南蠻夷方面，終南宋之世或有叛服不常者，但曾受南宋招撫的部落也不少，包括：溪峒諸蠻、梅山峒蠻、南丹州蠻、撫水州蠻、平州蠻、觀州蠻、宜州蠻、黎峒蠻、邛部川蠻、保塞蠻、黎州部落蠻、彌羌部落、浮浪蠻、白蠻、烏蒙蠻、阿宗蠻等（《宋史列傳第二百五十二—二百五十五》，《蠻夷一—四》）。

諸部間有寇邊騷擾，或其彼此之間互侵爭執，南宋無論是招撫、抗禦、或居間調停，都突顯了其爲中國上朝的地位，強化了她的中國身份。如紹興三年原南丹州（蠻）刺史莫公佞之弟莫公晟攻圍觀州

（蠻），焚寶積監。南宋欲以公晟知南丹州兼溪峒都巡檢使、提舉盜賊公事、給以南丹州刺史舊印，以免事態擴大。但莫公晟並未接受（《宋史列傳第二百五十三蠻夷二南丹州》）。紹興四年，廣南東西路宣諭明橐論平州（蠻）及觀州（蠻）的情勢，其中有關處理莫公晟案的意見，反映了南宋招撫諸夷的態度及其自居「中國」的意識：

> 公晟實公佞弟，理宜掌州事，近雖逃歸，未爲蠻族信服，察其情勢，不得不倚重中國。若乘時授之，彼知恩出朝廷，必深感悅。（《宋史列傳第二百五十四蠻夷三撫水州》）

由南宋的歷史經驗可知，遠離中原故土的「中國」之所以能夠成立，除了係南宋強烈的主觀意志外，也是因爲客觀環境令其能夠繼續以中國身份與四夷外邦維持來往關係使然。對照於今日中華民國國際處境的困難與台灣部分人民對「中華民國」乃至「中國」認同意識的動搖，即可知這個客觀因素對南宋的重要，恐怕遠超過當時宋人的想像。

（3）秉持以仁義禮樂教化立國的傳統而為中國

宋朝在中國文化史上的成就早爲史家所矚目，宋代也被視爲中國文化意識復興的時代。此似乎也反映在宋人對「中國」內涵的詮解之上。雖曰中華自古以文化立國，但揆諸正史，以仁義禮敎的傳統說明「中國」內涵的記述，除了司馬遷在《史記》中所爲外（見本文第三章），要以《宋史》所載宋人的有關見解最爲突出，其中南宋的說法尤因特殊的時代背景而饒富意思。

北宋西夏皆有朝臣強調儒家道德價值在中國體制中的重要性。（見下文）

一般而言，周代以「中國」爲實踐天命和人文道德理想所在的詮解，爲後世所繼承，而宋人尤然。

這也許是由於宋處於佛教大盛的唐代之後，在學術思想上有由佛返儒的自覺；而且其在外患強敵窺伺下建國，夷夏有別的意識更爲明顯所致。特別是對南宋朝臣而言，強調周代對「中國」一詞中有關天命思想和道德意識的詮解，乃是肯定南宋不在中原猶爲中國正統的前提，亦是馴制皇權、表達政見的憑藉。如建炎改元後，中書舍人朱勝非曾上疏曰：

仁義者，天下之大柄，中國恃之，則外夷服而諸夏尊；苟失其柄，則不免四夷交侵之患。國家與契丹結好，百有餘年，一旦乘其弱亂，遠交金人爲夾攻計，是中國失其柄，而外侮所由招也。陛下即位，宜壹明正始之道，思其合於仁義者行之，不合者置之，則可以攘卻四夷，紹復大業矣。（《宋史列傳第一百二十一朱勝非》）

依朱氏所言，行乎仁義即可攘卻四夷，紹復大業。姑無論所言是否合乎實際，它正突顯了中國乃以「仁義」立國的觀點——南宋既爲「中國」，便不能不行仁義之政。反言之，因行仁義之政所以爲「中國」。⑫

然而含有道德意識的「中國」一詞，亦被南宋學者朝臣複合其它的意識使用，不外是以「中國」一詞所具道德權威的意象，增強其政見的說服力。如隆興初年，宋金和議已成，「天下忻然幸得蘇息」

⑫ 南宋大儒胡安國在所著《春秋傳》中明確主張以道德文明來處理華夷關係。認爲：「中國之所以爲中國，以禮義也。」見陳尚勝，《胡安國的華夷觀與明朝對外政策》，頁四〇六—四〇九。參照《宋史》內容可知，以仁義禮樂來詮釋「中國」，應是南宋「中國」意識的一大特色。

（《宋史列傳第一百九十五儒林六陳亮》）。但至淳熙五年（宋室南遷已五十二年），仍有極力反對者。學者陳亮即詣闕上書，力言反攻中原以繫天命人心之旨。其書所言「中國」顯然爲道德意識、文化意識、政統意識與中原意識的複合體：

中國天地之正氣也，天命所鍾也，人心所會也，衣冠禮樂所萃也，百代帝王之所相承也。挈中國衣冠禮樂而寓之偏方，雖天命人心猶有所係，然豈以是爲可久安而無事也！天地之正氣鬱遏而久不得騁，必將有所發泄；而天命人心固非偏方所可久係也。（《宋史列傳第一百九十五儒林六陳亮》）

陳亮之意本在言明中原故土方爲正氣、天命、人心、衣冠禮樂和歷代政統會萃之地，俾以此強化其反攻中原主張的合理性；唯其言論亦肯定「中國」詞義除了是指「中原」地區外，還有其超乎空間地表之外的歷史、文化、道德、政統等意含，而這些對已失去中原而猶傳承政權道統禮樂衣冠的南宋人而言，更有實質的意義，使「中國」對彼而言仍爲價值意識和權威的象徵。

因此南宋朝臣華岳引申「中國」即爲京師的古義，重新以「天子命之所出」之意詮解「中國」一詞。批判韓侂冑之執政係「有三中國」，謂肖小當權、內政不修才是大宋王朝所代表之「中國」的最大外患：

「禮樂征伐，自天子出」，所貴乎中國者，皆聽命於陛下也。今也與奪之命、黜陟之權，又不出於陛下，而出於侂冑。是吾有二中國也。命又不出於侂冑，而出於蘇師旦、周筠。是吾有三中國也。……曾謂一家之中自爲秦、越，一舟之中自爲敵國，而能制遠人乎？比年軍皆掊克，而士卒自仇其將佐；民皆侵漁，而百姓自畔其守令，家自爲戰。此又啓吾中國億萬之仇敵也。（《宋史列傳第二

百一十四忠義十華岳》）

從華岳對韓侂胄、蘇師旦、周筠的強烈批評以及「有二中國」、「有三中國」的諷諭來看，大宋王朝之爲「中國」的最大外患，乃是命不出於天子，而出於小人；「三中國」乃指天子所享有的天命和國家公器的尊貴和權威，已爲韓侂胄及其下小人公器私用而遭侵竊、分佔、沾污。這些論述突顯了華岳文中的「中國」詞義也是多重複合的：一、爲天子命之所出；二、代表大宋王朝；三、其既以「中國」爲天子命之所出，即隱諭「中國」亦爲天命所在、天下公器的代稱。華岳藉「中國」詞義批判當時政局，也同樣突顯了「中國」一詞，在南宋時有代表價值意識與政治權威的意思。

（五）泛稱古來在中原地區延續政統和傳承仁義禮教的歷史文化的中國

此可分爲二方面言之：

（1）延續中原政統的歷史中國

中原地區是宋、遼、金相互角逐的舞台，也是古來中國歷代建國立朝的所在。三朝在逐鹿中原的同時，必然面對此一客觀存在的歷史事實。《宋史》、《遼史》、《金史》諸史記述所用「中國」詞義，不少即以此一歷史事實爲內涵，代表政統綿延不絕的中國，而非個別的朝代或政權。換言之，此一詞義係側重指稱有著歷史淵源的「中國」，它客觀地超然於三朝，復爲三朝所共同或先後面對、參與、傳承。《宋史》、《遼史》、《金史》的部分記述，反映了這種個別政權與歷史中國的相對關係，也突顯了「中國」之爲歷史中國的詞義。如：

唐季及五代，彊臣專地，中國所制，疆域非廣。及（宋）祖宗有天下，俘吳、楚、蜀、晉，北捍獯粥，西服羌戎。（《宋史列傳第六十一魚周詢》）

遼之爲國，鄰於梁、唐、晉、漢、周、宋。晉以恩故，始則父子一家，終則寇讎相攻；梁、唐、周隱然一敵國；宋唯太宗征北漢，遼不能救，餘多敗衄，縱得亦不償失。良由石晉獻土，中國失五關之固然也。（《遼史志第六兵志下屬國軍》）

本朝（金）之於宋國，恩深德厚，莫可殫述……昔江左六朝之時，淮南屢嘗屬中國矣。（《金史列傳第三十一宗浩老》）

由此可見，兩宋遼金時代的人有豐富的歷史意識，他們常在談論現實問題時陳述歷史的因果，或據歷史的經驗了解其處境之所由來。其既競逐於中原，自會要求爲自身的政權尋一恰當的定位。歷史的中國乃成爲其重要的情境對比與引述對象。

（3）以仁義禮教為文化傳統的中國

「中國」乃代表仁義禮樂文明教化之國的含意，在《史記》中已明確述及。而且仁義禮敎之有無早爲區分華夷、中外的依據。由此角度而言，文化傳統應是比血緣、地緣或政權更重要的決定中國內含的因素。因此，南宋朝臣會認爲仁義才是中國所依恃的天下大柄；換言之，中國之爲中國，必在仁義禮樂文明教化的傳承，此應是歷代中原或邊族所建諸朝的共識。

兩宋遼金諸朝對此是有體認的。如遼太祖的建孔廟與祭孔：

時太祖問侍臣曰：「受命之君，當事天敬神。有大功德者，朕欲祀之，何先？」皆以佛對。太祖曰：「佛非中國教。」（義宗）倍曰：「孔子大聖，萬世所尊，宜先。」太祖大悅，即建孔子廟，詔皇太子春秋釋奠。（《遼史列傳第二宗室義宗倍》）

太祖以外夷而知佛非中國教而祭孔子，乃是認識儒家教化才是中國文化的傳統。本爲華夏的宋人，受儒家義理的影響更深，愈發重視中國體制的道德性格。如西夏主趙元昊死時，宋朝諸將欲乘隙大舉滅之。禮部郎中孫沔力持異議，謂：「乘危伐喪，非中國體。」（《宋史列傳第四十七孫沔》）又殿中侍御史豐稷亦嘗上疏哲宗，以爲中國安危所繫的根本謂在於在上位者能傳承道統祖訓，以身作則，俾行教化美習俗：

順考古道，二帝所以成聖；儀刑文王，成王所以賢；願以洪範爲元龜，祖訓爲寶鑑，一動一言，思所以爲則於四海，爲法於千載，則教化行，習俗美，而中國安矣。（《宋史列傳第八十豐稷》）

以道德意識強化中國所以爲中國的合理性，不獨宋朝爲然。按《宋史》連西夏亦曾以此說服宋朝休兵以化解二國之間慘烈的戰事。元豐五年五月宋、夏交戰，宋官軍、熟羌、義保死者六十萬人，錢粟銀絹以萬數者不可勝計，而夏人亦困弊。夏西南都統、昴星嵬名濟乃移書宋將劉昌祚曰：

中國者，禮樂之所存，恩信之所出，動止猷爲，必適于正。若乃聽誣受間，肆詐窮兵，侵人之土疆，殘人之黎庶，是乖中國之體，爲外邦之羞。……今天下倒垂之望，正在英才，何不進讜言，闢邪議，使朝廷與夏國歡好如初，生民重見太平，豈獨夏國之幸，乃天下之幸也。（《宋史列傳第二百四十五外國二夏國下》）

夏人言此以爲緩兵之計，宋朝亦無可如何。蓋宋人不能否認其以仁義禮樂來解釋中國之所以爲中國之的義理。至於南宋特意強化「中國」以仁義爲本，「中國」爲價值權威的象徵已如前述，茲不贅言。

綜上所述，「中國」之同時具有延續政統的國體和禮樂道統的文化體的含義，歷代皆然，而兩宋遼金時代尤多發揮。此殆因當時宋、遼、夏、金諸民族朝代交鋒來往、共營世局，彼此間差異甚大；唯一最大共通處，即必須客觀面對並傳承中國歷史文化的遺產，並從中証明本朝定位和言行舉措的合理性，取得自己最大的利益，故勢所必然。

八、結　論

已知的考古文物和文獻都說明「中國」一詞出現於西周初年。周人本諸商人的天下觀，以之代表天子受有天命、居天下之中的執政中心——都城，亦以之指稱周繼自夏、商王朝而統治的以中原爲核心的人民領土，以及克紹華夏文化、實踐人文道德理想的所在，而且也諭含了與華夏以外四方世界動態的相對關係。

因此，「中國」一詞的創成，乃是夏、商、周三個氏族在政治、文化、國土、民族等方面相互繼承，交疊發展的結果；其基本含意的原型也是由內而外、多重複雜的：在特定的天下結構中，它既是天子都城王畿所在，亦代表中原地方、諸夏領域、中央之國、摶凝的民族和悠久優越的歷史文化。它有時單純地代表其中的某項內含，有時係指稱包含其不同含意的綜合體。

《史記》的記述典範不但呈現了先秦「中國」基本含義的原型，包括：（一）帝王承受天命踐天子位的都城；（二）天子劃分行政區域或分封諸侯的所在；（三）相對於邊陲的中樞區域——中原諸夏；（四）仁義禮樂教化的文明優越之國；（五）相對於四夷外邦的中央之國等。而且也延用「中國」創詞的原理及其含意原型，針對秦漢統一帝國的歷史演變，視歷史情境所需以之指稱天下統一的帝國——既合原來的諸夏夷狄爲一統，則此統一的天下亦爲中國。從此開創「中國」代表了統一帝國體制及擴大的統一帝國疆域、民族的新含意。

三國分立時代，「中國」詞義有三：（一）代表舊有天下一統的中國；（二）相對於四夷之民族歷史文化的中國；（三）代表中原地區及位於中原的曹魏政權。其中又以第三義爲最常見，即以「中國」爲一種地理概念指稱「中原」地區及其上的政權。因此，三國時代的「中國」常是代表在空間上退返爲限於中原的地區，此爲三國時代「中國」詞義的特色。以「中國」代表中原地區或中原政權，亦常爲後世的分裂時代所沿用。

如新舊五代史所記五代十國時期的「中國」，絕大多即指中原地區或位於其上的五代政權，「中國」的內涵顯然狹義化。就當時的情境言，「中國」一詞不含有相對於夷狄的優越意含，也不代表相對於十國的政治中心。與三國時相仿，此狹義的「中國」所指稱者，皆爲國祚不長僅是過渡性質的中原政權。

五胡亂華，延長了因西晉短暫統一而中斷的分裂時代，也使東晉南北朝時代「中國」稱號的歷史情境趨於複雜，「中國」所指也就殊異不一。大致爲：

（一）意指中原地區或位於中原的國家，此又有三義：

（1）代表中原的地理形勢；

（2）南移的漢人政權指稱故國所在的中原或華北地方；

（3）邊族入主中原後以「中國」自居。

（二）南朝之自稱「中國」，此可分為二層面言之：

（1）爲中國歷史文化民族的傳承者；

（2）是相對於海南諸國、東夷、西北諸戎等外邦的中國。

（三）代表歷史文化民族的整體的中國

與東晉南北朝一樣是長期分裂的兩宋遼金時代，再現南北爭稱「中國」，而且也在不同的情境中呈現其多重複合的詞義。約爲：

（一）指中原一帶的地區；

（二）北宋繼承唐及五代政統立朝於中原而爲「中國」；

（三）金朝取代北宋立於中原而自爲「中國」；

（四）南宋偏安江左仍自稱「中國」，此又有三義：

（1）係延續宋朝社稷和漢人政統而自稱中國；

（2）相對於四夷外國而自稱中國；

（3）秉持以仁義禮樂教化立國的傳統而爲中國。

（五）泛指古來延續政統並傳承仁義禮樂之歷史文化的中國。

在東晉南北朝和兩宋遼金時代，無論胡漢、南北政權之爭稱「中國」，皆由於彼此都位在曾是秦漢、隋唐統一帝國的廣大疆土之內，並傳承了此一古來以中原爲中心，不斷推擴綿延而成的包括歷史文化民族整體的中國。對北方的胡人政權而言，自爲「中國」是華化的過程與結果；對南移的漢人政權而言，自稱中國是在南方新土延續華夏文化、拓展漢人生存空間、維持漢人政權及對外關係的象徵。此一整體的中國實爲胡漢人民與政權的共同遺產；而且胡漢民族與政權及所創造的歷史，後來亦俱爲整體之中國的一部分。

兩宋遼金時代的特色不只是又出現了南北二個中國，而且比其他的分裂時代，更常表述自身與歷史中國的關聯，也更強調以仁義禮教的文化傳統去詮釋「中國」所以爲中國的內涵。其中，又以南宋爲最。

究其因，此時中原民族與北方民族的競爭局面，已大異於前。契丹、女眞不同於匈奴僅有騎射飄忽的優勢而窮乏於農產製造和典章文物；也不同於鮮卑入主中原即棄遊牧本業而就農耕文教以徹底華化。遼、金在地理上擁有其原鄉連帶華北之一部分或全部，不但在產業上農牧連成一氣，亦能挾其軍事優勢而有中原王朝之典章文明和人才資源。遼、金不僅是宋人來自草原森林的外患，更是軍政上強大的競爭對手（黃仁宇，一二三四—一二三八）。宋、遼、夏、金表述自身與歷史中國的關聯，或金、南宋之爭稱「中國」，皆爲當時競爭局勢中的一環。較之北宋，南宋尤有不在中原的困窘，更傾強化「中國」之仁義禮教的內含，也就不足爲奇。

綜上所述，無論是何民族，在何種時代、情境之下使用「中國」一詞，皆認定「中國」之不受時空變化而影響的一貫詞義：（1）代表天命所在的執政中心——即象徵國體或政權；（2）代表具有道統意識之歷史文化民族的整體；（3）代表在天下結構中與四方往來互動的中心或主體。

但歷史上使用「中國」稱號的情境與主角時有異動，所指涉內涵亦有不同：若以政體而論，它或指封建王朝，或指統一帝國，或指分裂政局下的中原政權或南方政權，亦即同時有南北二個「中國」存在。如以領域空間而論，它或指中原一帶的地區，或指統一帝國的全部疆土，或指偏於江南一隅的地方。如以自稱「中國」的民族成員而論，除了漢族外，也包括了其他入主中原而華夏化的四方邊夷。

前燕、前秦、北魏及金朝均在漢人政權仍在南方有效運作的情況下自爲「中國」，不僅由於其入主中原有了地理的條件，而且經過了國家體制、生活方式和價值意識上華夏化的過程。相對於此，東晉南朝和南宋不在中原而猶爲「中國」，則突破了「中國」就空間地理概念言之本來係代表中原地區的限制。其所以如此，揆諸歷史，可分爲二方面言之：

（一）就主觀條件來說，南移的漢人與政權必須：（1）有強烈的維持中國身份的主觀意志；（2）強化對中國歷史文化的認同與傳承；（3）能有效統治並發揮政權的一般功能。

（二）就客觀條件而言，南移之漢人朝廷：（1）基於歷史的背景，其所統轄的人民土地原即曾爲統一時代「中國」的一部分，亦本為傳承中國歷史文化民族的成員與空間。（2）南移的漢人政權猶有足夠的對外關係，伸展她的中國身份。

唯有在以上主、客觀條件配合的情況下，分裂時代「中國」所指的地理空間，固可為中原，也可以不是中原；「中國」也就不會僅止於一個，而是南北並存。嚴格地說，長期分裂時代南北並存的二個「中國」，其實是共處在同一個歷史文化系統的政治關係體內，此關係體自然也名曰「中國」；南北政權在此關係體中往來互動，並各自以中國身份發展對外關係——同一的歷史文化系統以及對外的中國身份，是分裂時代雖南北政權對峙分立，卻無損中國仍為一體的保障。

比較歷史上分裂時代的「中國」，當前兩岸分治的局勢已遠為複雜艱危，前述的二個保障的因素都已脆弱不堅。蓋近代西方以其文明的優勢，主導形成了世界政經體系，並為此體系的宰制者後，非西方世界無所逃遁其間。如此，一則自古以來「中國」之相對於四方的文明優勢已被取代，傳統文化面臨西方文明的強烈衝擊；二則，「中國」所處的天下結構已今非昔比，必須在此天下結構中重新詮解「中國」的定位，並恰當地呈現其中國身份。

回應此二問題的第一步，似必須認清：一、在現代全球體系中若仍按傳統以文明的優勢來詮釋「中國」的內含，並不切實際也不具意義；因為在講求價值多元化的今日世界中，無寧更須著重於呈現自身政、經、文化的價值與特色，才能突顯「中國」在世界體系中的定位。二、傳統「中國」之為天命所在，為執政中心的含意，今日不難在意義上轉化為：具有民意基礎之政權存在的合理性與正當性——畢竟早在西周之初，周人即以「民命」重新詮釋商人的「天命」思想，開展了二千多年中國的民本政治觀；而由民本進一步走向民主，應是中國歷史之長期合理發展的一環。此外，傳統「中國」在天下結構之爲中央之國的意含，今日應轉化爲：自覺並維持「中國」在現代世界體系中乃爲一主體而非附庸的定位。

然而自國共鬥爭以迄兩岸互爲敵視，中國之內耗巨大，阻礙延擱了此二目標的實踐。至今兩岸對此二大問題回應的自覺與能力，亦令人虞慮；而且此又反映出：當前若想要合分裂的兩岸爲一體，就文化問題而言，路程非短，障礙仍多。首先，近代以降中國人在回應西力衝擊的過程中丟棄傳統過多，方式亦極粗暴。中共尤有數十年殘害傳統文化的經驗，使中國文化在大陸本土瀕於斷層；並且迄今仍以西方唯物主義爲聖經，游走在社會主義和資本主義之間。台灣則近年來講求「本土化」、「國際化」，欲去台灣數百年來中國化的歷史積累而後快，認爲如此才能防止被中共併吞；在政經體制和價值意識上則長期倚賴美、日，甘爲附庸。如此局面，兩岸如何能就中國傳統文化的價值與特色，彰顯「中國」在世界體系中的定位與主體？而且在各自耗損傳統文化資源的情況下，又如何使同一的歷史文化背景，發揮其在歷史上曾合分裂中國爲一體的作用？

而且台灣近年來去中國化的言論行動聲勢漸長，實與其在國際關係上不能伸展中國身份的遭遇密切相關。中共在國際上獨霸「中國」的稱號，壓縮台灣之「中華民國」的身份，既切斷了台灣在國際上乃爲「中國」的客觀環境，亦嚴重折損其自稱「中國」，認同於「中國」稱號的主觀意志。台灣的處境已遠不如歷史上分裂時代的南方政權，有足夠的主、客觀條件來彰顯其雖不在中原，依然能爲「中國」的局面——如依前文分析進一步推論，這種不利於台灣發展其中國身份的情勢，既減損了台灣人民對「中國」稱號的認同，亦必阻礙重新統合分裂政權爲一整體的「中國」——畢竟歷史上分裂時代中的南北政權皆自稱「中國」，表示「中國」稱號的認同功能無可取代，此一致性乃爲統合的重要基礎。當前兩岸之間若連此一基礎都告闕乏，遑論其他？

此外，中共反傳統中國文化的背景，使其自稱的「中國」的詞義，窄化爲代表一個以外來意識型態爲基礎的政權。比起代表三國時代曹魏和五代政權的「中國」而言，它還有缺少中國文化意識的問題，以及反中國文化傳統的歷史經驗；如何能發揮歷史上「中國」稱號長期凝聚人民認同的功能？此又何嘗不是兩岸無法結束分裂的重大障礙？對照前文所述可知，中共政權之堅守外來意識型態，以及在國際上打擊台灣的中國身份，實是缺乏歷史反省和未來遠見的作法，正與其想要達到的統一之路愈行愈遠。

然而諷刺的是台灣部分人士不察於中共政權打壓中國文化的背景，也不願深思「中國」與「中共」之別，爲了反對中共政權併有台灣，乃一昧使台灣非中國化，並強烈質疑具有中國身份的「中華民國」體制；甚而不惜犧牲台灣漢人先民四百年來傳承中國文化不絕如縷的可貴，抹殺了台灣歷史文化的主體而不自知。內外交逼之下，台灣要繼續維繫其中國身份及與中國歷史文化民族的關聯，何其艱辛？然若台灣缺少了其中任何一項，都是台灣歷史文化的斷層，並會減損原有的主體性格。

在歷史上的分裂時代中，南朝和南宋之所以能長期與北方原爲夷狄的中原政權相抗衡，乃其在政經文化上皆以「中國」自居，而非去「中國」；之後猶能統合分裂的中國爲一體，亦因南北政權皆秉道統文化爲國家根本，皆有中國的身份爲基礎。總言之，正如前文所揭，同一歷史文化系統和對外的中國身份乃是合分裂中國爲一體的保障。而今此保障脆弱可危，亟待修補重建。當前兩岸不此之圖，或強求政治談判，或強言台灣非「中國」，而欲和平統一或和平共存者，豈非緣木求魚，痴心妄想？更遑論放眼於在西方文明主導的世界體系裡，爲「中國」尋求一合理穩固而自主的定位矣！

徵引文獻

一、經　典：

1. 宋・朱　熹：《詩經集註》，群玉堂出版公司，一九九一，台北。
2. 屈萬里註譯：《尚書今註今譯》，台灣商務印書館，一九七九，八版，台北。
3. 《春秋公羊傳》，（古註十三經），新興書局，台北。

二、正　史（鼎文書局版）：

1. 漢・司馬遷：《史記》。
2. 晉・陳　壽：《三國志》。
3. 唐・房玄齡：《晉書》。
4. 梁・沈　約：《宋書》。
5. 唐・李百藥：《齊書》。

6.唐・姚思廉：《梁書》。
7.唐・姚思廉：《陳書》。
8.齊・魏　收：《魏書》。
9.唐・李百藥：《北齊書》。
10.唐・令狐德棻：《周書》。
11.唐・魏　徵：《隋書》。
12.唐・李延壽：《南史》。
13.唐・李延壽：《北史》。
14.宋・薛居正：《舊五代史》。
15.宋・歐陽修：《新五代史》。
16.元・脫　脫：《宋史》。
17.元・脫　脫：《遼史》。
18.元・脫　脫：《金史》。
19.中央研究院漢籍電子文獻：http：//www.sinica.edu.tw/ftms-bin/ftmsw3。

三、論　著：（按引用次序）

1.張光直：《中國古代史在世界史上的重要性》，《考古學專題六講》，稻鄉出版社，一九八八年，台北。
2. 許倬雲：《中國古代文化的特質》，聯經出版公司，一九八八年，台北。
3. 杜維明：《儒學第三期發展的前景問題》，聯經出版公司，一九八九年，台北。
4. 張京媛：《後殖民理論與文化認同》，麥田出版社，一九九五年，台北。
5. 王爾敏：《「中國」名稱溯源及其近代詮釋》，《中華文化復興月刊》第五卷，第八期，台北。
6. 牟宗三：《中國文化的省察》，聯經出版公司，一九八三年，台北。
7. 金耀基：《現代化與中國現代歷史》，《中國現代史論集》（第一輯），聯經出版公司，一九八〇年，台北。
8. 施正鋒：《由國家定位看台、中關係——台灣主權獨立的政治分析》，《「二十一世紀兩岸關係展望——『一個中國』原則面面觀」學術研討會論文集》，一九九八年，台北，財團法人夏潮基金會出版。
9. 廖咸浩：《在解構與解體之間徘徊——台灣現代小說中「中國身分」的轉變》，《後殖民理論與文化認同》，麥田出版社，一九九五年，台北。
10. 陳連開：《中國・華夷・蕃漢・中華・中華民族——一個內在聯繫發展被認識的過程》，《中華民族多元一體格局》，中央民族學院出版社，一九八九年，北京。
11. 傅斯年：《詩經講義稿》，《傅斯年全集》冊一，聯經出版公司，一九八〇年，台北。
12. 蔡學海：《萬民歸宗——民族的構成與融合》，《中國文化新論：永恆的巨流》，聯經出版公司，一九八一年，台北。

13. 胡厚宣：《論五方觀念及中國稱謂的起源》，《甲骨學商史論叢》初集，大通書局，台北。

14. 邢義田：《天下一家——中國人的天下觀》，《中國文化新論：永恆的巨流》，聯經出版公司，一九八一年，台北。

15. 田倩君：《「中國」與「華夏」稱謂之尋源》，《大陸雜誌》第三十一卷第一期，台北。

16. 徐復觀：《周初宗教中人文精神的躍動》，《中國人性論史》，台灣商務印書館，一九六九年，台北。

17. 葛劍雄：《統一與分裂：中國歷史的啓示》，三聯書店，一九九八年，北京。

18. 金毓黻：《中國史學史》，文力印書館，一九七四年再版，台北。

19. 尹　達：《中國史學發展史》，天山出版社，台北。

20. 宋·張方平：《南北正閏論》，《樂全集》卷十七，四庫全書珍本初集本，台灣商務印書館，台北。

21. 王明珂：《華夏邊緣：歷史記憶與族群認同》，允晨文化公司，一九九七年，台北。

22. 張　晶：《遼金元詩歌史論》，吉林教育出版社，一九九五年。

23. 陳尚勝：《胡安國的華夷觀與明朝的對外政策》，《宋明思想和中華文明》，學林出版社，一九九五年，上海。

24. 黃仁宇：《赫遜河畔談中國歷史》，時報出版公司，一九九〇年，台北。

25. Yi-Fu Tuan, *Space and Place*: *The Perspective of Experience*, University of Minnesota, 1977.

略論中國意識的內涵及特色

白翠琴／中國社會科學院民族研究所研究員

何謂「中國意識」，這是牽涉到生理學、心理學、哲學、歷史學、政治學、社會學、宗教學、地理學等一系列學科的問題。目前，全面系統闡述「中國意識」的論文甚少，筆者不揣淺陋，擬從歷史發展脈絡來探索中國意識的內涵及特色。

一、從「中國」一詞含意演變看中國意識的形成和發展

探索中國意識的形成和發展，首先對其主題詞「中國」，必須要有一個清晰的瞭解。「中國」概念和含意，是隨著歷史的發展而有所變化的。

近百年來，對「中國」、「中華」等稱謂，梁啓超、章太炎以及許多名家都曾進行詮釋，自二十世紀五十年代以後，海峽兩岸學人又屢次分別進行探討。一般認爲「中國」名稱始出現於西周初期。文獻記載西周武王、成王時已有「中國」一詞。這從一九六三年在陝西寶雞賈村出土的「何尊」中得以確

證。此尊上的銘文稱：「唯王初（遷）宅於成周，復稟武王禮，福自天。在四川丙戌，王誥宗小子京室曰：『……惟武王既克大邑商，則廷告於天口，餘其宅茲中國，自之辟民……。』」①《尙書‧梓材》也有成王追述「皇天既付中國民越厥疆土於先王」的記載，即指皇天將「中國」的土地與人民交付周武王治理。這可與「何尊」銘文互爲印證，「中國」顯然是指以洛陽爲中心的地區，即夏代的中心區域。《漢書‧地理志》謂：「昔周公營雒邑，以爲在於土中，諸侯蕃屏四方，故立京師。」《詩經‧大雅‧民勞》提到：「惠此中國，以綏四方。」「惠此京師，以綏四國。」《史記‧五帝本紀》：「夫而後之中國，踐天子位焉。」《集解》：「劉熙曰：『帝王所都爲中，故曰中國。』」《詩經‧大雅，桑柔》也出現「中國」一詞，其曰：「天降喪亂，滅我立王，降此蟊賊，稼穡卒癢，哀恫中國，具贅卒荒。」東漢鄭玄《毛詩箋》稱：「中國，京師也。」「恫，痛也，哀痛中國之人也。」即以「中國」、「京師」對「四方」與「四國」；以西周之封域爲「中國」，以與「遠方」對稱。

綜上所述，在西周的初期出現的「中國」，大致有這幾種含意，一是天子所居之城，即京師，以與四方諸侯相對稱。二是周滅商前，以豐鎬爲中心的周人區域爲「區夏」（夏區），克殷以後，以洛陽居「天下之中」稱「中國」或上中（中上），是指夏代中心地區，又以商代的中心地區爲「東夏」。「中國」遂包括豐鎬，雒邑爲中心的黃河中游，即後世稱爲「中原」地區，以與遠方各族對稱。周的疆域觀念，則不限於封域以內，還包括「王會」各族地區。三是指夏、商、周三族融爲一體的民族，以夏爲族

① 參見「丁省吾」：《釋中國》，載一九八一年中華書局七十週年紀念《中華學術論集》。

稱，也包括夏人的文化。東漢許愼《說文解字》稱：「夏，中國之人也。」《詩經·小雅·六月序》曰：「《小雅》盡廢，則四夷交侵，中國微矣。」又《禮記·中庸》：「是以聲名洋溢乎中國，施及蠻貊。」都說明「中國」含有華夏文明之意。而華夏族、漢族多建都於黃河南北，因稱其地爲「中國」，與中土、中原、中州、中夏、中華含意相同。此後，經過我國歷史上四次民族大遷徙大融合，「中國」的含意又有所演變。

經過春秋戰國時期我國歷史上第一次民族大融合，至秦漢統一，「中國」，由指單一民族成爲多民族的概念，由華夏族分布的中原地區，擴大爲指中原王朝直接管轄的地區。初步形成多民族統一國家的概念。首先，在《春秋》、《左傳》、《國語》等書中，春秋時期齊、魯、晉、鄭、陳、蔡等中原諸侯稱爲「中國」、「諸夏」、「諸華」或「華夏」，秦、楚等仍是「夷狄」。至戰國時，七雄則並稱「諸夏」，同列爲「中國」。其後「秦遂以兵滅六王，併中國，外攘四夷。」②秦統一六國，兵鋒所及一律爲郡縣，郡縣範圍自隴山以西東至於海，東北至遼東，南至珠江流域及巴、蜀、黔中，「中國」範圍擴大，「四夷」則是指郡縣的邊疆地區。漢代，我國疆域有了更大發展，僅以西、北邊疆而言，漢宣帝時，天山以北的烏孫、天山以南的三十六國、大漠南北的匈奴等相繼歸屬漢朝，這就使北方、西北等族及其地區，進一步與中原地區連成一體。其次，「中國」與「諸夏」、「華夏」同義，以與四夷、夷狄相對而稱。春秋時還強調「夏夷之防」，至戰國已形成「中國」與「五方之民」共爲天下，同居「四

---

② 《史記》卷二十七，《天官書》之太史公曰。

海」的整體觀念。③再次，「中國」又是文化的概念。《春秋》明「華夷之辨」，族類與文化並重，而把文化標準放在首位。以孔子爲首的儒家，基於華夏、戎狄不斷同化、融合的現實，往往以文化（禮儀）來區分華夷的標準。如公羊家主張華夏夷狄之間可依能否按禮儀行事而互換位置，凡是接受華夏文化的，則爲華夏者；反之，若華夏之人無禮儀，則爲戎狄。④

自魏晉南北朝至隋唐，我國經歷了第二次民族大融合大統一時期，「中國」、「中華」成爲在中原建國的各族自稱，其內涵已初步且有包括中國各民族的含意。「中華」一詞，在魏晉時已出現，普遍使用於南北朝。它是由中國和華夏複合而成，在古代，含義與「中國」相當，既是地域、民族概念，又是文化概念，一般指古人所稱的「禮樂冠第」之中原文化。⑤魏晉南北朝時期，無論是漢族或少數民族統治者都深受儒家大一統思想的影響，皆以中華正統自居，前秦符堅、北魏拓跋燾等都自詡爲「中國皇帝」，而稱東晉爲「司馬家兒」，南朝爲「東南島夷」及「南僞竊據」。⑥東晉、南朝更以正朔自居，斥北方王朝爲「戎狄」和「索虜」。

---

③《禮記·王制》曰：「中國夷狄，五方之民，皆有性也，不可推移。……中國、夷、蠻、戎、狄，皆有安居、和味、宜服、利用、備器。五方之民，語言不能，嗜欲不同。」孔穎達疏：「五方之民者，謂中國與四夷也。」

④《春秋公羊傳》，劃春秋爲七世，其中太平世，則「夷狄進至於爵，天下遠近小大若一」。

⑤《唐律疏義》曰：「中華者，中國也。親被王教，自屬中國，衣冠威悌，居自禮義，故謂之中華。」

⑥《魏書·韓顯宗傳》載：「自南僞相承，竊有淮北，欲擅中華之稱。」

隋唐大一統局面比前朝更大，唐貞觀時，其地「東極海，西至焉耆，南盡林州南境，北接薛延陀界。」⑦包括了除吐蕃以外的所有民族地區。唐時在民族地區普遍施行羈縻都督府州制度，中原與邊疆地區更爲密切。同時「中國」與「四夷」相對稱變爲「蕃漢」對舉。「中國」、「中華」的內涵已初步有了包括中國各民族的含意。

第三次民族大融合與元的統一，使東北與內地更緊密地聯結一體，邊疆與內地的地方行政制度逐漸定型。唐後，我國又處於五代十國和宋、遼、金、西夏幾個政權對峙的分裂時期。以北部邊疆少數民族爲主先後建立的這些政權，把長城以北各少數民族聚居地區華北聯成一片，把我國黑龍江地區同內地聯成一體。元朝的統一，超過任何王朝，其版圖東至於海，西至今中亞廣大地區，西藏和台、澎地區都正式歸於元朝的管轄。⑧元在全國建立行省制度，是爲我國建立省制之始，並在甘肅和南方民族聚居地區還建立了土官、土司制度。

第四次民族大融合與明清的統一，奠定了我國疆域與當代民族的基礎，中華諸族之間各種聯繫更爲密切，「中國」是多民族共同祖國的觀念日益深入人心，漸成爲主權國家的專稱。以滿族統治者爲首的清王朝在全國建立統一的中央集權。於北方蒙古族地區建立盟旗制度；在西藏設駐藏大臣；在台灣設將

---

⑦《舊唐書》卷三十八，《地理誌》。
⑧元代至元年間，在澎湖設立巡檢司，以管理台灣、澎湖。有的學者認爲早在南宋時已在澎湖建立政府機構，對台澎進行管理。

軍府（一八六三年，淸在台灣設一府三縣，一八八七年建台灣省）；於南方少數民族地區推行改土歸流政策。建立了包括各少數民族地區在內的直屬中央政權機構，徹底改變了過去歷代王朝所採取的羈縻政策和割據狀況，基本上形成了今天少數民族大分散、小聚居及漢族與少數民族縱橫交錯的分布格局，各族之間經濟文化交流更爲頻繁，使我國歷史上逐步形成的統一多民族國家得到了進一步鞏固和發展，奠定了我國疆域與當代民族的基礎。

進入近代，在反帝反封建鬥爭中，中華民族整體思想不斷地演化，逐漸形成不可分割的統一體。中國各民族在共同創造祖國光輝歷史和燦爛文化及捍衛和建設祖國中，皆做出了傑出的貢獻。

由上可見，從歷史脈絡來考察，「中國」一詞的內涵是不斷發展和豐富的。第一，由專指京師及黃河流域地區，發展爲包括中原王朝統轄的所有郡縣，進而擴展爲包括所有邊疆地區。第二，由對京師、中土大地或歷代王朝的通稱，發展成爲主權國的專稱。晚明以前，歷代中原王朝或南北對峙的王朝，都各有其朝代國號，而又皆以「中國」爲其通稱，邊疆民族地區所建的王朝也往往在其國號、王號前冠以「中國」名稱。在有些西方國家入侵中國後，「中國」則作爲主權國家的名稱。第三，由專指華夏、漢族及所屬傳統文化，發展爲包括中國各民族，「中國人」等於中國各民族，以與「外國人」相對稱。作爲民族與文化的含意，魏晉以前，「中國人」與「夏人」等稱同義。東晉十六國至南北朝，又派生出「中華」與「漢人」作爲民族的新稱謂，而「中國」逐漸成爲各民族共有的名稱。如今，「中國」與「中華」的含意已表現爲生活在中華國土上所有民族及僑居海外各族同胞的整體概念，亦即指中國或中華各民族。無論從歷史發展的縱向，或是經濟、文化的橫向來考察，中華民族都已形成爲具有豐富內涵、不可分割的整體。因此，從先秦到漢唐乃至宋明，思想家往往是將「中國」看作一個政治概念、民族概念、文化概念，而不僅僅是地理概念。世代相襲，普天認同的「禮儀之邦」的觀念，便是其具體反映。

意識是一種認識、一種感覺，是人們所特有的對客觀現實的能動反映，又反作用於客觀現實。既然，如上所述，「中國」一詞是隨著歷史的發展而不斷演變，那麼，「中國意識」的含意及內涵也不會一絲不變，固步不前，是隨著時代的前進，而有所發展和變化的。

與「中國」一詞的由來和發展變化相對應的，我認爲中國意識也經歷了萌芽、形成與發展等階段。中國意識大致萌發於先秦時期，形成於秦漢，自隋唐、宋元至明清逐漸發展成熟，近代以降，中國意識則發生質的飛越。從其內容而言，所包含的範疇越來越大，內涵日益豐富。它既含有對作爲京都、國名、民族之「中國」的認識，也包括對「中國」所體現的傳統文化的揚棄及對中國未來命運的關切。

二、中國意識的內涵及特色

中國意識，簡而言之，就是中華民族對一系列重大問題的共識。其內涵究竟包括哪些方面，有何特色，主流是什麼？目前尚無統一認識，以筆者愚見，大致可包含以下幾點。

（一）強烈深厚的民族意識，厲韌不衰的傳統文化

民族意識是民族凝聚力的重要組成部分。而民族凝聚力是指民族主體以他獨特的山河風貌、民族歷史、傳統文化以及卓越成就使民族成員產生的依戀情及親和力。民族意識就是一種民族認同感和對本民族命運前途的看法，以及由此而產生的民族精神，它是一個民族心理素質最集中的反映和表現。是在民族共同地域、共同經濟生活及歷史發展的基礎上形成的，有的還與宗教信仰有密切關係。根據我國是統一多民族國家的特點，既要看到中華民族整體民族意識的統一性（共性），又要看到各民族的民族意識的差異性（個性）。

民族意識從其內容而言，又可分爲三個層次，一是該民族共同體成員對自己的民族歸屬之共識，並由此產生對養育自己的祖先和鄉土的依戀，對本民族特有的傳統文化的熱愛及民族自尊心。二是在民族交往中，意識到本民族的歷史地位，關切本民族的命運和前途，以及爲維護民族整體利益而應負的責任。三是在民族長期發展中逐步形成自己特有的民族精神。民族精神是一個民族政治文化思想、民族性格、傳統道德觀念的昇華，是維繫和支撐著一個民族生存與發展的精神支柱、民族魂。中華民族的民族精神主要是統一大同，自強不息；酷愛自由，不畏強暴；刻苦耐勞，勤儉樸素；團結互助，信義和平等。

在漫長的歷史歲月中，中國內部雖然有過紛爭，漢族和非漢族的統治者分別掌握過政權，但是每一個民族始終都自視爲中華民族的組成部分，把各族共同創造的中華文化作爲自己的主體文化。文化上的

認同是民族自認性一致的根基。即使在帝國主義列強入侵，中華民族受欺凌的苦難歲月中，也未忘記自己是中華民族一員，並奮起保家衛國。生活在異國的華僑、華人也始終眷戀著養育自己的故鄉故土，崇尚民族文化，把許多傳統生活習俗完整地保存下來，並時刻關心著民族的命運及爲此獻策出力。這一點，是別的國家和民族無法比擬的。

中華民族強烈的民族意識，是與中華民族有著悠久的歷史和光輝燦爛的古代文化緊密相連的。特別是優秀的文化傳統，至今還有著時代的價值，爲各族民衆所自豪，而被外國人稱羨借鑒。

傳統文化包括思想觀念、哲學理論、語言文字、道德倫理、典章文物、文學藝術、風俗習慣及科技教育等，甚至衣食住行也滲透著傳統文化的影響。中華民族傳統文化最突出的特色是以儒學爲主，兼容並蓄，融合其他多種學說而形成的，它注重人與人之間關係的調和，強調個人道德修養，從而發展爲倫理道德規範。經過數千年的錘鍊和大浪掏沙，留下了許多優秀傳統文化和民族精神的精華。例如，「天下興亡，匹夫有責」的愛國情操；「剛健奮進，自強不息」的開拓精神；「民貴君輕，天下爲公」的民本思想；「見義勇爲，堅貞不渝」的英雄氣概；「富貴不能淫，貧賤不能移，威武不能屈」的民族氣節；「先天下之憂而憂，後天下之樂而樂」的政治抱負；「兼容寬宏，厚德載物」及「中國一統，世界大同」的豁達胸懷；「勤勞儉僕，實幹力行」的民族性格；「砥礪品學，上下求索」的民族氣質；「立身行事，整體至上」的價值取向等等。正是這些精神財富，以及先進的政治力量、雄厚的經濟基礎和悠久的歷史淵源，千萬年來營造了我們民族強大的向心力和凝聚力，激勵著無數中華兒女爲著祖國統一、民族富強、社會進步而進行英勇頑強、前仆後繼的鬥爭，使中華民族百折不撓、厲韌不衰，巍然屹立在東方。

（二）歷久彌堅的大一統思想，根深柢固的家族觀念

所謂大一統思想，即統一思想，把中華民族作爲一個整體的思想。首先來自儒家學說，孔子說：「管仲和桓公，霸諸侯，一匡天下，民到於今受其賜。」⑨而明確提出「大一統」概念的是《春秋公羊傳》，其曰：「元年春王正月。……何言乎王正月？大一統也。」⑩並以周文王爲一統的象徵。西漢董仲舒將「大一統」的學說提到哲理上作解釋，他說：「春秋大一統者，天地之常經，古今之通誼也。」把「大一統」理解爲「天人合一」。⑪歷代統治者都極其盡其力追求一統天下，即《詩經》所說的「溥天之下，莫非王土，率土之濱，莫非王臣。」⑫唐太宗即位後，提出了「王者視四海如一家，域城之內，皆朕赤子，」⑬「四海一家」，也是「大一統」之意。這種大一統思想不僅表現在政治上，也表現在文化價值觀方面，提倡在主導思想的規範下，不同派別、不同類型、不同民族的思想文化之交相滲透、兼容並包、多樣統一，如儒道互補，儒法結合，儒佛相融，佛道相通，儒、佛、道三教合一等，並

---

⑨《論語・憲問》。
⑩《春秋公羊傳》，隱公元年。
⑪《漢書》卷五十六，《董仲舒》，師古注：「一統者，萬物之統皆歸於一也。」
⑫《詩・小雅・北山》。《孟子・萬章上》，引此詩「溥」字作「普」。
⑬《資治通鑑》卷一百九十二，唐高祖武德九年。

主張以文化爲標準，華夏可以退爲夷狄，夷狄也可以進爲華夏。而《中庸》提到的「車同軌，書同文，行同倫」，正是大一統思想在文化上的反映。這種大一統思想，固然出於封建統治者的需要，但也反映了發展小農經濟、社會穩定及民族發展的客觀要求。

中國大一統思想隨著兩千多年的封建社會而不斷發展，對中華民族的形成、融合和發展產生了很大影響，是中國意識的核心之一。這種大一統思想，使中國在一次次分裂後，能在更大的範圍內達到統一，是中華民族的凝聚力和向心力。之所以能起到如此效果，是與中國大一統思想有其顯著特點分不開。第一，大一統思想不是狹隘的民族觀念，而是與兼容天下的廣闊胸懷相結合，不含有排他性。華夏與夷狄的區分主要在於「華夏文明」，即所謂「禮義」，漢化與夷化往往是雙向或多向交叉進行，經過長期的接觸交流、融合、兼容並包，夷夏觀念逐漸淡薄，形成中華民族大家庭。第二，傳統的大一統思想的實質是文化的統一和融合，主要不是靠武力征服。例如，孔子就主張民族融合主要是文化上的禮樂一體，即以華夏民族爲主體，以禮樂爲核心，進行文化文流，以實現民族融合。提出：「遠人不服，則修文德以來之。既來之，則安之。」⑭第三，儒家大一統是和施仁政及政治革新相聯繫。宋代王安石就是主張以政治革新來達到大一統，以擺脫「內則不能無以社稷爲憂，外則不能無懼於夷狄」的局面。⑮第四，「天下爲公」、「大同世界」是大一統思想的理想境界。清末康有爲托孔子改制，以「大同世

---

⑭《論語集注》卷八，《季氏》。

⑮《王文公文集》卷一，《上皇帝萬言書》。

界」為變法維新的理想，是清代儒家大一統思想的演變。孫中山先生的「天下為公」思想更是使大一統思想達到新的境界。

中國歷史實踐證明：宜合不宜分，合則興，分則衰。漢朝的「漢武中興」、唐朝的「貞觀之治」、清朝的「康乾盛世」，都是在祖國大統一和民族團結的環境中實現的。

在古代中國，與大一統相並行的，還有家族觀念。家庭是以婚姻和血緣關係結成的社會單位，在我國歷史上曾經歷過母系大家族、父系大家族。而此處所指的「家庭」，應是「以血緣為紐帶，以族田為經濟力量，以宗祠族長為組織保障，以族法族規為指導觀念」的利益群體。⑯中國經歷了漫長的封建社會階段，這不能不在人們意識中打下了深深的烙印。中國封建社會的生產，是以家庭為單位的小農經濟。由於生產力較低，為了應付自然災害和保障家庭的利益，家族的群體不僅成了人們的生存保障，實際上成了人們活動的基層單位。家族觀念在中國根基很深，還由於中國古代實際上存在家國一體的社會結構及思想。即所謂「修身、齊家、治國、平天下」，「身修而後家齊，家齊而後國治，國治而後平天下」等。⑰國是家的擴大，忠是孝的延伸，⑱家有家長，國有國父，稱做官的為「父母官」。因此，在中國家族觀念根深柢固，修纂家譜之風甚盛。家族觀念雖然有不少消極因素，但在增強民族凝聚力方面

⑯ 張國鈞：《家族主義——中國傳統倫理文化的基本精神》。
⑰ 《大學‧經論》。
⑱ 《孝經‧廣揚名》曰：「君子之事親孝，故忠可移於君；事兄悌，故順可移於長；居家理，故治可移於君。」

也有其一定的歷史作用。

(三)堅貞不渝的愛國情操,百折不撓的奮鬥精神

中華民族的形成是和多民族統一中國的形成並駕齊驅,密不可分的。中華民族是個勤勞勇敢、充滿愛國情懷、富於創造精神的民族。是在兩千多年前的周秦之際,就已出現愛國的觀念和思想。例如《戰國策·西周策》說:「周君豈能無愛國哉」;《漢紀》也有「欲使親民如子,愛國如家」的記載。在奔騰不息的歷史長河中,愛國主義哺育著一代又一代中華兒女的愛國情操,出現一批又一批愛國人物和愛國英豪。

愛國主義是屬於一定歷史範疇的,不同歷史時期,愛國主義的具體內容、運動方式、推動愛國主義前進的社會力量皆有所不同,大致可分爲古代愛國主義、近代愛國主義和現代愛國主義三個時期。三者之間既有區別,又有聯繫;既有個性,又有共性。不過,它們都是一脈相承,共同構成了中華民族愛國主義的光榮傳統,成爲中國意識的重要部分。其基本特點:第一,維護祖國統一和民族團結,反對分裂。從孔子的「一匡天下」,孟子的「定於一」,荀子的「文王載百里,而天下一」的大一統思想,到康有爲的「大同世界」,孫中山的「天下爲公」等都是國家民族思想統一反映。正如孫中山先生在《中國國民黨宣言》中所說:「以言民族,有史以來,其始一民族成一國家,其繼乃與他民族綜合博聚成一大民族,民族之種類聚多,國家之版圖也隨之愈廣。」祖國的統一是中華民族繁榮昌盛的重要保證,維護、促進祖國統一民族團結,就是有利於國家、民族的愛國行動。第二,維護祖國的獨立和主權,反對

侵略。長期以來，中華民族不僅反對民族壓迫，而且勇於反對外國侵略，堅決維護祖國的獨立尊嚴和領土完整。特別是鴉片戰爭以後，資本主義列強的侵略和清廷的腐敗，使中國逐漸淪爲半殖民地半封建社會，在國家貧窮落後，民族飽受欺凌的歷史條件下，以反帝反封，爭取民族獨立和解放爲內容的愛國主義就顯得特別活躍。從太平天國革命、義和團運動到戊戌變法、辛亥革命、五四運動，儘管歷史背景、性質千差萬別，但外爭國權，內懲國賊，挽救民族危亡則是共同的。到了本世紀二十年代，爲了拯救中華民族，改變中國落後和四分五裂的局面，在打倒北洋軍閥的共同目標下，實現了國共兩黨第一次合作。其後，日本帝國主義大舉侵華，在國家和民族生死存亡的緊要關頭，實現了國共第二次合作，在愛國主義旗幟下，全國人民同仇敵愾、萬衆一心，組織了空前廣泛的抗日統一戰線，開展了轟轟烈烈的抗日救亡運動，取得了抗日戰爭的最後勝利，奏響了保家衛國、團結抗戰的凱歌。第二，熱愛祖國，爲推動祖國的進步和繁榮，爲創造和豐富中華民族的物質文化及精神文化作出貢獻。在當前，更需要繼承和發揚維護祖國統一和民族團結、反對分裂的優良傳統，通過各方的共同努力，早日完成和平統一祖國、振興中華的千秋大業。

以上所說的是中國意識的主流，無庸諱言，長期以來，中國意識中也摻雜著一些不利於社會進步的消極因素。這就要求我們與對待傳統文化一樣採取揚棄的態度，剔除糟粕，取其精華，既不能全盤否定，也不能一律頂禮膜拜，提倡復古主義。對待外來意識和文化，既不能因循守舊，一概排斥，也不能不加分辨，崇洋媚外，妄自菲薄，數典忘祖，全盤西化。

三、中國意識與台灣意識之關聯

祖國美麗富饒的寶島台灣，遠自三萬年前的舊石器時代後期，就有「左鎮人」古人類生活著，繼之，又有一萬五千年前「長濱文化」主人。進人新石器時代以後，又有大坌坑文化、圓山文化、鳳鼻頭文化等主人活動之痕跡。這些考古文化的主人，與後來的台灣少數民族既有淵源關係，又不能等同而論。

根據歷史文獻記載分析，商周秦漢時代，台灣古代居民應屬於百越民族中的一支——閩越。三國時代的「山夷」和隋代的「琉求土人」應是閩越的後代，也是高山族的先民。據《三國志・吳王傳》所載，孫權派將軍衛溫、諸葛直率將士萬人，「浮海求夷洲」（今台灣），帶回土著數千人。這是我國史籍首次記載大陸王朝對台灣的大規模經營。後至唐宋時代，大陸各族人民和菲律賓、馬來人等，大量遷入台灣，到明代融合成爲「東番夷」，即台灣少數民族的祖先，明末清初稱爲「上番」，清代稱爲「番族」（又分生番和熟番），日本占據時期又稱爲「番族」、「高砂族」。直至抗日戰爭勝利後才普遍稱爲高山族。又稱原住民、土番族，台灣當局則稱之山地同胞（簡稱山胞）。其中包括居住台灣西部平原的平埔人，中部山區、東部縱谷平原的阿美人、泰雅人、排灣人、布農人、卑南人，魯凱人、曹人、賽夏人，以及蘭嶼上的雅美人，現約有五十萬（約占台灣人口百分之二強），在大陸各地尚有近二千人。台灣是祖國領土不可分割的一部分，台灣少數民族是中華民族大家庭的成員，這早已是不辯之事實，茲不贅述。

明末清初以來，台灣少數民族與不斷遷入的漢族一起，共同開發寶島，奮起反抗外國殖民主義者的入侵，出現了許多英勇不屈、可歌可泣的動人事蹟，反映了強烈的愛國主義精神，無論是鄭成功率領台灣諸族抗擊荷蘭殖民者，收復台灣的鬥爭，還是反抗日本帝國主義的霧社起義等等，都在中國歷史上寫下了光輝的一頁。

意識是現實的能動反映。由上述可知，台灣是祖國領土不可分割的一部分，台灣地區漢族（現占台灣人口百分之九十七以上）和少數民族皆是中華民族大家庭的成員。長期以來，他們和大陸地區在政治、經濟、文化上互相交流，相互影響，共同發展，形成密不可分的整體，反映在意識上，也是「你中有我，我中有你」。因而說「台灣意識」是「中國意識」的有機組成部分，這也是順理成章之事。

但由於所處自然環境不同，歷史發展軌跡的差異，台灣意識與中國意識既有共性又有異性。例如，熱愛祖國、堅持統一、維護主權獨立等概念仍然深入人心；尊重傳統文化，儒家倫理思想仁義禮智仍然被視爲中華民族傳統美德，這些都是與中國意識的共性。我們從大陸經香港抵台灣，一下飛機，國語入耳，華風撲面，有種強烈的親和感，也說明此點。但是，也不可否認，因爲所處的歷史條件、政治立場、生產方式、生活方式、價值取向、所受教育的關係，海峽兩岸人士中，在祖國統一、民族團結、主權完整上，對一些具體問題方面，有不同認識是可以理解的，也是可以探討的。但有人強調台灣意識的特殊性，企圖告別「中國」，另起爐灶，並否定中華民族與中國文化，提出所謂「新興民族」的概念，把愛台灣與愛中國對立起來，這恐怕是與傳統的「中國意識」背道而馳，是值得商榷的。

中國意識強調「中華一體」、「國家一統」的傳統概念，與現今中華人民共和國政府和台灣當局的「一個中國」的政治理念有思想淵源上的相同之處。中國意識強調對文化中國的理想追求，肯定中華文化精神和內在價值，而對優秀傳統文化的繼承和弘揚，對「天下一家，和而不同」廣闊胸懷的現代闡發，也將成爲溝通海峽兩岸的重要精神紐帶。因此，對中國意識的內涵及特色進行深入的探討，不僅有其學術價值，而且也有重要的現實意義。

台灣意識與文化中國的文化定位

高柏園／淡江大學中文系教授

一、問題的提出與論述之層次

人是時間性的存在，更進一步，則人是歷史性的存在，同樣的，由人所組織而成的國家與民族，同樣也是時間的存在與歷史的存在，台灣如此，中國亦然。同時，人在時間中並非靜待時間之消逝，而是在生活的活動中產生文化的自覺與活動。當然，如是產生之文化與自覺，依然是在時間與歷史中展開，中國文化如此，台灣意識亦然。如果人、人的意識、人的文化乃是歷史中的存在，它便有二義可說，其一，是指出歷史的存在乃是有其理由與原因的，所謂「凡存在皆合理」。因為一切是有原因及理由的，因此它們是可理解的，因為我們正是通過對原因及理由之掌握而完成理解。就此而言，我們可以暫時終止價值判斷，而僅以現象之描述及理解為重心，對台灣意識及文化中國有一客觀之理解，此為理論性意義。其二，是指出歷史既是在時間中展開，而時間又充滿可能性，因此，歷史文化對身在其中的我們而言，便不僅是一非我之對象，而同時也是我的存在場域，是我的存在情境與可能，甚至根本就是我的存在內容。易言之，我的內容也正是在歷史文化的創造中完成。就此而言，則台灣意識與文化中國即成爲我人主體內容之一部分，而有待吾人進一步之創造與完成。當然，既要創造，我們當然要問其價值，因而這也構成我們對文化之應然判斷及其創造，此爲實踐性意義。

對生長在台灣而又深受中國文化影響的人而言，台灣意識與文化中國的文化定位問題，便同時具有理論性意義與實踐性意義。我們不僅是要了解台灣意識與文化中國，而且更要在其間的關係上做出實踐性的決斷。尤其當海峽兩岸的政治敵對狀態並未終止的同時，此問題更有其時代上的迫切性。本文主要目標，便是試圖通過文化定位之分析，說明台灣與中國在文化上的同一性，以及在政治上的非同一性，由是而凸顯台灣在政治及文化上的特殊地位。其次，再分析台灣意識的二個階段，及其政治性及文化性上之特色。最後，再依文化中國的角度，重新強調文化對政治之超越性，指出文化中國與台灣意識之相容與互動，並爲台灣的自處之道，提出初步的建議。本文對以上問題之探討，仍將著重在文化哲學角度上的討論，也就是著重在文化及其理念上之討論，希望能減少現實政治及其他因素之干擾，以期展現較爲單純的文化反省。當然，這樣的做法自然是一種方法上的選擇，並不表示政治及其他現實問題之不重要。

二、文化定位的理論性與實踐性

（一）幾個印象的反省

一九九八年八月，淡江大學與瑞典斯德哥爾摩大學在斯德哥爾摩召開學術會議，以「全球化趨勢下的各個民族文化問題」為主題進行研討。筆者發現，瑞典學者對文化的尊重與肯定是超越政治的。我國與瑞典並無正式邦交，但是瑞典學界對台灣學界十分友好，完全不以政治為考量。同時，他們可以在政治上區別大陸與台灣，但是在文化上卻同以中國文化之成員視之。

我們由此發現，政治與文化原本就是二個獨立的範疇，政治的同一與差異，並不能作為文化同一與差異之標準。瑞典、挪威、丹麥三國在文化上並無明顯之差異，但是在政治上卻是三個各別獨立的國家。同樣，台灣與大陸同樣隸屬中國文化範圍，但也不妨礙其各為獨立之政治國家。當然，這並不表示台灣就一定要在政治上宣佈獨立不可。同時，瑞典學者並不因為政治而影響文化，因而就低視我國，或是因而就抬高大陸，而是一視同仁以中國文化的友人視之。此種文化優位於政治的學術共識，令人印象深刻。

同年九月，鵝湖月刊社、東方學術人文基金會、山東大學、中國孔子基金會，聯合在山東濟南舉辦「第五屆當代新儒學國際學術會議」。台灣有關新儒學的研究學者可說是全員到齊，與大陸學者展開對談。台灣學者在有關新儒學的研究上仍居領先之地位，然而大陸學者此次參加人數眾多，且不乏年輕輩學者，顯見大陸學者在量上及後學之人力上有其優勢，有關新儒家的著作也不斷增加，再加上此次大會在大陸召開，都有助於大陸學者對新儒學之研究與掌握，甚至能進一步的參與與創造。期間，王邦雄教授就十分感慨地表示，在客觀義理上，大陸學者對新儒學的重視與參與誠然是可喜的，但就主觀情感而言，以台灣爲大本營的新儒學者若不能善加珍惜，將可能會逐漸喪失領先之優勢。筆者對此亦有同感，尤其在兩岸仍處敵對與競爭之時，台灣在文化上的競爭與優勢，才是台灣最足珍惜者之一。①以今年（一九九九年）而言，大陸將以孔子誕辰二五五〇年爲名，召開大型儒學會議，而台灣方面也只有鵝湖月刊社爲紀念孔子而召開孔子學術國際會議，此足可見台灣官方對文化競爭之忽視，誠可嘆息也！

一九九九年一月，國科會召開「全國人文社會科學會議」，爲全國人文社會科學相關研究召開會議，凝聚共識，就此而言，不能說是毫無意義。其中，兩岸文化之定位與互動，顯然也是學者所關心的。中研院文哲所李豐楙教授便在總結報告中指出：

在人文學的未來發展上，勢需重新思考與「中國」的關係，並建立新的台灣定位，這並非是統獨的問題，而是一種台灣學術重新定位的思考。在當前中國大陸的「學術」發展下，本地對於中國、中華文化的學術研究，應持續保持一定的優勢，也顯示其解釋中國文化的成就特色；不過台灣人文學也不能不重視本土問題的研究；並從中提出理論，它不是單向介紹西方的方法、理論，而是在本土研究中自主地挖掘問題、運用材料，如此人文學所關懷的問題取向及其成就，自然可與國際對話。在這種思考下，才能引發是否有「台灣學派」的自信。由於人文學的文化特質，這是比較其他學科

① 參見《鵝湖月刊》，一九九八年八月之社論，筆者即說明此義。

更容易表現成果的，這種學術自信或有助於在學術派別、學風上自成氣候，而不致限於中央/邊陲的焦慮中，這是未來發展的理想。②

此外，中研院史語所黃寬重教授也指出：

在日益強調學術國際化的今天，台灣人文學者在中國研究上，同樣面臨極大的挑戰。中國大陸學者挾其資料、人力與政治的優勢，逐漸在國際學術上取得發言權，甚至主流地位。台灣人文學者不論人數與著作都難以與之匹敵，在研究領域上又無法全面顧及。目前這種各自為政的學術生態和單打獨鬥式的研究習性，以及重視短而小之研究成果的趨向，都在強大的競爭下，面臨嚴重的考驗。在這一關鍵時刻，亟需學人在心態上有所調整，政府在學術發展策略上改弦更張。③

以上二位教授所言在態度上或有稍異，然對中國大陸的文化壓力之事實，則有同樣的感受。當大陸在批孔揚秦、打倒孔家店時，台灣則以復興中華文化爲口號，相對而言，台灣應能輕易取得中國文化之解釋權與發言權。然而時至今日，台灣在本土意識的興起以及中國大陸的經濟開放政策之影響下，對中國文化解釋的優先地位似乎已然動搖。坊間的出版品、雜誌的論文、文史哲研究生之研究參考資料，處處可見中國大陸學者的影響，由是而有核心/邊陲之焦慮存在。其實，如果原本就是邊陲，也就沒有所

② 李豐楙：《如何加強人文學對台灣社會之貢獻》，「全國人文社會科學會議」會議手冊（台北：一九九九年一月，行政院國家科學委員會），頁四八。

③ 黃寬重：《改善人文與社會科學之學術環境》，同註②之會議手冊，頁七三—七四。

謂的焦慮，問題正在曾經以核心自居而今日卻又不得不有邊陲之感時，核心／邊陲之焦慮才油然而生。而這樣的焦慮在兩岸政治對立的情勢下更形加溫，台灣學人誠不願在政治小國的壓力下更成爲文化邊陲。易言之，這種焦慮誠然是以文化及學術研究爲基調，然而亦不能完全忽略政治因素之刺激也。由以上之國際、大陸、台灣的三個例子看來，台灣意識與文化中國之文化定位問題，並非一單純的理論問題，而根本就有其實踐上的迫切性。至於此中之實踐所涉及之理論問題至少有三，即：政治意識與文化意識的同一性與差異性、文化之隸屬與層級、文化優先論。

（二）文化定位的理論問題

（1）政治意識與文化意識之同一性與差異性

文化與政治原本就是兩個獨立的概念與範疇，同一政治意識並不表示文化意識之同一。例如中國大陸的許多少數民族在政治意識上仍隸屬在中共政權之下，但是在文化意識卻未必同一於漢文化爲主的中國文化；反之，具有同樣文化意識的主體，也未必要以共同的政治意識爲必要條件。例如中國大陸與台灣基本上共同隸屬中國文化圈，但是未必就必須要有相同的政治意識，這在歐洲各國亦然。例如，瑞典、挪威、丹麥，在歷史上曾經是同一政治實體，而後獨立爲三個國家，然而其間之文化意識之同質性則甚高也。

必須說明的，本文在此並不是要積極證成文化意識與政治意識的必然二分與排斥性，而是要消極地指出政治意識與文化意識其間的同與異並沒有必然性之關連。政治意識與文化意識可能同也可能異，這只是事實，並無邏輯上的矛盾與否問題，也沒有道德價值上的應該與否的問題。此義若明，則吾人不必因對中國文化之認同，而必然去認同中共的政治意識。同理，吾人也不必因為對中共政治意識之不滿，進而反對中國文化的文化意義。此外，既然政治與文化乃是獨立之存在，因此，政治大國不必然就是文化大國，政治小國亦可能才是文化之重鎮，例如春秋的魯國、今日的台灣，不都可以在政治小國的現實中，展現其文化大國的價值與意義嗎?當然，以上的說明並不排斥政治意識與文化意識的同一，只是如是之同一並不具有邏輯上的必然性，也沒有價值上的優位性。反之，政治意識與文化意識的不一致，有時反倒是能提供文化或政治自身反省、對話與辯證之機會與可能。就此而言，兩岸目前的分治與競爭，對文化中國而言，未嘗不是件好事。

（2）文化之隸屬與層級

純粹就概念的內涵與外延的分析而言，在諸類非空集合的前提下，概念的內涵與外延乃是成反比例關係。例如「人類」與「男人類」而言，「人類」之外延較「男人類」為大，而其內涵則反較小。同理，「中國文化」對「文化」而言乃是次類，而「台灣文化」又是「中國文化」的次類。因此，「台灣文化」乃是隸屬於「中國文化」與「人類文化」之下，此在概念上是可以成立的。中國文化可以和西洋文化或印度文化成為同層級之對列關係，而台灣文化可以和山東文化或福建文化屬於同層級之對列關係。然而中國、西洋、印度之文化乃是具獨立性之文化系統，我們由其語言、文字、宗教、歷史等條件可得到支持。同理，我們也可以說台灣、山東、福建之文化雖為同層級之並列關係，但是並非一獨立之文化系統，而是在中國文化下的一支。或許我們可以更精細地說，如台灣、山東、福建等文化乃是中國漢文化的一支。值得注意的是，我們在理解台灣文化爲中國漢文化的一支時，並不能完全利用概念的內涵與外延關係加以討論，而認爲台灣文化在內涵上較漢文化豐富，而外延上又較漢文化爲貧乏。反之，台灣文化無論在內涵上或外延上，皆可與漢文化無別，台灣在此僅是地理意義，而非本質上之決定。台灣文化就此而言，乃是指著中國漢文化在台灣之表現。表現之方式、發展與內容或許與其他地區有所不同，但其基本精神則是無別。果如此，則台灣文化便不必自外於中原漢文化而自以爲邊陲。因爲文化不是地理概念，因此，台灣文化雖是分支，但不必是部分，反之，只要台灣人民努力創造，仍可充分以核心自居。此中核心對邊陲之區分，關鍵不在地理或歷史，甚至也不是量上之多寡，而更在文化精神的掌握、表現與創造。果如此，說台灣才是眞正中國文化在當代的核心，此亦非不可能者。易言之，台灣文化雖隸屬中國文化，卻不表示台灣文化不能成爲中國文化之領導者。

或許有人會質疑這樣的觀點：爲什麼一定要在中國文化的前提下去爭取台灣文化的地位與價值呢？台灣文化難道不能獨立於中國文化之外逕自發展嗎？

筆者的回答是，台灣文化獨立於中國文化之外逕自發展並沒有邏輯上的矛盾，也就是沒有邏輯上的不可能性（logical impossibility），但是卻有實踐上的不可能性（practical impossibility）。理由很簡單，因爲人是歷史的存在，文化亦然，台灣文化無法否認與中國文化深層之歷史淵源與實質內容的密切關係。將台灣文化中的中國部分去除之後，我們很難想像還剩下什麼獨特的內容，除非我們將台灣文化定義爲台灣原住民文化。同時，我們的發展與開創亦不是憑空而來，我們的理解與創造的背景乃是來自傳統，去除了傳統與歷史，也就是去除了我們理解世界的可能性。④我們從五四之全盤西化之不可行之例，已可印證以上所論。當然，我也不認爲台灣文化將來不可能發展成一種與中國文化有相當異質性的文化內容，但即就目前而言，則似乎尚未有充分的條件做如是之發展。如果我們無法取消歷史，如果我們承認文化之互動，則台灣文化之發展，一方面要了解自身之歷史與環境，一方面則可善用已有之文化，進行更高貴的文化創造。我們應該將力量用在吸收、轉化、創造上，而不是用在排斥、否定的消極意義上。尤其在台灣所處之政治劣勢上，爭取文化優勢更具有自家生存與中國文化新生的雙重使命。這不但是事實情勢之所趨，同時也是高度理想性之文化表現，在面對不合理的政治情勢中，固然要富國強兵以圖存，然而更要在文化上充分凸顯理想主義之精神，以期在生存之上更樹立國家的文化尊嚴。

（三）文化優先論

一如前論，台灣人民應該在救亡圖存的時代環境中，不但展現雄厚的經濟成就，同時更應有文化的使命與企圖心，唯有如此才不致於只是謀求現實之得失，甚至因眼界之短淺導致現實利益之不保。大陸

④ Hans-Georg Gadamer：*Truth and Method*（London：Sheed and Ward, 1975），《導言》，頁一四：「不僅是歷史的傳統與生命的自然規則構成了單一的世界，使我們以人的身分居住其中；同時，我們彼此經驗的方式、我們對歷史傳統的經驗方式、我們對經驗及世界中自然之所與之經驗方式等等，構成了一個眞實的詮釋性宇宙，在其中，我們並非如同在無法克服的關卡之後被囚禁著，反之，我們正因此而獲得開放與自由。」高達美此言明白指出傳統乃是構成吾人經驗及理解之基礎，它不但不是限制，反而是可能性之所在。

民運人士魏京生先生在一九九八年訪台時，曾提醒台灣同胞勿有南宋小朝廷的委屈與迷失，而應該有自己的理想與格局。筆者在文前之所以著力於政治意識與文化意識之區分，之所以強調台灣並不是中國文化的隸屬或邊陲，而可以是主流與核心；之所以期許台灣人民共同以文化大國自居，以文化理想自期，亦無非是要展現我台灣同胞強烈的自信心、企圖心與明確的主體性。事實上，這樣的反省也早是學界已有之共識之一了。中研院副院長楊國樞教授在「全國人文社會科學會議」的引言中便有如下的意見：

長久以來，在台灣、香港及大陸等華人社會中，現實生活的情形已從「中體西用」向「西體中用」轉變。誠如黃光國教授所說：我們的人文社會科學研究已經不是與自己社會文化中的思想傳統相銜接。這種與自己的社會文化絕裂或斷裂的學術研究是漂浮無根的，是缺乏自己的活水源頭的。影響所及，我們的人文社會科學終將持續淪爲歐美人文社會科學的附庸，永遠擺脱不了進口加工的西化性格。

集體喪失了學術自信心，我們的人文社會科學就會全盤依賴歐美的人文社會科學，我們的研究者就會全盤依賴歐美的研究者。……有了學術創造力與自信心，如果缺乏足夠的學術企圖心，還是難以成事。上文提到華人學者應該立志做大師，應該發憤構築東方的學術觀點，所談的其實已是企圖心的問題。⑤

---

⑤ 楊國樞：《是人文社會科學界反求諸己的時候了》，同註②之會議手册，頁二〇—二一。

如果學術乃是文化之核心，則學術的主體不明、自信心不足、企圖心不夠，也正是文化的反應。因此，文化優先論便應有兩層意義，其一是說明文化在當前台灣甚至中國大陸皆為十分迫切而優先的問題，文化意識在價值上及實踐上皆優先於政治意識。其二是強調自家文化的特色與優先，也就是強調文化主體性及自信心。其實，各個國家民族在全球化的文化潮流中如何保持優勢而又不被同化，已是十分普遍的問題。⑥而台灣尤其因為政治及文化情形之特殊，更顯此問題之迫切罷了。依此而言，則台灣近年來的本土化運動，最恰當的解讀，倒不必是排斥、否定，反之，它是一種對文化主體性的積極努力，也是對自信心與企圖心的強勢建立的高貴奮鬥。對台灣本土化運動的一錯誤解讀，便是一種採取唯我論的文化觀。我是與非我之相互界定而成立，文化亦然。當文化只有我而沒有足以溝通對話的對象時，無疑是文化的封閉與死亡。拒絕了唯我論的文化觀，則相對地便應重視歷史的相對性與多元性。不同文化在不同歷史中成長，應而有其相對性與多元性。台灣文化如果無法獨立於中國文化之外而被合理的理解，則台灣本土化的文化運動也沒有充分的理由要排斥歷史性的反省，也就是沒有必要排斥對中國文化的肯定與傳承。反之，我們正是要在中國文化的傳承與反省中，深化自我主體性的意義，這也正是台灣意識作為文化意識的重要內容。

⑥ 我們由此次在瑞典的斯德哥爾摩大學召開之「第一屆中瑞漢學國際學術會議」中，便可看見許多相關之討論。

三、台灣意識的政治性與文化性

在論台灣意識之前，先讓我們看看台灣命名之成立。依大陸學者林其泉先生的考證，「台灣」一名之出現及正式定名應在明清之間：

就因此，「台窩灣」這一稱呼，最早是既稱其族亦稱其地，久了成了人們熟知的名稱，並簡稱爲「台灣」。這名稱大體是從明朝宣德、正德年間（十五世紀末）開始的。……於是「台灣」幾乎成了通用的名稱，後來在明朝政府的官方文件中也開始使用，但也不能算是法定的。……而正式作出決定的是清政府。一六八三年，清政府以武力打敗了在台灣的鄭氏政權，統一管理了台灣。第二年清政府決定在台灣置府設官而治，設置台灣府隸屬福建省，這是台灣的正式定名。此後「台灣」既是人民群衆的稱呼，也是法定的名稱。⑦

雖然「台灣」一名之出現及正式定名皆甚早，但是台灣始終是中國的一部分，並未凸顯出明顯的台灣意識。即使是鄭氏治台期間與大陸的清政府對峙，也僅是暫時性的政治對抗，並未形成特有的台灣意識。台灣意識的明顯表現，應在清政府割台求和之後的時期，以及台灣一九八七年七月十五日終止戒嚴

⑦ 林其泉：《台灣的名稱確定及其早期地圖的繪製》，《中國史研究》（北京：中國社會科學院歷史研究所，一九九一年五月版），頁一五二。

法之後時期。

（一）台灣意識發展的第一階段

台灣在一八九五年中日甲午戰爭失敗後，由清廷在《馬關條約》中割讓給日本。台灣當時曾宣佈獨立，並以武力抗拒日本，然不幸戰敗。這次的獨立雖爲時甚短，但仍是台灣做爲一主體的首次表現。此次獨立基本上乃是迫於政治因素使然，因而在主觀上並未自外於中國，尤其在文化上更未見分離。因此，台灣意識最早之出現，乃是基於政治意識的要求而起，並非因文化意識之抗拒而生。不但如此，此次政治意識亦非出於自願，而實爲不得已。因此，在日本統治台灣之後，政治意識顯然被壓制，文化意識亦然。但是台灣同胞對原有文化之珍惜與自覺卻是十分強烈的。黃呈聰在《論普及白話文的新使命》一文中所言頗具代表性：

回想我們台灣的文化，從前也是由中國的文化而來，做爲現在社會的基礎，不論風俗人情社會的制度都是一樣，如言語的方面音聲雖是有多的差異卻也極接近，然而言語的語根和語法的排列，以及一般言語的系統，大概都是一樣，比學日本的話更是容易了。……中國就是我們的祖國，我們未歸日本以前是構成中國的一部分，和中國的交通很密切，不論中國有發生什麼事情很容易傳到台灣。若就文化而論，中國是母我們是子，母子生活的關係情濃不待我多說，大家的心理上已經明白了。……簡直說，就是我們台灣的文化，總要受中國和日本內地的影響，建設一個適合於我們日常生活的便宜。⑧

再看蔡鐵生賀《台灣民報》創刊號的祝詞：

因爲台灣的兄弟不懂漢文，我所以滾下珠淚兒來咧。這個原故，是很容易明白的，我們台灣的人種，豈不是四千年來黃帝的子孫嗎？堂堂皇皇的漢民族爲怎麼樣不懂自家的字呢？眞是奇怪的很，慢慢容我再講給大家研究研究。⑨

我們由以上二段引文可明顯知道，日據時代的台灣意識仍是與中國意識合而爲一的，易言之，在文化意識上，台灣仍認同中國文化，而在政治意識則顯受日本人壓迫。同時，也因爲日本人對台灣的中國文化內容之排斥，反而更激起台灣人民對中國文化之認同與珍惜。我們從其中對漢文的珍惜，對中國、台灣以母與子相比喻，皆見其中文化意識之一致。因此，台灣意識發展的第一階段，主要是由政治問題之引發而起，是面對異國統治與壓迫下，激起的一股文化意識風潮。

(二)台灣意識發展的第二階段

一九四五年中國在第二次世界大戰中獲勝，由日本手中收回台灣及澎湖，一九四九年大陸淪陷，國

---

⑧ 黃呈聰：《論普及白話文的新使命》，《台灣》四卷一期（一九二三年一月）。轉引自陳明柔：《日據時代台灣知識份子的思想風格及其文學表現之研究》（台北：淡江大學中文研究所碩士論文，一九九三年六月）。

⑨ 蔡鐵生：《祝台灣民報創刊》，《台灣民報》（一九二三年四月十五日）。轉引同註⑧。

民政府遷台。此時期的台灣意識主要表現在七〇年代鄉土文學的開創，以及其後的台灣民主運動以至今日。鄉土文學基本上是一種文化自覺，也就是試圖在僵化的文化環境中，凸顯出台灣本地的特色與主體性。而之所以會有如此之運動，顯然與國民政府對文化及教育政策之僵化有關。因此，鄉土文學運動雖然是文化運動，卻仍與其政治環境有著密切的關係，其中所凸顯之反抗與批判，與其說是對中國文化的批判，不如說是對國民政府文化政策的批判。鍾肇政先生在《台灣作家全集．緒言》中，對台灣文學之發展背景便有十分簡要的說明：

職是之故，若就其內涵以言，台灣文學是血淚的文學，是民族掙扎的文學。四百年台灣史，是台灣居民被迫虐的歷史。隨著不同的統治者不同的統治，歷史上每一個不同階段雖然也有過不同的社會樣相與居民的不同生活情形，而統治者之剝削欺凌則始終如一。七十年台灣文學發展軌跡，時間上雖然不算多麼長，展現出來的自然也不外是被迫虐欺凌者的心靈呼喊之連續。……一言以蔽之，台灣文學本身的步履一直是顚躓的、蹣跚的。到了七十年代，鄉土之呼聲漸起，雖有鄉土文學論戰的壓抑，反倒造成台灣文學的欣欣向榮，入了八十年代，鄉土文學不僅成爲文壇主流，益以美麗島軍法大審之激盪，衝破文學禁忌成了不可遏止之勢，於是有覺醒後之政治文學大批出籠，使台灣文學的風貌又有了一變。⑩

⑩ 鍾肇政：《台灣作家全集．緒言》，《台灣作家全集》（台北：前衛出版社，一九九三年十二月版），頁二—四。

由以上引文不難看出，台灣意識始終與其歷史發展息息相關，又由於位居地理邊緣，始終受不同之統治者所支配，亦由此而自覺出其自身主體性何在之文化意識問題。然而基本主軸仍爲文化的而由政治的因素所引發，是經由文化而對政治之現實提出控訴與批判。與第一階段不同的是，日據時代的台灣意識明顯是對抗「外國人」（日本人），而第二階段卻是要批判同爲中國人的國民黨政權的文化政策及政治之獨裁。也正是因爲文化的扭曲並非來自文化本身，而是受政治之扭曲而形成，是以第二階段的台灣意識雖是由鄉土文學而起，亦即是由文化意識而起，其後終必要淸除根源性之扭曲，此即有其後之民主政治運動之展開。當民主政治漸上軌道之際，也是扭曲根源日消之時，是以本土化之呼聲應是在一無扭曲之狀態下，重新思考文化主體性問題之表現，而不應再將之與七十年代之文學取向加以等同。也因此，此時之台灣意識之發展乃是尋求政治及文化之主體性意義爲主軸。就此而言，無論是第一階段或是第二階段以至今日之台灣意識，似乎都不與文化中國之理念形成衝突。易言之，台灣在政治上固然不認同中國大陸政權，但在文化上卻也不必排斥做爲文化中國之一部分，因爲我們實在看不出台灣意識與文化中國有任何嚴重衝突可言也。

四、文化中國的層次及其發展

（一）文化中國的三個層次

關於「文化中國」概念之討論，我們可以借用杜維明先生的論述為參考：

「文化中國」這個概念的提出，實際上是基於對當前現象的認識、對歷史階段的分析和對未來景象的展望這三種不同的理由。

首先，「文化中國」的提出是針對近年來事實上已經出現的情況，這種情況用我現在的話說，就是中華民族的自覺。這不是一個政體，不是一個黨派，而是各個地方的中華民族，或者說廣義的華人的一種自覺。從這個角度看，「文化中國」可以有三個希望能夠健康互動（有時當然也有所衝突）的意義世界。第一個意義世界是由大陸、台灣、港澳和新加坡所組成的。第二個意義世界是由散布在全球各地的華人社會所組成的。我們可以說，這些是由炎黃子孫組織、經年累月所創造的一個有目共睹的事實。……另外，第三個意義世界是把世界上從事研究、報導、傳播與中國有關事物的學人、記者、官員和企業家都包括在內，其中有相當一批人和中國既無血緣關係又無婚姻關係，甚至有些人現在學習中文還非常困難。其意思也就是說，從文化的立場，不是從政治和經濟的立場，來了解中華民族所共同組成的一個文化世界，它有全球性，不是一個狹隘的地域觀念而已。這個觀念的提出，至少反映了中華民族發展史中一個不可忽視的新階段，也是一種具有群體性和批判性的自我意識在華人世界中的湧現。⑪

顯然，杜先生所論之文化中國乃是以文化爲主軸，也因此，它突破了政治的國界，而具有世界性的價值與意義，這裡也可以明顯地看出文化意識對政治意識的超越性。正因爲文化中國概念超越了政治、經濟立場，是以此中之領導與被領導，核心與邊陲便完全是開放的，而由具有創造性的文化生命加以承擔。就此而言，台灣若能將原有之中國文化傳統與本土化要求加以融合，則大有機會創造出獨具特色之文化內容，而成爲文化中國之領導者。易言之，台灣意識正是台灣在文化中國中獨具之特色所在，只要我們能認清文化中國與台灣意識之相容與互動，便可能通過實踐而創造出文化大國的格局。此時，台灣大可依此文化中國之概念，要求中國大陸在尊重中國文化的前提下，放棄武力霸道之作風，尋求民主、民本的王道理想；再加上台灣在政治及經濟上之成就，當有更大的可能爲整個文化中國樹立典範。

一如前論，文化自信心、企圖心與行動力，乃是創造文化之必要條件，杜先生在談及中國時對此亦有注意：

我們發現「文化中國」的知識份子應該致力克服兩個困境：一個困境是「文化中國」嚴格意義下的精神資源非常薄弱。我舉一個簡單的例子：大陸、台灣、港澳、新加坡華人知識份子所賴以生存的專著、學報、雜誌、評論、副刊呈現出沒落的現象，要麼被商業大潮沖垮了，要麼被政治化了。所

⑪ 杜維明：《徐復觀的儒家精神》，李維武編：《徐復觀與中國文化》（湖北：湖北人民出版社，一九九七年版），頁一七——一八。

以在所謂的「文化中國」，沒書可讀或有書不讀，這種現象非常普遍。文、史、哲，這些人文學的靈魂，對個體或群體的人進行反思最直接最貼切的學問，一再受到忽視，而且陷入每況愈下的滑坡。正在大學攻讀的知識菁英，又多半視文化研究爲危途，甚至爲死巷。所以現在國際上華人形象雖然已經有了很大改變，但是基本上是企業家和科學技術人才作代表，而哲學家、神學家、藝術家、思想家、政論家、文學家、戲曲家（電影有些例外，當然這個例外還值得考慮）等於無緣。所謂價值領域稀少，也是「文化中國」所碰到的困境。「政治掛帥」所導致的災害，不僅在各地氾濫成災，而且也影響到世界各地華人的素質。如果我們溯源的話（這是徐先生他們所特別關切的問題），精神資源的薄弱和價值領域的稀少，事實上是從「五四」甚至從甲午戰爭以來中國知識份子的文化傳統不能擔負民主建國任務的重要原因。所以我們覺得，開發這個精神資源，拓展它的價值領域，成爲「文化中國」的知識份子的當務之急。⑫

無論是精神資源薄弱或是價值領域稀少，基本上都是因爲知識份子的文化自信心、企圖心與行動力的受創所致，這當然和政治環境有關。然在今日的文化中國，則除中國大陸尚在封閉狀態外，其餘大體皆爲開放社會，政治上壓迫已不再是決定性的因素。在政治因素去除之後，文化中國的知識份子能否建立健康正大之文化中國，便應該不是「能不能」而是「爲不爲」的問題。環顧文化中國的成員，條件最

⑫ 同註⑪，頁一九—二〇。

佳、能力最好的，亦非台灣莫屬了。台灣既已擺脫政治之扭曲，又有良好之文教、經濟體系，更有豐厚的中國文化傳統與西方文化反省，實可充分展現其文化領袖之企圖，爲文化中國而努力奮鬥。此一方面可以爲文化中國盡一己之力，亦可爲台灣現實生命提供一理想，更可爲台灣現實之生存，提供更佳之保障與基礎。

五、結　語

本文主要目標在討論台灣意識與文化中國的文化定位，依全文之討論，我們確認文化意識與政治意識之同一性與差異性，並通過文化之層級問題，重申台灣在中國文化中之核心可能，並排除政治意識上對中國大陸認同之必要性。至於文化優先論，則指出台灣意識在根源上乃是一文化意識，亦必以文化意識爲基礎，進而開展其政治意識之型態。其次，再將台灣意識依時代區分爲日據時期之第一階段，及國民政府遷台至今的第二階段。說明台灣意識與當時之政治之密切關係，然不害其本質爲文化的。而這種文化意識既是受不合理之政治意識所扭曲，是以文化意識終必要破除政治意識之扭曲，進而展開台灣意識中的政治意識。最後，我們再以文化中國的三個層次，說明文化中國的意義、台灣意識與文化中國之相容與互動，以及台灣在文化中國中位居領導核心之可能。文化問題既有理論層面，亦有實踐層面，對當代文化中國的知識份子而言，則通過實踐以創造文化中國之內容，或許較理論之事後反省，更爲迫切的當務之急。願以此與文化中國之諸君子共勉之。

從道統政統概念理解歷史上文化認同政治認同關係的嘗試

陳　明／中國社會科學院世界宗教所研究員

文化認同與政治認同在經驗中表現爲特定個體或群體，與某種文化系統以及特定時空條件中某一行政權力系統的關係。文化認同指特定個體或群體認爲某種文化系統（價值觀、生活方式等）內在於自己的心理和人格結構之中，並願意循此以評價事物，支配行爲。政治認同指特定個體或群體認爲某一行政權力系統對其所屬的生活區域及其自身所擁有的某些權力（立法權、司法權、主權等）是符合道義的，因而願意承擔作爲公民的義務。

文化認同與政治認同所指涉的是相異而又相關的兩種心理或社會的事實。作爲一個符號系統，文化是價值觀，以及一些處理人與自然、人與人之間關係的知識和理念。正是關於正義、公平和效率的諸觀念原則，構成了公民對那些作爲控制之用的權力系統的評價尺度。據此，人們判定該權力系統是否符合道義原則，從而決定對其肯認或拒斥。雖然一般來說個體的文化認同與政治認同均帶有某種「被給定」的特徵，但這並不能從理論上消解群體作爲認同之主體的地位。因此，作爲人的存在，文化在歷史中表現爲一個開放性系統；而出於某種公益而建立的政府，當其淪爲暴政，它的被否定也屬必然。

以近代意義上的民族國家（nation-state）爲參照，許多學者和思想家都傾向於把中國視爲「超國家類型」的國家。民族國家的主要功能是對內提供秩序，對外維護主權利益。「吾國社會之組織，以家族爲單位，不以個人爲單位。」①以家族爲單位則社會具有某種「自發秩序」維持穩定，這使得state的對內功能被宗法組織（祠堂之類）所涵攝或弱化。又由於地理環境以及早期人類科技手段落後，中國古代社會生活相對封閉或單純，周邊少有能量足夠強大的國家存在，形成「國際對抗」的外部環境以激活state的對外功能。②要之，歷史上中國的發展主要表現爲一個內部展開的民族演生過程（亦有人謂之「作爲一個世界的發展」）。這使得文化認同的問題一直波瀾不驚，政治認同的問題則表現爲對支配著社會的政治權力之使用是否符合道義原則的關注。

於是，我們就可以引出道統與政統這對範疇，通過對它所凝結的厚重歷史內涵的考察，接近古代中國的文化認同與政治認同問題，尋求某種啓示。

王夫之《讀通鑒論》卷十三云：

> 天下所極重而不可竊者二：天子之位也，是謂治統；聖人之教也，是謂道統。

---

① 梁啓超：《新大陸遊記》。

② 梁漱溟注意到中國古代「疏於國防」，稱之爲「無兵之國」（參見氏著之《中國文化要義》）。這也一定程度上能夠解釋爲什麼鄭和七下西洋卻沒有開拓一塊殖民地。並不有趣的是，中國人發明的指南針、火藥則很大程度上構成了西方殖民運動的助因。

卷十五又云：

儒者之統與帝王之統並行於天下，而互爲興替。其合也，天下以道而治，道以天子而明。及其衰，而帝王之統絕，儒者猶保其道以孤行而無所待，以人存道而道不可亡。

這裡的「天子之位」，政府權力系統，政統（治統）和「聖人之教」，社會文化系統，道統，當然是指中國人的生活世界。指出「天子之位」乃「天下所極重而不可竊」，即是承認政治權威對於建立秩序提供公共物品的必要性。《國語・晉語》謂：「民之有君，以治義也。義以生利，利以生民。」「治義」需要某種強力爲基礎以確保其有效運作。但如何才能保証這個強力的支配者不濫用此強力，爲特定利益集團謀利呢？作爲古代知識份子代表的儒者立足民間，尊崇道統，「以人存道」，爲政統的運作確立軌則。③

王夫之認爲「法備於三王，道著於孔子」，所謂道統並不只是虛構的價值理念，而是對歷史發展中某個特定階段之眞實生活經驗的叙述與昇華。④

韓愈《原道》云：

古之時，人之害多矣。有聖人立，然後教之以相生養之道，爲之君，爲之師，驅其蟲蛇禽獸而處之中土。寒，然後爲之衣；飢，然後爲之食。爲之葬埋祭祀以長其恩愛；爲之禮以次其先後；爲之樂

③「有道可揆」是「有法可守」的前題。

④筆者《〈唐虞之道〉與早期儒家的社會理念》一文對此曾作探討。《原道》第五輯，貴州人民出版社。

以宣其抑鬱；爲之政以率其怠倦；爲之刑以鋤其強梗。害至而爲之備，患生而爲之防。斯道也，……堯以是傳之舜，舜以是傳之禹，禹以是傳之湯，湯以是傳之文武周公，文武周公傳之孔子，孔子傳之孟軻，軻之死不得其傳焉。

雖然「軻之死不得其傳」一句頗能支持宋儒將道統解讀爲「人心惟危，道心惟微，惟精惟一，允執厥中」的十六字心法，但我還是傾向於將一統之道理解爲文中所述的禮、樂、刑、政，⑤既包含有所謂「聖人之教」的意義，又包含有所謂「天子之位」的意義，因爲它符合儒者所理解的三代社會狀況，以及孔子之「道」基於三王之「法」的歷史邏輯。

韓愈在以「聖人制作」解釋「國家」的造因時，表現了其在國家起源論上的「合作論」立場。⑥從這種立場出發，政權存在的合法性在於其向民衆提供某種「服務」。我國的載籍所述均是這種觀點（即使法家，也承認「上古競於道德」），這種異口同聲我認爲是由於享有共同的「歷史記憶」。如神農教民播種五穀；堯立孝慈仁愛；舜作室築墻茨屋；禹決江疏河平治水土；湯夙興夜寐布德施惠。這一切的根據大概在於它們都是發生在氏族或部落的生活圈之內。也正是由於這樣，以圖騰爲中心的部落實現了「祖有功，宗有德」的轉折而進入人文社會。這個過程從《禮記・祭法》依稀可辨：

聖王之制祭祀也，法施於民則祀之，以死勤事則祀之，能御大災則祀之，能捍大患則祀之，……皆

---

⑤ 當然，不能拘執禮、樂、刑、政之具體形式，因爲「聖人因時設教，而以利民爲本」。

⑥ 另一種立場是「衝突論」，認爲國家是「階級對抗不可調和的產物」，是一個階級壓迫另一個階級的工具。

有功烈於民者也。

早期社會，由氏族而成部落，由部落而結部落聯盟，而作爲基本組織單位的各氏族規模均有限，很難威加海內獨擅天下之利。「德布則功興，虐行則怨積」是人情之常，所以「五帝官天下」。「官天下」就是「公天下」，「公天下」則貴「讓」，因而「讓」成爲「德之主」、「禮之主」（《左傳》昭公十年，襄公十三年）。「三代之得天下也以仁，其失天下也亦不仁。」（《孟子·離婁上》）柳宗元《封建論》認爲，在出現利益紛爭時，各部落「必就其能斷曲直而聽命焉。其智而明者，所伏必衆。告之以直而不改，必痛之而後畏。由是君長、刑政生焉。」「能斷曲直」就是能移從超越衝突各方之外的立場彰顯公義。由此而獲擁戴居大位者就是聖王；以公義（「直」）爲基礎的君長、刑政之政就是王道國家。

《尚書·堯典》描述了聖王之治：「克明俊德，以親九族；九族既睦，平章百姓；百姓昭明，協和萬邦。」德者得也，指得自圖騰的某種神秘之物（或謂mana，或謂遺傳質素），它爲同一姓族之成員所共有。將它的內在要求顯發於外，自然表現爲親親之愛。以對本族的情感推及異姓部落，使其各自明其德，則萬物並生而不相害，天下太平。《大學》中的「三綱八目」就是對這種歷史實踐的理論總結。中國文化「性自命出，道由情生」的原生性特徵，在這裡鮮明生動地得到體現。《荀子·解蔽》云：「聖也者，盡倫者也；王也者，盡制者也。兩盡者足以爲天下極矣。」孔子筆下「倫」與「制」是統一的，所謂「儒以道得民」即是「道之以德，齊之以禮」。他的立論基礎也是三代聖王爲治之實。周秦之變後，這種道統與政統、「倫」與「制」相統一的條件不復存在。歐陽修注意到，「由三代而上，治出於一，而禮樂達於天下；由三代而下，治出於二，而禮樂爲虛名。簿書、獄訟、兵食；此爲政也，所以治民。禮樂，具其名而藏於有司，時出而用之郊廟朝廷；此爲禮也，所以敎民。」⑦

部落聯盟是衆多行動能力大致相近的政治經濟實體間基於理性考量的合作。秦漢帝國則是基於耕戰實力做出的制度安排，表達的是勝利者獨制天下而無所制的意志。前者反映的好比是羊與羊或狼與狼的關係，後者反映的則是狼與羊的關係。這應該就是三代以上「治出於一」與三代以下「治出於二」的關鍵所在。

理有固然，勢無必至，這是歷史的悖論。但由於凝結著自然的情感，體現著正義的原則，代表著民間的利益，禮樂文化在這個過程中一方面從政治的場域邊緣化，轉向民間擴展生根並獲得其成熟的理論表述，另一方面也必然繼續保持著對權力運作的關注，並力圖施加某種影響力於其間。

孔子自謂「述而不作」，實際他是述而且有作的，只是其所作（《論語》中對諸多範疇內涵及相互關係的闡述）以所述爲基礎。其所述，「祖述堯舜，憲章文武」，表現在《春秋》中。《史記・儒林傳》說：「孔子閔王路廢而邪道興，因史記作《春秋》，以當王法。」公羊學所謂當新王，應該是指孔子在「勢」尊於「道」的現實情境中，遙契聖王之旨，以匹夫之身而爲堯舜文王所必當爲之事，將三王

⑦《新唐書・禮樂志》。

之法立爲道統，使亂臣賊子懼並以教後世天下之人。⑧

《春秋》之旨雖微，而其大要不過辨君臣之等，嚴華夷之分，扶天理，遏人欲而已。《春秋》之世，周室衰，諸侯盛，以地不及於齊、晉、吳、楚，以兵以粟則不遠於魯、工、曹、鄭，然而必曰天王。……聖人豈不知周之無異於齊、晉、吳、楚之屬哉？然而常抑彼尊此者，爲天下後世慮也。夫所貴夫中國者，以其有人倫也，以其有禮文之美，衣冠之制，可以入先王之道也。彼篡臣賊後者，乘其君之間，弒而奪其位，人倫亡矣；彼夷狄者，侄母烝雜，父子相擾，無人倫上下之等也。

從方孝孺《後正統論》的這番議論可以找到「尊王攘夷」與政統與道統及文化認同與政治認同之間的聯結點。「尊王」是表明孔子在政治認同上的立場；「攘夷」是表明孔子在文化認同上的態度。「尊王」，當然包括對「君臣之等」即某種政治組織形式的維護，但前題是，該權力系統的建立必須以人民的同意爲基礎，其運作必須以人民的公益爲旨歸。孔子之所以以衰微不堪的周室爲「正統」而貶抑炙手可熱的諸侯，正體現了這一立場。「尊王」，嚴格的說應該理解爲尊崇王道政治。英國自由主義理論大師約翰．洛克指出，一個以暴力肇始的政府要証明自己的正當合法，有如一切政府証明自己正

⑧ 鄭思肖《心史》認爲，「古今之事，成者未必皆是，敗者未必皆非。史書猶訟款，經書猶法令，憑史斷史，亦流於史；視經斷史，庶合於理。」跟「理有固然，勢無必至」之嘆一樣。西方哲人也意識到歷史的「合目的性」與「合規律性」常常分裂矛盾。「經」的存在，應該正是爲了使此二者接近於統一。

當合法一樣，只能以承認並支持個人和社會固有的道義權利爲基礎。⑨孔子「貶天子，退諸侯，討大夫」，正是爲了彰顯「個人和社會固有的道義權利。」早期氏族社會的「自然狀態」被強力打破後，孔子「以斯文自任」，承先啓後，其歷史定位司馬遷的「上明三王之道，下辨人事之紀」一語最爲精確。需要強調指出的是，孔子所傳承的道，主要並非道德之道，或者自然之道（知識），或者作爲所謂終極關懷的信仰之道，而是作爲確立當時個體與個體、群體與群體之間關係從而與其生命福祉密切相關的正義原則。

如果說「尊王」是在同一民族內部不同階層間討論其所應然的相互關係，所反對的是依恃強力的「篡奪」，那麼「攘夷」則是在不同民族之間討論彼此相處之道，所反對的是依恃強力的「征服」。它包含有文化衝突和種族衝突二個層面的內容。

先說文化層面。華夷之別實際是A文明與B文明之分，至於誰文明、誰野蠻的判定主觀相對性較大，誠未易言之。秦之所以被中原「夷狄視之」，是因爲它「嫡子生，不以名令於四境，擇勇猛者而立之」；「父子無別，同室而居」；「不識禮義德行，苟有利焉，不顧親戚兄弟」；「亂人子女之敎，無男女之別」等等（分見《春秋公羊傳》昭公五年，《史記·商君列傳》，《春秋公羊傳》僖公三十三年）。楚國也是因其富於「侵略性」而視爲異類。《春秋公羊傳》僖公四年謂：「楚，有王則後服，無

---

⑨ 參見《政府論（下篇）》論征服。商務印書館，一九九七年。

王則先叛，夷狄也，而亟病中國。南夷北狄交，中國不絕若線。」王者之跡熄，萬邦不再協和。雖然諸夏之間同樣「征城以戰，殺人盈城」，但孔子仍從中國文化本位的立場，將王道復興的希望寄托於諸夏（「齊一變至於魯，魯一變至於道」），所以《春秋》將諸夏與夷狄之間的衝突首先處理爲文明（道義原則）與野蠻（叢林原則）之間的衝突。「南夷與狄交」一句，似可說明孔子如此處理並非完全出自偏見。

正是對這種衝突之文化價值意義的強調，不僅強化了諸夏的文化自覺，增進了文化認同，同時也爲諸夏與「四夷」關係問題的解決確立了標準。

再說種族層面。有論者認爲，春秋前，攘夷具有種族之辨的性質，至孔子作《春秋》，道德成了判明夷夏的根本標誌。⑩種族以文化爲標誌的思想《春秋》很明顯，陳寅恪的中古史研究也一直奉此爲圭臬並提供了論證。但我覺得不能由於《春秋》中有「諸夏而退於禮樂則夷狄之，夷狄而進入禮樂則中國之」的思想，就認爲孔子否棄了中國這個概念所具有的種族規定性以及在歷史中形成的利益主體性。物競天擇，適者生存。人類號稱文明，顯然給這種競爭制定了規則，但並沒能從根本上改變競爭的事實。如果以爲只要「衣冠文物」「禮樂制度」得到尊重，而整個族類的生死存亡反而無足輕重，顯然既不合邏輯也不近人情。中國文化是一種「重生」的文化（哪一種文化又不如此呢？），「不孝有三，無後爲

---

⑩ 蔣慶：《公羊學引論》，第二二三頁，遼寧教育出版社。

大」；「天地之大德曰生」均是証明。連亂臣賊後的篡奪都反對的孔子當然不會認爲來自異族的征服在任何意義上是可以被接受的。⑪他稱讚「桓公救中國」爲「王者之事」首先應該是從種族的意義上立論。同樣，《論語・憲問》中說「微管仲，吾其被髮左衽矣」，也具有種族和文化得到拯救的雙重慶幸——桓公爲五霸之一，管仲屬於法家。孔子應該認可這樣的觀點，文化對於個體生命來說是「決定性的存在」，對於族類說卻是「被決定的存在」。

衝突社會學認爲，來自外部的挑戰會促進系統內部整合程度的提高。「兄弟鬩於墻，共禦外侮」正是這種情形。對桓公和管仲的肯定是從族際交往的背景關係中做出的。正是這種肯定，說明《春秋》蘊含的關於政治認同思想的豐富性。《春秋》之義，「君子不以親親害尊尊」。維護政治的權威，是因爲對政府的運作抱有一份期待。《左傳》成公二年記孔子的話說：

唯器與名不可以假人，君之所司也。名以出信，信以守器，器以藏禮，禮以行義，義以生利，利以平民。此政之大節也。

在「南夷北狄交」相逼的時代，伊尹所說的「民非后，罔克胥匡以生。」（見《尚書・太甲中》）可以說內容最爲確定具體。史云「仲尼之門，五尺之童羞稱五伯」，這應該只在「尊王」的意義上才能成立，在「攘夷」的意義上則又該另當別論。這不是「經」與「權」的問題，而是社會歷史存在提出的

⑪ 孔子主張「興天國，繼絕世、舉逸民」，這是基於每一民族及文化皆有生存發展之權利這一自然正義。他在《春秋》中表現出的對復仇的認可，可以看出他對自然生命與情感的深切體驗。

問題本身有層次的高低利害的輕重。⑫

春秋戰國之所以成爲中國文化發展的所謂軸心期，是因爲古代社會結構經歷了重要的轉型。社會的各種矛盾，人性的各個方面都得到充分展現。對於思想家來說，歷史提供的是恍兮惚兮卻又其中有精的歷史記憶，現實展開的是各種方向都有可能的發展前景。柳宗元概括說，在此之前時勢所成之局是封建制；之後則是郡縣制。封建制屬於「與已共財」的貴族政治。⑬郡縣制則是「獨享天下之利」的君主專制政治。「二千年之政，秦政也」，它的根本特徵是政權的基礎是暴力，故譚嗣同一言以蔽之「大盜也」。

在這樣的社會架構中，「尊王」已不可能通過「貶天子」來表達，政治認同則成爲一種矛盾而痛苦的心理經驗。作爲儒者的代表，董仲舒的策略是「屈民以伸君，屈君以伸天」（《春秋繁露．爲人者天》）。但是，「受命」並不只是意味著獲得了政治權利，同時也意味著承擔起道德義務：「受命之君，不敢不順天志而明自顯也」（《春秋繁露．楚莊王》）；「天道之大者在陰陽。陽爲德，陰爲刑。刑主殺而德主生，……王者承天意以從事，故任德教而不任刑。」（《舉賢良對策》）

---

⑫ 人是歷史中的存在，民族在建構中發展，每一位讀聖人之書，頌先王之道的華夏兒女都不能不意識到自己在這個過程中承擔有某種責任。徐復觀先生認爲，飽經憂患的中華民族發展至今，「端賴在存亡續絕之交，由許多志士仁人，烈夫節婦所代表的博大深厚的民族精神激勵人心於不死。其根源則在孔子的《春秋》之教。」參見陳昭瑛：《台灣文學與本土化運動》，第二八四頁，正中書局。

⑬ 《白虎通義．封公侯》：「王者始起，封諸父昆弟，示與已共財之義。」世官世卿制也削弱了君主的政治權力。

《禮記・大傳》謂：「聖人南面而治天下，必自人道始矣。立權度量，考文章，改正朔，易服色，異器械，別衣服，此其所得與民變革者也。其不可得變革者則有矣：親親也，尊尊也，長長也，男女有別，此其不可得與民變革者也。」很明顯，前者爲「制」，或曰「治」；後者爲「倫」，或曰「教」。時過境遷，要皇帝向「聖」認同現在必須借助於天的權威。董仲舒不得不將孔子之所罕言的天「人格化」：「王者必受命而後王。王者必改正朔，易服色，制禮樂，一統天下，所以明易姓非繼人，通以己受之於天」。（《春秋繁露・三代改制之質文》）「易姓非繼人」的潛台詞就是江山不是自己憑武力從別人手中搶奪來的；改正朔，易服色是爲了「通以己受之於天。」「受之於天」就得效法天道，天道的內容，則是「任德教」。如果這也可以稱爲儒學的「神學化」，那麼必須指出「天」在這裡並非至高無上，而只是人文價值的載體，其功能則是爲政統提供合法性，爲道統提供權威性。

也許是有見於秦之二世而亡與焚詩書坑術士確實有關，漢武帝對董氏「明於陰陽所以造化，習於先聖之道業」頗推崇，決定在董氏起草的合作協議書上簽字。⑭史稱「推明孔氏，抑黜百家，立學校之官，州郡舉茂材孝廉」皆自仲舒始。同時，二千年的士大夫政治也拉開了序幕。⑮政統道統的結合與排

---

⑭ 董仲舒認爲，「天之生民非爲王也，天立王以爲民也。」帝王則聲稱，「漢家自有制度，本以霸王道雜之，奈何純任德教用周政乎！」霸王道雜之的制度反映了現實存在中的力量對比，但道義不也是一種力量嗎？

⑮ 徐復觀先生激賞眞正的儒者「以人性爲根基，以道義爲血脈，以民爲本，以民爲貴」，對抗專制統治。士大夫這種人格化的制衡方式之所以能夠成立。根據在於「農業的帝國是虛弱的，橫暴權力的基礎不足。」相當程度上有賴於民間自組織力量（紳權）自治。

斥，不僅深深影響了中國社會，影響了無數人士與政客至帝王的命運，也深深影響了儒學的形貌與性格。今天，我們在討論所謂文化認同與政治認同的問題時，還不能不感受它巨大的影響作用。

由於古代中國所處的地理環境及人文環境的緣故，現代意義上的民族國家觀念比較淡薄，對國家的認同（政治認同）被包裹在對社會正義這樣的價值理念的理解（文化認同）之中。《尙書・泰誓》所引古人之言，「撫我則后，虐我則讎」比較典型地反映了這一特點。這種今天看來近似於「有奶便是娘」的實用主義形成於上古虞、夏、商、周的「王道」時代。它的特點是「競於道德」，政治尙未從禮俗中分離出來，世間的主要組織形式是部落和部落聯盟。

周秦之變後，帝王以暴力建立了自己的「家天下」。作爲傳統文化主幹的儒學雖然多少有些妥協地爲之提供了「王者受命於天」的理論支持，但其所秉持的王道政治理念與此政權在本質上是衝突的。這使得儒家在思想理論層面所宣講傳播的主要是「道統」，在民衆造成的現實影響是「文化認同」高於「政治認同」。

但這並不意味儒學沒有民族、國家的意識。當殖民主義者的堅船利炮把中華民族帶入一個充滿對抗的「國際環境」，民族的危機使民衆的國家認同被強烈激活。⑯其所釋放的巨大能量，爲中華道統和政

⑯ 這點在慘遭殖民地之痛的台灣香港等地愛國人士身上表現得最爲典型。如爲反抗日本統治而成立的「台灣民主國」大總統唐景崧，在其就任宣言中即指出，「仍應恭奉正朔，遙作屛藩，氣脈相通，無異中土。」參見前揭陳昭瑛書第一〇七頁。

統的重建開啓了新維度，爲中華民族的復興帶來了新希望。⑰

就本文所討論的《春秋》一書而言，我們可以看到，如果說針對諸夏內亂的尊王說比較著力於文化（道統）與政治（政統）間緊張關係的闡發，那麼針對夷狄亂華的攘夷說則比較注重對文化（道統）與政治（政統）間依存親和一面的論述。二者兼攝，才是儒家這方面思想的全貌，才是歷史上道統與政統、文化認同與政治認同關係的眞實情形。

⑰ 孫中山認爲，「……中國實在是一盤散沙。人爲刀俎，我爲魚肉，……要救中國，想中國民族永遠存在，必要提倡民族主義，用民族精神來救國。」

從清代有關史事看大陸和台灣的政治認同

趙云田／中國社會科學院近代史研究所研究員

政治認同，一般是指政治利益上的一致，政治見解上的共識，等等。不同的問題，可以表現出不同的內容。有清一代近三百年，發生了許多重大歷史事件，有的和大陸台灣密切相關，從中可以看出大陸和台灣的政治認同。本文擬就鄭成功收復台灣、驅逐荷蘭殖民者，康熙統一台灣這兩個重大歷史事件，就大陸和台灣的政治認同談些淺見，不妥之處，請專家指正。

一、反對外來侵略是大陸和台灣政治認同的重要內容

順治元年（一六四四年）清朝定鼎北京後，開始了對全國的統治。由於清朝統治者在向全國進軍過程中，實行了殘酷的民族壓迫政策，遭到了廣大漢族人民的強烈反抗，抗清鬥爭延綿二十餘年。在多種抗清力量中，鄭成功抗清占有重要地位。尤其是他驅逐荷蘭殖民者、收復台灣更具有重大意義。

鄭成功（一六二四—一六六二年），初名森，字明儼，號大木，福建省南安縣人，鄭芝龍長子。他

少年讀書，曾中秀才。明朝滅亡後，唐王朱聿鍵在福州建立了隆武政權。朱聿鍵對鄭成功很賞識，「賜姓朱，改名成功，封御管中軍都督，賜尙方劍，儀同駙馬，自是中外稱國姓。」（黃宗義：《行朝錄》卷六）順治三年（一六四六年），清軍攻入福建，朱聿鍵逃到汀州後，爲清將李成棟所殺。當時在隆武政權中被封爲平國公的鄭芝龍（一六〇四—一六六一年），盡管還有強大的軍事力量，卻私下和清軍聯繫，最後竟在清廷高官厚祿誘惑下，剃髮投降。鄭芝龍投降前，鄭成功曾進行勸阻；鄭芝龍投降後，又勸鄭成功歸順清朝。對此，鄭成功大義凜然，嚴詞拒絕。他在覆信中說：「從來父教子以忠，未聞教子以貳。今吾父不聽兒言，後倘有不測，兒只有縞素而已。」（江日升：《台灣外紀》卷二）

順治三年十一月，鄭成功舉義抗清。順治四年正月，鄭成功自南粵募兵返回福建安平。永曆稱帝後，他奉永曆年號，先後被封爲威遠侯、延平侯等。自順治四年至七年（永曆元年至四年，一六四七—一六五〇年），鄭成功率領海上義軍，連破福建的同安、海澄、漳浦、泉州及閩南沿海一帶地方，進據金門、廈門。鄭成功把廈門改名爲思明州，成爲抗清的政治中心和基地。他在廈門設立「六官」分理庶政，遣官在各地征集糧餉和兵器，分其軍爲左、右、前、後、中五軍，自領中軍。此後，金、廈地區的社會秩序相對安定，社會經濟也得到一定程度的發展。抗清義軍不斷壯大，勢力擴大到廣東的潮州、潮陽、惠來、揭陽一帶。對此，史書記載：「成功以海外彈丸地，養兵十餘萬，甲冑戈矢，罔不堅利，戰艦以千計，又交通內地，遍賈人心，而財用不匱。」（郁永和：《僞鄭逸事》）清廷在軍事進攻不能奏效的情況下，開始和鄭成功和談。從順治十年（永曆七年，一六五三年）五月到十一年（永曆八年，一六五四年）七月，鄭成功和清廷進行了六次和談。清廷以敕封鄭成功爲海澄公，掛靖海將軍印，並允給泉、漳、惠、潮四府駐兵等籠絡手段，企圖達到招撫的目的。鄭成功則提出和議條件：以浙、閩、粵東近海各郡安插鄭氏部衆，不奉東西調遣，不受清廷節制，如朝鮮例不剃髮。結果，遭到清廷拒絕，和議破裂。

順治十四年（永曆十一年，一六五七年），鄭成功開始考慮北伐南京問題。他多次召集文武諸臣商討，並把這一意圖呈報了永曆帝。順治十四年和十五年，鄭成功兩次北伐，遭到挫折。順治十六年（永曆十三年，一六五九年）六月，鄭成功稱招討大元帥，率十七萬水陸大軍，在崇明島登陸，開始了第三次北伐。不久，部隊至焦山，破瓜州，攻克了長江的重要門口鎮江及其所屬州縣。一路上清軍不堪一擊，望風瓦解。鄭成功軍隊很快實現了對南京的包圍，氣勢頗盛。對此，清軍將領報告說：「城外連下八十三營，絡繹不絕，安設大炮、地雷，密布雲梯，復造木柵，思欲久困，又於上江、下江以及江北等處，分布賊艘，阻截要路。」（《清世祖實錄》卷一二七）鄭成功軍包圍南京後，採取了緩攻的作戰方案，結果，由於清軍援軍到來，發動了突然襲擊，打破了鄭成功的緩攻計畫，鄭成功揮師迎戰，屢次失利，傷亡慘重，許多大將陣亡。鄭成功見大勢已去，遂沿江東下，返回廈門。

以上是鄭成功抗清情況的概述，也是他收復台灣的背景之一。有鑒於「前者出師北伐，恨尺土之未得。既而舳艫南還，恐孤島之難居」（《台灣外記》卷五），鄭成功經過深思熟慮，終於做出了進取台灣的戰略部署。他說：「自攻江南一敗，清朝欺我孤軍勢窮，遂令南北舟師合攻，幸賴諸君之力，雖然已敗，但恐終不相忘。故每夜徘徊籌劃，知附近無可措足，惟台灣一地離此不遠，暫取之，並可以連金、廈而撫諸島。然後廣通外國，訓練士卒，進則可戰而復中原之地，退則可守而無內顧之憂。」

（《台灣外記》卷五）

台灣自古以來就是中國的領土，荷蘭殖民者在明朝萬曆中葉來到中國，萬曆三十二年（一六〇四年）七月，侵占澎湖，伐木建屋，準備久居。由於明朝福建巡撫徐學聚採取了嚴禁商民下海的措施，斷了荷蘭人糧食物品的接濟，後又派浯嶼（今金門島）游擊軍沈有容前往驅逐，同年十月，荷蘭人不得不撤出澎湖。然而，荷蘭人侵占中國領土野心不死。明朝天啓四年（一六二四年），荷蘭殖民者開始侵略我國的領土台灣，並在台南安平鎮修築了一座城堡，名叫台灣城。天啓五年（一六二五年），荷蘭人又用欺騙手段，占據了台灣的一塊土地，修築了赤嵌市街。荷蘭殖民者以台灣、赤嵌兩座城堡爲侵占據點，對台灣的漢族和高山族同胞進行殘酷掠奪，遭到了台灣同胞的強烈反抗，比較大規模的反抗鬥爭多達二三十起，著名的郭懷一反抗荷蘭侵占台灣的鬥爭就很具有代表性（參閱張崇根：《台灣歷史與高山族文化》頁一九〇—一九七，青海人民出版社一九九二年版）。以上所述是荷蘭殖民者侵占台灣以及台灣同胞反抗荷蘭殖民者鬥爭的概況，同時也是鄭成功收復台灣的又一歷史背景。

順治十八年（一六六一年）二月，鄭成功從廈門移駐金門，三月二十三日，親率將士二萬五千人，大小戰船數百艘，由金門島料羅灣出發，次日抵達澎湖。留其子鄭經等守金、廈。隨後，鄭軍越過波濤洶湧的台灣海峽，直指台灣島的西南岸。四月初，鄭軍巧妙地避開荷軍的密集炮火，到達鹿兒門。接著，鄭軍從兩方面向荷蘭殖民者發動了猛烈進攻。在海戰中，鄭軍以木船擊沉荷蘭的戰艦，控制了台灣海面，切斷了荷蘭殖民者的海上交通線。在陸戰中，鄭軍在台灣人民的密切配合和積極支援下，以弓箭和大刀等簡陋武器，戰勝了擁有槍炮的侵略者，並擊斃了侵略軍頭目湯瑪斯·貝德爾，進而包圍了侵略軍的最後據點台灣城。荷蘭侵略軍在內無糧草、外無救兵的危機面前，不得不放下武器。十二月十三日，荷蘭侵略者頭目揆一宣布投降。至此，被荷蘭殖民者非法占據三十八年之久的台灣回歸了祖國。

鄭成功收復台灣，驅逐荷蘭殖民者，反映了反對外來侵略是大陸和台灣政治認同的重要內容。首先，從鄭成功方面說，他收復台灣雖然主要是爲了建立反清基地，但不可忽視的是，他也了解台灣自古就是中國領土，只是「近爲紅夷占據」（《延平王戶官楊英從征實錄》）。因此，把外來侵略者趕走，在鄭成功看來是天經地義的事。正因爲有這種認識，收復台灣以後，他即傾注心力，從政治、經濟等各方面建設台灣。鄭成功改赤嵌爲東都明京，設立一府（承天府）二縣（天興縣、萬年縣），又改台灣街爲安平鎮，在澎湖設立安撫司。他還整頓法紀，嚴懲違法官員，安定社會秩序，採取各種措施促進台灣經濟發展。只是因爲鄭成功於康熙元年（一六六二年）過早病逝，其宏圖偉業未得以充分展示。總之，鄭成功收復台灣，驅逐荷蘭殖民者，這本身就是反對外來侵略的偉大壯舉，並因此使他成爲中華民族的英雄而永垂青史。

其次，從台灣各族人民方面看，他們對鄭成功收復台灣，驅逐荷蘭殖民者，抱著熱烈擁護和歡迎的態度。最初勸鄭成功收復台灣的，正是給荷蘭人做翻譯的何斌。他向鄭成功進獻了台灣地圖，並極力規勸鄭成功收復台灣。這從一個方面反映了台灣人民的意向。鄭成功大軍在台灣登陸後，軍隊一度嚴重缺糧，有時一天只能吃兩餐野果、野菜充飢。當時高山族群衆由於生產力水平低，加之荷蘭殖民者的掠奪，餘糧極其有限。就是在這樣的情況下，當鄭成功派戶官楊英到新港、麻豆、肖壟和目加溜四社收購糧食時，高山族同胞還是慷慨相助，湊集了一批糧食，可供二萬五千名將士吃十天（參閱《台灣歷史與高山族文化》，頁一九九），台灣人民就是這樣表現了反對外來侵略的立場。

第三，從清政府方面看。僅管鄭成功作爲抗清力量，是清廷的敵對勢力，但是，清朝統治者對他還是優禮有加。康熙三十九年（一七〇〇年），康熙帝諭示：「朱成功係明室遺臣，非朕之亂臣賊子，敕遣官擁送成功及子經兩柩，歸葬南安，置守塚，建祠祀之。」「合無仰懇天恩，准予追謚，並於台郡敕建專祠。」（《沈文肅公政書》卷五）光緒元年（一八七五年），清政府又以鄭成功忠烈昭然，有功台郡，決定建祠追謚，並予謚忠節。這些表明，清政府對鄭成功收復台灣、驅逐荷蘭殖民者也是持肯定態度的。

綜上我們可以認爲，鄭成功收復台灣、驅逐荷蘭殖民者，反映了反對外來侵略是大陸和台灣政治認同的重要內容。

二、維護國家統一和領土完整是大陸和台灣政治認同的又一重要內容

鄭成功驅逐荷蘭殖民者，收復台灣後不久即病逝，鄭氏集團內部爆發了延平王位之爭，經過激烈的角逐，鄭經繼承了王位。康熙元年十月，鄭經率軍抵達台灣，平息內亂，穩定秩序。康熙二年（一六六三年）正月，鄭經返回廈門。清廷對鄭經誘降失敗後，加緊了軍事上的進攻，致使鄭經力量急劇削弱，福建沿海抗清基地完全喪失。康熙三年春夏，鄭經被迫率軍撤往台灣。鄭經抵台後，採取措施加強台、澎的防務，發展台灣經濟、文化，以圖生存。

康熙十三年（一六七四年），以吳三桂爲首的「三藩之亂」爆發，鄭經從一開始就捲入了這場叛亂。從康熙十三年夏到十五年冬，通過作戰和接受清軍、耿精忠軍的獻降，鄭經勢力大增，陸續取得了福建泉州、漳州、汀州、興化、邵武等府，以及廣東潮州府和惠州、廣州二府的一些州縣。不過，這只是鄭經一時的勝利。康熙十五年以後，清軍開始反攻，鄭軍全線敗退。康熙十九年（一六八〇年），鄭經逃回台灣。

這時候的鄭氏集團已經成爲封建割據勢力，腐朽性、貪婪性、寄生性日益暴露。鄭經諸弟「恃勢占奪民田」（《台灣外記》卷八），鄭經本人也是「放縱於花酒，不予政事，而竟卜晝卜夜之歡」，率領文武官員「圍射酣樂，繼夜而散」，「就洲仔尾園亭爲居，移諸嬖幸於內，縱情花酒」（《台灣外記》卷八）。鄭經甚至說：「我遠處海島，可無憂」（夏琳：《閩海紀要》）。康熙二十年（一六八一年），鄭經死。不久，鄭克塽繼位。這時候的鄭氏集團對台灣人民的剝削更加嚴重、殘酷，田租、丁銀「取於田者十之六七，又從而重斂其丁」，「民不堪命」（康熙《台灣縣志》卷九）。此外，舟車鹽場各稅的徵收，更使民間動盪不安，康熙二十二年（一六八三年）二月，由於災荒，「人民飢死甚多」（阮旻錫：《海上見聞錄》卷二）。正是在上述背景下，康熙帝決定進取台灣。

康熙帝進取台灣，以施琅爲福建水師提督。施琅，福建晉江人，曾任鄭芝龍軍前左衝鋒。鄭芝龍降清後，他投身於鄭成功，屢建戰功，任左先鋒。後來，施琅和鄭成功發生矛盾。且日益激化，鄭成功殺了施琅全家，施琅則在順治八年（一六五一年）投歸清朝。順治十三年（一六五六年），施琅因才能出衆任前部先鋒，同安副將。順治十七年（一六六〇年），由工部尚書蘇納海舉荐，施琅升同安總兵官。

康熙元年（一六六二年）五月，清政府以施琅爲首任福建水師提督。任職後，施琅大展雄才，先取金門，再克銅山，鄭經敗歸台灣，康熙三年（一六六四年），晉封靖海侯。此後，由於清廷內部原因，福建水師提督裁撤，施琅改任內大臣，封伯爵，隸鑲黃旗漢軍，留京師。康熙二十年（一六八一年），鄭經病逝，康熙帝認爲進取台灣的時機已到，又任施琅爲右都督，福建水師提督總兵官，加太子太保，賦予進取台灣的使命。

施琅受命後，開始了積極的準備工作。他整頓水師，制訂作戰方案，同時向清廷提出獨任徵剿。康熙帝給了他極大支持，同意施琅「相機自行進剿」（《清聖祖實錄》卷一〇五）。施琅制訂的作戰方案很嚴密。他提出在南風盛發的五、六月出兵，首先攻取澎湖。「夫南風之信，風輕浪平，將士無暈眩之患，且居上風上流，勢如破竹，豈不一鼓而收全勝！」先取澎湖，再取台灣，可以達到「暫屯澎湖，扼其喉，拊其背，逼近巢穴，使其不戰自潰，內謀自應」（施琅：《靖海紀事》上卷）。

康熙二十二年六月十四日，施琅率水師二萬餘名，戰艦三百餘艘，自銅山繞道澎湖南，全速前進。十五日，克取貓嶼、花嶼，晚，泊師澎湖。鄭氏集團武平侯正總督劉國軒親領鄭軍二萬餘人，戰艦二百餘艘鎮守澎湖。在澎湖沿岸，凡屬可登處，都築短牆，置腰銃，環二十餘里爲壁壘，澳外以砲船列陣，岸上有大炮支援。十六日，施琅指揮船隊前進，經過激戰，雙方各有傷亡。從十七日到二十日，施琅把軍隊集結在澎湖罩嶼，準備一舉攻克澎湖，二十二日，澎湖決戰爆發。施琅命令兵分兩路，各由五十隻戰艦組成。東路爲奇兵，準備夾攻，西路爲疑兵，牽制鄭軍。又命五十六隻戰船分爲八股，每股七隻，再分三層。另外八十隻戰船爲後援。施琅居中督戰，下令直衝鄭軍船陣。劉國軒傾全軍抗拒。是役，炮火交加，聲如雷吼，煙焰蔽日，咫尺難辨。清軍將士奮勇爭先，拚死交戰，鏖戰終日，大獲全勝，攻取了澎湖列島。鄭軍官兵有五千人歸降，劉國軒僅以大小船隻三十一艘敗歸台灣。

劉國軒敗歸台灣後，鄭氏集團內部群情洶洶，是守，是降，還是遷往他方，爭論不已。劉國軒力主歸清。他認爲，衆志瓦解，守也實難，財寶裝船，遠涉大洋，恐有不測。恰在此時，其心腹自澎湖返回，轉告了施琅的話：吾不與爲仇，若肯降，吾必保奏而封公侯，劉國軒很感動，反覆考慮後，決定降清。七月十五日，他遣胞弟劉國昌爲副使，隨同鄭克塽所派之人到達施琅軍前，請求歸清。七月二十七日，康熙帝頒布諭旨，希望鄭克塽等人誠心歸附，率衆登岸，他將從優錄用，妥善安置。同日，鄭克塽派侍衛吳啓爵、工官陳夢煒等人來到施琅軍前，繳延平王冊印，招討大將軍印及公侯伯將軍都督印。八月十八日，鄭克塽率劉國軒、馮錫範等文武各官剃髮，跪聽宣讀赦撫。康熙二十三年（一六八五年）十二月十三曰，鄭克塽等到京，康熙帝授鄭克塽等公爵，授劉國軒、馮錫範伯爵，俱隸上三旗，鄭部文武各官二千餘名及明宗室、魯王世子朱桓等均於福建附近各省安置。鄭軍四萬餘名，願入伍或願歸農，均聽自己選擇。

鄭氏集團表示歸清後，康熙二十二年八月十一日，施琅統領官兵、船隻，自澎湖赴台灣，十三日，到達台灣鹿耳門。十九日，他頒布軍紀，二十日，頒市《諭台灣安民告示》，希望百姓毋荒農務，照常貿易，規定本年納谷十減其四，其它一切雜派差徭，盡行蠲免。台灣出現了市肆不驚、耕耘如故的局面。

康熙統一台灣後，在清廷內部，發生了對台灣的「棄留之爭」。康熙二十二年八月十五日，清廷得到施琅《台灣就撫疏》，內稱台灣土地千餘里，戶口數十萬，或去或留，事關重大。議政王大臣會議認爲，台灣棄守事，待鄭克塽等率衆登岸後，令侍郎蘇拜與福建總督、巡撫、提督會同酌議具奏。十七日，福建總督姚啓經在《輿地旣廣，請立規模》一疏中分析了台灣的政治、經濟和地理形勢，堅決主張「守不可遲」。此後，福建其他官員以爲台灣「留恐無益，棄虞有害」，各議不一。有些京師大臣則主張「遷其人，棄其地」。內閣學士李光地甚至提出荷蘭本無大志，故台灣即使爲其所有，也聽之任之。只要它納貢通款，就是永逸長安之道。十二月二十二日，施琅上《恭陳台灣棄留疏》，痛陳棄台之弊。他詳細分析了台灣地勢、物產後指出：台灣「實肥沃之區，險阻之域」，「乃江、浙、閩、粵四省之左護」，「東南之保障」，因此，棄留之際，至關重要。主張統轄台灣，鞏固邊防，維護統一，防止荷蘭等國侵略。否則，如再讓荷蘭占領，實乃種禍！況且，台灣與澎湖互爲犄角之勢，放棄台灣則澎湖孤懸海外，很難固守。總之，「棄之必釀成大禍，留之誠永固邊疆」（《靖海紀事》下卷）。康熙二十三年正月二十一日，大學士李蔚、王熙支持施琅疏言。康熙帝對此予以高度重視，明確諭示「台灣棄取，所關甚大」，「棄而不守，尤爲不可」。台灣終於留在了祖國的疆域之內（《清聖祖實錄》卷一一四）。

康熙二十三年四月，淸政府在台灣設一府三縣，即改承天府爲台灣府，以府治附郭爲台灣縣，北路天興州改爲諸羅縣，南路萬年州改爲鳳山縣，合廈門置分巡台廈道。全台設總兵一員，副將二員，士兵八千名。澎湖設副將一員，士兵二千名鎭守。

以上是康熙統一台灣的簡略槪述。淸代發生的這一重大歷史事件，說明了維護國家統一和領土完整是大陸和台灣政治認同的又一重要內容。這從以下幾方面可以看出：

第一，從台灣方面說，割據可能導致外來勢力的侵入。鄭氏集團固守台灣，到鄭經晚期，已經成爲國家的一股割據勢力，如果這一局面延續下去，極有可能爲外來侵略勢力所利用。因此，這種情況不僅爲清廷所不容，也爲鄭氏集團許多人所反對。鄭經曾明確表示：台灣遠在海外，非中國版圖。他的這種說法是非常危險的。因爲鄭成功病逝以後，荷蘭殖民者就陰謀再次入侵台灣。康熙元年六月，荷蘭東印度公司總督命商務專員博爾特爲提督，率包括夾板船在內的十二艘船艦，統兵一千二百八十四名，載炮一百三十九門，從巴達維亞（雅加達）啓錨進軍，同年七月，到達閩江口。船上的旗幟寫著「支援大清國」。同時，博爾特派員求見靖南王耿繼茂、福建總督李率泰，表示願爲先鋒，攻取金、廈二島，但必有清軍助其重占台灣爲條件。因爲當時清廷正和鄭經議和，拒絕了荷蘭人的請求。博爾特惱羞成怒，獨自率艦隊以海盜故伎襲擊鄭經所部的船隊，陰謀未能得逞。實際上，荷蘭殖民者幫助清廷打仗是假，重新侵占台灣才是眞。如果鄭經的分裂勢力繼續存在下去，荷蘭殖民者的陰謀難免沒有可能得逞。還應看到，鄭氏集團的割據勢力，已經遭到本集團內部許多人的反對。從康熙元年到三年，據管理福建安輯投誠的官員賁岱疏報，鄭氏部衆共投誠文武官三千九百八十五名，食糧兵四萬零九百六十二名，歸農官棄兵民六萬四千二百三十名，眷屬人役六萬三千餘名，大小船隻九百餘艘。其中，有鄭經親屬鄭瓚緒、忠明伯周全斌、威遠將軍翁求多、永安侯黃廷，副都統何義等文武要員（《清聖祖實錄》卷一二）。此外，鄭氏集團捲入了三藩之亂，這與他們的割據勢力有關。叛亂不得人心，必定失敗。康熙十九年（一六八〇年），三藩叛亂敗局已定，清軍向鄭軍大舉進攻，鄭軍失海壇，獻海澄，投誠者一萬四千餘名，鄭經不得不從廈門退回澎湖。還有，鄭氏集團橫征暴斂，民心喪盡，它的腐朽性、貪婪性、寄生性，遭到了廣大台灣人民的反抗，而對高山族人民的反抗，進行了殘酷鎮壓。最後，也應指出，在康熙統一台灣過程中，台灣人民支持和擁護清朝的統一。總之，從台灣各方面的情況分析可以看出，維護國家統一和領土完整，是大陸和台灣政治認同的重要內容。

第二，從大陸方面看，堅決反對鄭氏集團的分裂割據。針對鄭經「台灣遠在海外，非中國版圖」的謬論，康熙帝明確表示：鄭經是中國人。在清廷和鄭氏集團多次議和過程中，儘管清廷同意鄭氏要求，「許其藩封，世守台灣」，但對於鄭氏集團提出的「照朝鮮事例，不削髮」，總是不讓步。因爲清廷認爲朝鮮是外國，而鄭氏是中國人，中國人不宜引朝鮮例。這樣，議和始終未能成功。其實，清廷和鄭氏集團議和過程中所爭論的實質是，台灣是中國版圖，還是中國藩屬？鄭氏集團總想「於版圖疆域之外別立乾坤」，清廷堅決反對。這正是對國家統一和領土完整的維護。清廷在統一台灣之後，儘管發生過台灣棄留之爭，最後畢竟是以康熙帝的上諭「棄而不守，尤爲不可」而告結束。上述一切，說明了在康熙統一台灣過程中，從清政府方面看，維護國家統一和領土完整也是大陸和台灣政治認同的重要內容。

大陸和台灣的政治認同不只是以上所述這些。它還有著很多方面的表現和內容。比如光緒年間台灣建省，就反映了維護台灣的穩定發展是大陸和台灣政治認同的又一重要內容。限於篇幅，這裡不再詳述（參看拙著《中國邊疆民族管理機構沿革史》，頁四一八—四二三，中國社會科學出版社一九九三年版）。

（本文在寫作過程中，吸取了《清代全史》第二卷的研究成果，特此致謝。）

日據時期台灣社會的中國意識與台灣意識

陳小沖／廈門大學台灣研究所副研究員

一八九五年《馬關條約》簽訂後，台灣成爲日本殖民地。身爲中華民族一份子且擁有悠久歷史文化傳統的台灣人民，依然堅持自己的文化觀念和行爲模式，與日本殖民者的同化政策相抗爭，中國意識十分強烈。與此同時，台灣人也曾提出「台灣是台灣人的台灣」這樣台灣意識濃重的口號，這又應予以怎樣的理解。日據時期台灣社會中國意識與台灣意識的關係如何？本文擬就此略作分析，敬祈指正。

一、日據時期台灣社會的中國意識

日據之前，台灣是中國領土的一部分，台灣人民是中華民族大家庭中的一員，漢民族在遷徙登台的同時，也將傳統中華文化傳入台灣並綿延傳承，而廣大土著族同胞以其獨特的文化豐富了中華文化的內涵。台灣人是中國人，台灣文化是中華文化的一部分，台灣人的中國意識，無論在反清復明的鄭氏時期抑或大一統的清代，其作爲主流意識，一直是台灣民眾思想意識和社會生活的基礎。

日據之後，台灣淪爲日本帝國主義的殖民地，依照《馬關條約》，兩年內未離台灣的民衆自然轉變成爲「日本國民」。但是，台灣民衆的中國意識並沒有被消滅。儘管在日本殖民統治的高壓下，中國意識的表現方式或顯現程度有所區別，中國意識作爲台灣社會意識的主軸卻從來沒有出現大的偏差。無怪乎台灣總督小林躋造要懷疑：「（台灣人）沒有作爲日本人應有的精神思想。惜力謀私，僅披著日本人的假面具。」①

甲午戰後，台灣人民就在祖國大陸人民的支持下，開展了轟轟烈烈的反割台運動，丘逢甲等士紳即發出「義與存亡」②的誓言，隨後的台灣民主國，亦多方表示：「仍應恭奉正朔，遙作屏藩，氣脈相通，無異中土」。並明白揭示：「台灣士民，義不臣倭，願爲島國，永戴聖淸。」③日本殖民者完全占領台灣全島之後，台灣人民又起義反抗，陳秋菊、林李成、胡嘉猷等領導的台北大起義，即在討日檄文中號召恢復中國在台灣的主權，以「上報國家（淸廷——中國），下救生民」。柯鐵、簡義等於鐵國山聚集人馬，號稱天運元年，他們在大坪頂上高高豎立的兩面大旗中，有一面即書寫「奉淸征倭」幾個響亮的大字，可見也是一次以回歸中國爲主旨的抗日起義；南部林少貓、黃國鎮等聯合攻擊日軍駐地，並

---

① 戴國煇：《台灣與台灣人》，研文堂，東京，一九八〇年版，頁二〇八。
② 《中日戰爭》第三冊，中華書局，一九九一年版，頁七四。
③ 陳孔立主編：《台灣歷史綱要》，九洲圖書出版社，一九九六年，頁三二九。

密謀進攻嘉義，試圖消滅日軍，以「回復清政」，更是明白無誤地要求恢復清王朝在台灣的統治。④

我們研究還發現，在日據初期爲數不多的幾次試圖自稱「台灣王」的起義活動中，這些起事者依然擺脫不了大中華思想或中國意識的影響。六甲事件中的羅臭頭曾試圖「自立爲王」，但他理想中的台灣王，只是清國皇帝封賞下的台灣地方統治者，史稱「羅臭頭更藉托清國皇帝及天帝，准許羅君得近日即位爲天下皇帝。」亦即大中國範圍內的小兒皇帝。⑤土庫事件中的黃朝也提出過自立爲王的主張，但這裡的所謂「台灣王」仍然是屬於中國而不是脫離中國。他自稱天有四門，自己是爲清國這個「天」來守護南大門的。⑥西來庵事件中的余清芳自稱台灣將生「聖明之君」，而這個聖明之君是企圖恢復漢族雄風的皇帝，其理想爲復興「中原大國」。⑦

以上種種事例表明，在日本殖民主義的刺刀下，台灣人民不屈反抗的精神寄托爲祖國中國，無論是直接號召回歸的起義還是曲線圖存的起事，萬變不離其宗，最後的目標，都是爲了使台灣擺脫日本統治，重新歸屬中國，使台灣再度成爲中國人自己的台灣。毫無疑問，中國意識是日據時期台灣社會的主流意識。

---

④ 同上，頁三四九—三五〇。
⑤ 洪敏麟主編：《雲林、六甲等抗日事件關係檔案》，台灣省文獻會，一九七八年，頁二〇六。
⑥ 《現代史資料（二一）·台灣（一）》，みすず書局，東京，一九七九年，頁三一。
⑦ 同上，頁五九。

一九一〇年代中期，日漸成長起來的台灣民族資產階級及其知識份子，在以林獻堂爲首的部分士紳領導下，開始走上一條與武裝鬥爭不同的以非暴力手段爭取自身權益的鬥爭。在這一系列政治抗爭中，繼承中華文化傳統，宣揚中華民族意識，復興中華文化。成爲民族運動領導者、參與者的自覺行動，隨著運動的深入，中國意識在台灣社會得到更深層次的扎根和更廣範圍的傳揚。

首先，他們在各種場合宣傳台灣人是漢民族的後裔，是中華民族的一份子。黃呈聰稱：「回顧歷史，我台灣文化，曾由中國文化作爲現在的基礎，無論風俗、人情、社會制度，盡皆如此。——從文化上說，中國爲母，我等爲子，母與子生活上的關係，其情誼之濃，不必我等多言。」⑧林呈祿則言：「現在台灣島的大部分，無論怎樣說，都無法否定他們是中國的福建、廣東移過來的歷史事實。」⑨日本人自己也不得不承認：「本來漢民族經常都誇耀他們有五千年傳統的民族文化，這種意識可以說是牢不可破的。台灣人固然是屬於這漢民族的系統，改隸雖然已經過了四十餘年，但是現在還保持著以往的風俗習慣信仰，這種漢民族的意識似乎不易擺脫。」⑩台灣民衆對自身民族屬性和定位，以民族運動主要領導人蔣渭水的一番說即可明白顯示出來，他說：「台灣人不論怎樣的豹變自在，做了日本國民，隨便即變成日本民族，台灣人明白地是中華民族即漢民族的事，（是）無論什麼人都不能否認的事

---

⑧ 轉引自若林正丈：《台灣抗日運動史》，研文堂，東京，一九八三年，頁二三〇。
⑨ 王曉波編：《台胞抗日文獻選編》，帕米爾書店，一九八五年，頁九五。
⑩ 王曉波編：《台灣的殖民地傷痕》，帕米爾書店，台北，一九八五年，頁一四。

實。」⑪

其次，當時台灣社會出現了認同中華文化，眷戀中國，以祖國中國爲自豪的濃烈氛圍。在民族運動各團體的宣傳，鼓勵和切實推行下，中華文化在台灣得到進一步復興和傳播，中國意識在台灣民衆，特別是知識份子中普遍勃興。⑫日本殖民者在一份內部報告中曾寫道：文化協會成員多懷有民族意識，常說：「我中國或我中華民國」、「追慕中國之念相當興盛」、「期待國權的回復」、「祈盼（中國）早日統一」等等。⑬日人承認：「以中國爲祖國的人，恐怕不在少數。以至於整個台灣社會中國意識十分濃重。「今日台灣人，除特權階級外，大部分醉心於中國，乃是不爭的事實。」⑭民族運動骨幹份子莊遂性則深情地表達了自己內心的感受，他說「我在國外和異民族相處時，我心安理得地當一個中國人，在國內和國人相處時，則我心安理得地當一個台灣人，並且以能心安理得地當一個『中國的台灣人』而覺驕傲。」⑮李友邦在談及日據下台人心態時亦指出：「台灣割後，迄於今日，已四十餘年，雖日寇竭死力以奴化，務使台人忘其祖國以永久奴役於日人。然台人眷戀祖國的深情，實與日俱增。時間愈久，

⑪《台灣民報》一九二四年九月十一日。
⑫陳小沖：《日據時期台灣的中華文化復興運動》，《台灣研究》，一九九三年一期。
⑬若林正丈：《台灣總督府秘密文書「文化協會對策」》，《台灣近代史研究》創刊號（一九七二年）。
⑭同上。
⑮葉榮鐘：《台灣人物群像》，帕米爾書店，台北，一九八五年，頁一五二。

其情愈殷，是並未嘗有時刻的忘卻過。」⑯

「七七事變」後，日本殖民者加強了對台灣社會的控制，有組織的政治運動均遭取締。爲了強化同化政策的貫徹及將台灣整合爲日本南進基地的需要，配合日本帝國主義對外侵略戰爭，日本殖民者在台灣掀起皇民化運動的浪潮，這一運動的核心內容即是竭力摧殘中華文化，灌輸日本皇國思想，以圖將台灣人「從裡到外」都轉變成爲「眞正的日本人」。顯然，在這一特殊歷史背景下，台灣人不能公開宣揚中華文化，無法保持與祖國的密切聯繫，不能從事一切與祖國相關的活動。但是，惡劣的環境並不能動搖台灣民衆心中與祖國難以割捨的情懷，他們頂著日本法西斯統治的高壓，以各種隱密的、半公開的方式，繼續保持自身固有的文化傳統，以中華民族一份子的堅韌精神與強制同化政策進行鬥爭。

「七七事變」一爆發，台灣民間即流傳中國將收復台灣，民衆心中潛藏的中國意識再度升溫，據日人密報，不少人認爲「中國是個大國，日本必敗；中國是我們的祖國，希望中國勝利」。相信中國將收復台灣，「現在中國將奪回台灣，如果我們起來與日本抗爭的話，不用多久，我們就能回到中國的治理下」。據當時對大屯郡下西屯公學校高年級學生的調查，在這些台灣學生家長對時局的認識中，「相當多數的人希望回歸到中國的懷抱。」台灣同胞還不時公開表明自己是中國人，如宜蘭郡礁溪莊的游在添稱：「中國是我們本島人的祖國。」有人還冒險投書寫到：「日本必亡，祖國興隆。」台灣軍司令部在

---

⑯ 同註⑨，頁一七七。

分析當時台灣人的反應時不得不承認：「事變爆發當時，一部分本島人（台灣人）中間由於民族的偏見，依然視中國爲祖國，過分相信中國的實力，受宣傳的迷惑，反國家的或反軍隊的言論和行動在各地流傳，民心動搖。」⑰

在皇民化運動囂塵直上的時候。台灣民衆仍暗中學習漢語，收聽祖國的廣播，對日人推行的改姓名運動不屑一顧，既使少數被迫更改者，亦以穎川、江夏等帶有祖國故地意識的姓氏冠名。他們堅持祖先祭祀，不因日人取締而廢止。對日人配合皇民化運動所推動的種種施政不予嚮應、不予合作。一些被迫加入皇民奉公會的人亦大都消極敷衍。難怪到日據行將終結的時候，台灣總督安藤利吉對「領台五十年」後的台灣人仍發出「並無絕對加以信賴和自信」的慨嘆。⑱日據時代台灣社會的中國意識，借用楊肇嘉先生的話就是：「台灣人民永遠不會忘記祖國，也永遠不會丟棄民族文化！在日本人強暴的統治之下，渡過了艱辛苦難的五十年之後，我們全體台灣人民終以純潔的中華血統歸還給祖國，以純潔的愛國心奉獻給祖國。」⑲

以台灣人民抵抗運動爲視角，日據台灣歷史可以劃分爲三個時期，即武力反抗時期（一八九五—一

---

⑰《十五年戰爭極秘資料集》（第十九集），《台灣島內情報‧本島人的動向》，不二出版，東京，一九九〇年，並參閱拙作：《「七七事變」與台灣人》，《台灣研究》一九九六年二期。

⑱王育德：《苦悶的台灣》，新觀點叢書（九），台北，頁一五一。

⑲楊肇嘉：《楊肇嘉回憶錄》，三民書局，台北，一九七七年，頁四。

九一五年）、民族運動時期（一九一五—一九三六年）和皇民化運動時期（一九三七—一九四五年）。日據時代台灣社會的中國意識在不同階段呈現出不同的特點。在武力反抗時期，由於距割台不久，當時台灣民衆仍存有一種通過武裝鬥爭達到回歸祖國的熱盼，這時的中國意識直接而鮮明；民族運動時期，台灣民衆轉向以非暴力政治抗爭來謀求自治，同時等待恢復與祖國關係有利時機的到來，此時的中國意識體現爲對自身民族性的體認和對中華民族文化的堅持及宏揚；皇民化運動時期，由於法西斯高壓政策的猖獗，社會運動停頓，人們只能以抵制皇民化，堅守中華文化傳統來與強制同化相對抗，這時的中國意識更多地體現爲台灣民衆對中華文化和祖國中國的心理認同。

二、日據時期台灣社會的台灣意識

正如任何一個國家的民衆在國家意識之外還有自身所屬地域的地方意識一樣，台灣民衆除了擁有中國意識之外也擁有台灣地方意識是再正常不過的事情。從理論上說，自大陸遷台的居民從早期的移民社會向定居社會轉化之後，台灣意識便隨之產生。這種意識是對自己定居繁衍的這塊土地的認同感，是自身區別於國內不同區域民衆的心理標誌，正如福建人與山東人自我地域認同感不同，台灣人與河北人或其他省份人群不同而有其地方意識是社會生存的自然樣態，本身並不包含任何政治含義。

日本占領台灣之後，在統治者方面，日人作爲外來殖民者，其與台灣人分屬兩個完全不同的民族，台灣的民情風俗、人文地理乃至民衆性格、社會制度又與日本迥異，加上日據初期台灣人民接連不斷的抗日起義，使得日本國內高層及總督府當局傾向於將台灣作爲一個與日本「內地」不同的特殊地區來看待，在台灣推行特殊統治。在此基礎上，實施總督制，並制定《六三法》，賜於總督很大的權力，如臨機處分權，特別律令權等。因此，首先提出台灣地位特殊的其實是日本人自己，其出發點是以此爲依據擴大總督的權力，方便殖民統治的運作。

另一方面，由於日本殖民者政治上的壓迫，經濟上的剝削和民族歧視政策，台灣人民從一系列不平等的待遇和生活體驗中，感受到了壓迫民族與被壓迫民族間本質不同，在「內地人」與「本島人」間政治、經濟不平等的鴻溝中，加深了「非我族類」的排異性，同時使得台灣人相互間強化了自我認同和「自我歸類」，自發地凝聚爲濃烈的台灣意識。一九一〇年代世界範圍內民族自決浪潮的衝擊和台灣人民族意識的覺醒，促成了一部分台灣先進知識份子將由日人始作俑的台灣特殊論拿來爲我所用，發展出台灣地方自治和設置台灣議會的政治訴求。⑳在這裡，台灣意識由自發走向了自覺。因此，日據時期的台灣意識已經不僅僅是一種地方意識或地域意識，而且是包含有民族反抗喻意的政治意識。

概括地說，日據時期台灣意識包括了以下幾方面的主要內涵：

首先，台灣人與日本人分屬不同民族，台灣人是漢民族。在這裡，台灣意識與中國意識產生了交叉點。《台灣民報》上常有這樣的語句：「台灣人的祖先們自三百年前，爲要開拓新天地樹立生存權，由

---

⑳ 周婉窈：《日據時代台灣議會設置請願運動》，自立報系文化出版部，台北，一九八九年，頁四八—四九。

福建省的漢民族陸續渡海而來，造成這個美麗的台灣。」㉑「現在台灣的先住民族中，除起八萬未開化人之外，十分之九算是由中國移來的漢族。」㉒

其次，台灣風土人情與日本不同，依其特殊性應實行不同的政策。「台灣固是日本帝國的屬領；但是離了本國遠了，氣候是不同，而人情、風俗亦異、言語思想各種的生活樣式都是有大差了。…台灣和日本內地不同，不是日本內地的一部分，故不能依照同樣的統治法。」㉓「殖民地原住的民族，既然與本國不同，風俗習慣自然與本國迥異，其各殖民地的特殊的事情，於統治上是有絕大的關係，所以不能以統治本國人的方針制度，來適用於殖民地的統治，這是極其明顯的事情。」㉔在這裡，台灣意識的第二層含義是，台灣人要有與日本人不同的自己的生存方式。

再次，設置台灣議會，實施台灣自治，這是日據時期台灣意識上升爲政治層面的訴求。他們指出：「台灣雖是在日本統治之下，但是因爲台灣本來的民族是與日本民族不同，實際的政治施設非特別參酌台灣特殊的民情風俗不可。」㉕自一九二一年起台灣議會設置請願運動蓬勃開展起來，其請願的理由，在《台灣民報》發表的社論《台灣議會與台灣憲法》中得到了明白的闡述：「請願的根本主旨，始終一

㉑《台灣人的生存權》，《台灣民報》大正十四年九月六日。
㉒《農民的最後生存權》，《台灣民報》昭和二年三月二十七日。
㉓《當眞是要內地延長嗎？》，《台灣民報》昭和二年七月三日。
㉔《拓務省與殖民地參政權》，《台灣民報》昭和四年八月十八日。
㉕《非設民選會議不可》，《台灣民報》昭和二年八月十四日。

貫，要求台灣特別委任立法及台灣預算的議決權，即要求在台灣地域之範圍內的參政權。其要求的根本理由，是爲台灣的民情風俗與日本內地不同，如欲謀台灣民衆的幸福，須行適合台灣民意的政治；欲行適合民意的政治，必要使台灣住民參政；欲使住民參政，非設置台灣議會不可。」㉖

在台灣社會的實際層面，台灣意識是抗拒日本殖民者推行的同化政策的利器。我們知道，日本在台灣殖民統治的重要目標，就是企圖破壞台灣原有的中華文化體系，移植日本文化，將台灣人同化成爲畸形的日本人。而台灣意識所強調的台灣人漢民族性及台灣社會特殊論，則恰恰與日本殖民者的同化意願背道而馳。「大凡國民性的構成基礎，是自然的造成的共同體，就是在一定地域內，由血族的種族的共同體。把一種共同的歷史、共同的文化、共同的生活條件所發生，而成長做國民或是做民族的。以上的共同體，是經過數百年或數千年訓養而來，故有特別性格，和他國人定有差異，所以這國民性決非一朝一夕可以改造的。倘若欲強行，不但勞而無益，並且是背人道、逆自然的政策了」。㉗「台灣是有四千年的歷史和文化，社會上有特別的制度、民情、風俗，……同化政策欲使台灣化作與內地的府縣同樣，這實在是難的，若要達其目的，總要生出種種的強制，無視台灣的個性了。若此則不利於台灣民的現實生活。」㉘

㉖《台灣民報》昭和二年一月三日。

㉗《尊重殖民地的國民性就不是同化主義了》，《台灣民報》大正十四年二月二十一日。

㉘《對護憲內閣的希望，要更新殖民地的統治方針》，《台灣民報》大正十三年六月二十一日。

在台灣意識的構想中，作爲「模範的殖民地自治」的藍圖應該是這樣的：「——尊重原住民的民族心理，至於風俗習慣種種的固有文化，其善良的不可不給它保存，所有一切的施設，須要以殖民地人爲本位。母國唯有間接的受其利益而已。」㉙而日本殖民者同化政策卻「萬事都以本國爲本位以定方針，要使殖民地改變和本國一樣」，㉚一是以台灣爲本位，一是以宗主國日本爲本位；一個要求保存台灣人固有的民族性，一個力圖使台灣人異化爲日本人，二者有著本質的不同。因而台灣意識作爲同化主義的對立面，再次顯現出其民族反抗的政治意義和在當時歷史條件下的進步性。於是我們對於日據時期相當多的台灣意識強烈的口號便不難理解了，請看他們發自內心的吶喊吧：「台灣本是台灣住民的台灣，萬般的事業和施役，皆要以台灣住民爲本位的，而且萬般的事情都要靠仗台灣民衆自身的力量去做，才會徹底才有誠意的。」㉛

台灣意識作爲台灣人自別於日本人的一種思想意識，其著力強調台灣地方性和台灣人個性的特點，使得它又不是簡單地表現爲地方意識或昇華爲台灣自治的政治意識，同時也表現爲鄉土文學意識，台灣地方特色文化意識，台灣特殊民俗形態等等，即滲透到社會文化、生活的各個方面。僅舉台灣文學爲例，他們就極力強調寫台灣的地方特色，發展新台灣文學。他們說：「要產生有價值的文學不消說要表

㉙《模範的殖民地自治》，《台灣民報》昭和三年一月二十二日。
㉚同註㉗。
㉛《敬呈畢業諸君》，《台灣民報》大正十四年四月十一日。

現強大的地方色彩（localcolor）的，如像蘇格蘭文學、愛爾蘭文學的鄉土藝術，個性愈明亮而價值愈高升的，才是現代的之活文字。在台灣有什麼詩人會描寫著台灣的風景、空氣、森林、風俗、人情和老百姓的要求沒有？我們不得不盼望白話文學的作者的將來，務要拿台灣的風景爲舞台，台灣的人情爲材料，建設台灣的新文學，方能進入台灣文化的黎明期。」㉜

綜合而言，日據時期台灣意識與日據之前的台灣意識既有傳承又有很大的不同，它們都是一種台灣地方意識，但日本殖民統治下台灣人民身受異族壓迫的新的歷史條件——「治者和被治者兩階級的對立……。明顯地因民族的不同而區別著」，㉝使得台灣意識隨著民族運動的開展從自發轉而成爲自覺，並擁有強烈的政治反抗的意味，從而烙上了地域概念和政治概念的雙重印記。

三、中國意識與台灣意識的關係

一個民族由於共同生活、共同語言而產生共同意識：一個社會由於群體的不斷重複的經歷和體驗而形成共同的感受，從而產生社會共同意識。又由於社會群體自身民族性和某一群體的特殊性（地域性）而分別擁有民族意識和地方意識。

㉜《詩學流行的價值如何》，《台灣民報》大正四年十月四日。

㉝《有名無實的人才登庸法》，《台灣民報》昭和五年一月十八日。

在日據時期的台灣社會，中國意識作爲宏觀意識，它體現了台灣人的民族性；且台灣意識作爲次級意識，它體現了台灣人的地方性；二者即互相區別，又共處於一個統一體中。具體而言，台灣意識與中國意識又可視爲表與裡、殼與核的關係。中國意識的深層內蘊是它的實質所在，台灣意識的表象外殼則是它的外在構態。無論中國意識或台灣意識，在日本殖民統治下它們共同聚合爲反日意識。正是基於二者關係的上述特點，所以不管這種反日意識是以中國意識抑或台灣意識的面目出現，日本殖民者都很自然地將其一併歸結爲中國人（或漢人）的中華民族意識（或漢民族意識）。換句話說，日本人已經看穿了中國意識與台灣意識的同質性，即它的只是台灣人反日運動手握匕首的兩刃而已。這一認識在日人對台灣民族運動中代表中國意識的祖國派和代表台灣意識的自治派的描述中得到了淋漓盡致的表現。

一種是對支那（中國）的將來也持很大的囑望，以爲支那不久將恢復國情，同時雄飛於世界，必定能夠收復台灣。基於這種見解，堅持在這時刻到來以前不可失去民族的特性，培養實力以待此一時期之來臨。因此民族意識很強烈，常時追慕支那，開口就以強調支那四千年文化鼓勵民族的自負心，動輒撥弄反日言辭，行動常有過激之虞。相對的、另外一種是對支那的將來沒有多大的期待，重視本島人的獨立生活，認爲即使復歸於支那若遇較今日爲烈的苛政將無所得。因此，不排斥日本，以台灣是台灣人的台灣爲目標，只專心圖謀增進本島人的利益和幸福。然而，即使是這些人也只是對支那的現狀失望以至

於懷抱如此思想，他日如見支那隆盛，不難想像必回復如同前者的見解。㉞

出現上述現象的根本原因，在於台灣民衆無論是中國意識或是台灣意識都毫無例外地對自己屬於中華民族一員有著深刻體認，「中國是素稱文教之邦，我們台灣人是漢民族的後裔。」㉟我們是具有五千年優秀歷史的漢民族的子孫。」㊱日人亦稱：「台灣人的民族意識之根本起源，乃繫於他們是屬於漢民族的系統。」「視中國爲祖國的感情，不易擺脫，這是難以否認的事實。」㊲面對日本殖民者的民族歧視和壓迫，台灣民衆的心態由黃白成的一段話得以清楚地表白：「中國——對世界人類有很大的貢獻，所以世界各國都很羨望，那麼倘要問日本爲何對中國人輕蔑起來？可以答覆是在日清戰爭中國戰敗而來的。自此以來，日本人競蔑視中國人爲「清國奴」。我到琉球、日本旅行，每聽到這種侮辱時，就想到我們的祖國是中國，中國本來是強國，是大國，道德發達很早的國家，這種感想很強烈，而且每一次都加強這種精神。」㊳

當然，中國意識與台灣意識的立足點又有所不同，中國意識是以身在台灣的中國人的基本立場，著力弘揚中華文化，努力保持中華文化在日本殖民統治下不致失望，並且以此作爲抵制日本殖民同化的利

㉞《台灣社會運動史》第二册，政治運動，創造出版社，台北，一九八九年，頁一四。
㉟《台灣文學的整理和開拓》，《台灣新民報》昭和六年八月一日。
㊱《台灣社會運動史》，稻鄉出版社，台北，一九八八年，頁二八一。
㊲同註⑨，頁一四。
㊳同註㊱，頁二八三。

器；台灣意識則以身為台灣人，身處台灣社會特殊歷史條件為出發點，體認到台灣處於日本統治下的現實，努力將台灣與日本內地相區分，以台灣特殊性作為抵制同化政策及「內地延長主義」的盾牌。前者謀求台灣重歸中國社會，後者則認為在此之前應該有一中間環節，原因一是台灣所處地位特殊，須先謀取自治，然後才談得上歸返中國的可能性，二是當時台灣內外情勢也決定了它一定要有一個「待機」（等待時機）的過程，無法一蹴而就。但不可否認的是，二者出發點不同而歸結點卻是一致的，即所謂「殊途同歸」。

還應提及的是，日據時期台灣意識的凸顯，與台灣社會特殊歷史背景有關。因為當時台灣割讓後，台灣人名義上已經成為「日本國民」，加上日本殖民者的高壓政策，台灣民衆無法在島內公然提出台灣是中國人的台灣或台灣歸還中國的口號，台灣人民不得不以台灣不同於日本的特殊性為由，以台灣意識來排斥同化意識，而日據時期台灣意識的深層底蘊依然是中國意識。

簡言之，日據時期台灣社會的中國意識和台灣意識相生而不相剋，共同在反日民族運動中發揮著不同且重要的作用。具體到台灣社會中台灣人個體上，若干人可能偏重於中國意識，若干人可能台灣意識更為濃重，從而產生所謂「祖國派」與「自治派」等等分別。在民族運動發展不同階段中國意識與台灣意識也有此漲彼落的關係。但二者的同質性，使得台灣意識一直在圍繞著中國意識的軸心在轉動（如圖例見下頁），中華民族意識便是在其中起決定性作用的力量。

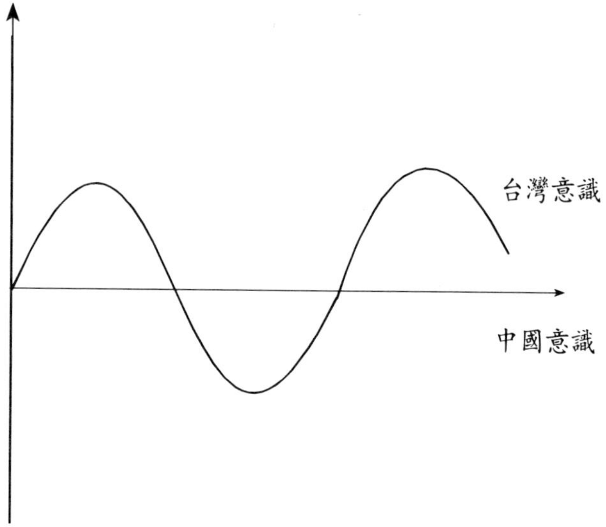

橫座標為中國意識

縱座標為波幅

影響台灣意識與中國意識關聯度的決定因素為中華民族意識

台灣歷史中的反抗精神

一個意識層面的初步考察

江政寬／玄奘大學通識教育中心講師

前言

一九九八年台北市長選舉中，最膾炙人口的一幕，毋寧是「新台灣人」的重新提出。各方對「新台灣人」的意含與可能造成的政治效應，各有一番不同的解讀，「什麼是新台灣人？」也的確成為一時衆人茶餘飯後的話題。然而，筆者在此感到興趣的，不在於「新台灣人」的實際內涵和指涉究竟爲何，而是抛出此一提法的背後，爲何會假定台灣島上的子民如今已經習慣於戴上「身份認證」的眼鏡，來檢視生活周圍的人們，尤其是大型選舉的時刻；我們竟然需要通過他人的肯定，才能確定自身的認同。

曾幾何時，曾經是蘊涵濃厚鄉土色澤、令人感動的語彙和意象，比方說，「蕃薯」、「土地」、「台灣米」、「台灣水」、「斗笠」等等，現在也變成喪失生命力、缺乏實質意含的乾燥圖騰，甚至祇是廣告文案、競選文宣中的一種意義空洞的符碼。解嚴後的歷次大型選舉中，在族群菁英嘶聲吶喊、賣力帶動唱下，台灣人的「出頭天情結」（triumphalism）延燒到最高點；在一片旗海飄揚、鑼鼓喧天所營造的氛圍中，台灣人似乎「翻身」了。但是，選舉過後，曲終人散，除了族群間裂痕加大、族群菁英眞正翻身之外，台灣人還是一如往昔，回到原有的生活世界，繼續忍受黑金政治、荒誕的公共工程和政策、惡化的生活品質……，一種解嚴後的政治無力感在台灣民衆之間蔓延。

然而，台灣人的反抗精神並不會消失，政治有力感的要求也不曾斷過，比方說，持續不斷的社區運動，像高雄美濃鎮的反興建水庫、桃園觀音鄉的反污染，又如民衆在傳播媒介的call in 或報刊民意論壇的發聲，也都在某種程度上反映了一般大衆改變當前處境的期盼。這樣的反抗精神是筆者在現實上所關切的，也是本文討論的主題。

在本文的脈絡中，反抗精神指涉的意含是，台灣的住民對於不同時期的統治者或體制的某種反叛、抗爭精神、或對抗力量，進而尋求自我的定位或/和未來的出路。這股力量在歷史的進程中，基於不同的目的，而作不同的訴求，因此在各個歷史階段所外顯的面貌不盡相同，甚至於彼此頡頏、混同、輻合（convergence）、乃至決裂，尤其八〇年代以降，它的形態更是多元；例如，它可以是橫跨「統/獨」的反對運動，也可以是跨越「族國」（nation-state），藉由「非國家中心主義」的方式與國家機器鬥爭，或者說，「與體制玩遊戲」（陳光興，一九九四：二〇九—一〇）。換言之，這種反叛、抗爭精神、或對抗力量，自一六五二年郭懷一揭竿而起反抗荷蘭人經濟剝削以來，便逐步根植於台灣的歷史土壤中。本文以歷史的向度，考察反抗精神在不同階段性質上的變化，以及其所依據的主張或理念的分殊情形；一旦，我們將時間的斷限拉長，便可以看到一種趨勢，亦即反抗精神在複雜的因素驅動下，在意識層次上逐漸從單純的生存意識，上綱到晚近的國家認同。

一般說來，「民族」和/或「民族主義」、「統/獨」之類的「終極立場」或許與本文所探討的主題有密切關聯，也常常是隱藏在當前部分台灣史論述底蘊的幽靈。但這類的語彙或主張，皆含有濃厚的政治意含，而非分析性概念。這不是本文的參考架構。筆者運用反抗精神作爲分析視角，檢視這股力量在台灣歷史上的賡續和變動，除了強調歷史向度的重要性之外，主要是爲了避開「民族」和/或「民族主義」在概念上的含混（ambiguous），以免治絲益棼，同時也是爲了避開「統/獨」這一僵化的二元思考架構。①

儘管各種類型的民族主義彼此間容或有差異，但除了強調種性血緣的那一次類型之外，其他類型多少都承認「民族」是後天人爲建構的產物。例如，對安德森（Anderson, 1991）而言，所有「民族」都是被想像出來的，是一種被想像出來的政治共同體。英國馬克思主義史家霍布斯邦（一九九七：一四）的研究也指出，「民族主義早於民族的建立。並不是民族創造了國家和民族丰義，而是國家和民族主義

① 對於台灣未來的走向和出路，藉助「統/獨」這一僵化的二元架構思考，其實很容易陷入某些思維的盲點。例如，歷史學者黃俊傑在一篇文章中，便從歷史意識的角度，分析「急統」與「急獨」的盲點，同時也主張從「歷史的/人民的」立場出發，跳出「統一/獨立」的二分格局，在時間的變遷之中，掌握解決問題的契機，參見黃俊傑（一九九四：一—二八）。另外，政治學者江宜樺則是將政治性的統獨爭議轉化成哲學性的國家認同問題，以此來反省目前困境的性質，以及發現減緩社會衝突的可能，參見江宜樺（一九九八：一六三—二二九）。這些研究取向或許是比較值得嘗試的思維途徑。

創造了民族」。此外，文化人類學者葛茲（Geertz 1973：240）也說：「民族主義製造了國家，而國家製造了民族」。因而我們不能祇從政治的宣傳家聲稱他們是在為「民族」奮鬥，就假設說該「民族」的人們已認定他們屬於同一民族：

民族主義代言人的出現，並非不重要，而是因為「民族」的概念到今天，以被濫用到足以混淆是非，不具任何嚴肅意義的程度。……「民族」乃是透過民族主義想像得來的產物，因此，我們可以藉著民族主義來預想「民族」存在的各種情況；但是，眞實的「民族」卻祇能視為既定的後設產物。（霍布斯邦，一九九七：一二—一三）

霍布斯邦（一九九七：一六—七）曾引述雷南（Ernest Renan）的名言：「誤讀歷史，是民族建立的必經過程。」這也是台灣的族群民族主義者正在戮力從事的要務，因為那是國族打造工程的一個重要環節。然而，霍氏也緊接著指出，「避免誤解歷史，卻是史家的專業責任所在，或者，至少得極力避免誤讀歷史。」這也是筆者避開「民族」和/或「民族主義」、「統/獨」之類的「終極立場」、避開作一種目的論式的回溯性詮釋之主因。

台灣歷史中的反抗精神是在台灣社會的發展與內在矛盾中產生的，我們就意識層面作內在理路的考察，便會發現，隨著歷史情境的變動，在不同階段其思想特質與現實關懷這兩者之間，有連續與不連續之處。由於本文所跨越的時間縱深較長，以這麼有限的篇幅要處理如此長的歷史，不免掛一漏萬，因此在討論過程中所著重的部分勢必帶有選擇性，但筆者選擇的討論重點是有某些現實目的，亦即，凸顯某些值得爭議的歷史議題其背後的預設，諸如歷史解釋、參照架構、與個人在政治上的「終極立場」之間的關連性。

一如英國後現代史家詹京斯（Keith Jenkins）所言，歷史書寫不可避免帶有以現在為中心的（present-centered）特質，而歷史論述的形塑也與相應的知識/權力之光譜密不可分（詹京斯，一九九六、一九九九），然而，在此一認知下，通過反觀性（reflexive）的思考，則有助於我們釐清過去與現在的連續與不連續之處，以及當前的處境和未來可能的走向。

一、移墾新天地與生存意識

台灣是一多族群的移墾社會，自開發肇始，由於各地區的人文和地理條件有別，彼此間有些差異性，而且開始開發與開發完成的時間亦不盡相同，而有所謂的「區域性」和「時差性」，然而隨著漢族不斷的移墾，台灣逐漸由原住民漁獵粗耕社會轉變為支配性的漢人社會（尹章義，一九八九，《序》）。除了此一漢人農墾精神之外，台灣島嶼的海洋特色亦影響著台灣歷史的開展。在重商主義的抬頭下，歐洲的西班牙人（一六二六—一六四二）與荷蘭人（一六二四—一六六一）皆曾佔領過台灣。

西班牙人曾一度領有台灣北部的基隆和淡水，而與據有南台灣荷蘭人形成南北對峙的局面，唯一六四二年遭荷蘭人驅離，結束了短暫的佔領。這段歷史經驗對台灣日後的發展雖有某些影響，但與本文關切的主題相關性不大，因此不擬多談。荷據時期的台灣，就本文所關切的主題而言，值得一提的是「郭懷一事件」。一六五二年因荷蘭人的經濟剝削而爆發了以郭懷一為首的武裝抗爭行動，該事件於郭懷一戰死而終告一段落，然其重要性則不在於有無具體結果，而在於我們可視爲，日後台灣島上被統治者向統治者的不合理對待，挺身抗爭的一個先導。這種抗爭舉措即本文所說的反抗精神的某種表徵。就其性質而論，此時的最大特色是一種生存意識。

台灣原係移墾社會，漢人入台的主因不外乎是經濟因素考量或爲避開戰禍。在台灣的歷史中，漢族基於政治性因素，大規模遷移到台灣的情況則有兩次：一是明末清初之際鄭成功及其軍民的渡台；另一是則國共內戰潰敗的國民黨政權與伴隨而來的外省籍軍民。鄭氏政權（一六六一—一六八三）歷經鄭成功、鄭經、鄭克塽三代的統治而告終結。就其政權的基礎而言，鄭氏統合兩方的力量爲一體，一是維護海上利益的勢力，另一則是懷有「華夷之辨」思想、保衛故國江山的士紳階層勢力，而成爲反清復明的盟主，同時也是一海上王國（曹永和，一九九六：一二六—八）。職是之故，與滿清之間的交戰便帶有雙重性目標：也即，「尊王攘夷」和保衛海上利益。②鄭氏的力量原本即是統合士紳階層和諸多海上貿易集團而成，然由於領導人的更迭，每每衍生了不少紛爭，鄭經於一六八一年去世後，十二歲的鄭克塽在政爭後即位，統治階層內部的凝聚力已趨於渙散。再者，鄭經與清軍之間的戰爭，民衆怨聲載道，這一點更可以說明這一現象：清軍於一六八三年的澎湖海戰擊敗鄭氏水師後登陸台灣，而未遭受台灣的

② Ralph C. Croizier（1977）對於鄭成功與南明皇室的互動關係、渡台的意義，在清朝、日本、民國、戰後海峽兩岸的歷史地位，以及神格化的過程也有詳細的討論。另外，對於鄭成功與施琅的評價所作的史學史考察，參見陳芳明（一九九六：一三五—五五）。

漢族太大的抵抗。這顯示出被統治者面對當時的政權更迭，主要的心態是視此爲傳統的改朝換代，此間容或有「華夷之防」的觀念，但對於處在濃厚移民性格社會中的被統治者而言，生存意識應是重於華夷之辨，這種情形在滿淸時代尤其明顯。

康熙二十三年（一六八四），在施琅等人的建議下，淸廷在台灣設置了一府（台灣府）三縣（台灣、諸羅、鳳山），自此台灣正式納編進大淸帝國的版圖。此後至一八九五年台灣割讓日本爲止，台灣島上漢族總數從十二萬增加至二百八十萬左右，而增加的原因主要有二，一是人口自然成長，一是移民（台灣省文獻委員會編，一九六四：一六一）。這段期間漢族不論在文化、社會、或人口都已變成了台灣的支配性族群。③

滿淸時期台灣島上發生很多次變亂，但其屬性終究不脫自立爲王的格局，有濃厚的結黨反叛的意味，也有求生存的反抗精神在其中。再者，就當時普遍使用的詞彙觀之，諸如「唐山」、「唐山人」，其所指涉的對象是大陸和大陸人，但「台人」或「台民」的稱呼大多祇見於官方文獻，且在用法上也不具有相對／區分於前者的意含（黃昭堂，一九九六：八七）；換言之，「台人」或「台民」並非被統治者的自我指涉詞語，也不具備共同認知或意識，亦即，當時並不存在所謂的「台灣人意識」。這一點從「分類械鬥」更可淸楚看出。

③ 有關淸代台灣社會「內地化」（一如李國祁所言）和「土著化」（一如陳其南、李亦園等人所言）之間的論爭，參見陳孔立（一九九〇：三一—五九）。

十八世紀末以降，台灣長期存在的社會現象即是分類械鬥，這一現象與台灣社會自然成長中帶來的閩、粵仇視，加上官方不思考如何解決問題，反而人爲地助長雙方仇視有關，同時也與田土、水利、地租等經濟因素有關，但即使如此，許多民變會引起分類械鬥，而卻少看見分類械鬥引起的民變（林偉盛，一九九六；許達然，一九九六），這說明了當時族群間原本便存有語言、習俗、生活習慣等差異，然而，在凝聚族群內部的團結、利害的衝突、和生存意識的驅動下，普遍存在強烈的我群意識（We-consciousness），而非帶有普遍意含的台灣意識。十九世紀中葉之後，械鬥的情形漸趨和緩，但彼此間的合作仍舊困難，直到日據時期，漳州人與泉州人之間因語言類似而逐漸消弭了彼此的分歧，然福佬人與客家人之間的隔閡與歧見，卻仍殘留至今日。

最後，我們對「台灣民主國」的狀況略作討論。有關「台灣民主國」的成立，在台灣史上既是滿清統治的尾聲，也是中國近代史上的一段饒富趣味的插曲（Harry J. Lamley, 1980）。④「無論鄭王朝以及朱一貴之王朝，或是林爽文、戴萬生之叛亂，都有強烈的反清色彩，但台灣民主國卻幾乎無反清色彩，毋寧有傾向於清朝的態度。」（黃昭堂，一九九三：二二八）此外，「台灣民主國」成立的前後，依清朝官僚和台灣民衆的動向觀之，「台灣民主國」之所以成立，與其說是台灣抗日運動的開端，不如說是中日馬關議和交涉的延長，尤其是三國干涉還遼事件的尾閩（吳密察，一九九六：四二）。換句話

④ 有關「台灣民主國」的狀況，詳細的討論，參見黃昭堂（一九九三）。

說，當初「台灣民主國」之所以成立，主要是打算從日本手中取回台灣的外交設計，希望藉以引入第三國插手干涉台灣問題，迫使日本放棄佔領台灣。然而，此一努力並不順利，遼東的問題之背後有俄國與日本之間的矛盾，與台灣的情況並不相同，而且日本的態度極爲強硬，甚至已派遣了治台官吏和駐台的軍隊，因而此一外交設計，終歸於失敗，此後抗拒日本佔領台灣的工作，便落在台灣民衆的身上。

綜而言之，通過上述縱觀的考察，自郭懷一以武裝力量對抗荷蘭人的經濟剝削，到日據時代初期台灣民衆的武裝抗暴，有兩點値得進一步指出。其一，這段時期的反抗精神其特色乃是濃厚的生存意識，被統治者面對不合理對待與剝削時，往往起身與之對抗，然日據初期台灣民衆的武裝抗暴，則跟先前的性質略有轉變，其主要的現實目的雖爲保鄉衛土，但在抗暴過程中則激發出原本隱伏不彰的近代民族意識；而此一民族意識則是漢族意識。其二，當時並不存在今日所謂的「台灣意識」，雖說我群意識普遍存在，然而，在台灣島上所謂的「台灣人」尚未「誕生」，祇有漳州人、泉州人、客家人……等等；易言之，以「台灣人」做爲共同認知或觀念的條件尙不完備，我們由事後之明觀之，台灣意識的形成，還有待日據時期的醞釀和發展才完成。

二、「祖國意識」、台灣意識、與認同的撕裂

日據初期，相應於日本人殘酷的武力鎭壓手段，台灣民衆的武裝抗暴行動亦爲激烈（翁佳音，一九八六），然而，在勢不可爲的情況下，一九一五年西來庵事件之後，武裝的抗暴行動終告一段落，而易

之以其他和平形式的手段，來賡續反抗精神，找尋未來可能的出路，例如，爭取更大自主權的政治行動，像是《六三法案》撤廢運動（蔡培火等，一九七一：六七－七〇）、台灣議會設置請願運動（周婉窈，一九八九）、籌組台灣民衆黨；成立「台灣文化協會」以作爲喚醒民衆的啓蒙組織（張炎憲，一九九六：一三一－五九；王詩琅譯，一九八八：二四九－三二一）……等等。日據時期這五十一年中，台灣民衆面對異族高壓統治的蹂躪下，原有的反抗精神在各種因素的拉扯下，在意識層面上有著明顯的發展與變化，其中「祖國意識」與台灣意識的形成，尤其對戰後台灣的發展有重大的影響。

明清以降自福建、廣東等地移墾台灣而成爲住民主體的漢人，在他們的心目中中國大陸原本即具有「原鄉」的地位。一八九五年日本人統治台灣之後，台灣民衆的「祖國意識」日趨強烈，這當中涉及到複雜的歷史因素，然深究其原由有二（黃俊傑，一九九七：三六－四二）：一爲政治因素，此乃日本殖民統治下民族意識高漲的結果；另一爲文化因素，而這是台灣民衆的漢文化認同所激發的歷史文化意識。前者係外部因素，而後者則是內在因素。

先就政治因素論之。例如，當時的知識份子葉榮鐘在回憶年幼時經長輩口中所獲得的中國印象，以及受到日本人的歧視所觸動的感受時，他（葉榮鐘，一九七七：二四）說道：

……我們的祖國觀念和民族意識，無寧說是由日人歧視（當時叫做差別待遇）與欺凌壓迫激發出來的。他們的歧視使台人明白所謂一視同仁的同化主義，完全是騙人的謊言，他們的欺凌壓迫，使我們對祖國發生強烈的向心力，正像小孩被人欺負時會自然而然地哭叫母親一樣。

日人千方百計，想把台人同化，其實眞正同化，變成十足的日本人，他們也未必一定喜歡。他們只

是要台人忘卻祖國，而做比他們所謂「母國人」次一等的殖民就是了。他們政府的政策和個人的行為完全背道而馳，但是他們的歧視和侮辱，無異給台人的祖國觀念和民族意識的幼苗，灌輸最有效的肥料一樣，使它滋長茁壯而至於不可動搖。

日本人的壓迫力道愈大，孺慕祖國的情感也就愈深刻。葉榮鐘（一九七七：二一二—三）認為，日本人在統治期間如能落實所謂的「一視同仁」政策，不歧視、不欺凌，則台灣民眾的民族意識容或不至於昂揚；語言、文字、風俗、傳統、乃至歷史文化雖為民族的紐帶，然被統治者與統治者之間是否利害一致、機會均等，尤為關鍵。顯然，不平等待遇是民族意識的重要催化劑。

再就文化因素論之。我們舉台南鹽水的文人、醫生吳新榮為長女和次子命名作例子。一九三五年七月十一日，吳新榮（一九八一：一九）至保甲事務所為長女申報名字，取名「朱里」，他說道：「朱里的意義是無出典的，也無出俗的，是純然的固有名詞就可以了。而卻強定義化者，即『朱化佳里』。因朱色是我漢民族最愛之色，最貴之色，如明朝的國姓也是『朱』啦。」一九三七年三月十七日，他（一九八一：四七）取次子名為「南河」，更是自陳此一「命名的主旨是有民族的傳統，有歷史的使命」，因為：

……黃河是大陸文化的起源，淡水河是台灣文化的入口，台南昔時也有「南河」，這也是台灣文化的泉源；而且中原有南江北河，所以欲現實屹立新文化於南方，故名曰「南河」。

在其他地方，吳新榮（一九八一：九八）也談到，「結婚與造墓是人生兩大事，也是漢民族牢不可破的觀念」。這都清楚地表達對於中原文化和傳統的認同。質言之，「祖國意識」的形成，可說是以種族和文化認同作根柢，在外部政治因素不斷的催化下，逐漸凝聚而強化。

「祖國意識」在異族殖民統治下因而強化，類似地，台灣意識也在反抗精神的驅策下，於對抗異族的過程中形成，但不同的是，台灣意識的形塑尚需相關的條件配合；其中，近代標準時間在台灣社會的建立、「國語」政策的推行、交通網絡的擴張、戰爭後期的複式社會動員等外部因素尤其重要。⑤

其一，新的時間制度得以生根，必待此一社會產生某種變化，培育出足以容納該新事物的環境；易言之，改變人們計量時間的習慣，需要一整套制度與生活作息的變遷方有可能。時間的標準化意謂著，人們克服了空間上的阻隔而以一致的單位，估量人與社會的作息步調。其二，就學校教育觀之，一九二〇年時祇有四分之一的學齡兒童進入學校體制，但至一九四三年時就學率已達百分之七十一點三；搭配作為皇民化運動社會教育一環的「國語」教育（周婉窈，一九九六：一六九—七五；吳文星，一九九二：第六章），對於日語的普及亦有推波助瀾之效，直至一九四三年，全島能操日語的人口已超過百分之八十。此一共同語言雖是殖民者語言，但對化解各族群間因語言帶來的隔閡卻有一定的作用。其三，一九〇八年縱貫鐵路全面通車後，成為整個鐵路系統的軸心，輔以私營鐵路和手押軌道的鋪設，在西部平原形成緊密的交通網絡。此一鐵路網絡大大縮短全島的旅行時間、影響人們的生活作息，也對人際間的互動關係產生變化。最後，戰爭晚期，不光是一般平民，即使社會的領導階層亦被動員投入勞動工

---

⑤ 有關上述台灣民眾的社會生活，詳細的討論，參見呂紹理（一九九八），尤其是第三章—第五章。

作。在此一集體動員的過程中，被統治者被殖民政府整合進一種標準化、齊一化的生活節奏裡，形塑出一種新的生活秩序和「團體社會」生活（林繼文，一九九六）。

上述的這些因素，使得台灣的民衆在彼此間產生了一種以台灣爲共同的時空、休戚與共的整體感，此乃台灣意識形成的重要外在條件，也得以部分解釋三〇年代初期，台灣文學整體概念及本土論的形成（施淑，一九九八；林瑞明，一九九六a：五五—八），或台灣主體意識的萌芽（游勝冠，一九九六：四〇—七八）之外部因素。有了台灣意識，所謂的「台灣人」才得以「誕生」。⑥

以下我們再就台灣意識中的「台灣中心思維」這一特色略作說明。例如，一九四一年八月十日，吳新榮（一九八一：一一二）曾在日記中寫道：

一個人在書房中，無所事事望南壁的地圖。終於理清思緒，完成「台灣中心説」思考：
一、台灣爲東南亞最中心地，故可稱地理上的聖地。
二、台灣之東爲世界最大洋即太平洋，西爲世界最大大陸即亞細亞洲。
三、北迴歸線横斷中部，北爲溫帶，南爲熱帶。
四、越東海，北控日本列島；越南海，南控南洋群島。

⑥ 關於台灣意識的形成與發展，另可參見尹章義（一九九四：三六三—八七）的闡述。然該文似乎傾向認定，儘管台灣意識的提法甚爲普遍，但「『台灣意識』尚未成爲台灣居民的集體意識卻相當清楚」，參見尹章義（一九九四：三八四）。

五、日本列島之北，朝鮮半島爲大陸之左手；南洋群島之西，中南半島爲大陸之右手。
六、朝鮮之北，接臨滿洲、蒙古；越南之西，接臨泰國、緬甸。
七、滿洲之北，爲世界未開發之地西伯利亞；緬甸之西，爲世界寶庫印度。
八、若說山東半島與海南島是中國大陸的兩耳，則台灣正是鼻子。鼻子爲臉部之中心。
九、於此聖地，南北有新舊兩都兩地；又東半爲山地，西半爲平野。
十、他日新高港完成，則爲東亞最大港；台中可成東亞最大都市。⑦

我們再舉一例。作家、文學批評家葉石濤曾描述，他在戰後初期接觸馬克思主義唯物史觀的過程時，曾與台共的成員（一九五二年葉氏被捕後才得知對方的身份）有過互動，以及嗣後因理念差異而分道揚鑣。葉氏指出，他們之間的主要思想歧異處在於，他並不贊成對方將台灣的未來命運全部賭在唐山中共的革命成就上。葉石濤（一九九一：九四）認爲：

台灣的特殊歷史構造已經造就的台灣意識，必須優先考慮。台灣走上社會主義改革之途，也許可以導致一部分不公不義現象的剷除，但不一定會增加全體台灣民眾的福祉；台灣必須考慮獨立自主也是可能的一條途徑。

這類的「台灣中心論」可說是今日以台灣爲中心的世界觀、強調台灣主體性之雛型，但與今日族群

⑦ 吳新榮（一九八九：一四四—七）日後的回憶錄對此有更進一步的說明，他根據地文和經濟描繪了一幅「世界再分圖」。

民族主義者所說的「台灣中心論」，實際上還是有若干區別。前述吳新榮的「台灣中心說」與其日後回憶錄所述的「世界再分圖」（吳新榮，一九八九：一四四）合併觀之，我們可以清楚看出，此說是納入中國這一範疇的一部分。而葉石濤所言的「台灣必須考慮獨立自主」，亦是開放性的提法，不必然導向某一特定政治立場，因其關切的重點在於如何「增加全體台灣民衆的福祉」。

對於上述的「祖國意識」和台灣意識這兩者，尚有幾點需要進一步加以說明。首先，這兩者的共同點皆是台灣人在對抗日本殖民統治的過程中，逐漸形塑而成的意識，而且具有濃厚漢族中心的特色，但與現在所言之中華民族主義或台灣民族主義不類，充其量，祇是霍布斯邦所說的原型民族主義（proto-nationalism），而非民族主義本身（霍布斯邦，一九九七：第二章）。純就功能而言，前者是對抗異族的一種心靈寄託；後者則是現實行動上的一股重要推動力量，除了在政治層面要求更大的自主空間，也帶有「本土意識」（nativism）⑧的性質。其次，台灣意識亦包涵了「祖國意識」，在文化、歷史、與血緣等層面的認同尤其明顯，而非排斥。唯「祖國意識」的強弱程度在每個個人身上不盡相同，其分佈可以從在原鄉呼喚下前往中國投入抗日工作，到維持日常生活中的漢文化傳統；也跟不同階段和個人際

⑧ 「本土意識」在此是指，一種維護原有秩序、對於異族統治的反抗意識，一種對於鄉土的認同，以及台灣的事務應由台灣人來管理之意念；其與國家認同沒有太大牽扯。

遇有直接關係。⑨第三，日據時期知識份子所言的「台灣是台灣人的台灣」這種以台灣爲中心的思維，與當今滿天價響的台灣人「出頭天情結」（triumphalism）之意含並不相同，而是在當時的政治體制中爭取更大的自主權，而非否認「祖國意識」的主張。

綜上所述，要特別指出的是，依當時的歷史脈絡觀之，「祖國意識」和台灣意識雖與國家認同有一定關連，但兩者並非國家認同分歧的根據和來源。

另一方面，日本的殖民政權也不斷通過同化政策這種向心力的操作，也即皇民化運動，來削弱台灣人的反抗力量（周婉窈，一九九六）。擺開趨炎附勢的御用士紳不談，此一措施確實也達到一定的效果，舉例而言，即使是在被譽爲「左翼詩學的旗手」的吳新榮身上（陳芳明，一九九八a：一七一—九八），亦可看到殖民政策下的明顯影響。

中日戰爭第一年的十二月十九日，接近中午時分，吳新榮（一九八一：五五）送別了出征的台灣軍夫，他在日記裡寫下的感想是，「台灣人此時完全分擔了兵役啦，總是這歷史的變動期，台灣人也參加歷史行動是極其當然的」。這一歷史行動當然不是抗日戰爭，而是大東亞戰爭。隔年一月三日起，吳新

⑨ 例如，文學家吳濁流（一九七七、一九八八、一九八九）的日本經驗和中國經驗，使他深刻體驗到在巨大的時代裡，身處殖民地的台灣人在心靈上的原鄉失落，和拋卻不去的「亞細亞的孤兒」的自我形象，以及國族認同與文化認同的喪失，導致個人的身份之混亂。詳細的分析，參見陳芳明（一九九八a：二四三—六一）；施正鋒（一九九八：七一—一〇八）；林釗誠（一九七八）；陳映眞（一九七七）。

榮（一九八一：五九）改以日文撰寫日記，他寫道：「回顧十多年來，日本國的膨脹，意味著日本語的氾濫。我一個小小個人的古城塞，當然不可能防禦他的氾濫。正同我的日常生活使用日語一樣，我的日記也用日文是極爲自然的事。」

除了語言和文字之外，殖民者的文化也滲透入日常生活的其他領域。我們再看一段吳新榮（一九八一：六二—三）在日記中對日常生活的描述：

> 我們每天作完了工作，就脫下了西裝與皮鞋，換上和服和木屐，半天過和服的生活；吃醃蘿蔔、味素湯、生魚片、日式火鍋。又以家中設他他米寢室爲榮。而後以日本話談話，用日文寫作，最後以日本式的方法來思考。一切只爲了方便。「方便」與「必要」成爲同化的不可缺條件。我們是被方便與必要所迫，而被同化的台灣人。任何人都認爲我們是日本人。

他因而推斷，「大和民族形成以前的日本人，也是如此吧。」

對於改姓氏一事，吳新榮（一九八一：一五四）並未曾抵拒，反而認爲，「我們創新姓，以新民之姿創建天地，亦屬當然之事」。到了一九四四年九月一日，美軍再度利用明月之夜轟炸台灣，吳新榮（一九八一：一六二）憤然罵道：「明月可憎，敵機更可恨」。戰爭最後一年的二月六日，他（一九八一：一七一）得知美軍已突破馬尼拉市之一角，對此他在日記中寫道：「菲律賓一旦被奪取，則台灣命運亦可知。吾人非固守台灣聖土不可，以免遺患子孫。」至此他在政治上的認同我們已可思過半矣。吳新榮並非諸如陳火泉之類（林瑞明，一九九六b）寫些歌詠皇民化運動的作家，然而，通過他的心路歷程，我們可以清楚看出殖民者文化的烙印和被殖民者的認同轉向。

然而，我們也同時看到，吳新榮為長女和次子命名時，對於「民族的傳統」和「歷史的使命」的強調，也說道「結婚與造墓是人生兩大事，也是漢民族牢不可破的觀念」這類對漢民族文化的認同，在吳新榮身上我們清楚地看到，日據時期台灣的知識份子在認同上的撕裂。

日據時期這段殖民統治的歲月，既強化台灣人的「祖國意識」，也形塑出台灣意識，但在殖民政府向心力的操作下，日本文化確實在某種程度滲透入台灣人的意識之中。一方面，當時台灣社會雖以漢文化為主體，然而，在兩岸分屬不同政權統治這一現實下，絕大部分的台灣人成為打造中華民族主義⑩歷程中的缺席者。另一方面，台灣人身處異族統治的殖民社會，在身份的認同上呈現不穩定的狀態，而此一特殊的歷史經驗對台灣人的心靈有著深遠的影響，最明顯的特徵便是認同上的流動特質。此一特色雙重性有之，含混錯亂有之，甚至於是肉體與精神的自我流放。這些情況在文人的作品裡顯現得尤其清晰，除了上述吳新榮的例子之外，比方說，原籍福建廈門、台灣長老會家族領袖李春生，其國家認同所呈現的二元性及其間的互動關係（黃俊傑、古偉瀛，一九九四）、青年葉石濤在殖民主義與民族主義的泥沼中徬徨和困惑（陳芳明，一九九八a：二六五—八五；林瑞明，一九九六c）、著名的文學家吳濁流的精神流亡和孤兒意識（陳芳明，一九九八a：二四三—六一；施正鋒，一九九八：七一—一〇八；林釗誠，一九七八；陳映眞，一九七七）、或者作家巫永福含混、歧異的國家觀與民族觀（陳芳明，一

⑩ 孫中山在清末民初建構出中華民族主義之後，此一提法尤因對日抗戰而獲得進一步強化。有關中國人的「國家」觀及其今昔之變化，參見朱浤源（一九九四）、陳儀深（一九九四）、陳其南（一九九四）。

九九八a：一二一—四〇；施正鋒，一九九八：一〇九—三五），都是明顯的典型。誠如歷史學者黃俊傑（一九九四：六—七）所言：

> 台灣的知識份子對中原文化理想上的認同是抽象的，而一涉及政治到具體而現實層面上的政權，就會在「抽象的」與「具體的」之間造成落差，甚至互相矛盾。這種落差或矛盾，正是台灣知識份子痛苦的重要根源之一。

這種認同上的撕裂所帶來的痛苦，乃長期澱積而成，由於歷史的偶然與必然，因而懸而未決，但此一歷史課題和認同問題，終究還是繼續不斷地折磨著戰後的台灣人。

三、褪色的祖國夢——「山河雖復旦，依舊淚綿綿」

二次大戰結束，日本投降。一九四五年十月二十五日國民政府正式接收台灣，宣佈台灣光復。面對此一結果，吳濁流在《無花果》（一九八八：一六三）裡對於戰後初期台灣民間的反應，有一詳實的描述：

> 這期間，在各街市積極而順利地組織了「歡迎國民政府籌備會」。自台北各都市以及鄉下的各街巷，都設了歡迎用的美麗的光復的彩門。每家每戶都掛上有關光復的門聯、橫彩、紅燈，期待著國軍的光臨。那戰時的黑暗影子被一掃而光，充溢著一片明朗的新氣氛。

此際，政治、文化活動又熱絡起來，台灣重回祖國的懷抱，精神的原鄉與現實的父祖之國得以統一，認同上的落差或矛盾得以消弭，這種內心的激動自然不言而喻。然而，在台灣人洋溢於一片明朗的新氣氛的同時，認同上的黑暗影子卻未被一掃而光；歷經戰後初期的劫收經驗，台灣人逐漸由失望轉爲絕望，現實無情地粉碎了原鄉之夢，越來越多的人開始自我質疑這就是祖國的眞正面貌乎？葉榮鐘（一九七七：二四）在回憶同時代人所經歷的心路歷程時，說道：

……像我這樣在日本據台以後出生的人，對於祖國只有漠然的觀念，因爲它是手摸不到、腳踏不著的存在，沒有切實的感覺。所以我們的內心深處常有一種期待，期待有朝一日能夠觸到祖國的實體。

他未曾踏上祖國的土地，也未曾親睹過祖國的江河，大陸上亦無親族，除了文字歷史與傳統文化的聯繫之外，對葉榮鐘（一九八五：二八九）而言，「祖國只是觀念的產物而沒有經驗的實感」。這一觀點，我們也可以在吳濁流（一九八九：四〇）的作品中得到佐證，他回憶當時台灣人對祖國的孺慕情感時，說道：

眼不能見的祖國愛，固然只是觀念，但卻是非常微妙，經常像引力一樣吸引著我的心。正如離開了父母的孤兒思慕並不認識的父母一樣，那父母是怎樣的父母，是不去計較的。只是以懷念的心情愛慕著，而自以爲只要在父母膝下便能過溫暖的生活。以一種近似本能的感情，愛戀著祖國，思慕著祖國。

這種對於祖國一種近似本能的感情，固然非常微妙地吸引著他，但終究是觀念；孤兒以懷念的心情愛慕著不認識的父母，是因爲自以爲只要在父母膝下便能過溫暖的生活，所以那父母是怎樣的父母，是毋庸計較的，但到頭來，孤兒與不認識的父母團聚，才發現他所思慕的景象與現實的狀況有如此大差距，內心的衝擊可想而知。對於這種「台灣人的感情逐漸推移變化」，台灣教育家、延平中學創辦人朱昭陽（一九九四：一〇〇）作了以下的描述：

或許是台灣人太過純真，把「祖國」夢編織得太過瑰麗，也或許是台灣人離家太久，對「祖國」完全無知，求治心切，期許太殷，等到「祖國」的眞面目一張張揭開以後，熱潮漸漸消退了，高溫慢慢冷卻了，終於由沸點滑落到冰點，由希望變成絕望。

以上所述，主要是針對政治層面上現實與理想的落差所帶來的失落感，然而，現實與理想的撕裂所造成的認知困惑也浮現在台灣人的心靈，進而開始對中國的歷史、文化作了再評價，以及對自身的世界觀重新調整。例如，依葉石濤的體驗，日據時期的生活環境裡，台灣的社會仍保留許多漢人傳統文化，不乏接觸漢文的機會，因而突破語言障礙，學習怎樣書寫白話文，對他而言並不是太困難；最大的困難在於了解中國幾千年的政治、經濟、社會制度的演變。葉石濤（一九九一：九二）在回想戰後初期的心境時，說道：

以前台灣人是把唐山的歷史當作「東洋史」的一部分去了解的，現在卻要把唐山的一切當作自家的歷史去認知，這觀點的激烈轉變，心境一時也無法適應過來。

這五十年的分隔，台灣與中國不僅走著不同的歷史道路，兩者的政治、經濟的發展亦有明顯的差異。理想與現實之間的矛盾和衝突，在台灣的知識份子心中畫了一個又一個的問號。例如，林宗義向父親問道：「我們一直以爲中國人和我們是一家人，同種族、同文化，但是，他們的所作所爲所計謀，卻又超出我們常識所能理解。他們為什麼對我們這麼壞？」對於兒子的疑惑，台灣第一位留美博士林茂生的解釋（胡慧玲，一九九五：一四—五）是：

這個問題有兩種可能：第一種可能是，過去我們對眞正的漢民族、漢文化認識不足，因之，對他們實際的所作所爲，無法接受。一則是台灣與大陸隔離太久，有形無形的距離太大；再則是被日本統治五十年，受日本故意扭曲和蓄意離間；三則是相互隔絕的幾十年來，彼此走不同的歷史的路，政治、經濟的發展，背道而馳。我們以前隔著時空的距離，在自己的腦海中，或在中國的經典的古籍中，想像漢民族和漢文化，和現實中眞正的漢民族、漢文化，完全是兩回事。無論如何，我和其他台灣的知識份子，很難了解唐山人的原則、作風和方式，這個困擾越來越大。……唐山人的種種作爲，使我幾乎要抱頭痛哭。這種人是我們的同族嗎？果眞是同族，未免太令人悲痛了。第二種可能是，我想起黑格爾的辯證法——量變引起質變；或許，這個公理可以解釋唐山人的人生哲學和政治哲學。換言之，就是「漢民族是不是變質了？」

事實上，林茂生父子的困惑和失望，顯然並非杞人憂天，即使身處中國大陸的觀察家對台灣情勢的看法，亦可印證當時台灣知識份子的焦慮。比方說，一九四六年三月中旬，北平的《民主週刊》對於大陸接管台灣的人員的「征服者」態度，即表達了憂慮的情緒：⑪

---

⑪ 以下二例皆轉引自李筱峰（一九九六b：二八八—九）。

……接收人員那種耀武揚威的戰勝者姿態，和一個侵占者在別人的土地有什麼兩樣呢？他們似乎忘記了台灣是自己的土地，那裡的人民是自己的同胞，他們已被日本剝削了五十年，現在該讓他們喘一口氣的時候。我眞擔心不久又要有類似北平「盼中央，望中央，中央來了更糟殃」的童謠呢！

此一預言不幸卻應驗了。隔年發生的二二八事件，香港的《青年知識》在當時的三月十六日也對這些「新征服者」作出了嚴厲的抨擊：

不幸得很，我們的「接收」官員們卻是群帶有強烈的掠奪性的親戚同鄉等關係結合成的封建集團，他們以「新征服者」的姿態出現，用元朝對待南人一樣的態度對待台灣同胞。他們又從內地帶來了「執法者違法」的精神，營私舞弊，刼收中飽，腐蝕台灣的政治經濟。同時更受獨裁和內戰的影響，徵糧徵兵，接二連三加重台灣同胞的負擔，台灣人員發覺到他們所歡迎的人，很快地便踐踏到他們的頭上，使他們透不過氣來，他們埋怨地說：「盟國對日本的懲罰，不過投落了兩顆原子彈，可是對台灣卻是來了群貪官污吏。」他們對於「新征服者」，正如農夫對於蝗蟲一樣的憎恨。

一八九五年日本的「接收」，台灣人所得到的是殖民地的「法治」，可是一九四五年中國的「接收」，台灣人卻又得到「無法無天」的統治，他們覺得前者比後者還要好，最低限度，還有法律根據，不致無所適從。這也是另一個顯然的對照。

現實終究是冷酷的，一如葉榮鐘所云：「祖國只是觀念的產物而沒有經驗的實感」，沒有經驗實感的「祖國意識」在戰後隨著祖國夢的褪色，一點一滴地煙消雲散。

日據時期所大力推動的皇民化運動，雖然未曾達到改造台灣人爲日本人的終極目標，台灣人的「中國性」卻因此多少減低了，尤以青少年爲然。戰後的台灣，可看成是台灣人對「中國性」的重新認識與適應的一段歷程（周婉窈，一九九六：一九一）。不幸的是，歷史並沒有給台灣太多的時間和機會，來思考和處理日本殖民五十一年所帶來的影響。台灣人這個階段的「低中國性」與新來的、集負面之「中國性」大成的陳儀政府之間的磨擦、格格不入，最終導致了二二八事件的悲劇，而成爲日後諸多紛擾的重要根源。

四、離心（centrifugal）力與向心（centripetal）力的拉扯

五〇年代以降至八〇年代中期，這段歷史的發展在某個層面上可說是賡續日據時期未竟之功。原本對抗日本殖民統治的反抗精神，在戰後面對國民黨的威權統治，仍舊是自由民主化的重要支柱；此間，台灣意識雖受到極度的打壓，然始終成爲一股伺機而起的伏流，綿延不絕；而日本殖民統治的這段五十一年的特殊經驗、二二八事件的陰影，卻也成爲日後形塑台灣發展與認同糾結的潛在歷史因子；讓日據時期知識份子困擾的認同問題，終究沒有解決，焦灼的不確定感如陰晴不定的天候，不知何時又要出現大雷雨。

內戰中潰敗的國民黨政權退居到台灣，然緊隨著韓戰的爆發，美國派遣第七艦隊防衛台灣，其目的一方面是防止中共侵犯台灣，另一方面也是爲了阻止國府反攻大陸，從而促使台灣海峽的局勢穩定，也即所謂的「台灣中立化」（黃昭堂，一九九六b：一一一－五八）。台灣開始扮演雙重性角色：其一，

台灣成爲美國在東亞冷戰體系中，圍堵赤色勢力擴張的島嶼鎖鏈之一部分（張忠棟，一九七六）；其二，國共內戰並未終了，台灣成爲國民黨政權反攻大陸的最後基地。這一歷史的偶然使得兩岸短暫的統一又再度的分離，大量因政治因素湧入的外省族群，成爲台灣住民的新成份，台灣自此又進入了歷史的另一新頁。

這些內外在的形勢變化，對台灣日後的發展至少產生了幾種重大的影響：首先，台灣與中國大陸長期分離、敵對，在傳播媒體與教育體系不斷灌輸、污名化對岸的情況下，社會大衆的心理普遍存有反共、恐共的傾向。其次，國共內戰的餘緒蔓延至台灣島上，國府在島內展開五〇、六〇年代大規模「清鄉」、「掃紅」的白色恐怖，肅清左翼思想（林書揚，一九九二）；影響所及，既淸除了有異議色彩的思想，也造成台灣原有的文化、進步思想之傳統浮現斷裂的現象。第三，通過戒嚴體制的羅網，阻絕外界的批判思潮（尤其是左翼思想）進入台灣社會，也長期壓抑著島內異議聲音的出現和批判現實問題的能力。第四，美國以強力的外交和國際承認、軍事協防、經濟援助等方式，穩定了退居到台灣的國民黨政權（張雅淑，一九九〇），並藉此進一步影響國府與台灣社會的各個層面，使得台灣的政治、社會、經濟、文化、學術、科技等等，成爲美國的附庸或中下游的一環，也形塑台灣社會習慣以美國觀點作爲世界觀。第五，國府爲了改善跌落谷底的國際形象，以爭取外國經濟上和外交上的援助，曾一度任用了部分自由開明派人士。美國勢力介入台灣海峽，固然促使台灣的安全和局勢趨於穩定，但卻也讓國府改革的必要性爲之降低，同時國民黨開始大幅進行內部的改造（李雲漢，一九九二；許福明，一九八六），以及自由開明派人士淡出權力核心，因而強人的威權體制漸次獲得鞏固和強化。此一體制直至八〇年代才有了重大的轉型。

這些錯綜複雜的因素，使得五〇年代以降，反抗精神的內涵和面貌較之以往有更多的變化，然通過黨外運動這一參照，則有助於我們了解戰後反抗精神的某些側面。當前最風行的歷史論述便是將這段時期的民主化運動，建構爲台灣族群民族主義，或者，民主進步黨主導的台獨運動的醞釀和發展期；但是，這種取向的歷史論述之所以選擇性地記憶或遺忘某些歷史片斷，顯然是有其現實的政治考量。⑫以下的討論爲避免流於龐雜，我們將沿著民主化與本土化這兩條主線，來對反抗精神略作考察。

戰後台灣的本土菁英在政治上與文化上的活動力雖曾一度躍動起來，然在二二八事件的餘悸及白色恐怖的威嚇下，本土菁英的活動力漸趨沉寂，尤其日據時期即遭鎮壓的左翼份子，更是受到進一步的整肅（林書揚，一九九二：一二五—四三），加上前述內外在形勢的變遷，以及國語政策的推行，這種種因素都使得日據時期以來原本爲爭取自由與民主的主力之本土菁英，漸次退居於邊緣的位置，也無法匯聚爲一股強大的團體力量。此間，部分自日據時期即參與政治活動的本土政治人物，例如郭雨新、許世

⑫ 在社會生活的資源競爭中，「共同的過去」被選擇、強調成各種血緣與假血緣人群的集體記憶，以凝聚可分享資源的社會人群。而且，這類的社會群體常以集體忘記某些記憶（結構性健忘），來修正族群邊界，促成結群的範圍改變（族群變遷），以便適應環境變遷。台灣近年來的本土化運動和台灣人認同的發展，便是一個認同變遷中的族群，如何觸發一些集體記憶，以及刻意遺忘一些集體記憶的例證，參見王明珂（一九九四：二五八—六四）。當前若干台灣史的論述便以目的論式的手法撰成，這類的作品亦與此一發展互爲表裡。關於集體記憶的探討，參見Halbwachs（1992）。

賢、吳三連、郭國基等人，在省議會的言論和主張，有一定的表現，對於民主理念亦有所闡發，這些努力在台灣民主化的歷程中，自有其不容忽略的貢獻（李筱峰，一九八六）。然而，這些本土政治菁英的言論和主張皆屬個別表現，而非以團體主張的形式提出，其原因與國民黨當局對台籍人士的政治性、自主性集結頗為忌諱，以及刻意壓抑台灣意識有直接關聯，這都使得本土的政治人物的結社幾乎無存立的空間。

在這樣的政治氛圍中，唯一可能採取的反抗形式便是以辦雜誌的方式進行，藉此在體制外進行反國民黨的運動。由於中國大陸局勢的逆轉，雷震與部分自由主義者來到台灣，其結合若干台籍人士所創舉的《自由中國》（一九四九、二—一九六〇、一），一方面延續中國大陸的自由主義思想，或是追求民主憲政的主張，另一方面也因時空環境的轉變，而在台灣的民主發展過程中扮演重要的角色（薛化元，一九九六）。除了《自由中國》之外，五〇至七〇年代之間，台籍人士與外省知識份子共同參與的重要雜誌，至少還有《文星》（陳正然，一九八五）、《大學雜誌》、《夏潮》等，尤其後者更是標舉台灣島上向來較受壓抑的左翼思想（郭紀舟，一九九九）。換言之，過去從事黨外運動的主要成員並非今日的族群民族主義者，而是自由主義者和社會主義者。

七〇年代中期，本土化的態勢轉趨明顯。就政治層面觀之，蔣經國為因應政權合法性危機的挑戰，以遂行本土化政治的方式，沖淡外省族群壟斷統治階層的外觀。再者，就文化層面觀之，一九七五年則是具有指標意義的年份。這一年台籍人士與外省知識份子無獨有偶地，各自對「台灣」一辭賦予新的文化意含。以台籍人士為主的政治異議份子，發行了《台灣政論》，而在以批判國民黨為基調的同時，隱約的台灣意識更爲其編輯的主要參照；這是戒嚴體制中，異議份子以「台灣」爲雜誌的肇端。另一方面，若干外省籍作家在懷鄉創作上，將空間由大陸轉換爲台灣。關於這種鄉土意識在活動上的巧合，所不同的是，台籍人士以「台灣」一詞隱含其本土意識，而外省籍作家則體認到空間上眞實的台灣才是他們活生生的鄉土經驗（盧建榮，一九九九：二一—二）。至於一九七七至七八年間，台灣文學界所發生的鄉土文學論戰，則是戰後台灣未曾有過的一次大規模文化論戰，其論爭的範圍超出了文學領域，含括了政治、經濟層面上意識形態的對立要素，因此也可說是一場全面性的文化、思想論戰，對日後有著深遠的影響（陳正醍，一九九八）。

以上所述的這段歷史發展，與我們今日的處境尤有直接關聯。八〇年代初期至今，民主化與本土化這兩個趨勢以波瀾壯闊之姿，漸次襲捲了台灣的各個領域。歷經三十幾年的威權體制高壓統治，原本倍受壓抑的反抗精神，得以重新昂揚，出現在不同領域之中；隨著政治威嚇的除祛，隱伏於社會各個角落的反抗力量動了起來。解嚴之後的自由化效應，將這些力量釋放出來，工人、農民、學生、原住民、婦女、無住屋者、老兵、消費者、反污染者、漁民……似乎各種社會類屬的人從南到北、風起雲湧般地出現在鎂光燈下，爲自身的處境和主張，嘶聲吶喊。新的時代似乎向每一個人招手。

然而，日據時期懸而未決的認同問題，也猶如幽靈般浮現在反對運動上空，進一步跨越了各種不同社會類屬的群體，將一切的反抗力量吸納到集體自我認同的場域，進行一場追尋失落自我之旅。文化、語言、血緣等因素逐漸成爲認同的區別指標，也成爲劃分自身與他者（the other）的一把尺。抹平不同社會類屬與階級差異的族群認同，漸次凌駕了各類社會議題，橫陳在衆人眼前。

長期受到漢民族支配、壓抑、忽略和污名化（stigmatized）的原住民，開始積極推展「原住民運動」，楬櫫正名、還我土地、成立原住民自治區等訴求，凸顯其原住性（indigenousness），挑戰漢族中心主義（enthocentrism），藉以重新提升和肯定自我（孫大川，一九九五；夷將·把路兒，一九九四；謝世忠，一九八七）。而在本土化的歷程中，同為漢族的不同族群，也有不同的舉措。過去日本殖民統治和國民黨國語政策的打壓下，福佬語與客家語俱為弱勢語言，也同樣承受被污名化的命運；兩者皆被貶低為較次等的地方性方域之言。弔詭的是，本土化的浪潮並未使客家人／客家語受益，反倒強化了福佬語成為「台語」的等同物、福佬人成為「台灣人」的同義詞，客家人劣勢的處境依舊，職是之故，「還我客語」運動、保存客家文化的主張愈形迫切，因為在福佬沙文主義的威脅下，「客家人是否為台灣人？」、「客家語是否為台灣話？」這類的問題，已成為客家人心中永遠的痛（鍾肇政，一九九一；李喬，一九八八），因此，一九八八年標舉「重建客家的尊嚴」的《客家風雲》雜誌創刊，以及「客家權益促進會」的成立，皆反映了此一心態。類似地，面對外在形勢的推移，外省族群中也有若干反應，舉例來說，陸續出現了新國民黨連線、新同盟會、新黨，也出現了「『外省人』台灣獨立協進會」；⑬這兩者在國家認同上，態度南轅北轍，截然不同。

在這樣的氛圍之中，我們可以強烈感受到原住民尋求自我定位的迫切感、客家族群在文化和語言上

⑬ 該組織於一九九二年，由海洋大學教授廖中山與一群理念相似的所謂「外省人」所成立，相關的說明及活動，參見「外省人」台灣獨立協進會編（一九九二）；李筱峰（一九九四：三五二—七）。

的焦慮感、以及外省族群的政治危機感。一九四九年以來，國民黨在台灣不斷以外省族群的形像所打造、構築的認同政治（identity politics），一點一滴地土崩瓦解，「台灣人出頭天」的口號滿天價響，尤其在大型選舉期間更是此起彼落，而福佬族群的菁英（尤其是高收入、高學歷的中產階層男性），已忙不迭地接手國民黨過去的論述邏輯，努力地建構以福佬人爲意象的認同圖像，以此來作爲我群與他者之間的差異的分野。⑭

政治學者施正峰（一九九八：二一三）明白地指出：「當前台灣制約著政治運作的社會分歧（cleavage）主要在族群性（ethnicity），而非一般已開發國家所見的階層之爭。」的確，這是目前的實際現象，但深究其原因，我們便可看出，這一發展趨勢並非歷史的必然，而是與國家機器重新編整、族群菁英動員、以及歷次的大型選舉等因素有直接相關。然而，這是台灣特有的現象？其實也不盡然。事實上，第三世界也有若干案例可供參考，以下我們徵引斯里蘭卡裔人類學家S. J. Tambiah對斯里蘭卡族群矛盾的分析來作對照：

辛哈歷斯人（Sinhalese）與塔米爾人（Tamils）之間今天緊張的形式是最近的產物——其實眞的是以前不存在的「族群」動員與兩極化。這些分化來自於當代「國族主義者」（nationalists）的想法與爭執、國族打造、以及爲了赢得選舉，而不完全是更早的關切與過程（Tambiah，一九八六：

⑭ 對於此一現象的深入分析和評論，參見趙剛（一九九八：第三章—第五章；一九九四：一〇七—三十三）；江士林（一九九七：七九—一二〇）。

七；轉引自陳光興，一九九六：一二五）。

通過斯里蘭卡這一實例，我們可以比較清楚了解台灣當前的社會分歧的焦點何以會是族群性，而非階級、性別、環保、或其他議題。一如社會學者趙剛（一九九四：一二一）所言：「台灣近年來的選舉政治的發展是造成族群意識催化的一重要歷史條件。而族群政黨、族群組織與族群知識份子則扮演重要的動員角色。」質言之，此一社會現象的激化，族群政黨、族群組織與族群知識份子起著推波助瀾的作用，絕非自然形勢的推移。

八〇年代以降，原本朝本土化和民主化這兩種路線相互依存發展的反抗精神，如今我們已見證了前者以漸次極端的型式，與後者愈行愈遠；過去黨外政治民主化運動所拓展出來的社會運動空間，在選舉爲主導的操作下，原本多元的社會力量被迅速吸納入主流的政治體制裡，終而日趨萎縮，社運化的政治曇花一現，讓位給政治化的社運，連所謂「清純的」學生運動也在選舉工業的收編下，消聲匿跡；至於本土化的界定，則被架上國家認同的梁山，動彈不得，甚至連文化、學院的論述也再度被徵召到以統獨爲後設敘述主軸的場域中，一決雌雄。⑮台灣人的心靈終究未隨著「警總」的裁撤而解嚴，很多人還是不忘架起「統／獨」的燈光，肩負起思想警察的任務，用放大鏡來審視和分辨敵友。你／妳到底站哪一邊？（Which side are you on？）

李登輝總統主政以來，台灣的政治、社會、經濟、教育、文化等等層面，可謂歷經了幾番的劇烈變動。以與本文主題相關的部分而言，比方說，從官方楬櫫的「經營大台灣，建立新中原」、「新台灣人」到「認識台灣」教科書的出爐，⑯皆表明台灣意識成爲支配性論述的時代來臨；與這些轉變平行和／或疊合發展的是，中國意識與台灣意識之間，一消一長，彼此間的力量差距急遽擴大，不論是以族群衝突或上綱爲統獨對決的面貌外顯。這一大翻轉涉及錯綜複雜的因素，然究其遠近因，與兩岸長期分離、黨外民主化運動、以及威權體制鬆動有關，也與國際形勢的變動、中共長期的威脅、外交上的挫

⑮ 九五年的論戰，主戰場在《中外文學》。先是陳昭瑛（一九九五a）在《中外文學》發表《論台灣的本土化運動：一個文化史的考察》一文後，接連出現陳芳明（一九九五）、張國慶（一九九五）、廖朝陽（一九九五a）的三篇評論，陳昭瑛（b、c）的兩篇回覆，以及廖朝陽（一九九五b）和邱貴芬（一九九五）的相互評論。此外，《海峽評論》亦刊載王曉波（一九九五）、林書揚（一九九五）、陳映眞（一九九五）的回應文章。對此論戰相關的評論，參見江宜樺（一九九八，一六七—八七、二〇〇—一一）；盧建榮（一九九九：二四七—五五）。

⑯ 有關九七年歷史教科書的爭議，主要的反對意見參見王仲孚、王曉波編（一九九七），對此一事件相關的評論，參見盧建榮（一九九九：二七三—八二）。

敗、鄉土文學論戰的影響、國民黨朝本土化轉型（張茂桂，一九九五：一七七－八六；蕭新煌，一九九七：六－一一），以及晚近中共文攻武嚇等等有直間接的關係。然而，需要進一步指出的是，台灣意識的昂揚雖與台獨主張有某種關連，但不必然等同，也不必然支持台獨；台灣意識原本即是具有高度流動特質，其可以與中國意識割離（例如，陳芳明），也可以是源自中國意識（例如，陳昭瑛、陳映眞），甚至是雜揉了國際色彩；這端視被塡塞的內涵爲何。這一高度流動特色在日據時期知識份子的認同上更是明顯。因此，就本文所探討的主題而言，當前值得注意的焦點，毋寧是政治領域、教育機構、學院論述等等場域中，所操作的支配性台灣意識的實質內涵以及其背後的政治目的。

結語

反抗精神吸取歷史土壤的養分，而在不同的階段受到各種因素影響，以及被灌溉以不同成份，而在意識上和認同上呈現出不同、混同、甚至是多元的面貌。就現實意義而言，它可以說是其子民在初始的生存意識之外，進一步尋求自我的定位和未來的出路。

綜而言之，自郭懷一以武裝抗爭的行動，起身對抗荷蘭人的經濟剝削以降，直至「台灣民主國」的失敗，這段時間台灣民衆的反抗精神所展現之特色，就現實目的而言，主要在於保鄉衛土，因而就意識層面觀之，乃是帶有強烈的生存意識之特色。日據時期台灣人面對異族的高壓殖民統治這一歷史新局，在初期武裝抗暴行動告一段落後，原有的反抗精神轉而以其他非武力的替代形式，尋求可能的解放之道，例如，在殖民體制內爭取更大的政治自主權、亦有將希望寄託在中國等等主張，當時所謂「台灣人出頭天」很大部分必須置於此一脈絡來理解，而非今日被等同於國族打造的同義詞，而「祖國意識」與台灣意識則是台灣人在反抗異族殖民統治的歷程中，在意識層面所結下的果實，尤其後者與當前的發展有極大的關聯。

戰後面對國民黨的威權統治，台灣人的反抗精神亦為自由民主化的重要支柱；此間，台灣意識雖受到極度的打壓，然始終成爲一股伺機而起的伏流，綿延不絕；二二八事件的陰影、讓日據時期知識份子困擾的認同問題，終究沒有解決，成爲今日認同糾結的潛在歷史因子。八〇年代初期至今，民主化與本土化這兩個趨勢以波瀾壯闊之姿，漸次襲捲了台灣的各個領域。隨著政治威嚇的除袪，以及解嚴之後的自由化效應，將隱伏於社會各個角落的反抗力量釋放出來。然而，在國家機器重新編整、族群菁英動員、以及歷次的大型選舉等因素影響下，原本朝本土化和民主化這兩種路線相互依存發展的反抗精神，如今前者以漸次極端的型式，與後者愈行愈遠。

本文藉由反抗精神這一視角所作的歷史考察，主要的現實關懷在於重新思考當前的國家認同的糾結。今日，就反對陣營觀之，不論主張統一或獨立，都與根植於台灣歷史土壤中的反抗精神有關連，也都能在歷史中找到合理化自身的論據；這端視叙述者如何操作其歷史解釋，以及運用什麼後設歷史觀作爲其文字叙述的底蘊，但是，歷史如果祇是爲政治目標服務，那與政治主張已無二致。

通過上述的探討，依筆者淺見，原本具有開放性、進步性的反抗精神，這十幾年來被漸次上綱至國家認同，其實是當前最令人擔憂的現象。過去在反對運動陣營中，不論個人政治上的「終極關懷」爲何，力量仍能匯聚，⑰彼此間的差異或可說是「社會內部矛盾」，不至於水火不容，然如今已全然導向國家認同層次，成為「敵我矛盾」，而無絲毫轉圜的餘地。歷次大型選舉經由族群菁英的操作，此一僵局不斷強化，成為社會的一大隱憂；這種「非友即敵」的二元思考格局，除了增加台灣社會的精神壓力和焦慮之外，實際上並未解決當前台灣內部的問題。另一方面，我們也看到，台灣的民衆面對當前黑金政治當道、低劣的選舉文化與政黨政治、荒誕的公共工程和政策、惡化的生活環境……，內心普遍存有無力感，但最諷刺的是，這竟是「台灣人出頭天」的社會中的無力感。鄙意以為，國家認同不該是最迫切的課題，其既非台灣人當前無力感的出口，亦非立即能夠解決的問題，反而祇會造成「敵我矛盾」不斷擴大、彼此對決，喪失台灣內部凝聚共識的契機。

即使如此，我們還是看到，九〇年代以後這種「統/獨」的二元思維又各自援引了不同和/或相同的理論與學說，以更細緻的手法「變裝」，粉墨登場出現在各種論述場域，在國家認同層次形成頡頏的局面。然而，不論這些論述穿戴什麼理論衣裝（例如，民族主義、自由主義、或後主義〔postist〕論述等等）；或者，擺出各式各樣巧製的政治主張的櫥窗，當我們穿越這些琳瑯滿目的簾幕，回歸到歷史的脈絡時，我們都可以觀察到其何時出現在台灣的歷史舞台，以及其如何在歷史中找尋到證明自身為合理

⑰ 比方說，《美麗島》雜誌的編輯委員亦包括夏潮系統的成員，例如蘇慶黎等人。

的證據。⑱

筆者無意評論這些論述在當前政治主張上的效度，也無意作規範性的評價，這也不是這篇短文所能處理的；而是希望通過反抗精神這一視角，考察台灣的歷史進程中其推移和變化的樣態，藉以提供一種歷史性思維的向度，重新思索台灣當前國家認同的思路，以及未來可能的演繹。筆者深信，唯有多一分歷史性思維，多一點冷靜，多一些同情的了解，才能促成各種國家認同論述之間作良性互動的對話，也是台灣內部形塑共識的基礎。歷史不是爲了消滅對手而存在，研究歷史也不應該是爲了改寫過去；前人走過的軌跡不一定對現在有啓發，然教訓起碼總會有一點。當台灣的國族打造運動成爲無上道德命令時，那也勢必成爲根植於台灣歷史中的反抗精神所對抗的對象。

參考及徵引文獻

尹章義，一九八九，《台灣開發史研究》，台北：聯經。

---

⑱ 關於思索台灣的國家認同與未來出路的問題，囿限於「統／獨」這種二元對立框架，不僅可能會窄化我們的思考空間，以及解決問題的契機，而且也會爲台灣社會增加額外的精神負擔和焦慮。然而，不以「統／獨」思維作爲後設主軸是可能的，例如，趙剛（一九九八：一六七—七四）提出「民主民族」，陳光興（一九九六）標舉「批判性的混合」（critical syncretism）、「破國族」（post-nation），黃俊傑（一九九四：一—二八）主張「歷史的／人民的」立場；或者，江宜樺（一九九八：二一一—二〇）提倡的「以自由主義爲基底的務實思考」，皆是很好的例證。

——，一九九四，《「台灣」意識的形成與發展：歷史的觀點》，輯入中央研究院近代史研究所編：《近代中西歷史的比較》，台北：中央研究院近代史研究所，頁三六三—三八七。

王仲孚、王曉波編，一九九七，《認識台灣教科書參考文件》，台北：台灣史研究會。

王明珂，一九九四，《過去、集體記憶與族群認同：台灣的族群經驗》，輯入中央研究院近代史研究所編：《認同與國家——近代中西歷史的比較》，台北：中央研究院近代史研究所，頁二四九—二七四。

王詩琅譯，一九八八，張炎憲、翁佳音編：《台灣社會運動史——文化運動》，台北：稻鄉。

王曉波，一九九五，《台灣本土運動的異化：評陳昭瑛〈論台灣的本土化運動〉》，《海峽評論》五十三期，頁五五—五九。

「外省人」台灣獨立協進會編，一九九二，《外省人·台灣心》，台北：前衛。

台灣省文獻委員會編，一九六四，《台灣省通志稿》，台北：台灣省文獻委員會。

夷將·把路兒，一九九四，《台灣原住民運動發展路線之初步探討》，《山海文化》四期，頁二二—三八。

朱昭陽口述，一九九四，吳君瑩記錄，林忠勝撰述：《朱昭陽回憶錄》，台北：前衛。

朱浤源，一九九四，《民國以來華人國家觀念的演化》，輯入中央研究院近代史研究所編：《認同與國家——近代中西歷史的比較》，台北：中央研究院近代史研究所，頁一—三六。

江士林（Marshall Johnson），一九九七，《將宰制「自然」化：從跨文化比較與歷史觀照的角度論語言及其他建制的「國族」化》，《台灣社會研究季刊》，二十八期，頁七九—一二〇。
江宜樺，一九九八，《當前台灣國家認同論述之反省》，《台灣社會研究季刊》二十九期，頁一六三—二二九。
吳文星，一九九二，《日據時期台灣社會領導階層之研究》，台北：正中。
吳密察，一九九六，《一八九五年「台灣民主國」的成立經過》，輯入張炎憲、李筱峰、戴寶村主編：《台灣論文精選》下，台北：玉山社，頁一一—五四。
吳新榮，一九八一，張良澤編：《吳新榮日記》（戰前），台北：遠景。
——，一九八九，《吳新榮回憶錄——清白交代的台灣人家族史》，台北：前衛。
吳濁流，一九七七，《亞細亞的孤兒》，台北：遠行。
——，一九八八，《無花果》，台北：前衛。
——，一九八九，《台灣連翹》，台北：前衛。
呂紹理，一九九八，《水螺響起——日據時期台灣社會的生活作息》，台北：遠流。
李　喬，一九八八，《台灣人的醜陋面》，台北：前衛。
李雲漢，一九九二，《中國國民黨遷台前後的改造與創新（一九四九—一九五二）》，《近代中國》八十七期。
李筱峰，一九八六，《台灣戰後初期的民意代表》，台北：自立。
——，一九九四，《國家認同的轉向：以戰後台灣反對人士的十個個案爲例》，輯入中央研究院近代史研究所編：《認同與國家——近代中西歷史的比較》，台北：中央研究院近代史研究所，頁三二三——三六二。
——，一九九六a，《林茂生、陳炘和他們的時代》，台北：玉山社。
——，一九九六b，《戰後初期台灣社會的文化衝突》，輯入張炎憲、李筱峰、戴寶村主編：《台灣論文精選》下，台北：玉山社，頁二七三——三〇二。
周婉窈，一九八九，《日據時代台灣議會設置請願運動》，台北：自立。
——，一九九六，《從比較的觀點看台灣與韓國的皇民化運動（一九三七——一九四五）》，輯入張炎憲、李筱峰、戴寶村主編：《台灣論文精選》下，台北：玉山社，頁一六一——二〇一。
林書揚，一九九二，《從二二八到五〇年代白色恐怖》，台北：時報。
——，一九九五，《審視近年來的台灣時代意識流：評陳昭瑛、陳映眞、陳芳明的「本土化」之爭》，《海峽評論》五十五期，頁五〇——五五。
林釗誠，一九七八，《談胡太明的悲涼世界——試析〈亞細亞的孤兒〉》，《台灣文藝》五十八期，頁二一九——二三二。
林偉盛，一九九六，《清代台灣分類械鬥發生的原因》，輯入張炎憲、李筱峰、戴寶村主編：《台灣論文精選》上，台北：玉山社，頁二六三——二八八。
林瑞明，一九九六a，《戰後台灣文學的再編成》，輯入《台灣文學的歷史考察》，台北：允晨，頁二六——五〇。

——，一九九六b，《騷動的靈魂——決戰時期的台灣作家與皇民文學》，輯入《台灣文學的歷史考察》，台北：允晨，頁二九四—三三一。
——，一九九六c，《葉石濤早期小說之探討》，輯入《台灣文學的歷史考察》，台北：允晨，頁三三二—四八。
林繼文，一九九六，《日本據台末期（一九三〇—一九四五）戰爭動員體系之研究》，台北：稻鄉。
邱貴芬，一九九五，《是後殖民，不是後現代——再談台灣身份/認同政治》，《中外文學》二十三卷十一期，頁一四一—一四七。
施敏輝編，一九八八，《台灣意識論戰選集：台灣結與中國結的總決算》，台北：前衛。
施　淑，一九九八，《想像鄉土·想像族群——日據時代台灣鄉土觀念問題》，《人間思想與創作叢刊》一期，頁六五—七六。
柯喬治，一九九三，陳榮成譯：《被出賣的台灣》，台北：前衛。
胡慧玲，一九九五，《島嶼愛戀》，台北：玉山社。
孫大川，一九九六，《夾縫中的族群建構——泛原住民意識與台灣族群問題的互動》，《山海文化》十二期，頁九一—一〇六。
翁佳音，一九八六，《台灣漢人武裝抗日史研究（一九八五—一九〇二）》，台北：國立台灣大學出版委員會。
涂照彥，一九九三，《日本帝國主義下的台灣》，台北：人間。

許達然，一九九六，《械鬥與清朝台灣社會》，《台灣社會研究季刊》二十三期，頁一——八一。
許福明，一九八六，《中國國民黨的改造（一九五〇——五二）》，台北：正中。
張忠棟，一九七六，《冷戰起源的各種解釋》，《美國研究》六卷二期。
張炎憲，一九九六，《台灣文化協會的成立與分裂》，輯入張炎憲、李筱峰、戴寶村主編：《台灣論文精選》下，台北：玉山社，頁一三一——一五九。
張茂桂，一九九五，《「去魅」族群問題——多面向理解與歷史思考》，輯入蕭新煌主編：《敬告中華民國——給跨世紀台灣良心的諍言》，台北：日臻，頁一七五——一八八。
張茂桂等，一九九三，《族群關係與國家認同》，台北：業強。
張國慶，一九九五，《追尋「台灣意識的定位」：透視〈論台灣的本土化運動〉之迷思》，《中外文學》二十三卷十期，頁一二七——一三三。
張淑雅，一九九三，《美國對台政策轉變的考察（一九五〇年十二月——一九五一年五月）》，《中央研究院近代史研究所集刊》十九期。
曹永和，一九九六，《環中國海域交流史上的台灣和日本》，輯入張炎憲、李筱峰、戴寶村主編：《台灣論文精選》上，台北：玉山社，頁一〇三——一三四。
郭紀舟，一九九九，《七〇年代台灣左翼運動》，台北：海峽學術。
陳孔立，一九九〇，《清代台灣移民社會研究》，廈門：廈門大學。
陳正然，一九八五，《台灣五〇年代知識份子的文化運動——以「文星」爲例》，台北：台灣大學社會研究所論文。
陳正醍，一九九八，陳炳崑譯，《台灣的鄉土文學論戰》，《人間思想與創作叢刊》一期，頁一二九—一八一。
陳光興，一九九四，《帝國之眼：「次」帝國與國族/國家的文化想像》，《台灣社會研究季刊》十七期，頁一四九—二二二。
——，一九九六，《去殖民的文化研究》，《台灣社會研究季刊》，二十一期。頁七三—一三九。
陳其南，一九九三，《台灣的傳統中國社會》，台北：允晨。
——，一九九四，《傳統中國的國家形態、家庭意理與民間社會》，輯入中央研究院近代史研究所編：《認同與國家——近代中西歷史的比較》，台北：中央研究院近代史研究所，頁一八五—二〇〇。
陳芳明，一九九五，《殖民歷史與台灣文學研究——讀陳昭瑛〈論台灣的本土化運動〉》，《中外文學》，二十三卷十二期，頁一一〇—一一九。
——，一九九六，《鄭成功與施琅——台灣歷史人物評價的反思》，輯入張炎憲、李筱峰、戴寶村主編：《台灣論文精選》上，台北：玉山社，頁一三五—一五五。
——，一九九八a，《左翼台灣——殖民地文學運動史論》，台北：麥田。
——，一九九八b，《殖民地台灣——左翼政治運動史論》，台北：麥田。
陳芳明編，一九八八，《二二八事件學術論文集》，台北：前衛。

陳昭瑛，一九九五a，《論台灣的本土化運動：一個文化史的考察》，《中外文學》二十三卷九期，頁六—四三。
———，一九九五b，《追尋「台灣人」的定義：敬答廖朝陽、張國慶兩位先生》，《中外文學》二十三卷十一期，頁一三六—一四〇。
———，一九九五c，《發現台灣眞正的殖民史：敬答陳芳明先生》，《中外文學》二十四卷四期，頁七七—九三。
陳映眞，一九七七，《試評〈亞細亞的孤兒〉》，輯入《亞細亞的孤兒》，台北：遠行，頁四五—六二。
———，一九九五，《台獨批判的若干理論問題：對陳昭瑛〈論台灣的本土化運動〉之回應》，《海峽評論》五十二期，頁三〇—三八。
陳逸松口述，一九九四，吳君瑩記錄，林忠勝撰述：《陳逸松回憶錄》，台北：前衛。
陳儀深，一九九四，《二十世紀上半葉中國民族主義的發展》，輯入中央研究院近代史研究所編：《認同與國家——近代中西歷史的比較》，台北：中央研究院近代史研究所，頁三七—六五。
游勝冠，一九九六，《台灣文學本土論的興起與發展》，台北：前衛。
黃俊傑，一九九四，《歷史意識與二十一世紀海峽兩岸關係的展望》，台北：「中國歷史上的分與合」學術討論會，七月十三—十六日。
———，一九九七，《日據時代台灣知識份子的大陸經驗——「祖國意識」的形成、內涵及其轉變》，

《高雄歷史與文化》（四），頁三五—五八。
黃俊傑、古偉瀛，一九九四，《新恩與舊義之間——李春生的國家認同之分析》，輯入中央研究院近代史研究所編：《近代中西歷史的比較》，台北：中央研究院近代史研究所，頁二七五—三〇〇。
黃昭堂，一九九三，《台灣民主國之研究》，台北：財團法人現代學術研究基金會。
——，一九九六a，《第二次大戰前台灣人意識的探討》，輯入《台灣淪陷論文集》，台北：財團法人現代學術研究基金會，頁八一—一〇九。
——，一九九六b，《美國決定「台灣中立化」政策之過程》，《台灣淪陷論文集》，台北：財團法人現代學術研究基金會，頁一一一—一五八。
葉石濤，一九九一，《一個台灣老朽作家的五〇年代》，台北：前衛。
葉榮鐘，一九七七，《小屋大車集》，台中：中央書局。
——，一九八五，《台灣人物群像》，台北：帕米爾。
廖朝陽，一九九五a，《中國人的悲情：回應陳昭瑛並論文化建構與民族認同》，《中外文學》二十三卷十期，頁一〇二—一二六。
——，一九九五b，《再談空白主體》，《中外文學》，二十三卷十二期，頁一〇五—一〇九。
趙　剛，一九九四，《小心國家族》，台北：唐山。
——，一九九八，《告別妒恨：民主危機與出路的探討》，台北：唐山。
蔡培火等，一九七一，《台灣民族運動史》，台北：自立。

盧建榮，一九九九，《分裂的國族認同》，台北：麥田。
蕭新煌，《從省籍矛盾到族群差異，從國家認同到統獨爭議——歷史與社會的思辯》，台北：「族群正義與人權保障」學術研討會，二月二十六日。
薛化元，一九九六，《〈自由中國〉與民主憲政——一九五〇年代台灣思想史的一個考察》，台北：稻鄉。
謝世忠，一九八七，《污名的認同——台灣原住民的族群變遷》，台北：自立。
鍾肇政，一九九一，《新客家人》，輯入台灣客家公共事務協會編：《新客家人》，台北：台原。
Anderson, Benedict. 1991. *Imagined Communities*. London: Verso.
Croizier, C. Ralph. 1977. *Koxinga and Chinese Nationalism: History, Myth, and the Hero*. Cambridge: Harvard Univ. Press.
Geertz, Clifford. 1973. The Interpretation of Cultures. N.Y.: Basic Books。
Halbwachs, Maurice. 1992. *On Collective Memory*. ed. & trans. by Lewis A. Coser. Chicago: University of Chicago Press.
霍布斯邦，一九九七，李金梅譯：《民族與民族主義》，台北：麥田：Hobsbawm, Eric J. *Nations and Nationalism Since 1780: Programme, Myth, Reality*. Cambridge: Cambridge Univ. Press, 1990。
Hobsbawm, Eric J. 1992. "Introduction: Inventing Tradition", in Hobsbawm, Eric J. and Terence

Ranger eds. *The Invention of Tradition*. Cambridge： Cambridge Univ. Press.

詹京斯（Keith Jenkins），一九九六，賈士蘅譯：《歷史的再思考》（Re-thinking History），台北：麥田。

———，一九九九，江政寬譯：《後現代歷史學》（*On "What is History?"： From Carr and Elton to Rorty and White*），台北：麥田，forthcoming。

Lamley, Harry J., 1980，吳密察、蔡志祥譯：《一八九五年之台灣民主共和國——近代中國史上一段意味深遠的插曲》（*The 1895 Taiwan Republic——A Significant Episode in Modern Chinese History*），輯入黃富三、曹永和編：《台灣史論叢》（一），台北：眾文，一九八〇。

Tambiah, S. J., 1986. *Sri Lanka： Ethnic Fratricide and the Dismantling of Democracy*, Chicago： Univ. of Chicago Press.

認同與死亡

世紀末主體政治的最終議題

石之瑜／台灣大學政治學系教授

一、前　言

認同問題固然是人類自始就有的問題，各種歷史文獻也斷斷續續、隱隱約約地透露出人類在這方面的掙扎，可是說到有深度的研究認同相關的課題，則自Freud 以迄 Erikson 而後，尚不能說有什麼新的重大突破。每當世界規模的戰爭引發痛定思痛，而人們想要處理認同問題的時刻，往往另一波認同政治又將人們捲入，這一次又一次的屠殺事件，小則爲個人受害，但手段殘酷狠烈，大則數千萬人，遺禍子孫，均與認同現象息息相關。甚至可以說，認同政治和暴力是並存的，人類不能免於戰爭戮殆，和人類不能超越認同現象，幾乎是同一件事的兩個面向。到了二十世紀末期，當資本主義世界慶賀東歐陣營瓦解，以為和平終將取代冷戰的當兒，不僅世界各地迅速爆發大規模的族裔戰爭，①就連執世界霸權牛耳的美國，都多次介入第三世界國家的武裝衝突，製造高額傷亡，激發爾後益加猖獗的恐怖主義行動，從而有美國學者得出人類已然進入文明衝突時代的駭人結論。②看來，認同政治的根源值得更深入研究。

政治心理學家對認同現象的處理十分有限，受到主流心理學研究和現實政治兩大制約，使政治心理學在認同的研究上，甚至不能超過文學家所付出的關注。二十世紀最後十年，文學界透過女性主義、後現代主義、後殖民主義等等角度的文學作品，及針對這些作品發表的文學批判，對於認同現象提出了諸多發人深省的檢討。③相對於此，政治心理學家受到認知心理學的突飛猛進，愈來愈將研究重心放在具體決策情境中的認知上。④忽略了是深層認知結構的肇端、發展、變遷，在決定決策的結構。

事實上，文學批判所關注的文本及論述，可以反映出許多各位作者與讀者之間可能共享的一些文化前提，這些前提無異是認知心理學可以探討的課題，即這些前提的具體內容為何？受到人們多少程度的接納？又受到什麼因素影響而發生變遷？對心理學家而言，這些課題之所以不受重視，一是因為認知心

---

① 參考Martha Cottam and Chih-yu Shih (eds.), *Contending Dramas*: *A Cognitive Approach to International Organizations* (New York: Praeger, 1992).

② Samuel Huntington, "Clash of Civilizations," *Foreign Affairs* 72, 3 (1993): 22-49.

③ 參考Homi Bhabha (ed.), *Nation and Narration* (London: Routledge, 1990).

④ 例見Martha Cottam, *Images & Intervention*: *U.S. Policies in Latin America* (Pitsburgh: University of Pittsburgh Press, 1994).

理學主要研究的是個人的認知過程，對於集體的認知過程，和認知內容兩方面的著墨有限，這當然與認知心理學的個人主義方法有關。⑤二是因爲認知心理學界流行通用的是實驗方法，要求有具體的可觀察的行爲作爲證據，來檢證理論假設，則一個人的認同必須先轉化成個人態度之後才能加以研究，從態度的研究要再回溯到認同就難以實驗進行了，所以爲了避免自己的研究受到學科中人的質疑，就乾脆不從事認同的研究了。

其結果，關於當代認同問題較爲全面的整理，只能留待精神分析學家來進行。⑥儘管精神分析在心理學界的地位不高，但幾乎又沒有當代心理學家能不閱讀自佛洛伊德以降的深層心理分析，而又還能拿到學位的。進行文學批判的諸子百家則毫無避諱，在彼等字裡行間經常採納精神分析的語言，雖然未必通盤接受其邏輯，有時甚至批評其間隱含若干性別歧視成分，⑦可是推論之中相當地接受精神分析的推理方式。⑧由於認同問題已公認是當代政治心理現象熱點、疑點、難點，所以關於認同的政治心理分析不能

---

⑤ Kuo-shu Yang, "Beyond Maslow's Culture-bound Linear Theory：A Preliminary Statement of the Double Model of Basic Human Needs," presented at the 24th international Congress of Applied Psychology, San Francisco（August 9-14, 1998）.

⑥ 例見Andrew Samuels, *The Political Psyche*（London：Routledge, 1993）.

⑦ 參考E. Ward, *Father-Daughter Rape*（London：Women's Press, 1984）.

⑧ 見Nancy C.M. Hartrock, "Masculinity, Heroism, and the Making of War." ir. A. Harris and Y. King（eds.）, *Rocking the Ship of State*（Boulder：Westview, 1989）, pp.133-152.

再坐待心理學界的主流來支援，而必須跨學科地向外汲取資源，加以整合，方有可能作出知識上的貢獻。

二、什麼是認同

認同既然被視爲是深層的心理現象，其表述自然就無法透過一般日常的語言，於是當事人自己也未見得說得明白。爲了分析認同現象，人們於是提出了不同的概念，亦即舉凡任何一認同之表述，必須先界定並區隔出不同的範圍。⑨認同與不同構成一體之兩面，所以，人們往往在說明自己認同內容時可能拙於言辭，但只要能夠指出自己不屬於什麼範圍，也就等於是間接說明自己的認同。不過，在界定不同的範圍時，難免也必須採納武斷的語言或符號，所以凡是對自己有正面態度的認同，會傾向以負面的表述來指涉不同的對象與範圍。但這並不是必然，因爲鞏固認同的功能靠的是凸顯不同，不必須是排斥劣敗。然而歷史實踐的確顯示，凡是引發暴力衝突的認同政治，總是用排斥劣敗的論述，來指涉不同的對象。

這裡出現一個與認同不可分割的概念，厥爲界線。認同與不同兩個範疇之間，必須存在不可逾越的

⑨ 參考William E. Connolly, *Identity/Difference：Democratic Negotiations of Political Paradox*（Ithica：Cornell University Press, 1991）.

界線，否則認同變成沒有意義的事。這個界線對於認同的建構有特殊的關鍵性，可能只有當事人認同的社群和他（她）的對象，才有充分的敏感度來察覺界線的變化。像語言，就通常在第三者或外人的耳朵中，分辨不出差別何在。語言的差別可能來自重音或鄉音的不同，也可能是不同政治立場表述事情方式的不同。有的界線具有比較廣泛的適用範圍像地理疆域，故當代的主權國家在建立認同的時候，特別重視領土範圍之內的效忠，與防衛領土之外的人入侵，否則就不能明白自己是一個主權國家。⑩

界線的概念所說明的是，對認同最大的威脅來自於界線的穿越或模糊。在過去，一個族群在受到壓迫時可以移居到另一個地區，但在主權國家建立之後，這種大規模的遷徙，就形成對主權疆界的挑戰，於是就出現了難民。⑪同樣的道理，原本逐水草而居的遊牧民族，在主權疆界劃定之後，就與同族的人分居兩國，各自在自己國內成爲少數民族。在主權國家時代降臨之前，少數民族和難民這兩個根本不存在的概念，成爲今日對主權秩序的重大挑戰。⑫其原因恰在於所謂的少數民族和難民的自我認同，不是

---

⑩ R. B. J. Walker, *Inside/Outside*: *International Relations as Political Theory* (Cambridge: Cambridge University Press, 1993).

⑪ Nicholas Xenos, "Refugees: The Modern Political Condition," in M. Shapiro and H. R. Alker (eds.), *Challenging Boundaries* (Minneapolis: University of Minnesota Press, 1996), pp. 233-246.

⑫ Jan Jindy Pettman, "Security and Identity," in S. Kettle and G. Smith (eds), *Threats without Enemies* (Sidney: Plato, 1992); Nira yuval-Davis, "The Citizenship Debate: Women, Ethnicity and the State," *Feminist Review* 39 (1991): 58-68.

依照領土疆域來區隔不同的，既然如此，那麼所處之國家要不要接受他們爲認同範圍之內的自己人呢？要的話，表示他們主觀的認同意願不是認同存在與否的標準，如此則推翻了認同二字的根本意義。不要的話，表示領土疆域之內，有不屬於國家認同範圍的因子，那麼用領土疆域作爲國家認同的界線，就不恰當了。在主權國家的時代裡，這種結論自然是動搖人心的妖言。則做法就很單純了，亦即驅逐難民，同化少數民族。

所有的界線都隱含征服（即同化）與排斥（即驅逐）的任務，這個任務是無止盡的，因爲排斥了一批人，必然會在新的界線邊緣出現另一批人，⑬可能是與少數民族通婚的人，可能是支持民族自決權的人，可能是研究少數民族語言文化的人。總之，界線邊緣的人是最有可能來往於界線兩邊的人，也就成爲認同政治最便宜的對象。顯而易見，成爲對象的人經常是被動的，之所以成爲對象，是由於認同的論述武斷地將他們置於邊界之上。

由此可見，劃界本身是認同的重要過程。而由於沒有界線是乾乾淨淨的，⑭所以只有對於界線的維護進行一而再，再而三的實踐，才有可能深植人心。此何以關於認同的心理學都涉及主體性的討論。可以說，認同者，主體認同也。雖然主體認同的界線，是靠著界定客體的認同（亦即對主體而言的「不

---

⑬ James Clifford, *The Predicament of Culture*（Cambridge：Harvard University Press, 1988）；Catherine Lutz and Jane Collins, *Reading National Geographic*（Chicago：University of Chicago Press, 1993）.

⑭ 參考Ann Norton, *Reflections on Political Identity*（Baltimore：The Johns Hopkins University Press, 1998）.

同」）來完成的，重點在於誰有權力界定客體，從而維護了主體的疆界。⑮可見，主體性代表的是一個可從事論述的位置，這個位置不純然是一個認知上的判斷，同時必然反映了社會的資源與歷史的傳承。唯擁有相當社會資源或熟稔菁英文化語言的人，才有可能佔據主體地位。⑯不過，要進一步利用資源來進行主體政治，還必須擁有一定的意志力，意志力背後所反映的，則是對權力的需要。換言之，主體政治就是權力政治，最高的政治權力，乃是界定客體的能力與意願，透過這種權力來鞏固認同與不同兩個範疇之間的界線，動員資源進行征服與排斥，週而復始。

權力的需要反映的是人格特質，這點在討論權威人格的文獻中多有觸及。⑰當然這些文獻有其盲點，亦即權力剝奪感強的人或自戀傾向濃的人，是不是一定得透過征服與排斥來建立主體性呢？若干研究指出，貢獻或犧牲付出也有建立主體意識的作用於主體相對的客體，⑱可以在自己的需要上，獲得來自於主體的投入，成爲不相排斥的兩個主體。⑲儘管如此，認同與主體性之間的關聯，仍然不可否認，

---

⑮ 參考David Hollinger, *Postethnic America*：*Beyond Multiculturalism*（New York：Basic Books, 1995）.

⑯ Gayartri Chakravorty Spivak, "Can the Subaltern Speak？" in C. Nelson and L. Grossberg（eds.）, *Marxism and Interpretation of Culture*（Urbana：Unuversity of illinois Press, 1988）, pp.271-311.

⑰ 參考Harold Laswell, *Psychopathology and Politics*（Chicago：University of Chicago Press, 1977）.

⑱ U. Kim et al.（eds.）, *Individualism and Collectivism*：*Theory, Method and Applications*（London：Sage, 1994）.

⑲ 石之瑜：《中國文化與中國的民》（台北：風雲論壇，一九九七年）

只是主體政治進行的方式，不限於有暴力或壓迫傾向的征服與排斥。

在主體性建立的過程中有一值得探討的有趣現象，亦即存在前述所謂的不敏感的外人或第三者。每一條認同條件的執行，通常是有特定對象的，所有其他人就都成爲不特定的第三人。也就是說，雖然一條界線在理論上是針對所有外人，但實際上只是對少數人有此針對性。像國界的主要對象可以說有兩種，一種是鄰國，一種是無所不在的世界超強。⑳通常超強對國界的穿透不會影響到認同，反而還會強化認同，除非，被穿透的是另一個地位相若的超強，則就會涉及超強的自我印象。㉑但鄰國對疆界的穿透，多數會引起恐慌。這意味著，認同界線對不同的對象有強度不等的排斥力。超強與鄰國不同，他和自己之間的差異極大，在國力、種族、語言、價值、等各方面盡不相同，因此不需要再依賴主權疆域才能和超強區隔彼此，保護認同。這裡的問題應當是，超強的滲透壓抑了自己的主體性，從而引起反彈像七〇年代的越南反美，八〇年代的阿富汗反蘇，九〇年代的伊拉克反美。

這種不直接撞擊認同的壓迫仍與認同的維繫有關，蓋所有認同都必須佔據並依附某種主體論述，沒有認同疆界的主體論述並不存在，沒有主體論述的認同疆界也沒有意義，前者如同後現代主義的解構行動就缺乏疆界，後者如同遭人類剝削的臭氧層則不具備主體。所以主體的能力受到限制時，猶如認同受

⑳ Chih-yu Shih, *China's Just World*：*The Morality of Chinese Foreign Policy*（Boulder：Lynne Rienner, 1993）.

㉑ Kenneth Boulding, " National Images and International Systems, " *Journal of Conflict Resolution* 3, 2（June 1959）：120-131.

到抑制，在短期內或可以強化認同疆界，但長此以往，既然這個疆界不能滿足人對主體地位的追求，也將失去吸引力。由於多數世人對於成千上萬主體論述的關係都遙遠，因此每個主體所打算客體化的對象，反而是與主體維持密切關係的週邊的人，這就不得不令人好奇，爲什麼危險總是來自最親近的人？㉒那不是自己嗎？

三、認同與死亡

在討論了認同的各種表述面向之後，人們必須進一步深究，何以認同現象如此根深柢固。一言以蔽之，是因爲牽涉到生死的意義。精神分析的鼻祖Freud將認同的問題回溯到人趨向死亡的本能。㉓趨死的本能反映在行爲上就是一種摧毀與消滅的傾向，至於摧毀的對象，則又不限於自己，還包括那些投射自恨情緒的外在對象。凡是愈痛恨自己的人，對外侵略性也愈高，尤其當自恨是來自精神的深層時，危險愈大。認同作爲人成長過程中經由學習獲得的一種自我表述，在佛洛伊德心理學中，就成爲對死亡本能的一種限制。這就像所有的文化道德活動，都是對人其他的本能抑制的機制。人們潛意識傾向這些本

㉒ Ashis Nancy, *Intimate Enemy : Loss and Recovering of Self under Colonialism* （Dehli : Oxford University Press, 1983）.

㉓ 參考Sigmund Freud, *Beyond the Pleasure Principle* （London : Hogarth press, 1942）.

能衝動時，就有罪惡感，也對於那些製造自己罪惡感的人（主要是父母親），產生恨意，但恨自己所認同的父母不僅孕育更多的罪惡感，也加深對自己的恨意。

當人產生了認同之後，在此之前的渾沌朦朧失去了得以儲存表述的管道，尤其在認知能力愈趨發展的情況下，死亡本能已經排除在意識層次之外。這個在嬰兒初出生時的節骨眼上所感受到死亡的衝動，就成爲無以名之的潛意識內容。㉔這是爲什麼當認知結構受到衝擊，且對自己的認同或社會角色產生混淆時人就會重新面對渾沌，故會出現死亡的衝動或侵略行爲。即令在認知結構未受衝擊時，人們也都有強烈的侵略傾向，利用認知上說得過去的理由，界定在道德上可以征服壓迫的對象，宣洩死亡本能所帶來的侵略衝動。所以，藉由文化制約來抑制死亡本能的社會發展模式，只是改變了死亡衝動的表現方式。

死亡本能的說法，在實證上只能找到非常零星的證據，比如人們有時故意不去就醫，任病情惡化。㉕但即使這個說法言過其實，仍有值得重視的含義。畢竟嬰兒的出生，必然代表著他（她）開始向死亡前進的第一步。出生即死亡是每一個人生理上就決定了的命運。事實上，倘若沒有成年人的長期照應，死亡將立即伴隨著出生而來。隨著人們認知能力的成長，生理上向死亡前進的宿命，就沈入潛意

㉔ Frieda Fromm-Reichmann, "Psychiatric Aspects of Anxiety," in M. Stein, A. Vidich and D. White（eds.）, *Identity and Anxiety*：*Survival of the Person in Mass Society*（Glancoe：Free Press, 1960）, p. 134.

㉕ Karl, Menninger, *Man Against Himself*（New York：Harcorut , Brace, 1938）.

識。這個潛意識正是爾後人生焦慮的主要來源。人們的認同和潛意識的通向死亡，兩者如何互動，是決定焦慮表現的形式和強度之主要因素。認同是靜滯的機制，而死亡是逐步逼近的動態過程，這就迫使人不得不隨著成長變換認同機制，才能免於直接面對死亡所帶來的恐懼和空虛。

認同這種複雜的心智活動，介入了出生與死亡兩個時間點之間，使得人類在不必面對死亡的情境裡，找尋生活與生命的意義。在認同受到否定的狀況裡，人們感受到的是一種缺乏動機的死寂，一種手足無措，缺乏判斷標準，喪失預期能力的不存在狀態。㉖也因此可以看出，認同是一種社會關係，㉗在社會關係的規範與角度互動中，人們彼此相互支應了共享的與獨特的認同符號，使得社會可以繼續存在，而不會邁向集體的自我毀滅。認同的面向因而有兩個，一是內生的對死亡衝動的迴避，一是外在的社會關係的實踐。社會關係所賦予個人的角色，必然成爲認同的一部分，而讓這些角色能獲得正當性的，則是社會集體認同，故集體認同是幫助人從死亡本能中疏離出來的重要機制。

嬰兒認同的最初對象是父母，尤其是母親。照發展心理學的角度來看，父母對嬰兒在頭六個月的無條件呵護，是成長建立主體性的重要關鍵，從六個月開始，嬰兒必須慢慢從自己認知能力的發展中，學

㉖ Jurgen Ruesch, "The Interpersonal Communcation of Anxiety" in *Symposium of Stress* (Washington D. C.: Walter Reed Army Medical Center, 1953), pp. 154-164; Podolsky, "The Meaning of Anxiety," *Diseases of the Nervous System* 14 (1953), p.4.

㉗ Erich Fromm, "Selfishness and Self-love," *Psychiatry* 2 (1939): 507-523; H. S. Sullivan, *Conception of Modern Psychiatry* (New York: Norton, 1953).

習區隔自己與母親。㉘幼兒與家人的關係，在入學之後更進一步開展，這些一連串的社會互動，佔據了兒童大部分的精力使他們必須從別人的眼光中來認識自己，則自己成爲自己觀察的主體與客體。精神分析家認爲主體性的建立，有賴社會（尤其是父母）給予支持，㉙父母不斷的在幼兒主體地位的建構上進行鞏固強化，使兒童對自己主體性沒有懷疑。㉚然而，又因爲兒童不具備獨自謀生的能力，他們主體意識的成長和他們對父母的依賴，成爲相衝突的兩件事。㉛

這是爲什麼當青少年的生理成熟到可以進行生育的階段時，是人的自我認同的轉捩點。著名認同心理學家的目光，往往集中在青少年的身上。㉜青少年對父母的反抗，是一種追求獨立的表現，也就是要在自己與父母之間劃定界線，這個界線的內容並不清楚，是與青少年本身認知學習所處的階段有關，蓋

㉘ Donald Winnicott, ”Transitional Objects and Transitional Phenomenon,” in R. Minsky（ed.）*Psychoanalysis and Gender*（London：Routledge, 1996）, pp.254-268.

㉙ R. R. Rogers, ”Intergenerational Exchanges,” in J. Howells（ed.）, *Modern Perspectives in the Psychiatry of Infancy*（New York： Brunner/Mazel, 1979）, pp. 339-349.

㉚ M. Brenman, ”On Teasing and Being Teased： And the Problem of Being Masochism,” *The Psychoanalytic Study of the Child VII*（New York： International University Press, 1952）, pp. 264-285； Eric H. Erikson, ”Ego Development and Historical Change,” *The Psychoanalytic Study of the Child II*（New York： International University Press, 1946）, pp. 359-396.

㉛ R. Benedict, ”Continuities and Discontinuities in Cultural Conditioning,” *Psychiatry 1*（1938）： 161-167.

㉜ Erik H. Erikson, ”The Problem of Ego Identity,” in M. Stein, A. Vidich and D. White（eds.）, *Identity and Anxiety： Survival of the Person in Mass Society*（Glancoe： Free Press, 1960）, p. 45.

尚不足以將父母客體化。然而認同的需要是隨著生理的成長而出現的，表現成對主體性的追求時，就只能藉著對父母的反抗來傳達。這種對父母的反抗，當然意味著對自己過去的否定，因此必然產生焦慮。父母賦予自己生命，又遮蔽了生理上邁向死亡的必然，當自己成為可以製造生命的主體之後，要在認知上如何詮釋過去這個成長過程呢？

與Freud在多方面持相反立場的Winnicott指出，Freud將文化道德視為壓抑本能的想法是不準確，Winnicott認為文化是協助成長所必須，也是讓兒童能從依附之中培養主體性時不可或缺的。㉝他特別重視從一個階段進入另一個階段的轉型，像幼兒就首先透過對某種轉型物的主導來意識到自己的主體性。轉型意味著成長，故人的一生不斷需要藉由某種轉型的物或人為對象，協助自己進入另一個人生階段。否則像青少年，就全會在父母、家庭和同儕之間不能選擇而形成人格分裂。青少年轉型的不能完成對他們爾後的人格完整，有極大的負面影響。成人世界之中很多著名的衝動與憤怒往往是因為不自覺地回憶到幼年不愉快的經驗使然，這些經驗據說都是和主體性在萌芽階段所受到的外來壓制有關㉞。

許多臨床經驗似乎都顯示，早期經驗在日後焦慮產生的過程中，扮演了重要的角色。因為兒童對自己發生認同的同時，就逐漸超越了文化道德帶來的壓抑，與潛藏的罪惡感，只是不可避免地在與社會互

㉝ Jane Flax, *Disputed Subjects*：*Essays on Psychoanalysis, Politics and Philosophy*（London：Routledge, 1993），p.121.

㉞ Sigmund Freud, *Problems of Anxiety*（New York：Norton, 1936）.

動以培養此一認同的經驗中，一定會遭遇這樣或那樣的挫折。有的青少年因此退化回嬰兒的無助狀態；至於順利成長的，也在潛意識中記憶了自己脫離無助狀態之前的無認同幽暗時期，只要自已與社會交往中碰到類似的挫折，自然喚起一種無以名之的恐懼，好像要被送回到純粹依本能發洩的渾沌中。這種恐懼不是用語言儲存的，因而無法靠認知上的重整來釐清，從而產生的焦慮，也不能爲自己所懂得，但本能衝動是要受懲罰的，致使當事人陷入空虛之中。

空虛意味著失去行動與判斷的標準，㉟但人們無法解釋爲什麼自己在特定的人、事或情境之下焦慮，上焉者退化自閉，下焉者難耐焦慮而爆發侵略性行爲。這種侵略行爲的對象可能是自己，也可能是外在的人或物。㊱但根深柢固者，人們所眞正不能接受的，是暴露在死亡與渾沌狀態之下的自己，社會互動揭露了自己所不能接受的某種本能衝動，或提醒了自己欠缺主體性的渾沌莫名狀態。一個便宜的方式，就是賦予自己一個負面的認同，可以說是絕望中的希望，在自暴自棄的某種自我定位中，反而有了鬆一口氣的輕快感覺。像這一類的自我退化，甚至給予人們一種重新取得主導地位的快感，或可稱之爲玩世不恭，也有如將成人世界「蠟筆小新」化，有的把社會「悲情」化，有的讓夜生活「幫派化」。嚴

㉟ Julia Kristeva, *Strangers to Ourselves* （trans.） L. Roudiez （New York：Columbia University Press, 1991）.

㊱ Demetrios A. Julius, "The Genesis and Perpetuation of Aggression in International Conflicts," in V. D. Volkan, D. A. Julius, and J. V. Montville （eds.）, *The Psychodynamics of International Relationships*：*Concepts and Theories* （Lexington：Lexington Books, 1990）, pp. 97-118.

重時，這種負面認同造成的社會退化，有廣泛的傳染與蔓延的效果。㊲

成人階段的焦慮導致於發展經驗不順利的說法，不同於死亡本能說之處，在於人們恐懼與擔心的，不是面臨不可知的死亡，而是喪失已然取得的主體認同，因此是屬於自尊範疇的分析。㊳但這仍與死亡有關，即所謂的「心理之死」，㊴這種對心理之死的恐懼顯然不來自於本能，而來自於社會互動所蘊藏的挫折與無助。況且，對死亡的恐懼並不等同於自我摧毀的死亡本能，蓋對死亡的恐懼出自於對一種莫名力量的敬畏，以及對死後世界的無知。當人們脫離孩提時期，浸淫在某種認同之中後，就不必再面對渾沌空無的嬰兒世界，成人沒有父母終日呵護擁抱，必須靠認同來迴避死亡。

四、後現代認同

認同與死亡的內在聯繫一向受人忽視，以致於因爲認同的需要受到剝奪時造成的暴戾氣氛，政治上總不能獲得解決。不能超越死亡的認同禁不起考驗，除非這個認同的內容多變，會有各式各樣具體的、情感的、個人化的情境產物。然而，人之所以喜歡認同普遍的、抽象的、集體的符號，並以認同之名來

㊲ Franz Neumann, *The Democratic and the Authoritarian State* （Glencoe：Free Press, 1957）, pp. 270-300.

㊳ Edith Weigert, "Extentialism and Its Relation to Psychotherapy," *Psychiatry 12* （1949）：399-412.

㊴ Eric H. Fromm-Reichmann, *An Outline of Psychoanalysis* （New York：Random House, 1955）.

分配社會資源，是因爲人們通常不能忍受變遷與不確定感。而現代社會的特色，正是摧毀了社區與鄉親的熟悉人情脈絡，使人的生活原子化、個別化，從而醞釀了高度的不安全感。此外，隨著現代化還又出現殺傷力極大的武器，層出不窮的戰爭，更加深人們面對死亡的焦慮感。㊵一個抽象宏觀的集體認同，將個人的主體性昇華成了不可以毀滅的族群主體性，讓孤獨的個人重新感受所已失去的權力與主體感。這種抽象認同雖然直接面對死亡的挑戰，但不是自己單獨面對，而是有一種想像的群體同心協力來面對，一旦能經歷戰爭洗禮的集體認同就取得永恆性。㊶

集體認同安撫了個人孤寂退化的精神焦慮，但創造了新的焦慮，因爲集體所面對的危機可能需要更多的投入。不過，由於集體認同即將要超越死亡而達不朽的前景，使得因此而產生的焦慮，不同於因爲認同遭到否定時，在面臨空虛孤寂中所感受到的無助的焦慮，後者是恐懼孤寂與渾沌帶來的，故是一種對恐懼所發生的恐懼，厥爲焦慮。相對於此，人對集體認同的投入、付出、犧牲，將原本處於靜止狀態的情感加以組織動員，不但不會形成社會退化，反而因爲和其他共享集體認同成員的親密互動，進一步表現成亢奮的情緒。㊷抽象的認同必須定期的通過死亡的考驗，否則不朽的認同終將淡化，可稱是一種

㊵ W. H. Auden, *The Age of Anxiety* (New York: Random House, 1946).

㊶ Vamik D. Volkan, "The Need to Have Enemies and Allies," *Political Psychology* 6 (1995): 219-248.

㊷ Carl Whitaker and Thomas P. Malone, "Anxiety and Psychotherapy," in M. Stein, A. J. Vidich, and D. M. White (eds.), *Identity and Anxiety: Survival of the Person in Mass Society* (Glencoe: Free Press, 1960), pp. 166-177.

挑戰死亡的迴避死亡方式。㊸

這些迴避最終必然會面臨眞正肉體死亡的考驗，㊹但個人的死亡經常成爲集體認同昇華的儀式，在宗教認同方面尤其如此。像基督教就認爲死亡者進入天堂接受主的恩寵，在世的人應該爲之慶幸。但不可避免地，任何集體認同符號所賦予生命的意義，在死者而言，其意義戛然終止，甚至對於親屬的主體認同都形成挑戰。有時，死者的親屬有責任感與罪惡感，因此面臨死亡的不只是死者而已。對後現代的認同分析而言，臨終現象是解構認同最清楚的場合，暴露了什麼才是主體性。

臨終研究發現，親戚朋友對病人的鼓勵之言在臨終的情境之中，不但無助而且頗不恰當。病人顯然已經不能扮演任何角色，他（她）的認同對象在臨終時變得沒有意義。等待的終點是死亡，而等待的人率皆無言。而無言剛好暴露了死者所莫以名之的那個主體性，因爲它赤裸裸地不受任何人間語言的掩飾，呈現在親戚朋友之前。是臨終情境設置了無言的表述，是無言的表述掀開認同的掩飾，那兒有一個主體，人們知道它的存在是死亡的來臨。㊺換言之，主體認同的建構是抽象論述經過實踐打造的，當實

㊸ Julia Kriesteva, *Powers of Horror*：*An Essay on Abjection*（trans.）. L. S. Roudiez（New York：Columbia University Press, 1982）, p.15.

㊹ Kurt Riezler, " The Social Psychology of Fear, " *American Journal of Sociology* XLIX, 2（1944）.

㊺ 崔國瑜，余德慧：《從臨終照顧的領域對生命時光的考察》，《中華心理衛生學刊》（一九九八年九月）；《從心理學面向探討後現代生命倫理的實踐》，發表於《現代化與實踐倫理研討會》，南投（一九九八年九月二十二日—二十四日）。

踐頓止之後，論述就失去得以依附的行動主體，則論述的虛僞性就遭到揭穿。故眞正的認同主體是靠死亡來揭發的，而發現意味著論述的終止，則被發現的那個主體乃是不可表述的對象，甚至是一種空無的狀態。如此一來，死者原有集體認同的崩解，必然衝擊到生者的集體認同，因此關於認同的論述必須持續，其實踐在死者往生之後得靠生者自己撿拾回來，否則生者就會在自己未來臨終情境達到前就已先遭遇心理之死。

主體認同論述的抽象性，和人們生活情境的具體性，產生不一致的結果，促使後現代學家提出了游移浮動的多重認同觀。自我和主體性的概念產生抵觸，因爲所謂主體，指的是有內在一致性，有內外界線的行動單位，若主體認同具有多重面向，彼此之間又不具備邏輯上的連貫性，則無異於否定了主體的概念。故在多重認同的主體論述裡，自我不是指實質的行動單位，而是隨著時空演變的一種過程，㊻這個過程在不同的情境下容納不同的認同論述，㊼如此主體和自我就不再是西方自由主義者所假設的，是

㊻ Bhikhu Parekh, "The West and Its Others," in K. Ansell-Pearson, B. Parry, and J. Squires (eds.), *Cultural Readings of Imperialism: Edward Said and the Gravity of History* (London: Lawrence & Wishart, 1997), pp. 173-193.

㊼ 參見廖朝陽：《再談空白主體》，《中外文學》二三，一二（一九九五年五月）：一〇五—一〇九；廖咸浩：《本來無民族，何處找敵人？》，《中外文學》二四，一二（一九九六年五月）：一四三—一五五。

二而一或一而二的；相反地，自我與主體兩個概念的區分，㊽容許非基督教社會的人們，能夠說明何以自我的主體性可以存在於某種集體認同之中，或爲血親、神祉、部落等。

精神分析家發現，任何主體都存在內在分歧，而且內在分歧通常不是可以透過意識來掌握的。不過精神分析的工作，則正要將潛意識的內在分歧，經由對當事人片斷回憶的拼湊，提昇到意識的層次，故好像某種內在一致的主體性是值得追求，也可以獲致的。則所謂分裂人格成爲一種病態，因爲其人不能感受到主體的全部，只能不斷地逃避完整的自我人格角色。㊾的確，斷裂不銜接的多種認同，在支配大規模社會資源的職位上，可能帶來危險與災難。精神分析家指出，人格分裂者不能判斷危險之所在，因爲他們的父母從未容許他們 關照自己的需要，也不懂得抗拒對主體性的干預，所以他們不會區分什麼是對自我的合理權利，什麼是對他人的侵犯，㊿在人我分際不明的情況下，出現自我分裂傾向。

精神分析家進一步指出，多重認同的另一種病態現象就是不能區分各個人格的黑洞人格，於是會快

㊽ Fred Dallmayr, *Beyond Orientalism*：*Essays in Cross-cultural Encounters*（Albany：SUNY Press, 1996）, pp. 24-27.

㊾ Jim Glass, *Shattered Selves*：*Multiple Personalities in a Postmodern World*（Ithica：Cornell University Press, 1993）.

㊿ Jim Glass, *Psychosis and Power*：*Threats to Democracy in the Self and Group*（Ithica：Cornell Unuversity Press, 1995）.

速不穩定地同時啓動多重人格，這種經驗極其恐懼，猶如末日之降臨。[51]這和分裂人格不同，分裂人格者的各個認同不相干預，移轉的發生是全面性的。在現實政治中可以經常看到類似的現象，有的在不同的情境和場合中表現出完全不同的政治人格，一會兒溫和有節充滿愛，一會兒激動暴力充滿恨，而這兩種表現所要關懷或對付的對象，正是自己的另一半；另外有的黑洞人格，會語無倫次的在各種論述中來回，至自己不能忍受而武斷偏激地找尋一個全面的代罪羔羊。[52]

可是精神分析的治療方式，有可能會變本加厲讓情勢惡化，某種整合的單一人格，或全面一致的主體認同，勢必強迫多重認同者必須對付自己的某一部分，在行動上就迫使他們將自恨向外投射，把自己不能接受的另一個自我，拿來當成主體認同界線之外的現象。[53]這種自我戕害的傾向，加深人們的焦慮，致益加不能整合內在的多重人格。後現代心理學家中有人認爲，解決多重人格者的危險傾向，不是

---

51 Jim Glass, *Private Terror/Public Life : Psychosis and Politics of Community* (Ithica : Cornell University Press, 1985).

52 Norma Claire Moruzzi, " National Abjects : Julia Kristeva on the Process of Political Self-Identification, " in K. Oliver (ed.), *Ethics, Politics and Difference in Julia Kristeva's Writing* (London : Routledge, 1993), pp. 135-147.

53 John M. Owen, *Liberal Peace, Liberal War : American Politics and International Security* (Ithica : Cornell University Press, 1997).

強迫他們之間妥協融合，而是讓他們彼此知道，相互溝通，但又互不干預。54推而廣之，一個社會的集體認同也可以有多重性，人們不因爲社會內部存有多重，甚至矛盾的認同而焦慮，只要各個集體認同出現的場合有一定脈絡可循。55於是，後現代的認同分析不純粹是解構的，也可以對於因認同而產生的情感和焦慮認可，只是這些多重認同現象的發展與變遷，必須謹愼追蹤，才不會淪爲不自覺的自恨與暴力傾向。

五、國家認同

後現代認同心理學家處理的政治課題，首先是國家認同。他們指出，國家認同與國家主體性的說法，是在宗教戰爭以後才有的事。56今日人們所謂的國家，指涉的即是主權國家，而主權國家存在的根本證據，恰是在一塊固定疆域的領土界線之內，行使至高權力的能力。這個能力倘若不加行使，則疆域的意義便會雖之淡化，因此找尋主權行使的對象，成爲國家認同得以維繫的根本手段。57主權的對象分

---

54 參見Flax op. cit.

55 William Connolly, *The Ethos of Pluralization* (Minneapolis: University of Minnesota Press, 1995).

56 Walker, *Inside/Outside*, op. cit.

57 Richard Ashley and R. B. J. Walker, "Speaking the Language of Exile: Dissident Thought in International Studies," *International Studies Quarterly* 34, 3 (1990): 259-268.

為主權之內與主權之外，在外的對象是行使主權的人所要排斥的對象，在內的對象是行使主權的人所要征服的對象。就如同所有的認同疆界一般，國家認同的疆界永遠存在無法清楚辨識的模糊對象，而且即使疆域能夠明確界定，行使主權的人也不能容許主權的名義長久擱置不用，所以主權作為一種國家成員集體認同的符號，就產生一種自生的邏輯，必須不斷找尋內奸外敵，才能長久以往。⑱內奸外敵提醒了人們一種面對死亡的恐懼，在死神面前千錘百鍊的國家，才得以超越生老病死，垂之不朽，從而認同國家的人也方才可以有所寄託，迴避自己生命的揮發性。⑲國家認同因此有一種淨化心靈的作用，先把不同的人集合在同一個認同之下，再把相同的人區隔在主權疆域之外，使得主權超越了社會人情脈絡，引導人們進一步脫離自己肉體的衰老。死亡離自己不但更遙遠，而且自己也不再是單獨的面對死亡。在死亡威脅的面前，更不會沈淪在無言的渾沌中，而是熱血澎湃地貢獻於國家，效忠領袖。⑳

戰爭因而是現代國家不可或缺的認同現象，戰爭不僅肯定了國家疆界的保護作用，同時通過國家安全這個概念的散佈，使得疆界之內的人好像取得了齊一性，掩飾了彼此的差異性。㉑同樣的道理，關於

---

⑱ David Campbell, *Politics without Principles*: *Sovereignty, Ethics, and the Narratives of the Gulf War* (Boulder: Lynne Rienner, 1993).

⑲ Garol Cohen, "Sex and Death in the Rational World of Defense Intellectuals," *Signs* 12, 4 (1987): 692-699.

⑳ Steven Kull, "War and the Attraction to Destruction," in Betty Glad (ed.), *Psychological Dimensions of War* (London: Sage, 1990), pp. 41-45.

㉑ John Dower, *War without Mercy*: *Race and Power in the Pacific War* (New York: Pantheon Books, 1986).

戰爭的準備行動，比如以國家之名進行關於潛在敵人與世局的分析，保密防諜的口號標語，購買或發展新型殺傷武器的作法，軍事演習，國防服役制度等等，在在提醒國民，國家與國家之間的秩序是鬥爭的，只有國家之內才比較安全。㉒常人總覺得是先有國家，才有國家認同，有了國家認同才發生國防的需要。但如果認同的營建是人們所不能免除者，則某種認同的出現就也勢必所然，而國家認同這種制度化地將死亡排除在國界之外的論述，也就顯得特別符合需要。對死亡恐懼的管理不是直接由國家認同所完成的，而是先透過國防軍事機制將死亡威脅的來源投射到國外，故無軍事國防活動者無外敵，無外敵者無內外之別，無內外之別者無國家認同，無國家認同則無法迴避內生的死亡本能。

同樣的道理，外交的作用也是如此。所謂外交，其前提自然是國家與國家互不重疊。外交人員的行動假設，是有國家利益待他們去保護或推動。㉓於是所有關係國家利益的研究與辯論，都等於在強化國家認同。人們或許彼此不能同意什麼是國家利益的內容，但這個關於國家利益內容爲何的思辯，不僅使人將「國家利益」的概念習以爲常地視爲當然，更使人冥冥之中加深了對國家這個概念的臣服。關於國防外交的體制與實踐，就這樣轉移了人們對國家本身的質疑，把死亡與威脅投射到遙遠的「國際」間，發揮了集體認同的至高效用。

㉒ Elizabeth Diller and Ricardo Scofidio, Back to the Front： Tourism of War （New York： Princeton Architecture Press, 1994）.

㉓ James Der Derian, *On Diplomacy* （Cambridge： Blackwell, 1980）.

沒有敵人的國際環境是很痛苦的。精神歷史學會的創始人deMause指出，在美國，若碰到這種沒有外敵的狀態，將有如胎兒困在產道中難產的情況，所有的媒體、語言與圖像，都會不約而同地會用大量的與生育有關的符號。⑭戰爭是此刻最有用的出路，戰士們在這種節骨眼上蓄勢待發。換言之，戰場就像一個祭壇，士兵與戰備就像是祭品。如果人們關於自己的認同必須靠著社會關係與角色不斷實踐，才能迴避面臨死亡的恐懼，當然人們的抽象認同也必須定期地靠著犧牲儀式來再造，⑮這在宗教如此，在國家亦復如此。犧牲的現象將人的生命昇華了，與抽象國家的認同在愛國主義或民族主義的論述中結合，則國家認同獲得再度確認，人的自我認同也永垂不朽。⑯

沒有一個國家或宗教可以不進行某種形式的集體犧牲，這個犧牲在Freud角度中即爲死亡的本能。事實上，人們所犧牲奉獻的對象，多半也都是受盡屈辱，犧牲自我的認同符號，像耶穌基督、聖女貞德，所以參與戰爭或犧牲的人可以感覺自己在精神上與認同的對象合一了，⑰這似乎是一種回到母親子宮羊水的自在與安寧。當犧牲儀式結束，國家與士兵都獲得重生，所有的鬥爭，威脅，沮喪，異化都隨

---

⑭ Lloyd deMause, *Reagan's America* (New York: Creative Books, 1984).

⑮ Michael Shapiro, "Warring Bodies and Bodies Politic," in M. Shapiro and H. R. Alker (eds.), *Challenging Boundaries* (Minneapolis: University of Minnesota Press, 1996), pp. 455-480.

⑯ Jean Bethke Elshtain, "Sovereignty, Identity, Sacrifice," in V. S. Peterson (ed.), *Gendered States: Feminist (Re) Visions of International Relations* (Boulder: Lynne Rienner, 1992), pp. 141-154.

⑰ Michael Rogin, "A Conspiracy So Immense," *Journal of American History 71* (June 1984): 171-172.

著犧牲的行爲遭到毀滅，過去舊的自我死亡了，但一個新的、無法否定的自我誕生了。[68]世界的主要國家均將自己的誕生說成是革命與戰爭的結果，關於革命與戰爭的痛苦、死亡和犧牲，是媒體一再重複的題材，也是國家領導人每逢節慶津津樂道與各國博物館首需陳列的故事，只有透過不斷的提醒，人們才能放心，好像死亡已成爲歷史，死亡的恐懼已經獲得處理。

戰爭變成了傳奇，死者變成了烈士，穿插在戰爭故事中的感性小插曲，把戰爭人性化，紀念戰爭的忠烈祠、墓碑，在在把戰爭描繪成一種可慾的對象事件。[69]到了二十世紀末期，戰爭遊戲益加眞實，有的讓人們著野戰服親自上陣，更逼眞的是螢幕上連幼兒都可操作戰爭的場面。透過接近死亡，模擬死亡情境，國家的疆界顯得益加神聖而不可動搖。[70]從這種情境中超脫出來的個人，無異具有內在一統的主體性格，因爲在面對死亡的過程中，能夠擊敗對手效忠國家的機會令人悸動，所有的情感機制都獲得動員，來協助自我通過死亡的考驗，這種自我的一體感，賦予人們生機盎然。

不過，由於歷史文化的差異，戰爭與國家認同之間的關係仍不能一概而論。勝仗不一定要比敗仗在

---

[68] E. Shaw, "Political Terrorists： Dangers of Diagnosis： An Alternation to the Psychopathology Model," *International Journal of Law and Psychiatry 8* （1986）： 359-368.

[69] Phyllis Turnbull, "Remembering Pearl Harbor ： The Semiotics of the Arizona Memorial," in M. Shapiro and H. R. Alker（eds.）, *Challenging Boundaries* （Minneapolis： University of Minnesota Press, 1996）, pp. 407-433.

[70] James Der Derian, *Antidiplomacy*： *Spies, Terror, Speed and War* （Oxford： Blackwell, 1992）.

凝聚認同方面的效果更好；有時，勝仗未必是國家領導追求的最高境界。戰爭的過程比戰爭的結果更有助於國家認同的鞏固。⑪戰勝與戰敗的標準又因人而異。況且，戰爭的對象應當是強者或弱者，受到情境與動機的左右。所以，固然主權國家的戰爭是以領土保衛爲重心，但殖民地的戰爭則是以表達抗拒爲主的，非關領土的認同。對弱者的戰爭反映了對外在敵人的需要已饑不擇食；對強者的戰爭更主要是在追求自我犧牲與不朽的感覺。單一民族國家對戰爭的需要，一般不如移民國家或殖民地國家，因爲單一民族國家對自己主體性的論述有比較一致的歷史經驗爲內容。不同領導人因其成長經驗差異與自我認同的模式不同，以戰爭將自恨投射到國家以外的需要亦不同。⑫這些複雜性使得國家認同與戰爭的關係，隱晦不明。

國家需要的不僅是外敵而已，內奸的存在同樣重要。因爲國家認同假設主權疆域之內有一致的主體性，而疆界本身不可避免的創造出跨疆界的模糊地帶已如前述，則凸出國內主體性不一致的必然性。這種必然性有助於內奸外敵的宣傳，增加的外敵的威脅性。⑬內奸論述常以身體的細菌來表述，他們可能是間諜、同性戀，毒販，窮人，少數民族，背叛者，偷渡客，犯罪的人，精神污染等等。內在敵人的說

---

⑪ Jonathan Adelman and Chih-yu Shih, *Symbolic War: The Chinese Use of Force, 1840-1980* (Taipei: Institute of International Relations, 1993).

⑫ Chih-yu Shih, *The Spirit of Chinese Foreign Policy: A Psychocultural View* (London: Macmillan, 1990), pp. 62-94.

⑬ Andrew Ross, "Containing Culture in the Cold War," *Cultural Studies* 3 (1987): 328-348.

法創造自我淨化的需要，但他們隱身於自己身體的內部，難於察覺，從而比外敵更爲恐怖，更爲可恨。這種痛恨的程度，會由於無法說明內奸存在而更昇高。因爲這將表示內奸是主體自身製造出來的。故營建內奸和外敵的聯繫，對於主體自我形象和自尊的重建，至爲關鍵。

由於國家認同刊登出來的自恨，與個人主體認同所要逃避的混沌孤寂是一樣的，[74]這種自恨反映的內外界限被打破，致外在死亡的威脅有於體內的恐懼感陡生。沒有這種恐懼感，人們就失去認同論述的需要，而認同的論述又如上述自然催生出內在的陰影，此何以關於國家認同的論述總是製造人們的焦慮，當人們用面對死亡與超越死亡，來逃避死亡本能的時候，因此而誕生的抽象國家認同，不論如何生氣蓬勃，都是在遮掩人們所不願意看到的那些內在對象，不斷清除內奸的行動，將使每個國家成員都更接近認同的疆界，也更可能成爲被清除的對象，即自己是屬於外在死亡的黑暗領域。於是人們必須奮起對外作戰與對內清洗，犧牲自我，才能免於去發現內奸所帶來的恐怖情境根源於自己。

六、後殖民認同

最早的認同發生在家庭之中，人們不會去回憶自己在進入家庭之前的經驗，一方面因爲這個經驗不

---

[74] John E. Mack, "Nationalism and the Self," *The Psychohistory Review* 2, 2-3 (Spring 1983): 47-69.

儲存在認知結構中，從而無法表達，另一方面，所有關於人們的討論，最早只能回溯到家庭，即使包括故事主人翁上一代的家庭，也不可能論及主角在內化家庭認同之前的自我（或稱無我）。故一個人在認知上接受家庭認同之前的事，是不可說、不能說、也不必說的一個「非起點」，亦即是一個認知不到的起點。[75]家庭認同之前的狀態，當然影響到人們後來在建立主體認同時的需要爲何。也就是，認知不到的並非不曾發生過。到了二十世紀末期之際，關於這個認知不到的部分有了新的機制去加以體會。

世紀末的全球化潮流，開始衝撞家庭認知乃至於各種集體認同的論述。家庭開始往「非家庭」方向，[76]國家也開始往「非國家」方向移動，[77]過去習以爲常的認同起點，慢慢無法鞏固自己，而漸漸地被排除到認同起點之前非起點的階段裡。所以，愈來愈多的人現在回家時，得先出國；回國的話要先離家。有的人有好幾個家，各在不同的國度。家不再是認同的起點，家變成了是一個過渡的起居點；家人也不是認同的對象，家人變成陌生人。[78]人們不是不認得家人，而是不知道自己的家人與自己有什麼特殊的認同關係。一群家人中，有的留學了，有的在外商公司服務，有的與異族通婚。家人彼此溝通時發現觀念差異有時如此之大，有時又似曾相識，但彼此都不是對方的生活重心。

---

[75] Michel de Certeau, *The Writing of History* (New York: Columbia University Press, 1988), pp.90-91.

[76] Homi Bhabha, "Culture's In Between," *Artforum International* 32, 1 (1993): 167.

[77] 大前研一著、李宛容譯：《民族國家的終結》（台北：立緒，一九九六年）。

[78] Nadine Gordimer, *My Son's Story* (London: Bloomsbury, 1990).

當家人都在全球化的市場中謀生，各自沾染了市場面向中不同的客戶或雇主文化，這個家成了混血家庭，⑲家人在年度節慶歡度時的間歇性陌生感，不見面所記得的家人和見面時所遭遇的家人很不同，凸出了家的過渡性，那麼，哪裡才不是過渡性的呢？過渡的概念隱涉了至少兩個基點，這兩個基點無疑是過去小時候的家，和現在全球化的自由市場，過渡的人則從傳統的家走向全球化潮流中的某個角色。然而，這個過渡有可能完成嗎？每一個家都在歷史時空中錯置了，家不再傳統，出國回家可能是離家更遠了，見到的家人可能是全球化的先鋒。其結果，過渡的地方無處不在，但過渡的過程卻無止境。⑳渡不過去的！這是全球化衝擊的尷尬。在前殖民地是如此，因爲那兒人們對全球化潮流衝擊趨之若鶩，又疏離異化；在前殖民母國亦復如此，看著與自己做生意的，共生活的，組家庭的人，他們口中複誦的雖是與自己同一種語言，但卻髮色膚澤盡不相同，血緣家庭判若天淵。

所謂兩個基點成爲人的內在特質，過渡也就成爲後殖民時代的人格典型。不斷過渡的生活使得認同作爲一種固定的社會符號喪失功能，認同所帶來的穩定感與它的不變（或不朽）是有關的，不變的自我概念緩和人類在生理上趨近死亡的恐懼。然而不斷過渡的現象使人的自我概念不能與抽象認同結合，也

---

⑲ Kwame Anthony Appiah, *In My Father's House*： *Africa in the Philosophy of Culture* （New York：Oxford University Press, 1992）.

⑳ Toni Morrison, ”Unspeakable Things Unspoken： The Arfo-American Presense in American Literature,” *Michigan Quarterly Review 28* （Winter 1989）： 1-49.

就不能昇華不朽，於是形成重要的焦慮來源。非家庭與非國家的轉變將人們本來投射死亡恐懼的領域打破了，是家庭認同之前那個渾沌的非起點銜接上習以為常的起點，造成主體認同表達上的困難，時而湧現無言的剎那，暴露了面對死亡無以名之的主體。

焦慮所帶來的敵意首先指向自己，接著是指向所有混血的文化代理人。在尋找投射焦慮的外在對象時，有必要重新界定內外的界線何在。有的人於是回歸到既有的國家認同上，對於混血者加以排斥或同化，這種排斥與同化的手段因地制宜，有表現成英語運動者，[81]有號稱一族主義者，[82]有揭舉反資產階級自由化者，[83]有鼓吹本土化運動者，[84]不一而足。留在過渡游移中的人，成了代罪羔羊，因為站在本土立場反彈的人，也是全球化下的生存者，他們的家人也在潮流之中汲汲營營，他們過去的教育背景尤其是為了加入全球化體制設計的，他們反對混血文化無異是投射對自己文化失存的怨懟。

另外其它的人則回到更久遠以前的民族主義，各種文藝復興或原教主義興起，關於文明衝突的傳說

[81] Jack Citrin, et al., "The "Official English" Movement and the Symbolic Politics of Language in the United States," *The Western Political Quarterly* 43（September 1990）：535-559.

[82] "The Hanson Factor," *The Economist*（June 13, 1998）：24.

[83] 例見華原：《痛史明鑑：資產階級自由化之氾濫及其教訓》（北京：北京出版社，一九九〇年）。

[84] 例見王育德：《台灣：苦悶的歷史》（台北：自立，一九九三年）；史明：《台灣人四百年史》（台北：蓬島，一九八〇年）。

甚囂塵上。[85]民族主義的訴求將注意力轉到血緣關係之上，在全球大量通婚的發展下，民族的界線益發難以定義，而這種無法定義的窘境就確定了必須藉由某種扭曲的論述，再配合強制力的實踐，來塑造民族認同的符號。則與自己愈是鄰近的混血文化者，對民族的認同威脅就愈大，因爲他們代表了人我分際的渾沌，與外在死亡血液的污染，導致近鄰和平關係的破滅，甚至轉爲相互物化的流血拼鬥，[86]使混血認同者無言，使淨化者益加感到痛恨，殺戮就成爲平撫焦慮的便宜手段。

混血認同在諸多後殖民主義作家之中成爲基點，過渡狀態可以穩定化，而民族與宗教的原教主義者受到睥睨。這個混血認同所要抗拒的是資本主義與民族主義，因爲這些論述將人類個人化，把每個人想像成單一的、自足的、內在一致的分立主體，對於混血認同造成壓迫。所以人與人之間不是鬥爭關係，否則必然演變成自己對自己的鬥爭。[87]因此像Spivak 這樣的作家就主張，混血認同與單一的國家或民族認同之間，不應該是反抗的關係，因爲反抗的人數與力量已然超過壓迫的力量，故宣稱混血認同者只要團結，就可以創造新的不以排斥或征服爲訴求的認同；更重要的，各種混血成分不同的人能夠團結，更

---

[85] Chih-yu shih, "Seeking Common Causal Maps: A Cognitive Approach to International Organization," in M. Cottam and C. Shih (eds.), *Contending Dramas*: *A Cognitive to International organizations* (New York: Praeger, 1992), pp. 39-56.

[86] Roger Griffin, *The Nature of Fascism* (London: Pinter, 1991).

[87] 石之瑜：《當此不知誰客主：二十一世紀民族主義與全球化潮流的本土臨摹》，《亞洲評論》（一九九八秋季號）。

表示人們可以暫時放開自己的位置，則改變了對抗方式或劃界方式的認同政治手段，個人化的趨勢倒轉了，建立個人主體認同的需要，被混血認同取代了。[88]

團結的要求有兩個盲點。第一是這個要求的提出倡議者，是身在全球化潮流先端的混血認同者，即在西方學術界謀生的第三世界學者，對於潮流末端的前殖民地社會而言，團結的要求，就像是他們留學在外的家人搭乘著「進步的羽翼」返國，要求國人和他們一起對付尖端社會的壓迫者，[89]但是對於在前殖民地的統治者卻都不加批判，使前殖民地社會本身的反抗壓迫者感到疏離，因爲他們不能和本地的當權派合作去幫外國的混血認同者。其次是這個團結的要求或者有助於對尖端社會壓迫者進行抗拒，但尖端社會中的溫和派反而蒙受其利，他們打著多元文化的招牌，繼續在前殖民地進行市場操控與資源收刮，但因爲表現出對後殖民混血文化的同情與調整，竟可以受到歡迎，故混血認同的大團結可能忽略了誰掌有生產工具的關鍵問題。[90]簡言之，混血認同與國家認同及民族認同只能共存，而不能取代，這勢

---

[88] Gayatri Chakrovorty Spivak, "Teaching for the Times," in A. McClintock, A. Mufti, and E. Shohat (eds.), *Dangerous Liaisons: Gender, Nation, &Postcolonial Perspectives* (Minneapolis: University of Minnesota Press, 1997) pp. 468-490.

[89] Gayatri Chakrovorty Spivak, *The Postcolonial Critic: Interviews, Strategies, Dialogues* (ed), S. Harasym (London: Routledge, 1990), pp. 68-69.

[90] Arif Dirlik, "The Postcolonial Aura," in A. McClintock, A. Mufti, and E. Shohat (eds.), *Dangerous Liaisons: Gender, Nation, & Postcolonial Perspectives* (Minneapolis: University of Minnesota Press, 1997), pp. 501-528.

將成爲二十一世紀的普遍現象。

混血認同可以說是一種「非認同」。非認同是一個持續過渡狀態，至少兩個基點就包括了全球化的尖端社會和末端社會，亦即前殖民母國式的文化與前殖民地式的文化，[91]這個持續過渡狀態理當暴露混血認同者的主體於渾沌之中。可見，混血認同之所以能成爲一種認同，不是關於混血的內容爲何，而是在與前母國與前殖民地的互動中獲得的。主張混血認同的後殖民主義者尋求的，是在前母國社會中被接納爲多元平等的一方，在前殖民地社會中被接納爲自己人。[92]不過這個要求是很困難的，因爲他們身上有殖民地人的血液，受前母國歧視，又操著前母國的口氣，爲前殖民地人所不信任。結果，受到母國文化衝擊的前殖民地人看到混血認同的主張，產生自己人被誘惑的罪惡感；受到殖民地商品、移民衝擊的母國人，看到混血認同的主張，則產生自己領土被入侵的厭惡感。[93]

後殖民主義者宣稱全球化潮流下的人類，無不是混血認同，或許這是正確的，但卻不相關，因爲混血認同的持久過渡性，否定了認同之所以爲認同的穩定性。由此觀之，後殖民主義者能夠安於混血認同，恐怕不是因爲自己能享受混血的緣故，而是他們在社會關係上有兩個穩定的對象，即前母國與前殖民地。在反對他們傾向單一主體認同的過程中，宣稱人人都是混血認同的他們將自己與前母國、前殖民

---

[91] Rey Chow, *Women and Chinese Modernity*（Minneapolis：University of Minnesota Press, 1991）.

[92] Homi Bhabha, "AT the Limit：The Power of the Text," *Artfourm* 27（May 1989）：11-12.

[93] 陳昭瑛：《台灣文學與本土文化運動》（台北：正中，一九九八年）。

之間劃了一條界線。[94]重點不再是混血認同的內容爲何，而在於是否採納混血認同的論述立場，故是這個論述的與衆不同，而不是這個論述本身，在賦予後殖民主義者一個穩定的認同。後殖民主義的符號化，竟使混血認同成了一個具有明確對象的認同。

七、性別認同

潛藏在後殖民認同、國家認同、民族認同與後現代認同之中的，是無所不在的性別認同。[95]認同既是關於主體性的論述，則採用男性氣質的語言就不令人奇怪。自Freud以降的精神分析，在討論人格時總圍繞著男性，[96]不論是追求獨立人格對母權的反彈，或權威人格養成過程中父權所扮演的關鍵角色。更重要的是人們對男女兩性角色經常採納社會刻板印象中說法。無怪乎性別化的語言也充斥在認同符號

---

[94] Klaus Neumann, "'In order to Win Their Friendship': Renegotiating First Contract," *The Contemporary Pacific* 6, 1 (1994): 122.

[95] V. Spike Peterson (ed.), *Gendered States: Femminist (Re) Visions of International Relational Relations* (boulder: Lynne Rienner, 1992): 40-56; Anne S. Sasson (ed.), *Women and the State: The Shifting Boundarries of Public and Private* (London: Hutchinson, 1987).

[96] Rosemarie Tong, *Feminist Thought: A Comprehensive Introduction* (Boulder: Westview, 1989), pp. 139-172.

中。這裡最明白的傾向，就是以男性氣質來呈現主體論述，以女性氣質來呈現客體論述。⑰到二十世紀下半葉之後，同志認同更被用來與內奸外敵的論述相銜接，⑱成爲政治心理學必須謹慎處理的課題，這在半世紀之前是難以想像的。

性別認同與政治認同相銜接，最明顯的便是政治人物以及社會上有資源影響政治的人，率皆爲男性，因此關於國家認同與民族認同會從男性氣質的角度來建構，就成了理所當然。⑲一般而言，相關於主體國家的論述是男性化的，所以強調的是獨立、自主、排外的能力，而不是關懷、體諒、包容的能力；⑩而關於民族的論述是女性化的，所以多是母親被保護的，受欺凌的形象。正因爲如此，雖居於守勢的領導人既可以強調主權的排外性，也可以引用民族的危機來動員支持，但一旦是向外征服侵略的時候，採用不受疆域限制的民族論述，就比採用主權論述適合，這時，政治領導人通常會指民族成員在

---

⑰ Triuh T. Minh-ha, "Not You/Like You: Postcolonial Women and the Interlocking Questions of Identity and Difference," in A. McClintock, A. Mufti, and E. Shohat (eds.), *Dangerous Liaisons: Gender, Nation, & Postcolonial Perspectives* (Minneapolis: University of Minnesota Press, 1997), pp.415-419.

⑱ Allen Drury, *Advise and Consent* (Garden City, NY: Doubleday & Company, 1959).

⑲ Cynthia Enloe, *Bananas, Beaches, and Bases: Making Feminist Sense of International Politics* (Berkeley: University of California Press, 1986); Sharon MacDonald, Pat Holden and Shirley Andner (eds.), *Images of Women in Peace and War* (Basingstock: Macmillan, 1987).

⑩ Joan Toronto, "Beyond Gender Difference to a Theory of Care," *Signs* 12, 4 (1987): 644-663.

其他的主權疆域中受到壓迫，因而必須加以納入保護。保護的方式則是將彼等居住的領土納入主權，這時主權的擴張就可以表現成防衛性的了。

後殖民國家的性別是錯亂的。[101]他們基本上是殖民地建國而成，在此之前只是殖民母國的對象，沒有主體性，充其量只是自然資源的供應地，又是宗教上的黑暗世界。建國之後，他們在各方面仰賴母國的支持，後殖民地的領導菁英均自母國留學返國。當後殖民國家表現成依賴、順從的女性形象時，最能贏取前母國國會的同情，但當他們表現出強烈的獨立態度，要求平等待遇，反對母國介入時，就引發母國懲罰的慾望。跨兩地通婚的人，通常以母國的男性與後殖民國家的女性爲主，這些男性在母國社會傾向對政府採取批判角度，同情後殖民國家的處境。然而對後殖民地菁英來說，這些同情難免一廂情願，其中反映對母國政府不滿的情緒多，反應殖民地需要的少。相對地，殖民地則政治鬥爭難斷，對於用什麼姿態面對母國總是爭執不休。

最爲母國難以抗拒的誘惑，應當是來自在母國受教育的殖民地女性，因爲她象徵了殖民地的可欲性，一方面可欲性來自殖民地女性本身的神秘、奇異，二方面來自於如被同化時的溫順，三方面，她代

---

[101] Rnoald Hyam, "Empire and Sexual Opportunities," *Journal of Imperial and Commonwealth History* 14, 2 (1986): 34-90.

表了殖民地終將接受同化的趨勢。⑩②但如果這位女性站在批判母國政策的角度，則成了男性的混血認同，對母國就構成顛覆。殖民地菁英之間的紛爭更常採用複雜的性別暗示，以能吸引母國對這一派的支持；革命勢力在與政府和與母國的衝突中，則受到母國激進派的奧援，不但這裡的性別暗示錯綜複雜，而且在各種革命情感之中，出現母國女性下嫁殖民地男性的革命鴛鴦，也出現同性相吸的戀情，⑩③這使混血認同和雙性認同之間的聯繫，耐人尋味。

革命情侶中的同性相戀在各地皆然，有其原因。首先，革命使人從傳統家庭解放出來，在性關係上以傳承和勞動力爲主的父系思維得以轉型，成爲以性滿足和戀情爲主的型態，則戀情就不必限於異性之間。其次，革命活動的壓力極大，使得人們有需要在性關係上脫離傳統的角色桎梏，取得慰藉，尤其是男性，不能二十四小時都陽剛與摧毀，因此有轉換角色的需要。再其次，革命者在思想上不能太在意既有規範的束縛，有利於在性關係上取得解放。換言之，同性戀的出現與社會情境有關，而不是如當代醫

---

⑩② 石之瑜：《宋美齡與中國》（台北：商周文化，一九九八年）；Chandia Talpade Mohanty, Under Western Eyes: Feminist Scholarship and Colonial Discourses," in A. McClintock, A. Mufti and E. Shohat (eds.), *Dangerous Liaisons: Gender, Nation, & Postcolonial Perspectives* (Minneapolis: University of Minnesota Press, 1997), pp. 255-277.

⑩③ 例見朱浤源：《宋教仁的政治人格》，台灣大學政治學系碩士論文（一九七五年），頁一九二—一九七；William L. Shriver, *The Rise and Fall of the Third Reich* (New York: Simon and Schuster, 1960), pp. 120-122.

學界或若干同志團體所宣稱，同性戀是天生的，故只有同性戀者才會加入同志團體。[104]歷史發展顯示，同志團體成長為一種性別認同，是近半世紀以來的發展，而且是二十世紀最後二十年才逐漸取得的部分認同，[105]在過去，同性戀是個別的，根本不存在所謂的同志認同。

由於同性戀在歷史上是受貶抑排斥的，又在近代革命當中頻傳有關同性戀的軼聞，因此在近代人的想像中，同性戀總是被視為一種威脅。在所有的認同論述中，凡是被認為是內在威脅者，就會被投射到主體認同界線之外，當成外在對象，而內部的同性戀者，則常被當成顛覆的來源之一。比如在美國移民規化局的公民申請過程中，就要求未來公民交代是否是同性戀，顯然意在排斥，因為這個問題與有關申請人有無在美從事間諜或有無犯過刑案並列的，這除了好像說同性戀、間諜、刑犯一樣危險之外，更暗示在當今美國公民之中沒有同性戀。[106]不用說，這都是純屬想像的美國認同。

對同性戀最大的詆毀，就是關於愛滋病的傳說。[107]在愛滋病的相關論述中，傳染的媒介一是吸毒

---

[104] Jeffery Weeks, *Coming Out*： *Homosexual Politics in Britain* （New York： Quarter Books, 1977）.

[105] John D'Emilio, *Sexual Politics*： *The Making of a Homosexual Minority in the United States* （Chicago： University of Chicago Press, 1983）.

[106] David Campbell, *Writing Security*： *United states Foreign Policy and Politics of Identity* （Minneapolis： University of Minnesota Press, 1992）.

[107] Simon Watney, "The Spectacle of Aids," *October 43* （Winter 1987）： 71-86.

犯，二是男同性戀，三是非洲。[108]這個流行的印象反映的主流價值，是歐美的異性戀家庭成員，在那兒，性關係是安全的。然而，歐美的異性戀家庭中，既維持單一性伴侶的，又不屬於重婚的比例極低；此外，所謂同性戀者中屬於雙性戀者亦所在多有，因此，關於愛滋病的論述，事實上使愛滋病的全面傳染途徑受到忽略，也使它的防治難以有效。防疫工作好像以圍堵病源爲主，這個病源就是非洲的男同性戀。[109]把愛滋病當成一種地方病顯然是錯的，沒有一種傳染病是地方病，所以圍堵的對象，不只是病源所來的地方，而更是每一個要發生性關係的人。何況，所謂地方病會來到歐美，是歐美雙性戀人是在剝削非洲時與當地人性接觸的結果。對販賣性服務的當地人而言，他（她）是在換取市場貨幣，不是在戀愛，故更不能以同性異性區別之。[110]圍堵非洲與同性戀的做法之所以錯，正是因爲傳染媒介的重要成員之一，是歐美的雙性戀與異性戀者。

前述關於同性戀佔人類一定比例的說法，看起來是在爲同志團體正名，其實是對愛滋病的錯誤論述

---

[108] Cindy Patton, "From Nation to Family: Containing African AIDS," in H. Abelove, M. A. Barale, D. M. Haalperm (eds.), *Lesbian and Gay Studies reader* (London: Routledge, 1993), pp. 127-138.

[109] Cindy Patton, *Inventing* AIDS (London: Routledge, 1990).

[110] Cindy Patton, "Queer Pergrenations," in M. Shapiro and H. Alker (eds.), *Challenging Boundaries* (Minneapolis: University of Minnesota, 1996), pp.363-382.

推波助瀾。因爲，同性戀人數的增加，是隨著資本主義發展而來。⑪資本主義和革命活動一樣，有把人從家庭、耕田中解放的作用，它也提供人們離家單獨生活的物質基礎，從而容許人們從純粹性滿足的角度來體驗兩性關係。自然而然地同志團體的支持者會與時俱增，故絕不是愛滋病就會限於一個人數固定的團體，任其自生自滅即可。

性別認同和國家認同之間的曲折關係，可以從人們要把同性戀者從國家安全相關的部門排除的想法中看出端倪。⑫當美國總統涉入某種異性戀的醜聞時，卻不曾引起關於國家安全的疑慮。在冷戰時期，反共派將同性戀與共黨顚覆活動聯想在一起，反應了國家認同關於內奸外敵的必然性。⑬內奸是脆弱的，容易受到誘惑的，從而男同性戀在形象上被女性化。這使得陽性的國家認同備受威脅，從而又必須將同性戀投射在認同界線之外。⑭這也間接說明，當前殖民地獨立之後，如果認眞對母國執行獨立主體的排外功能，不但剝奪了母國對殖民國家那種充滿依賴而原始的女性形象，也勾起母國人民心中潛藏的恐懼與懷疑，即是否自己過去對殖民地奇風異俗的愛憐是出自一種潛意識的同性戀傾向？

⑪ John D'Emilio, "Capitalism and Gay Identity," in H. Abelove, M. A. Barale, D. M. Halpern (eds.), *Lesbian and Gay Studies Reader* (London: Routledge, 1993), pp. 467-476.

⑫ Lee Edleman, "Tearooms and Sympathy, or, the Epistemology of Water Closet," in H. Abelove, M. A. Barale, D. M. Halpern (eds.), *Lesbian and Gay Studies Reader* (London: Routledge, 1993), pp. 553-574.

⑬ 例見Ernest Haveman, "Why?" *Life* (June 26, 1964)，引於註釋⑮。

⑭ 例見FBI, Report on Walter Wilson Jenkins (October 22, 1964)，引於註釋⑮。

性別認同是人類最原始的認同，當人們其它的集體認同發生轉變的時候，性別認同卻根深柢固。用性別認同去固定其它的認同，對於鞏固強化這些其它的認同頗有助益。[115]又另一方面，在這些其它認同方面隱含的性別認同，因爲受到掩飾，不會受到質疑，所以又無所不在地維護了性別認同。正因如此，當性別認同的根本性因爲同性戀、雙性戀的出現而動搖的話，等於是挑戰當代所有的集體認同。同樣的道理，同志團體成爲一個認同界線，也與六〇年代末期以來美國的學生運動、反戰運動有關，更與八〇年代以後的各種後現代論述相呼應。[116]畢竟，同志團體的出現撼動了後現代論述的所有敵人。在這一層意義上。政治認同研究的議程上始終缺乏性別議題正是在維護既有的政治主體論述，就不單純是學術問題，而也是政治問題了。

八、結　論

認同是克服對死亡恐懼的心理機制，是人類認同活動的基礎因素，但它的發生與演變的深層動機，

---

[115] Linda Alcoff and Elizabeth Potter（eds.），*Feminist Epistemology*（London：Routledge, 1993）；Sandra Harding, *Whose Science? Whose Knowledge? Thinking from Women's Lives*（Ithica：Cornell University Press, 1991）.

[116] James Der Derian and Michael Shapiro（eds.），*International/Intertextual Relations*（Lexington：Lexington Books, 1989）.

則未必是我們意識得到的。依據認同界線的區隔而出現了主體與客體的現象，客體的存在提供了一個相對明確的論述對象，使得主體得以宣稱自己與它的不同有其標準，主客體的互動也獲得規範。然而，這種主體認同的形成過程充滿曲折。幼兒在成長時能否得到一定的支持，決定了其人爾後人我分際區分的能力。這個能力的不同，對於不同的社會文化產生各自的效果。在不強調人我分際的幼兒文化中，人的主體性是透過集體認同達成的；相對於此，強調人我分際的幼兒文化，則把人的主體性主要透過個人認同來建構。可是沒有一種社會化的機制是完整的，也不存在普遍一致的社會化機制，所以幼兒認同與主體性浮現的歷史裡，每個人累積了程度不同與內容不同的挫折，這些挫折就成了人們可能直接面對死亡的裂縫。

不過，這些裂縫不儲存在認知結構裡，故潛意識當中的死亡裂縫受到刺激時，尤其是成長過程中對主體認同採取否定的符號或行爲再現時，自然造成無法解釋的焦慮。社會的發展讓圍繞著認同的角色規範益趨複雜，就愈掩飾住認同的避死功能。這裡衍生兩個效果，一是認同的內容日趨複雜，這種多重認同引發焦慮的機會也隨之增加；另一是焦慮的深層根源就更隱晦不明，使得處理焦慮的手段充滿侵略性。什麼是深層的認同；什麼是表面的認同，是二十一世紀政治心理學不能迴避的議題，也是處理焦慮現象之前必須掌握的知識。

當焦慮突然發生，則主客體關係隨之變化。原本的規範已經不敷使用，則如何將客體重新置於客體的地位，恢復主體界線，就成了習以爲常的政治訴求。由於焦慮的深層是對自己可能面臨死亡的恐懼，所以所謂主體界線的確立，其目的正是要將這個恐懼排除在外，則外在客體成爲投射焦慮的對象，但實則反映的是自己內在的死亡本能，倘若認同的內涵具有高度的集體性，因而引發死亡的本能，說不定造成大規摸的衝突。集體認同的抽象性較高，有一股內在的趨力，使得這個抽象認同必須定期透過面對死亡的考驗，只要能通過考驗，就等於是把死亡的威脅排除在外了。在個人來說，經由犧牲奉獻，使自己在精神上與抽象認同合而爲一，則代表了生命的昇華與不朽，因而也就超越了形體的生死。

由於全球化潮流的衝擊，象徵集體的國家認同與民族認同受到穿透，人們面對的是個人化的認同論述。這在全球都形成挑戰，人們在不知如何因應的同時，對於認同內容不同的論述也或多或少地，自覺與不自覺地加以吸收，因此也就產生了混血認同的新趨勢，人們基於自己原本主體認同的內涵，對於混血認同的趨勢提出方法迥異的應對態度，又加深了對彼此的威脅。資本主義與全球化潮流下的物質基礎頗不平均，就使得有些威脅感形成廣泛流傳的論述，有些威脅感仍爲人們所不熟悉，這就說明了政治心理學必須同時是政治的與心理的，方有可能對二十一世紀的認同政治做全面的理解。以今天的學科發展來看，政治心理學家要走的路還很長呢。

日據時期來台演出之中國戲班探析（一八九九—一九三七）

徐亞湘／中國文化大學戲劇系影劇組講師

摘　要

日治時期，海峽兩岸雖然政治隔絕，但雙方的文化交流並未因此而中斷，尤其超過六十個不同劇種的中國戲班渡台商業演出，不僅改變了台人的戲劇審美趣味，促進了台灣戲劇的發展，更對台灣戲劇在表演、劇目及舞台美術部分起著豐富與提昇的作用，可以說台灣傳統戲劇發展至今所顯現的本土特色，乃是一定程度反應在當初受到中國戲班影響之上的。

本文主要的目的，在賡續過去的研究，並探討日治時期大陸戲班來台演出的背景、過程及影響的問題，以建構日治兩岸戲劇交流在整個台灣戲劇發展中的歷史意義。故本文即在當時記載戲劇活動最為詳實的《台灣日日新報》及《台南新報》的報導與評論基礎上，輔以相關文獻，先處理日治時期兩岸戲劇交流的背景狀況，次則探討當時來台中國戲班的團體性質、活動情形、營運狀況及藝術特色，以便觀察當時中國戲班在台演出的歷史面貌，最後則分析其對台灣戲劇的影響及所產生的變化，以呈現互動過程的時代意義。

關鍵詞：日治時期、中國戲班、台灣戲劇、上海京班、閩班

一、前　言

日治時期，海峽兩岸雖然政治隔絕，但雙方的文化交流並未因此而中斷，尤其超過六十個不同劇種的中國戲班渡台商業演出，不僅改變了台人的戲劇審美趣味，促進了台灣戲劇的發展，更對台灣戲劇在表演、劇目及舞台美術部分起著豐富與提昇的作用，可以說台灣傳統戲劇發展至今所顯現的本土特色，乃是一定程度反應在當初受到中國戲班影響之上的。

晚近台灣學界雖然開始對日治時期之台灣戲劇展開研究，但多集中在本地戲劇發展的層面，鮮有探討與對岸間的戲劇交流問題，僅有的論述亦多單向地研究台灣歌仔戲的回鄉演出而已。長期以來，這段影響台灣戲劇發展甚鉅的日治時期來台的大陸戲班的相關研究，或因資料不足，一直未受到應有的重視，歷年來亦僅呂訴上先生做過初步的記錄及探討，①唯並不周備且謬誤甚多，後之學者又多直接引用

① 呂訴上：《台灣電影戲劇史》之《台灣平劇史》、《台灣光復後由大陸來台的各地各類戲曲史》。

而以訛傳訛。筆者對此檢閱了日治時期報紙《台灣日日新報》及《台南新報》，發現了不少相關資料，此對釐清當時的戲劇交流過程有一定程度的助益，程度上此亦彌補了日治時期兩岸戲劇交流資料貧乏的缺憾。

本文主要的目的，在賡續過去的研究，並探討日治時期大陸戲班來台演出的背景、過程及影響的問題，以建構日治兩岸戲劇交流在整個台灣戲劇發展中的歷史意義。故本文即在當時記載戲劇活動最爲詳實的《台灣日日新報》及《台南新報》的報導與評論基礎上，輔以相關文獻，先處理日治時期兩岸戲劇交流的背景狀況，次則探討當時來台中國戲班的團體性質、活動情形、營運狀況及藝術特色，以便觀察當時中國戲班在台演出的歷史面貌，最後則分析其對台灣戲劇的影響及所產生的變化，以呈現互動過程的時代意義。

二、背景

一八九五年五月，清廷戰敗，簽訂《馬關條約》，台灣成爲日本殖民地，開啓了五十年台灣與中國政治上的分隔。

（一）文化認同

日本的治台政策，一方面「把台灣從中國隔開，使它跟日本結合起來」，②透過法律的頒佈切斷移民潮、逐年取締漢學私塾、意識型態的改造等措施來阻止台灣島民「祖國意識」的持續發展，使台灣「日本化」；另一方面總督府又對台灣人實行差別待遇與民族歧視政策，使得亟欲同化以利統治及行動上進行異化以確立日人霸權的矛盾施政，在加上二十世紀初台灣現代化的快速進展，尤其是全島鐵公路交通網的完成後，反而加深了與日本人「非我族類」的民族意識，亦凝聚了島民的共同意識。③台灣意識的形成內含著部分的祖國文化認同，故此為大陸戲班來台演出在文化情感上的背景，當然這還必須與當時台灣與對岸的航運交通、都市化的程度與戲劇的發展等因素結合起來一體觀之才能得出全貌。

（二）頻繁的航運往來

日治時期台灣雖漸進改與日本為主要貿易對象，但與中國間的航運往來 直頻繁。除了很多日用雜

② 葉肅科：《日落台北城》（台北：自立晚報文化出版部，一九九三年），頁一八。轉引自矢內原忠雄：《帝國主義下的台灣》，一九八五年，頁一六九。

③ 參考簡炯仁：《日本帝國的殖民統治與台灣意識的崛起》，收錄於簡炯仁：《台灣開發與族群》（台北：前衛出版社，一九九五年），頁一一九—一三三。

貨仍須仰賴對岸，台灣也有很多商品經大陸轉口，況且當時上海、福州、廈門、汕頭等地皆有「籍民」移住、經商，④尤其是廈門、福州，二地與台灣每年皆有超過一萬人次的往返，⑤隨著台灣對華南、華中、華北的航線不斷地拓增，中國文化也就藉著兩岸之間的商貿活動及人民往來持續地影響台灣，這當然提供了兩岸戲劇交流的便利。

(三)城市經濟的發展

「在日治時期台灣經濟日趨繁榮之時，都市發展也隨之而來，對於台灣社會文化產生明顯的影響。」⑥的確，日治後台灣都市化程度穩定成長，社會經濟發達，隨之而來中產階級對於社交及休閒娛樂的需求增加，民間更有餘力支持戲劇活動，此奠定了商業劇場興起的基礎，亦爲中國戲班來台演出做好了準備。

④ 日本佔有台灣後，台灣的人民皆可取得日本國籍，並編入台灣籍。對住在對岸地區的台灣人民，特別稱爲「籍民」。

⑤ 林滿紅：《四百年來的兩岸分合》（台北：自立晚報文化出版部，一九九四年），頁六八；《閩台關係檔案資料》（廈門：鷺江出版社，一九九三年），頁四五〇—四五五。

⑥ 邱坤良：《日治時期台灣戲劇之研究》（台北：自立晚報文化出版部，一九九二年），頁六九。

（四）台灣的戲劇環境

民間既有餘力支持戲劇活動，那要支持什麼樣形式的戲劇活動呢？日治初期台灣演劇仍以廟會野台演出為主，尚未超出民間祭祀活動的範圍，但台北、台中、台南等日人較多的城市，此時已開始出現專為日人提供娛樂的劇場，如台北之浪花座、台北座、十字館、榮座，台中之台中座，台南之南座、戎座等。⑦當時台灣戲劇的藝術性還不夠高，尚未形成進入戲院做商業演出的條件，⑧而日本戲劇台人又不願也不愛觀看，所以為滿足城市戲劇的需求，台人只好向對岸邀聘戲班來台。一九〇六年八月二十九日的《台灣日日新報》就曾提到台人為何向對岸邀班的原因，「本島戲既不堪入目，內地戲（**按：指日本戲劇**）尤非本島人之所嗜好，勢不得不轉求於相距較近之福州戲，此福州三慶班之所以來台也。」此即為當時台灣戲劇環境的背景，亦為促使大陸戲班來台演出的原因之一。

---

⑦ 葉龍彥：《日治時期台灣電影史》（台北：玉山社，一九九八年），頁四〇—四九。

⑧《台灣日日新報》一九〇六年的一篇報導曾評台灣戲劇「科白全謬，節奏全無，登台敷衍，如同兒戲，甚至龍虎爭鬥之齣，亦索索無生氣，令見者昏昏欲睡。」

三、過　程

日本治台第四年（一八九九）即有來自廈門的戲班在台北演出，這是台灣被日本統治後最早的中國戲班來台演出的記錄。⑨其實在此之前，已有對岸藝師來台教習藝妓戲曲，⑩後並指導艋舺藝妓演出女戲。

（一）演出團體

（1）上海

上海班以演出海派京戲的京班為主，⑪另有一演唱京調的提線傀儡班及文明戲班民興社曾經來台演出。⑫上海京班來台時間稍晚於福建及廣東戲班，在一九〇八至一九三六年間，計有四十個戲班來台演

---

⑨《一班老戲》，漢文《台灣日日新報》第二一五號，明治三十二年一月二十一日（一八九九、一、二十一）。

⑩《菊部陽秋》，漢文《台灣日日新報》第十九號，明治三十一年五月二十七日（一八九八、五、二十七），「艋舺地方教藝妓彈唱者居多上海人及福州人。」

⑪上海京班，台人亦稱其為上海正音、申劇、滬劇、華劇。

⑫《新奇京班傀儡》，《台南新報》第八三八六號，大正十四年六月二十日（一九二五、六、二十）；楊渡：《日據時期台灣新劇運動》（台北：時報出版社，一九九四年），頁四四。

出（見表一），爲日治時期來台演出的中國戲班數量最多者。這些戲班大多數爲班主接受邀聘後臨時邀角組班的性質，⑬班名亦爲臨時所用，一爲取其吉利，如鴻福、餘慶、得勝等，一爲藉上海戲園之名以爲號召，如天仙、三慶、乾坤等，亦有原本在上海戲園（院）的班底整班來台演出者，如慶仙班、群仙全女班、天蟾大京班等。另外，有些戲班爲在台演出的戲班經營不善後的易名，實則同班。如長春京班即原來的鴻福班，乃鴻福班經營不善後得台南紳商的支助，更名後的再出發，⑭義福連京班亦爲鴻福班稍後的易名，⑮醒鐘安京班則爲復勝、復興兩班合演一段時間後的易名。⑯

自一八九九年至一九三七年中日戰爭爆發爲止，三十八年間計有超過六十個中國戲班來台做商業性演出，主要來自上海、福建、廣東三地，分屬不同的十二個劇種，而以京戲爲大宗。現即從演出團體、活動情形、營運狀況及藝術特色等不同的角度切入分析。

⑬ 當時中國京劇界多由大牌名伶或退休的資深藝人集資「起班子」，戲班的成員由班主邀約，薪酬按藝術水平、知名度領取不同的「戲份」，一般演員可同時搭數個戲班。

⑭《劇界消息》，《台南新報》第八一〇四號，大正十三年九月十一日（一九二四、九、十一）。

⑮《京班末路》，《台南新報》第八三七八號，大正十四年六月十二日（一九二五、六、十二）。

⑯《新春開檯》，《台灣日日新報》第七七五四號，大正十一年一月一日（一九二二、一、一）。

【表一】日治時期來台之上海戲班劇種／數量統計表

京戲	提線傀儡戲	文明戲	總計
38	1	1	40

資料來源：《台灣日日新報》，明治三十二年至昭和十一年(一八九九—一九三六)

除了少數如群仙全女班、如意女班等純女班外，來台的上海京班多以男女合班的形式出現。初期與上海相同，演員儘管男女皆有，但都同班不同場，不能合演，通常分男班、女班，各演各的戲齣。⑰不過，隨著清末民初上海男女合演的風氣一開，之後來台的上海男女京班，從一九〇九年來台之慶仙班開始都反映這樣的戲班演劇生態，⑱台灣的戲班受此影響亦開始有男女合演的情形出現。⑲

（2）福建

來自福建的戲班先以徽班為主，後則幾乎是閩班（福州戲班）的天下，期間亦可見與台灣民間演劇較密切的大梨園、七子戲、掌中戲、傀儡戲班零星來台演出的記錄（見表二）。

劉銘傳任台灣巡撫期間即有福州徽班來台做堂會演出。⑳日治初期，福州徽班中技

⑰ 李浮生：《春中梨園史話》（台北：自印，一九八〇年），頁四四；《梨園月旦》，《台灣日日新報》第三〇二六號，明治四十一年六月三日（一九〇八、六、三）。

⑱ 《詠霓開演》，《漢文台灣日日新報》第三四二〇號，明治四十二年九月二十一日（一九〇九、九、二十一）。

⑲ 「男女合演之齣，自滬班而後，台劇繼之……。」見《男女合演宜戒》，《台南新報》第八四七〇號，大正十四年九月十二日（一九二五、九、十二）。

⑳ 《菊部陽秋》，漢文《台灣日日新報》第二四九九號，明治三十九年八月二十八日（一九〇六、八、二十八）。自呂訴上以降皆誤植為京劇，實則為福州徽班所演之皮黃戲。

【表二】日治時期來台之福建戲班劇種/數量統計表

徽戲	福州戲	大梨園	七子班	掌中戲	傀儡戲	儒林班	正劇	白字戲	?	總計
3	5	1	1	1	1	1	1	1	1	16

資料來源：《台灣日日新報》，明治三十二年至昭和十一年(一八九九—一九三六)

藝較佳之「上三班」——三慶班、祥陞班、大吉陞班先後渡台，並招聘上海伶人隨班演出，其帶來豐富的皮黃劇目及武戲表演深得台人歡迎，因此而建立的戲劇審美觀，爲上海京班的來台演出打下了基礎。

民國初年，福州的徽班衰落，代之而起的是福州戲，至此來台的福建戲班亦反映了此一劇種更替的現象而即以閩班爲主，最早的記錄爲一九二三年一月來台的舊賽樂班，㉑後有新賽樂、三賽樂、上天仙、新國風等班陸續來台演出，其中舊賽樂與新賽樂並多次來台。㉒

（3）廣東

來台的廣東戲班僅有外江戲及潮州戲兩個劇種（見表三）。㉓外江戲有三班來台，數量較多，「外江四大名班」中之老福順及榮天彩班均曾先後來台，潮州戲則有玉梨香

㉑《福州班劇目》，《台灣日日新報》第八一二七號，大正十二年一月十九日（一九二三、一、十九）。

㉒自呂訴上以降，皆稱舊賽樂、新賽樂、三賽樂等班爲福州「京班」，劃爲「京劇」範疇。其實，福州戲在發展的過程中，在平講班、儒林班的基礎上，吸收了許多演唱皮黃的徽戲及後來傳自上海的京戲的劇目與表演，來台時爲投台人偏愛京調正音之好，因而偏重了京劇劇目的演出，致使呂誤解其爲福州「京班」，日治時期報刊並未有此說法，皆稱其爲福州班或閩班。

㉓外江戲爲傳自外省的皮黃劇種，流播於粵東、粵北、閩南、贛南等地區，一九五六年定名於廣東漢劇。潮州戲，台人亦稱其爲潮州白字戲，以區別亦來自潮州但唱正音的外江戲。

【表三】日治時期來台之廣東戲班劇種／數量統計表

外江戲	潮州戲	總　計
3	2	5

資料來源：《台灣日日新報》，明治三十二年至昭和十一年(一八九九—一九三六)

班及老源正興班，後者在台灣從一九一九年起巡演，至遲在一九二七年由淡水的藥材行主洪賜福（烏靖）收買繼續經營而演至中日戰爭爆發前後，㉔前後在台演出約十八年，是所有來台的中國戲班中演出時間最長的。

（二）活動情形

日治時期兩岸便捷的海運連結爲中國戲班來台提供了有利條件。當時上海京班多從上海，或至福建巡演後由福州或廈門，閩南劇種從廈門，潮州的戲班則自汕頭出港，搭乘大阪商船公司來往台陸之間的定期航班汽船來台。早期多由淡水、安平登陸，後基隆取代淡水成爲北部第一大港後，入台港埠即改在基隆港。㉕早期的福州徽班和上海京班來台做商業演出，因當時台灣尚未有專供中國戲劇演出的劇場，不得已只得向座位爲榻榻米的日式劇場承租檔期演出，如三慶班及和樂部戲園招聘的上海京劇女班演於台北座、㉖祥陞班演於榮座。㉗這種「權宜」情形在一九〇九年台北有了第一座專爲中國戲劇演出所興

㉔ 同註⑥，頁四三三。
㉕ 同註⑤，頁六七—六八。
㉖《雨散雲收》，漢文《台灣日日新報》第二五四九號，明治三十九年十月二十七日（一九〇六、十、二十七）。
㉗《戲園雜俎》，漢文《台灣日日新報》第二五七三號，明治三十九年十一月二十七日（一九〇六、十一、二十七）

建的淡水戲館落成後得到改善。一九一五年辜顯榮以一萬五千圓買收了這由台、日人合資的淡水戲館，改名爲台灣新舞台，㉘此地成爲往後中國大陸戲班來台演出的首站及重鎭。待艋舺戲園（萬華戲園，一九一九）及永樂座（一九二三）相繼落成後，台北開始出現多班中國戲班同時競演的情形，把台灣觀賞中國戲劇的風氣推向高潮。當時的新竹座、嘉義南座、台南大舞台、南座等亦常有中國戲班的演出。

一九〇八年台灣縱貫鐵路北起基隆南至高雄全線通車，加上陸續鋪設的私設鐵路，使得各區域之間藉著鐵道相互聯繫更爲便利。一九三五年全台有五十一個人口超過一萬的市街，其中就有四十六個分佈在鐵道線上。㉙交通的便利加速了城市商業的發展，城市成爲人口集中地，擴大了文化娛樂的需求及傳播。中國戲班來台初期多在台北或台南做定點演出，演出時間較短。一九〇九年之後，透過鐵路全台巡演才成爲常態，尤其是在縱貫線的大站台北、基隆、新竹、台中、彰化、嘉義、台南等地，幾乎是必演之處。通常是台北首演後往南巡演，回程再從南部演回台北，亦偶有至宜蘭、羅東演出者，最後待輪回中國前再於基隆演出，演出時間亦因而有拉長至數月、數年之久的。「海運來台，鐵路巡台」，至此成爲中國大陸戲班來台演出的固定模式。

㉘《上天仙不日來台，辜氏之非常鼎力》，《台灣日日新報》第五六六一號，大正五年四月一日（一九一六、四、一）。

㉙呂紹理：《水螺響起——日治時期台灣社會的生活作息》（台北：遠流，一九九八年），頁九一——一〇四。

來台的中國戲班從一八九九年起，即以固定的比率成長，而在一九二〇年代達於高峰，這十年間就有超過三十班來台演出（見圖一），此與當時台灣社會穩定、人民生活改進有很大的關係。㉚隨著本地戲班漸次增多，一九三〇年代台灣各戲院的戲劇演出團體已經以台灣戲班為主，來台中國戲班的數量慢慢萎縮到僅剩六班。一九三七年中日戰爭爆發，在台演出的中國戲班及留台藝人被迫返回原籍，當然中國戲班來台演出之路也因而阻絕。

（三）營運狀況

中國戲班來台演出，多為台人募股合資，組織「茶園」、公司的形式包租戲院檔期，再赴中國邀約，如台南大舞台的管事蔡祥，即常募股聘中國戲班來台。雇主在牟

㉚ 張國興：《日本殖民統治時代台灣社會的變化（一八九五—一九四五年）》，收錄於《台灣史論文精選》（下）（台北：玉山社，一九九七年），頁六一。

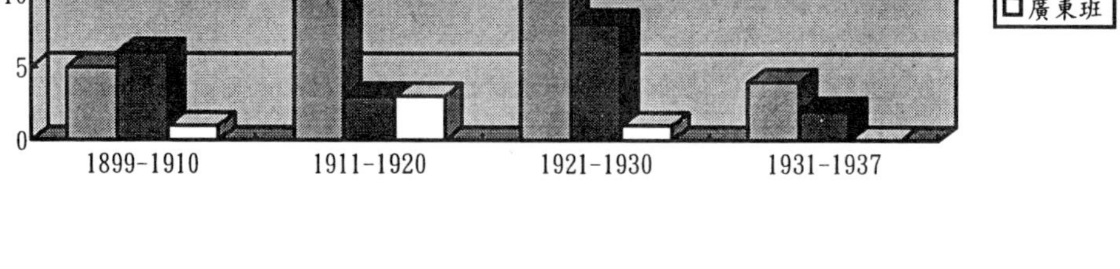

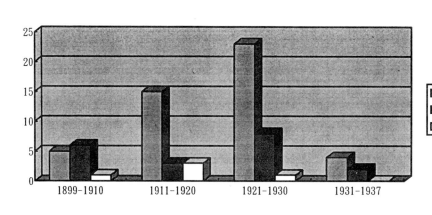

【圖一】一八九九—一九三七年來台之上海班、福建班、廣東班之團數統計圖

利的前提下，戲班來台前，早已和記者取得聯繫，促其發佈聘戲消息、演員陣容、戲班特色等，㉛來台後除了在報上刊登演出訊息、藝人花絮、邀人撰寫劇評外，㉜諸如沿途鳴鑼號召、發送戲單、藝人搭乘汽車遊街、撒擲折扣券、看戲參加摸彩、贈送該劇藝人寫眞、曲譜、降低票價等，亦爲常用的宣傳手法。

聘期內的演出，戲班收取每日固定酬金，本身不負責票房盈虧。演出期間雇主爲刺激票房，亦常增聘新角搭班獻藝及增排新戲。聘期屆滿後，戲班或逕自回國，或自行經營或接受其他雇主招聘於台繼續演出，此後續演出形式不限定於戲院包檔演出，亦有應私人堂會者，如一九一〇年老德勝班受台中廳下茄苳腳區長李振鵬之邀於其母親壽宴上演出，㉝或於廟會野台演出，如一九二六年聯和京班巡演至新竹時，在竹蓮寺與中壢郡之小榮鳳四平班對台競演武戲。㉞

通常來台短期演出者，靠其藝高名角、新排戲齣及機關布景，恆能獲利。不過，巡演之自營戲班若演出時間一拖長，觀眾漸失新味，上座率越來越差，往往是虧本的多。營運欠佳，直接衝擊的是班中演

㉛ 日治時期刊載戲劇消息最多的爲《台灣日日新報》及《台南新報》，前者並有《梨園雜俎》、《梨園月旦》、《菊部陽秋》等固定戲劇專欄。

㉜ 雇主通常會招待記者免費看戲，再請其撰寫前一天的演出情形及評論以達宣傳效果。

㉝ 《觀劇瑣談》，漢文《台灣日日新報》第三七九五號，明治四十三年十二月十三日（一九一〇、十二、十三）。

㉞ 《竹蓮寺演戲優伶比武》，《台灣日日新報》第九四三〇號，大正十五年八月四日（一九二六、八、四）。

員和家眷的生計，其中就有落得流落街頭、典當戲服後狼狽回國者，如上海京班中之祥盛班、鴻福班、義和陞班等皆是，另老德勝班班主更是賣女爲婢以償其債務。㉟

（四）藝術特色

十九世紀末，中國各大城市的戲園，根據競爭的需要，不爲班社和劇種所囿，形成集多聲腔於一台的組班原則和演劇形式，㊱此時各劇種間相互進行了截長補短的藝術加工，在劇目、表演及舞台美術等方面皆產生了一定程度的豐富作用。如上海京班的形成基礎即是來自北京的京劇與裡下河徽班、直隸梆子的會同演出，福州戲亦是融合平講班、江湖班、儒林班等戲曲，並吸收徽班及京劇的藝術後所形成的，這樣的特色亦表現在日治時期來台的中國戲班上。現即分項敘述如下：

（1）劇目

來台中國戲班的演出形式包含小戲、折子戲、全本戲、連台本戲四大類，演出內容則除了傳統劇目外，亦帶來大量的時事劇、清裝戲及洋裝戲。時事劇爲取材自當時新聞題材，㊲如京劇、福州戲、文明戲的《槍斃閻瑞生》、京戲的《上海新聞滑稽戲》、《四大金剛大鬧番菜館》、潮州戲的《民國奇

㉟ 徐亞湘：《日治時期來台上海京班研究》，《暨大學報》，一九九九年，三（一），排印中。
㊱ 馬少波等主編：《中國京劇發展史（一）》（台北：商鼎出版社，一九九一年），頁二二五—二二六。
㊲ 當時台人稱此爲新派戲，專演今事、專重口白，與專演古事、專重唱念之舊派劇對等稱之。

事》；清裝戲爲著清裝演清代事的戲，如京劇的《楊乃武》、《鐵公雞》、《大鬧三雅園》、徽戲的《林則徐砲攻鴻門寺》、《大戰南京雨花台》、《向榮平髮逆》、福州戲的《沈錦棠》、《甘國寶》等；洋裝戲則爲演外國題材者，如文明戲及京劇的《拿破崙》、《新茶花》等。這些多爲當時上海、福州及潮州流行之劇。

上述四類演出形式中，台人特別偏愛新戲及全本戲，㊳是故各班來台莫不競演「台地未曾上演」的新戲以提昇競爭力，全本戲則以完整的情節、戲劇性較強、演出行當較多的特長取勝，如《王亞銀》、《殺子報》、《珍珠衣》、《綠牡丹》、《刑律改良》等。另，連台本戲亦以曲折的情節發展、豐富的音樂形式及炫目的機關布景深受觀衆歡迎，如《狸貓換太子》、《狄青出世》、《三搜臥龍崗》、《濟公傳》、《漢光武走南陽》、《南海普陀山》、《飛龍傳》等。在所有大陸戲班中，潮州戲班最常演出家庭題材的劇目，故最能吸引婦女觀衆。

（2）表演

豐富的演出劇目當然靠的是整齊的演員陣容來完成，此爲日治時期來台中國戲班的特色之一，一班

㊳《梨園月旦》，《台灣日日新報》第七〇七九號，大正九年二月二十六日（一九二〇、二、二十六）；戲癖生：《觀劇放言》，《台灣日日新報》第七〇八六號，大正九年三月四日（一九二〇、三、四）。

中演員恆輒超過五十、八十，㊴各行當的演員通常有數人，故常以一劇「雙演」爲號召。㊵另，當時上海各流派的京劇表演藝術，如梅（蘭芳）派青衣、黃（月山）派武生、譚（鑫培）派、汪（笑儂）派老生等，亦隨上海京班的來台演出而呈現於台人面前。許多在上海即已享有盛名的藝人並曾親自來台演出，如女老生露蘭春、坤旦張文豔、彩旦蓋三省、武生蓋月樵、張德俊、老生梁一鳴、紅生小三麻子等。

部分演員因表演精彩動人，刻畫人物淋漓盡致，有使觀衆爲之動容，甚而忘其爲戲者。如一九一九年上海天勝班在新舞台演出《蓮花庵》一劇，石雲奎之老生，金美玉之青衣，表演至庵中相會一段，令「座客多不忍卒睹，女客之爲洒涕者」；㊶一九〇九年爲淡水戲館落成開台演出而來台的上海慶仙班，班中青衣十三紅在《燒骨記》中演至叫化葬父時，觀衆憐其悲苦而紛紛向台上擲錢，「中有嘉義黃玉輝者只月給數十金，竟傾囊中所剩十金盡數擲上。人問之曰，子不知爲戲耶？黃曰烏有不知，特視其伎倆之動人，不能不予同情」；㊷又一九二一年上海復勝班假台南南座演出《義犬報》，至義子忘恩霸佔家產將父親逐出一段，突然有一觀客蔡溪「甚不平，面色驟紅，怒容可掬，遂大聲疾呼曰『天良何在』，

㊴ 來台之中國戲班，除了登台的演員、樂師之外，尚包含家眷在內，人數常佔全班的三分之一，如一九二一年來台的如意女班，一行八十餘人，登台演唱者約五十餘人。

㊵ 當時戲班爲誇耀演員陣容，常使一劇之主角分由二人前後扮飾。

㊶ 《天勝班之劇目》，《台灣日日新報》第六九七二號，大正八年十一月十一日（一九一九、十一、十一）。

㊷ 《菊部陽秋》，漢文《台灣日日新報》第三四八三號，明治四十二年十二月七日（一九〇九、十二、七）。

聲畢滿座鬨然，如是者數次」。㊸

在各行當的表演中，熱鬧的武戲最能吸引台人注目。㊹上海京班、徽班及閩班爲投時俗所好，在劇目的安排上武戲的比例極高，且多放在壓軸。這些武戲表演除了火熾對打、翻跌外，演出《鐵公雞》、《塔子溝》、《大鬧三雅園》、《王亞銀》、《人恩不如狗恩》、《宋錦詩》、《偸妻四錯》等戲時的「眞刀眞槍」開打，演出《八蠟廟》、《四杰村》、《花蝴蝶》時的「大上鐵枝」，亦爲當時的武戲表演噱頭。

另演唱部分，上海京班有獨唱、對唱及合唱之五音連彈、七音連彈、九音連彈等，忽而西皮，忽而二黃，忽而梆子，音樂內容豐富具表現力，此「改良音樂」、「上海新調」深獲台人喜愛。當時台北師範學校助教授張福興，還將其曲本以西洋記譜法改譯發售，使「有音樂趣味者，一見瞭如指掌，可以自彈自唱」。㊺

㊸《竹頭木屑》，《台南新報》第六八八〇號，大正十年五月六日（一九二一、五、六）。

㊹劇樵：《觀劇之方法》，漢文《台灣日日新報》第二五八五號，明治三十九年十二月十一日（一九〇六、十二、十一）：「本地人大半喜觀武劇，視格鬥熱鬧，花草步驟，及變換燈景諸劇，則以爲佳。」對此有人曾批評曰「獨怪台人觀劇，往往捨聲調而重色澤。于武技之稍優者，如翻筋斗或倒豎等，初非大奇異者，則喝采不絕。于齣中要點，雖其關目科白唱念，有極爲傳神者，反多忽之，……，豈不惜哉。」（見《觀劇之方法》，漢文《台灣日日新報》第三四三八號，明治四十二年十月十三日）

㊺《支那戲曲樂譜》，《台南新報》第七九三四號，大正十三年三月二十五日（一九二四、三、二十五）。

（3）舞台美術

適値清末上海、廣東、福州等地運用燈彩砌末（將舞台景物扎彩造型）於表演的風氣盛行，㊻日治初期來台的中國戲班在舞台美術方面較有所表現即是燈彩藝術，對當時台灣的觀衆而言，各種景物造型、彩頭獸殼運用到戲曲舞台上還是一件新鮮時髦的事，所以頗能吸引觀衆的注意。一九〇七年來台之福州樂瓊天班即以「能演無數燈戲」爲號召，班中並有二裱褙師隨行；㊼另一九〇九年慶仙班在演出《大八卦圖》前，亦宣傳該劇將「滿台燈彩，輝煌燦爛」。㊽此頗能反應當時上海舞台美術的發展特色。

至於第一個將戲曲中平面寫實布景傳入台灣的是一九一九年來台的上海天勝京班，該班在演出梅派戲《黛玉葬花》時，台上之「瀟湘館及花樹禽鳥，皆布實景，極淋漓之興趣」。㊾隨後在一九二一年來台的上海文明戲班民興社，演出時亦有布景，如演《新茶花》一劇時，即有「眞山水、眞馬上台，並野外大□、活動火車、文明結婚諸布景」。㊿兩年後，閩班舊賽樂來台巡迴演出，才開始將布景觀念在台灣普及開來，而成爲台灣觀衆觀劇的重點，亦奠定了閩班在台人心目中以布景見長的藝術特色。當時的

㊻沈定盧：《清末上海的舞台燈彩》，《中華戲曲》，第九輯，一九九〇，頁二三八—二五一。
㊼《齣界新奇》，漢文《台灣日日新報》第二六五三號，明治四十年三月九日（一九〇七、三、九）。
㊽《詠霓雜聞》，漢文《台灣日日新報》第三四三二號，明治四十二年十月六日（一九〇九、十、六）。
㊾《天勝班之劇目》，《台灣日日新報》第六九九七號，大正八年十二月六日（一九一九、十二、六）。
㊿《民興社藝題》，《台灣日日新報》第七五五五號，大正十年六月十六日（一九二一、六、十六）。

《台南新報》就曾發表對舊賽樂使用布景的看法，「演戲之布景，將以實其事也。譬如演水門，若無佈置個金山寺，決海水，則場面平坦，貼幾個戲子，何足雅觀，助人興致也。今者閩戲能識此意，特於布景一事，十分致力，為向來諸戲所曾未有，故能聳動一時，日夜滿園也。」㊶

當時舊賽樂除了帶來更多更新如「山林野景、竹籬茅舍、溪河瀑布、亭台樓閣、廣廈寒居」等「如臨實地、令人目眩」的布景之外，亦開始有了「汽車電車、眞火眞水、騰雲駕霧」的活動機關設置。㊷從此開始，來台的閩班和上海京班莫不競演這種在寫實布景的基礎上，加上種種活動機關以製造離奇舞台效果的戲齣，特別有利這些藝術表現的連台本戲於是在台灣蔚為風潮。當時的連台本戲《三搜卧龍崗》、《狸貓換太子》、《南海普陀山》、《朱洪武太子害太子》、《飛龍傳》等，幾乎是幕幕皆有布景機關的運用。如聯和京班演《狸貓換太子》，「救主」一幕「九曲橋忽顯出九個土地保護太子，盒中太子忽而蜜桃，俄而太子，令人捉摸」、「噩耗」一幕「一座宮殿頃刻變為孝堂，滿台雪白裝璜，燦爛如數十進之深遠」、「火燒冷宮」一幕「特用眞火景使一座冷宮，霎時燒得烈焰通紅，火光中顯出仙橋一架，李妃端坐蓮花騰空而去，中有觀音顯靈佛光最能奪目」，這些活動機關的運用都讓當時的觀眾嘖嘖稱奇。㊸為了滿足商業劇場觀眾求新求變的觀劇口味，各班莫不在布景機關的設計製作上挖空心思、

㊶《戲界月旦》，《台南新報》第七五三三號，大正十二年二月十八日（一九二三、二、十八）。
㊷《廣告》，《台南新報》第七五三五號，大正十二年二月二十日（一九二三、二、二十）。
㊸《菊部陽秋》，《台南新報》第七九二〇號，大正十三年三月十一日（一九二四、三、十一）。

推陳出新。當時各班多有隨行的布景畫師以應臨時需要趕製，54亦有臨時自福州聘請來台者。55為排練新戲及趕製新的機關布景，日戲因而停演是普遍的現象。

四、影響

日治初期台灣的傳統戲劇大都是廟會野台演出的社戲形式，如亂彈戲、四平戲、高甲戲、白字戲等，歌（仔）戲、採茶戲當時尚處發展之初級階段，藝術形式亦未成熟完整。此時，來台的中國戲班以其整齊的演出陣容、精湛的表演藝術、新的舞台美術觀念、豐富的劇目、完整的行當等藝術特色，首先進入戲院做商業演出，即刻博得台人的歡迎，加上許多藝人留台傳藝發展，近四十年大陸戲班的在台演出經驗深深地影響了台灣傳統戲劇後來的發展。現即從藝術內涵及人才輸送兩方面分別論述。

54 如一九二四年樂勝京班有布景畫師趙少迪師徒二人隨班渡台。

55 一九二四年復盛京班在台開演一段時間後，邀聘單位「特往閩省，聘到上等畫師，此三本〔按：指三本《狄青出世》〕內，新加幾種特色機關布景。」（見《新舞台劇目》，《台灣日日新報》第八七七三號，大正十三年十月十六日）

（一）豐富台灣傳統戲劇的藝術內容

在劇目方面，一方面是大陸戲班如上海京班、閩班、潮州戲班等豐富的演出劇目成爲本地藝人效法的對象而加以移植，另一方面爲上海京班及閩班留台藝人於歌仔戲、採茶戲班搭班、排戲、傳藝後，使得許多本是京劇或福州戲的傳統劇目，逐漸爲歌仔戲及客家採茶戲所吸收，擴大了演出內容，尤其是武戲的部分。56當然，爲了適應更複雜的故事內容和人物形象，必得增加如花臉、武生等角色行當。

在表演方面，留台的上海京班和閩班演員，有的加入地方戲班，或排戲、授徒傳藝，或客串武行，爲台灣戲界帶來嚴謹的程式化動作、整套的身段表演及排場。尤其歌仔戲及採茶戲在形成初期，內容限於三小戲或家庭戲，後來之有武戲，上海京班和閩班功不可沒。如四平班之小榮鳳、廣東戲之廣東宜人園、歌仔戲班之新舞社、賽牡丹、嘉義復興社、採茶戲班之小美園等，皆有延請上海京班或閩班藝人擔任教席，進一步提高了本地演員的藝術表現力。

在演出形式上，日治中期曾出現歌仔戲、七子戲和京劇前後同台合演的情形。如新舞台組織之內台歌仔戲班新舞社，即是夜戲一開始京劇藝人（鴻福班班底）先演京劇四十分鐘，後歌仔戲藝人再演出歌

56 曾永義：《台灣歌仔戲的發展與變遷》（台北：聯經，一九九三年），頁五五、五六；黃心穎：《台灣的客家戲》（台北：台灣書店，一九九八年），頁三五。

仔戲，57呂訴上在《台灣電影戲劇史》中所收新舞社戲單則顯示，先演歌仔戲九本《天雨花》，再演京劇《取長沙》，58丹桂社亦「兼能演唱外江諸劇」。59另台南金寶興班原爲七子班，後亦習京劇，一九一九年二月在新舞台的演出即以京劇爲主，但亦穿插南管戲《蕭清造反》一齣。60日治時期採茶戲班受到京劇的影響形成大戲後，則是出現京調、採茶調一劇混唱的情形，「小旦唱採茶調，生角、男性唱京劇」。61現時的客家戲班於日戲演出傳統歷史齣目時，採茶調穿插演唱京調的情形仍然普遍。

在舞台美術方面，台灣戲班開始使用機關布景乃是受到二十年代來台的閩班及上海京班的影響，尤其是當作場景背景的平面彩繪布景（軟景）及單片紙質景片（硬景）。當時的台灣戲班對其寫實的畫法、透視技法的使用所造成場景的擬眞及活動的效果，莫不感到新奇而爭先效尤，以致諸如歌仔戲、採茶戲、白字戲等每個內台戲班大概都有金鑾殿、公堂、神廟、監獄、茅舍、廳堂、花園、野外等畫幕布景及山石、石橋、城樓等硬片布景，分別根據劇情場景的需要而組合，此影響延續至戰後台灣內台戲舞

---

57 同前註曾永義書，頁五八。

58 《取長沙》演員中之芮德寶，一九二六年自上海來台搭四得陞班，期滿後留台，曾搭丹桂社、新舞社等。另蕭秀來原名蕭守梨，一九二二年福州班舊賽樂來台，三年演期居滿後留台拜上海京班留台演員王春華爲師習藝，終身奉獻於台灣戲劇，一九九一年獲教育部民族藝術薪傳獎。

59 《永樂座劇目》，《台灣日日新報》第九二五五號：大正十五年二月十三日（一九一九、二、十三）。

60 《金寶興班開演》，《台灣日日新報》第六六九一號，大正八年二月三日（一九一九、二、三）。

61 同註56黃心穎書，頁三五。

台美術的發展。時至今日，台灣民間戲班幾乎無一例外的延用此一舞台美術傳統，只不過布景的數量已簡化至僅花園、廳堂、山林野景等兩三塊而已。這項改變反映出一個有趣的現象，即原來適應戲院商業演出，作不同場景示意的布景觀念，當其依生環境不再時，台灣的野台戲仍殘留其餘緒而造成空間表示的侷限與矛盾，這種慣性的審美要求所產生的尷尬現象值得我們深思。當然，台灣戲界也和閩班、上海京班一樣，在直接吸收西方的舞台布景觀念的同時，很少認眞解決過布景與表演的矛盾。㉒

另，上海京班及閩班所使用的活動機關及電光技術亦普遍爲台灣戲班所吸收、運用。如前述之新舞社，在三十年代爲一以機關變景著稱的內台歌仔戲班，當時這方面的技術即是由來台之舊賽樂的布景師張大發及黃龍雄所指導，㉓呂深圳（呂訴上父）的賽牡丹歌仔戲班亦請上海布景師製作機關布景、五色電光而名噪一時。㉔不過，一些地方戲班在模仿初期的效果似乎不佳，如歌仔戲學自閩班的一種令人炫目的特效「放電光」，閩班施放時聲響不大，歌仔戲班施放則如雷鳴一般，甚至被批評擾人安眠，建請當局嚴加管束。㉕

㉒ 宋春舫：《改良中國戲劇》，《宋春舫論劇》，一九二三，頁二八五。轉引自龔和德：《亂彈集》（北京：中國戲劇出版社，一九九六年），頁二六。

㉓ 陳健銘：《野台鑼鼓》（台北：稻鄉出版社，一九九五年），頁二六。

㉔ 同註①，頁二三八。

㉕ 《歌戲放電光有害鄰右安眠》，《台灣新民報》第三七四號，昭和六年七月二十五日（一九三一、七、二十五）。

除了職業戲班外，業餘的音樂團也開始運用機關布景來增加演出效果，如一九二五年新竹街北管子弟團集樂社演出子弟戲《五顯遊十殿》時，就有「陰間種種巧妙自動機關」。⑯而且，此年台灣已有了知名的布景畫師林家擇，台灣戲界的布景繪製已不用全部仰賴福州和上海的師傅了。⑰

在音樂方面，歌仔戲及採茶戲班則直接吸收了京劇的音樂曲牌、鑼鼓經，進一步提高了這些劇種音樂戲曲化的程度。⑱

（二）促進台灣本土京班及京劇票房的形成

因日治時期上海京班、福州徽班及閩班在台演出的大受歡迎，帶動了台人自組京班及京劇票房的風氣，爲台灣地方戲班輸送京劇人才，此亦擴大了京劇在台灣的影響。現舉數例如下：一九一一年七月，台南市《台南新報》記者陳渭川和刑事王岳、王水等鳩集萬金，每股百圓，合組合昌公司，募集本地八九歲至十五六歲孩童計四十餘名，聘鴻福班老生陳淡淡（上海人）和華嫩妹教戲，班名小羅天，爲一童伶京班。一九一二年月十八日舊曆元旦開台，八月間已學戲數十齣，班中已嶄露頭角的童伶有大花小雷音、花旦小鶯鶯、文武生小荷生、丑小鬍子等，後並赴灣裡、月港、新營、查畝營、嘉義、新港等處開

---

⑯《觀劇漫評》，《台南新報》第八三八五號，大正十四年六月十九日（一九二五、六、十九）。

⑰《祝賀餘聞》，《台南新報》第八三七五號，大正十四年六月九日（一九二五、六、九）。

⑱陳耕、曾學文：《百年坎坷歌仔戲》（台北：幼獅文化事業公司，一九九五年），頁五八。

演。(69)

成立於一九一三年的台南七子戲班金寶興，至遲在一九一九年已開始加演京劇，(70)一九二二年往京滬聘京劇藝人陳得祿及劉永紅擔任教席，(71)後以京班型態於全台各地戲院巡演，並偶招上海京班演員協助演唱。(72)

一九一五年底，由林登波、簡元魁創立之桃園永樂社，特聘上海鴻福京班老生馬長奎到桃教演女優京劇，(73)後上海京班留台藝人趙福奎亦加入訓練行列，班中好角有文武老生月中桂、正旦紅豆、武陵春、九齡雪等，該班爲大正年間台灣頗爲活躍的本土京劇女班，(74)當時亦常邀請邀留台的上海女優合作演出。

一九一六年由桃園廳楊梅壢范姜某氏所創設的廣東宜人園，初習廣東戲，後聘上海京班留台藝人趙

---

(69)《童伶演習》，《台灣日日新報》第四二〇〇號，明治四十五年二月七日（一九一二、二、七）；《劇界新聲》，《台灣日日新報》第四二三九號，明治四十五年三月十八日（一九一二、三、十八）。

(70)《梨園開演》，《台灣日日新報》第六六八九號，大正八年二月一日（一九一九、二、一）：「該班（金寶興）係梨園七子兼能演京滬正音。」

(71)《新春初劇金寶興班》，《台南新報》第七五三〇號，大正十二年二月十五日（一九二三、二、十五）。

(72)《戲劇賭勝爭賞》，《台灣日日新報》第九七〇六號，昭和二年五月七日（一九二七、五、七）。

(73)《桃園女優月旦》，《台灣日日新報》第五五八八號，大正五年一月十七日（一九一六、一、十七）。

(74)後永樂社改組爲鳳舞社、天樂社及重興社，一九二五年時仍有活動。

福奎、藍桂芳、藍通寶、閻鳳霞、閻鳳雲等來班教戲，改爲京班，專於全台各大戲院演出《三國誌》、《狸貓換太子》等京劇連台本戲。光復後易名宜人京班，爲當時台灣唯一之本土京班。一九六二年解散，班底、戲籠爲新榮鳳班主陳招妹所購，續於台南演出十年京劇，之後這些京劇演員才轉搭歌仔戲及採茶戲班。⑮

一九一九年大嵙崁（大溪）大雅園京劇女班，亦爲「支那曲師」所教。⑯一九二三年，鹿港也成立一個當地人稱爲草厝班的職業京班劇團，不過四、五年後即改演歌仔戲。⑰

除了本土京班陸續成立之外，閩班及潮州班的來台巡演，亦促成本地福州官音班及廣東正音、廣東白字班的形成，如一九二七年總督府文教局針對當時台灣的支那（中國）戲班及台灣戲班所做的調查中，台南州即有「福州正音」福興社、錦添花班、「廣東正音」由台園，新竹州有「廣東白字戲」永樂軒。⑱

隨著上海京班、閩班在台的頻繁演出，觀賞京劇表演的機會增多，民間曲館也吹起了一股學習京劇戲曲的風氣，尤其以台南、鹿港、彰化三地最盛。大正後期即陸續出現京劇票房，如台南良皇宮雅成

---

⑮ 徐亞湘：《寶島第一京班—被遺忘的「宜人園」》，《表演藝術》第二十八期，一九九五年，頁五〇—五二。
⑯ 《崁津近信》，《台灣日日新報》第六八三二號，大正八年六月二十四日（一九一九、六、二十四）。
⑰ 許常惠等著：《彰化音樂發展史：論述稿》（彰化：彰化縣立文化中心，一九九七年），頁九六。
⑱ 同註⑥，頁四二一—四三六。

社、元和宮振樂社、普濟殿鏞鏘社、⑲小媽祖街「遏雲軒」、⑳北斗鎮奏均天、彰化街內奏均天、鶴鳴天、㉑鹿港聖王宮廟玉如意、車埕鳳凰儀、北頭頌天聲、崙仔頂正樂軒、鳳鳴園、後宅鳳儀園、車圍華聲園、車埕合璧園等。㉒

五、結語

日治時期的台灣戲劇可以說是由民間的鄉野廟會演出與城鎮的劇場商業演出平行發展所構成，而後者的初期成型，來台演出的中國戲班扮演了相當重要的角色，此不僅帶動台灣城市劇場演出的風潮，亦提昇了台人的戲劇審美要求及台灣戲劇的藝術層次。這頁歷史雖然已經翻過去了，但我們檢視兩岸戲劇交流從清初、日治時期到解嚴後三個不同的歷史時期可以發現，正視日治時期中國戲班的來台演出對台灣戲劇的形式和內容所產生深刻的影響，將有助於我們更清晰地看待台灣戲劇史的發展及思考「本土戲劇」的實際意含。

---

⑲ 同註⑥，頁一六七。
⑳《演子弟戲》，《台灣日日新報》第七四三七號，大正十年二月二十七日（一九二一、二、二十七）。
㉑ 同註七七，頁九六、九七。
㉒ 許常惠等著：《彰化音樂發展史：田野日誌第一冊》（彰化：彰化縣立文化中心，一九九七年），頁一〇七—一一六。

【表四】日治時期來台演出之中國大陸戲班一覽表

戲班名稱	省分	劇種	來台時間＊	演出地點＊
？	福建	大梨園？	1899.1	台北合興門口
三慶班	福建福州	徽戲	1906.8-11	台北座、台南南座等地
祥陞班	福建福州	徽戲	1906.11	台北榮座
樂瓊天班	福建福州	儒林班	1907.2	台南媽祖宮
老福順班	廣東潮州	外江戲	1907.6-10	台南、台北（？）
？	福建泉州	掌中戲	1908.1	台南水仙宮內
？	上海	京戲	1908.5-11	台北座、新竹俱樂部
大吉陞班	福建福州	徽戲	1909.1-1910.10	台北淡水戲館、台南南座、嘉義、斗六等地
慶仙班	上海	京戲	1909.9-1910.6	台北淡水戲館、新竹俱樂部、台中、嘉義、台南南座、高雄等地
老德勝班	上海	京戲	1910-1913.12	台北淡水戲館、大稻埕製酒會社、板橋、桃園、中壢、大溪、台中、嘉義、北港朝天宮、台南大舞台、宜蘭天后宮等地
京都鴻福班	上海	京戲	1910.8	台北淡水戲館、台中、台南大舞台等地
天仙班	上海	京戲	1910.8	台北淡水戲館
郡天班	上海	京戲	1911.1	台南大舞台
樂天彩班	廣東潮州	外江戲	1911.1	阿猴座、東港
全福陞班	上海	京戲	1911-1912	台北淡水戲館、板橋媽祖宮、桃園、台南大舞台等地
天蟾京班	上海	京戲	1912	台南戎館
祥盛班	上海	京戲	1912-1914.4	台北淡水戲館、板橋、淡水龍山寺、桃園、台南大舞台等地
新勝班	上海	京戲	1913.9-12	台北淡水戲館、板橋、淡水等地
金福連陞班	福建福州	正劇	1913.11	員林街文昌祠
鴻福班	上海	京戲	1916.1	台南大舞台
上天仙京班	上海	京戲	1916.4-8	台北新舞台、共進會第二會場演藝館、斗南戲園、鹿港、台南大舞台等地
群仙全女班	上海	京戲	1916.9	台北新舞台

續上表

戲班名稱	省分	劇種	來台時間*	演出地點*
玉梨香班	廣東潮州	潮州戲	1918-1919	南部、台北新舞台
京都鴻福班	上海	京戲	1918.11	台北新舞台、大稻埕太平茶園
金成發、新梨金合班	福建泉州	七子戲	1919.3-6	台北新舞台
老源正興班	廣東潮州	潮州戲	1919-1937	台北新舞台、永樂座、萬華戲園、基隆、台南大舞台、高雄、斗六座、斗南座、屏東座、嘉義南座、宜蘭、桃園景福宮、大溪、新竹、員林等地
天勝京班	上海	京戲	1919.8-12	台南大舞台、台北新舞台、艋舺戲園、台中、嘉義等地
餘慶、天勝合班	上海	京戲	1920.2-8	台北新舞台、南部
泉州傀儡班	福建泉州	傀儡戲	1920.5-7	台北新舞台、彰化關帝廟
?	上海	京戲	1920.8-1921.1	台北新舞台、新竹、台南大舞台、艋舺戲園
鴻福班與京滬名角合演	上海	京戲	1920.10	台北新舞台、基隆玉田街臨時戲園
京都復勝班	上海	京戲	1920.11-1921.5	台北新舞台、艋舺戲園、彰化大聖王廟內、嘉義南座等地
上海天升班	上海	京戲	1920.12-1921	台北艋舺戲園、嘉義等地
鳳凰社	福建	?	1921.1	嘉義、大埤等地
京都三慶班	上海	京戲	1921.2-5	台北新舞台、基隆臨時戲園、基隆公會堂等地
如意女班	上海	京戲	1921.4-8	台北新舞台、鐵道旅館、總督官邸、艋舺戲園、新竹座、基隆、南部等地
民興社	上海	文明戲	1921.6-12 1926	台北新舞台、艋舺戲園、台中、台南大舞台、嘉義南座等地
復勝、復興合班	上海	京戲	1921.8-1922.2	台北新舞台、台南、新竹等地
天勝京班	上海	京戲	1922.1-7	台北新舞台、台南大舞台、嘉義南座等地

續上表

戲班名稱	省分	劇種	來台時間*	演出地點*
醒鐘安京班	上海	京戲	1922.1-1923.1	台北新舞台、艋舺戲園、板橋、嘉義南座、衛生展覽會場、台南大舞台、高雄等地
舊賽樂	福建福州	福州戲	1923.1-6	台北新舞台、台南南座、大舞台、嘉義南座、基隆臨時戲園、斗六等地
京都得勝班	上海	京戲	1923.2-10	台北新舞台
聯興京班	上海	京戲	1923.7-1924	台北新舞台、基隆、宜蘭、南部
長春京班	上海	京戲	1923.8-1924	台南大舞台、嘉義、鹽水、朴子、彰化梨春園大媽館
新賽樂	福建福州	福州戲	1924.1-7	台北新舞台、台中、台南大舞台、嘉義南座、基隆新聲館等地
樂勝京班	上海	京戲	1924.2-6	台北永樂座、基隆、新竹、台中、台南大舞台
聯和京班	上海	京戲	1924.2-1925.5	台北新舞台、永樂座、竹東座、新竹竹蓮寺、台中、台南大舞台等地
老榮天彩班	廣東潮州	外江戲	1924.8-1925.3	台北永樂座、台南、高雄臨時戲園、鳳山座
復盛京班	上海	京戲	1924.9-1925.10	台北新舞台、總督官邸
泉州玉堂春班	福建泉州	七子戲	1924.10	台北永樂座
復和京班	上海	京戲	1925.1-5	台北永樂座
義福連京班	上海	京戲	1925.1-6	高雄鹽埕臨時戲園、斗六座、嘉義南座
提線京班	上海	提線傀儡	1925.6-9	台北新舞台、台中樂舞台、台南大舞台
四得陞京班	上海	京戲	1925-1926.9	台北永樂座、屏東座、嘉義南座、台中、台南大舞台、高雄鹽埕臨時戲園
復順京班	上海	京戲	1925-1926.3	台北新舞台、新竹座、中南部
永勝和京班	上海	京戲	1926.2	台北新舞台

續上表

戲班名稱	省分	劇種	來台時間＊	演出地點＊
慶昇京班	上海	京戲	1926.2-1928.2	台北新舞台、竹東、永樂座、基隆新聲館
乾坤大京班	上海	京戲	1926.10-1927.2	永樂座、新竹
聯和京班	上海	京戲	1926.8	新竹竹蓮寺
新得陞班	上海	京戲	1926.11-12	台南大舞台、嘉義
舊賽樂	福建福州	福州戲	1927.1-1928.4	台北新舞台、彰化、嘉義南座、台南大舞台、斗六座
三賽樂	福建福州	福州戲	1927.7-1928.2	台北永樂座、新舞台、台南大舞台等地
慶興京班	上海	京戲	1928.1-5	台北永樂座
上天仙班	福建福州	福州戲	1928.2	台南宮古座
新賽樂	福建福州	福州戲	1929.1-2	台北新舞台
義和陞京班	上海	京戲	1931.3-9	台北新新舞台、彰化、斗六
?	上海	京戲	1931.9	台北新舞台
鳳儀京班	上海	京戲	1935.10-11	台北第一劇場
舊賽樂	福建福州	福州戲	1935.10	台北
天蟾大京班	上海	京戲	1935.11-1936.3	台北永樂座、台中天外天劇場
新國風	福建福州	福州戲	1936.1-1937.5	台北第一劇場

＊表中「來台時間」、「演出地點」的資料，以可考者為限，與實際狀況或有出入。

★資料來源：呂訴上：《台灣電影戲劇史》，台北：銀華出版部，一九六一年。
《台灣日日新報》，明治三十二年至昭和十一年（一八九九—一九三六）。
《台南新報》，大正十年至昭和十一年（一九二一—一九三六）。

◆主要參考書目：

中國戲曲志編委會、《中國戲曲志·上海卷》編委會：《中國戲曲志·上海卷》，北京：中國ISBN中心，一九九六年。

中國戲曲志編委會、《中國戲曲志·福建卷》編委會：《中國戲曲志·福建卷》，北京：文化藝術出版社，一九九三年。

中國戲曲志編委會、《中國戲曲志·廣東卷》編委會：《中國戲曲志·廣東卷》，北京：中國ISBN中心，一九九三年。

李浮生：《春申梨園史話》，台北：自印，一九八〇年。

呂紹理：《水螺響起——日治時期台灣社會的生活作息》，台北：遠流出版事業股份有限公司，一九九八年。

呂訴上：《台灣電影戲劇史》，台北：銀華出版部，一九六一年。

邱坤良：《日治時期台灣戲劇之研究》，台北：自立晚報文化出版部，一九九二年。

林滿紅：《四百年來的兩岸分合：一個經貿史的回顧》，台北：自立晚報文化出版部，一九九四年。

曾永義：《台灣歌仔戲的發展與變遷》，台北：聯經，一九九三年。

楊　渡：《日治時期台灣新劇運動（一九二三～一九三六）》，台北：時報文化出版企業有限公司，一九九四年。

葉龍彥：《日治時期台灣電影史》，台北：玉山社出版事業股份有限公司，一九九八年。
福建省藝術研究所、廈門市台灣藝術研究室編：《閩台民間藝術散論》，廈門：鷺江出版社，一九九一年。
《台灣日日新報》，明治三十二年至昭和十一年（一八九九—一九三六）。
《台南新報》，大正十年至昭和二年（一九二一—一九二六）。

海峽兩岸繼承修志傳統弘揚民族精神

金德群／中國人民大學歷史系教授

中華民族文化瑰寶——地方志，從二十世紀四〇年代末以來，海峽兩岸或先或後進入修志高潮，繼承優良傳統，富有時代特色，弘揚民族精神，異曲同工，奏響了當代東方巨人的前進曲，可歌可慶。

一地一志，浩如煙海。本文以點見面，僅舉海峽兩岸各一縣志：《台北縣志》和《蕭山縣志》進行綜合分析，不難看出當今修志各自的功底和特色，共識是主要的，差異是自然的。求同存異，取長補短，改進發展，更有可待。

先看《台北縣志》，是台灣省起步最早，也是成書最早的一部縣志。台灣光復後的第二年，即一九四六年十一月，就率先召開台北縣修志委員會第一次委員會議，台北縣長陸桂祥主持，提出「修志一事，原爲艱鉅之工作，不僅關係地方文獻，且爲民族精神所寄託，尤以本省中經日本統治時代，我先民拓殖開翺之豐功偉烈，及五十年來在異族暴政下之含辛茹苦，悉爲被御用史家曲筆抹殺。茲幸故土光復，則文獻之重光，與先民事蹟之闡揚，實刻不容緩。」①主持者闡明了當今修志的必要性之後，回溯我國自來重視地方志書，名志收入《四庫全書》，章學誠提出「修志即修史」，認爲地方志書爲國史之基本材料，且於闡發地方特有文化一點，尤可以補國史所未及，因此主張修志之態度及方法應同於修史。強調「唯茲事體大，發凡定例，既應謹嚴，整理蒐訪，尤須博識。」②到會的專家、教授、賢達，有黃純青、楊雲萍、林佛國、潘光楷、李梅樹、林朝卿、李建興、陳炳俊等紛紛發言，得出共同結論：（一）宗旨：以發揚民族精神，尤以闡發台灣民主國史實爲中心。（二）起迄：上接淡水廳志及噶瑪蘭志，自劉銘傳之新政至台灣光復，爲時約一百年。（三）體例：推選專家召開專門會議，先草大綱，第二次委員會議審議。（四）編纂期間：至一九四七年十月二十五日光復兩週年紀念日藏事，以六個月蒐集資料，六個月編纂。（五）蒐訪資料：加聘採訪員，以購買、蒐求、交換、採訪、借抄、攝影等方式，多方採集資料。（六）加聘修志委員等等。③

此會此舉，是台灣光復後方志學界的最早的一件大事。試想，台灣光復伊始，百廢待興，百業待舉，台北當局能有如此遠見卓識，繼承修志傳統，實屬難得。上述結論唯對修志的難度估計不足，時限

---

① 毛一波：《方志新論》（台北：正中書局，一九七四年），頁二〇五—二〇六。
② 同註①，頁二〇六。
③ 同註①，頁二〇六—二〇七。

太緊。特別是當年十二月十一日夜，該縣縣府「大火成災，損失慘重，檔案簿記爲之一空」。④其修志資料匱乏，可想而知。

一九四八年六月，台灣省通志館成立，翌年改爲省文獻委員會，作爲常設機構，整理地方文獻修纂通志（省志），也有指導全省各縣市修志的職責。與其相適應，台北縣於一九五一年十月組織台北縣文獻委員會籌備會翌年正式成立，台北縣志修纂加緊實施，聘請盛清沂爲總纂。即使如此，也是困難重重，一是蒐集資料難，二是編纂人員少，三是辦公地址狹小，七載七易等等。後來，縣志的編纂採取會外特約編纂制，分卷請專家主筆，其志文以一九五一年底爲斷，共設二十七卷，另設卷首爲凡例、綱目等，全書一次完成，先油印志稿，後經對勘審閱，於一九六〇年排印出版。一九八三年台北成文出版社有限公司影印發行。專家認爲該志：「體例與內容爲台灣光復後各縣市新修志書中最完備者。」當地學者評它：「理論之完備，方法之周密，似有勝於（台灣）省通志。」⑤

大陸在五〇年代啓動修志，經歷波浪式推進，八〇年代進入修志高潮，出現一批良志佳作。現將大陸佳作《蕭山縣志》（以下簡稱《蕭志》）和《台北縣志》（以下簡稱《台志》）試作對照：

一、編目結構大同小異。《台志》、《蕭志》都是以科學分類和社會分工的實際出發設置篇目。《蕭志》的編（志）相當於《台志》的卷（志），類列二十三編和二十七卷之比，《蕭志》的《概

---

④《台北縣志》（台北：成文出版社影印，一九八三年），頁三〇五。
⑤《中國方志大辭典》，浙江人民出版社，一九八八年，頁二八三。

述》、《大事記》、《人物志》和附錄若進入類列，兩志的編數和卷數相等，屬於中型編章體。以章節來說《蕭志》的章比《台志》的少（一百二十四章：一百八十章）。節比《台志》略多（四百四十三節：四百三十八節）。《蕭志》節下設目，部分目下有子目，即四—五個層次；而《台志》的節下設段，部分段下有項，個別項下有目，四—六個層次。兩志編（卷）章層次大體一致，但字數相差甚大（九十八萬：三百零三萬），《蕭志》簡而精，《台志》細而詳。

二、「官修」性質一致。中國地方志的傳統，歷來屬於「官修」。《台志》和《蕭志》也是由當地政府來主持這一工作，成立修志機構，有台北縣文獻委員會和蕭山縣志編纂委員會辦公室出面具體操辦，爲政府立言，志書最後由政府審議定稿，政府首腦

台灣省《台北縣志》	浙江省《蕭山縣志》
・組織機構：台北縣文獻委員會 主任委員：戴德發（縣長、監修） 專任副主任委員：林興仁（主修） ・總纂：盛清沂 ・一九六〇年出版，一九八三年影印 約三百零三萬字（十六開直排，影印分十二冊） ・卷首：照片、序（五篇）、凡例（二十則） 綱目、修纂人員名表等。 綱目：綱目分卷，一志一卷，計大事記及疆域、地理、史前、開闢、氏族、民俗、人口、行政、自治、社會、土地、財政、警察、軍事、衛生、水利、農業、林業、水產、礦業、工業、商業、交通、教育、文藝、人物等二十七卷。每卷名下都有主筆署名。	・蕭山縣志編纂委員會 編委會主任：金其發（原縣長） 縣志辦公室主任：沈吾泉 ・主編：費黑 ・一九八七年第一版，一萬冊 約九十八萬字（十六開橫排，全一冊） ・卷首：題例（五則）、照片、序（二篇）凡例（十三則）、目次等。 目次：在概述、大事記之後分編，一志一編，計建置、自然地理、人口農業、水利、圍墾、工業、交通、郵電、能源、商業、工商管理、財政金融、城鄉建設、黨派群團、政權政協、司法、人事勞動、軍事、教育科技、文化、衛生體育、社會等二十三篇。 人物、附錄、索引、本志編纂始末等未進入編的序列。

我們透過《台北縣志》和《蕭山縣志》的框架，看看兩志的趨同和各自的特色。

（縣長）寫序。現今海峽兩岸的地方志，均屬「官修」性質。

三、編纂人員有同有異。《台志》繼承先志傳統，全志的主筆稱「總纂」（盛清沂），《蕭志》稱「主編」（費黑），職責一樣。《台志》的各卷採「會外特約編纂制」，聘請專家學者分卷（志）主筆編纂，專家修志，品位提高，獨立性強，格式、內容、筆法的自由度大，能發揮專家的特長和才幹。並在各卷名下「署名」，表示負責，也不湮沒功名。但也往往使一部志書的表達形式不同，給總纂帶來某些困難。《蕭志》編纂人員除幾位專職者外，一般是從各有關部門抽調，集體操作，「衆手成志」，沒有分編（志）單獨署名，有利也有弊，利在主編一枝筆可以「統纂」，能基本保證志書的格式、筆法一致；弊在執筆者有的缺乏責任感，會有依賴主編去統纂的現象。如果主編的功底淺，問題就多了。

四、《台志》的「凡例」獨具匠心。志書的特性，可以說是從「凡例」始。規範要求，有章可循。章學誠在《文史通義》中講「創例發凡，獨具別裁」。要編纂者著力用心。《台志》修纂人員在台灣光復不久，即爲當代方志，首明體例，「悉以史法爲之」。要求「集一方之文獻，考其原委，析其流變，以爲治世者資」，「現有事類，而統史實，使類自成卷」，以科學方法設置綱目。鑑於荷人、日人的長期侵佔，須揚我民族精神，按本縣發現的遺址，考古論證，台北「與大陸史前文化，頗有淵源」，因立《史前志》；按文獻考證，清初台北尙爲蠻煙瘴癘之鄉，粤我先民，逐驚濤，歷殊俗，出萬死之計，以開此絕荒，而立《開闢志》；本縣氏族六十餘姓，固皆中原之移民，「與民族生存繁衍，關係至巨」，故設《民族志》等等，實是匠心獨運，注重史地結合，立論鑿鑿。鑑於舊志史文摹擬，不注出處，或有舛誤，後世考稽爲難，「凡例」強調「本志所有援引，皆外加括號，並詳明出處，裨便考按」。對於今日不知，難究其實者，「寧闕以存愼，不濫而傳疑」。⑥這種寧缺勿濫，嚴謹治志的精神，值得效法。相對而言，《蕭志》凡例十三則，和大陸一般志書的凡例雷同，反映特色不顯。

五、兩志的「圖照」相媲比美。《蕭志》在志前有八開的「縣城鳥瞰」彩照，氣魄宏大美觀；有八開彩色的縣政區圖、城鄉鎮現狀圖，縣交通圖，縣水利圖和縣地圖、縣土壤圖等，全志有四十三個頁碼匯集歷史和現狀方方面面的黑白照和彩照一百二十三幀，將現代先進手段引進志書，圖文並茂，形象生動。尤其是「蕭山縣境圖」（衛星照片），鮮豔淸晰，是科學水平高超的象徵，給人強烈的時代感。《蕭志》圖照美中不足，缺蕭山縣在省境的地理位置圖，缺隨文的黑白照。

《台志》在每卷（志）卷首有相關的圖照一、二幅外，注重隨文圖照，如卷二《疆域志》，每章記述某個朝代之疆域，幾乎均有輿圖，計五十三幀，以輿圖佐證歷史，非常可信而有價値。又如《地理志（上）》的第一章地形，有大幅的「台北縣地形圖」比例尺十萬分之一，長寬各六十公分，以及隨文圖照四十八幀；《地理志（下）》第五章名勝古蹟照片二十八幀。再如《民俗志》的衣飾樣式圖照，《文藝志》的畫家、攝影師的代表作（十九幀）等等，有文有圖（照），以資對照說明，方法科學，效果喜人。

六、「概述」、「總說」起到統括深化作用。《蕭志》志首設「概述」（有稱「總述」），這是大

---

⑥《台北縣志・凡例》，頁二一一－二五。

陸當今方志普遍採用的一種新體材——「述」。《蕭志》的《概述》用了近八千字，「綜鉤叙縣情，總攝全書」，行文也不同於其他篇章的文體「有叙有議，叙議結合」。⑦史志專家來新夏對此評說：「今志於志首冠以概述，總述全志，鉤玄纂要，使一編在覽，縱然未讀全志，而全縣情況，大體了然，爲此前志所少見。」⑧給予充分肯定。並且《蕭志》的經濟類、文化類各篇也都有無題「簡述」幾百字不等，將該篇下各章的內容作了統括，加強了內在聯繫的整體性，力求避免舊志中各事件之間缺乏相互聯繫，只見木不見林的弊端。

《台志》無全志的概述，但不少卷（志）有類似的作法，反映了不同主筆者的不同思路，如卷一《疆域志》的第一章《序說》；卷四《史前志》有《序言》和第一章《總論》；卷五《開闢志》有《引言》；卷六《氏族志》也有《引言》；卷十八《農業志》第一章《總說》；卷十九《林業志》第一章《林業概況》；卷二十《水產志》第一章《概說》；卷二十二《工業志》第一章《緒言》等等，其名稱不一，用意也都是不同程度的統括深化本卷內容。如卷六《氏族志》的近千字《引言》，概述了本縣一百六十六姓，除山胞爲土著外，固皆中原之移民，自兩漢以來，漸次南遷、東渡，「吾人安土重遷，凡屬身歷足經，生地死所，莫不銘之碑冢，載之譜牒，移民之跡，本甚明也。唯中經乙未日人之變，舊時家史，半付劫灰；以至五十年來，先民史跡，晦焉不彰。」光復之後，「咸謂若長此以往，匪但數典而

⑦《蕭山縣志》，「凡例」和《序》，浙江人民出版社，一九八七年。
⑧同註⑦。

忘祖，抑日本縣開創之功，亦將隨之已盡；乃有《氏族志》之倡議」。遵循「國父遺敎，擴家族以爲國族之義，董成斯篇」。《引言》末，揭示「日人據台五十年，包藏禍心，更改我氏族姓名，冀遂其皇民化之迷夢，曾幾何時?竟自食敗亡之果，玆志其經過，附之卷末，以爲後世侵略者戒焉。」⑨如此言之鏗鏗有聲，弘揚同根生、同種源的民族精神，可謂宏論，優哉！美哉！

七、《大事記》均以編年體爲主。《台志》大事計分爲五章：（一）開闢時期；（二）清代領台時期；（三）乙未之際；（四）日據時期；（五）光復以來。値得注意的，「乙未之際」即一八九五年《馬關條約》簽訂割讓的一年，獨闢一章，逐月逐日，詳盡記述台灣人民心懷祖國、英勇抗日的事跡，非常顯突、非常鮮明。《蕭志》大事記不列章，按年序分爲三部分：（一）建縣（西漢）至宣統末年；（二）民國時期；（三）解放以後至一九八四年，採編年體和紀事本末體相結合，貫通古今，脈絡淸晰。

八、兩志的「地理類」都很出色。志書重視「地理」是有傳統的。當今台灣方志學界就有新地學的觀點和方法一說。從實踐結果看，海峽兩岸當代地方志的「地理類」，一般包括疆域、建置沿革、行政區域、自然環境等內容。《蕭志》的《地理編（志）》，專家評議：「蕭山的《地理志》，安排合理，資料豐富，很得要領，寫的較好」。⑩《台志》的「地理類」，內含四大卷：《疆域》、《地理》、

⑨ 本段引文均見《台北縣志》，頁一四三七——一四三八。
⑩《中國地方志》，一九八八年第三期，頁一二。

《史前》、《開闢》，卷卷有特色。卷二《疆域志》，開卷正名「台北之命名，古曰雞籠、淡水」。引古籍論證，「蓋由地象而得名」。⑪闡明本志「綜其規制大要，明其沿革因果，爲《疆域志》一十九章，庶存舊聞，以備治世者資焉。」⑫同時，採用小號字「編者按：日人謂雞籠之命名，係由山胞凱達格蘭族（Ketagalan）字音轉變而來，實未可爲訓。……日人輕翻舊案，故本志不取。」⑬卷三《地理志》，篇幅最大有二十六萬字之多，分上下卷，運用科學方法，提供豐富資料。

卷五《開闢志》，《引言》闡明疆土之開拓，文化之繁衍，皆我先民豐功偉業。光復以後，本會成立之始，緬懷先民創業之艱，爰有編纂本志之舉。」⑭本卷（志）對全縣三十四個鄉鎮，設三十四章，分章逐一記述每個鄉鎮開闢的經過情況，並附「有關開闢文契」五十種以資佐證，其中，影印文契原件七種。最早的年代，「第一號，大佳臘開闢古契」，⑮是康熙四十八年七月二十一日給，發淡水社大佳臘地方張掛。

尤其是特設卷四《史前志》，意義深遠。台北對於史前時期的遺址，歷有發現，考古論證，「台灣史前文化與大陸之史前文化顯有關係」。本志記述了迄今（五〇年代初）發現的遺址合計七十二處，將

⑪《台北縣志》，頁三四九。
⑫《台北縣志》，頁三五〇。
⑬《台北縣志》，頁三五〇。
⑭《台北縣志》，頁一二七二。
⑮《台北縣志》，頁一三七八。

其分為十五個區域，列表說明七十二處的分佈區域、名稱、遺址高度（海拔公尺）、遺址範圍（長寬公尺）、採集遺物（名稱、件數）、發現日期、發現人等等。接著對每個遺址的發現情況作了詳細記述，並附有考古遺址地形圖十一幅，地形照片十八幀，出土文物（石器、陶器）版圖二十七頁，文物照片十五頁等等，內容十分豐富，論證非常有力。如日本考古學家鹿野忠雄認為：「台灣先史文化的基層是中國大陸的文化，此種文化曾分數次波及台灣。」⑯這是鹿野氏所著的《台灣考古學民族學概況》一書，對台北遺址發現的文物：陶器（繩紋陶、網紋陶、黑陶、白陶、彩陶），石器（匙形石斧、有肩石錛、有段扁平石鑿、石刀）等等，進行考古研究分析得出的結論。早年，斐文中著的《中國史前時期之研究》一書，曾指出黑陶文化起自龍山時期（即商殷之前）的山東半島，此種文化之民族向南沿海移動於浙江，再南遷而至台灣。⑰鹿野氏對台北圓山等遺址的黑陶文化研究，也指出黑陶文化，「以山東省為其發祥地，則台灣黑陶或為沿著海岸南下，然後傳入台灣。」⑱光復之後，台灣考古學開展，對圓山等遺址進一步發掘，考古學者石璋如考證後認為：「圓山人的祖宗是在大陸，而現在的高山族乃是它的後裔。」⑲等等。《史前志》據此得出這樣的結論：「台北地區之史前文化，若依以上數氏之推測而論，

---

⑯《台北縣志》，頁九九八。
⑰《台北縣志》，頁九九九。
⑱《台北縣志》，頁九九九。
⑲《台北縣志》，頁一〇〇四。

最晚似應於兩漢以前即已存在，而終於元明以上。……圓山史前文化，則其年代似應在隋唐之際，吾國東向海運興盛之時。」⑳《中國方志大辭典》介評《台北縣志》，「獨立設置史前志，其以考古之實物鐵證，充分說明台灣與中原遠古文化的淵源關係，從而證實台灣自古以來就是中國神聖領土的一個組成部分，意義深遠。」㉑確是千秋之功。

九、兩志的「社會類」內涵不一。「社會」泛指由於共同物質條件而相互聯繫起來的人群。舊志中尚無專志，而散見於風土、方言、庶政等志目中。當代方志「社會類」是一個重要組成部分，但各志記述的內涵甚是不一。大陸方志有將「人口」編入「社會類」和姓氏、民俗、方言、宗教等並列。這與台灣方志的結構相近。《蕭志》將人口獨立成編（第三編）和第一編建置、第二編自然地理（應稱「自然環境」爲宜）並列，構成「天時、地利、人和」的格局，也是可取。《蕭志》社會編有《墮民》一章，下設歷史淵源和「墮民」習俗兩節。「墮民」歷史上被視爲「賤民」的一種，一九四九年統計有三千人，受盡社會歧視，不能同四民（士農工商）享受同樣待遇。淸雍正、光緒間曾先後下詔削籍，「欽定」「與平民同列」。民國時期，當局也有「與平民同等待遇」的倡議。直到一九四九年解放後，歧視「墮民」的傳統偏見漸絕。㉒

⑳《台北縣志》，頁一〇〇五。
㉑《中國方志大辭典》，頁二八三。
㉒《蕭山縣志》，頁九八五—九八六。

《台志》卷五《民俗志》中設「山胞」一章，記述縣境內爲數不多的山地同胞（泰雅族），全縣一九五〇年有一百六十五戶七百八十二人，佔總數人口的百分之一點六。依據「凡例」所定：「本縣山胞，爲數頗微，若將其文化型態，逐篇分述，勢必一言片語，星布各章，匪但查閱困難，而編者亦苦破碎」。㉓今本民族平等主義，設「山胞」章，下例四章：族系與人口、行政與教育、社會與生活、宗教與禮俗。記述有條不紊，資料豐富多采。

《台志》將「人民團體組織」歸於《社會志》屬下的一章，而《蕭志》與大陸方志一般是將其歸屬於「政治類」的「黨派群體」編，相互出入較大。

《台志》和《蕭志》對「人口」的記述都下功夫。人口問題歷來是方志中十分重視的問題，也是當今中國和世界非常嚴重的問題。人是社會與自然的主體，人的自身繁衍和素質，有關一個民族國家的前途。《蕭志》人口編記述人口歷史比較清晰，統計數字比較齊全，特設「計畫生育」章，提倡晚婚、優生、節育。

《台志》有「台北縣歷年人口動態統計表」，㉔從一九〇九（宣統元年）—一九四一年（中有間斷）、一九五〇—一九五五年連續六年。分列人口數。出生數（率）、死亡數（率）、結婚對數

㉓《台北縣志》，頁二五。

㉔《台北縣志》，頁三三六〇—三三六一。順便提一下，在「凡例」中規定，全志斷限爲一九五一年底，但爲「綿述因果，冀全本末」，可間有止於一九五一年上下。該表統計數字雖延長了四年，確有利於說明問題。

（率）、離婚件數（率）很有價值。從出生率看，歷來是千分之四十以上，僅有兩個年頭（一九一六、一九五〇年）略低於千分之四十；而死亡率由四〇年代以前的千分之二十至三十二，到一九五〇年以後逐漸減少，一九五五年的死亡率降到千分之八點七；自然增長率則由四〇年代前的千分之七至二十四，到一九五〇年以後大大增遞，由一九五〇年的千分之二十六點三，到一九五五年升爲千分之三十五點一。總人口一九〇九年四十八點八萬，一九一一年四十六點九九萬，一九三一年四十二點四五萬，一九四一年五十一點八六萬，三十多年間有升有降，總增長率是百分之零點七；而在一九五〇年五十點三萬的基數上，到一九五五年達六十三點八萬，六年則淨增百分之二十五點五，《台志》還列了一九五一年「本縣與本省各縣市人口出生率與死亡率之比較」，㉕表明台北縣在全省二十二個縣市中，出生率排名第十九，死亡率排名第八，自然增長千分之三十二點九，在全省居中偏低。

在此期間，蕭山縣人口一九一一年（宣統三年）四十六點零五萬，一九二九年四十九點九三萬，一九三九年五十二點七一萬，一九四八年四十九點零五萬，三十多年間也是有升有降，總增長率也是不到百分之零點七；而在一九五〇年五十六點三九萬的基數上，到一九五六年也猛增至六十五點一九萬（缺一九五五年人口數），七年則淨增百分之十五點六，其中一九五三年的出生率千分之三十點六，死亡率千分之八點六，自然增長率是千分之二十二。㉖由此可知，五〇年代前期，海峽兩岸的人口都是增長過

㉕《台北縣志》，頁一九七六——一九七七。
㉖《蕭山縣志》，頁一九七。

快。

十、兩志的「經濟類」份量最大。《台志》《蕭志》都列十卷（編），字數佔全志的三分之一，顯示海峽兩岸修志都改變了舊志「輕經濟重人文」的缺陷，把經濟作爲入志的重點內容，記載大量的經濟資料，反映生產關係和生產力的相互作用，反映地方國民經濟各方面歷史發展的具體變化。專家評議《蕭志》的經濟部類記述全面，層次清楚，《商業志》寫的更有特色。㉗而將「圍墾」升格爲編和農業編並列，更得好評。一九六五—一九七九年的十四年間，將錢塘江口南岸蕭山境域的江涂圍墾，勞力投放五千一百一十九點五五萬工，造田四十一點零三萬畝（毛地），其已耕地佔蕭山現有耕地的四分之一，收到「當年圍、當年種、當年收」的效果，成爲工業原料和農副食品的重要基地，對蕭山縣國民經濟的發展起了重大作用。總結了一地的中華兒女改造自然，創造規模效益的成功經驗，曾吸引了聯合國組織和歐美、朝鮮等國衆多的專家學者前來參觀和考察。

《台志》的卷十二《土地志》，下設十二章三十五節，從土地制度、地籍整理、地目等則調整、規定地價、地權清理、公地放租、耕地三七五減租、公地放領、實施耕者有其田、荒地使用、土地徵收、外人地權處理等方面，用了十萬字，詳盡地記叙了五〇年代前期，台北縣土地改革的全部過程，說明了變革地主所有制有利於發展社會生產。

㉗《中國地方志》一九八八年第三期，頁一二。

相比而言，《蕭志》關於當地轟轟烈烈的土地變革，從舊土地關係、減租減息、土地改革、互助合作到家庭承包制、橫跨民主革命與社會主義革命兩個時期，影響了整個社會發展，如此重大的歷史性事件，《蕭志》僅在第四編農業第一章《農村生產關係變革》下，用六千字記述，實在太簡要了。順便提到，大陸有的縣志，對於「土地改革」僅僅用幾百字混沌交代了事，太不可思議了。

十、兩志的《人物志》都是生不立傳。人物志，古今重視。章學誠講人物志「書中之髓」、「志中之志」。清代的志書，人物類篇幅少則五分之一，多則達二分之一，往往收錄人物過濫，溢善隱惡之弊。《台志》的觀點：「史重本末，自古而然，故事備生前，論斷死後，始可一是非之議，而窺始終之節，本志取焉。」㉘這和大陸修志「生不立傳」原則是一致的。《台志》也和《蕭志》一樣，人物入傳偏嚴，兩志人物篇的字數僅佔全志百分之一一三，比重實在太少了。《台志·人物志》第一章《忠義列傳》首列了抗日領袖林李成、簡大獅等，其英烈事跡爲世人所敬崇，贊其「捨身成仁，志氣磅礴，保國爲家，義無反顧，我中華民族之可貴者在此，其所以能屹立不衰者亦在此」。㉙《蕭志》有《烈士英名錄》，錄烈士二百零八名，其中爲抗美援朝，保家衛國而犧牲的一百二十名。

從上可知，台北、蕭山兩志各有千秋，有同有異，可說是異曲同工，共同奏響了新時代東方巨人的前進曲。

㉘《台北縣志》，頁二五。
㉙《台北縣志》，頁一四。

第一，繼承修志傳統，文化瑰寶增輝

修纂方志是中國悠久的文化傳統，源出《周禮》的記載，外史「掌四方之志」，「誦訓，掌道方志，以詔觀事」。中國方志的內容由簡單到複雜，體例由粗略到比較完備。到了宋代基本定型，明清發展到鼎盛，現在舊志以清朝爲最多。全國地方志藏書約有九千種，十萬多卷，在整個史籍中佔很大比重。《台灣府志》，就有康熙、乾隆時的多次主修、重修、續修；《蕭山縣志》就有明、清、民國的十來次修纂。足見地方官府重視修志乃歷史傳統，「鑑往知來，爲政者將有所茲考」。㉚台北縣在光復後，一九四六年率先成立修志機構，開會討論修志，直引黎錦熙纂修《城固縣志》的辦法爲例，互爲借鑑，乃修志的優良傳統。

以《台志》《蕭志》爲例，綜觀海峽兩岸當今修志的組織機構、體例篇目、框架結構、記敘內容、編纂原則、語言文字和功能作用等等，大體一致或相近，都注重繼承地方志的基本特性：地方性、資料性、全面性和時代性。其資料信息的內涵量比舊志不知幾多倍?近半世紀來，全國範圍出現修志高潮，其規模之廣，聲勢之大，成果之多，質量之高，與往昔非同日可語!當然，不可否認也有濫竽充數之志。據《中國新方志目錄》的統計，截止一九九二年底，出版（包括內部發行）的各類志書，已達九千

㉚ 見《蕭山縣志》，頁六。

五百種，㉛加上近六年和本世紀最後一年的成果，將會超過萬種以上，它比前十個世紀（從宋朝算起）的方志總量要多得多，使中華民族文化瑰寶大大增輝，其社會功能將不可估量。

第二，反映時代特色，展示社會進步

突出時代特點是當今修志的一項基本要求。當今時代的潮流，是改革、發展、全面推進現代化。從台北、蕭山兩志來看，都能跟上時代步伐，反映時代要求，力求用科學分類和社會分工實際設置篇目，突出時代特點和地方特色，用科學理論和方法記述內容，剔除封建的、愚昧的、不科學的東西，剔去舊志中聖制、皇德、烈女、仙釋這些門類。運用「圖照」先進手段引入傳統方志，如《蕭山縣境圖》的衛星照片，給人強烈的時代感；運用邏輯方法和歷史方法相結合原則，隨文附「錄」附「表」，如台北縣有關開闢文契五十種，史前考古遺址七十二處概況表等，佐證歷史，給人求實的信史感。

兩志最顯著的共同時代特點，改變舊志「輕經濟」的缺陷，用大量篇幅（各佔全志三分之一），記叙經濟領域的方方面面，突出社會生產的發展。《蕭志·圍墾（志）》，有聲有色的記叙了蕭山人民「圍涂造田」開發土地資源的輝煌歷程，反映了當地社會生產力的創新大發展，也展示了改造大自然帶來的田園美景。

㉛ 見《中國新方志目錄》，書目文獻出版社，一九九三年。

《台志》的土地志，記述了台灣當局遵循孫中山平均地權和耕者有其田原則，「銘記大陸的慘痛經驗，銳意改進土地制度」。㉜抓住了當時興邦安民這個根本問題，穩定民心，穩定社會，解放了社會生產力，對於後來台灣經濟「起飛」，起了不可低估的「原動力」作用。如此等等，可知，把一個區域的生產發展和社會進步的軌跡，全面眞實而具體地記載下來，多麼有價值啊！

第三，弘揚民族精神，光大愛國主義

台北縣修志的首次會議上，明確修志的宗旨：「發揚民族精神」。在《序》中進一步彰明：「我台同胞，來自大陸，氣質稟賦，初無二致，本縣紳民，愛國保種，勇敢奮鬥的事跡，尤足以驚天地而泣鬼神。」㉝這個主旋律貫穿全志，特別在《大事紀》、《疆域志》、《史前志》、《開闢志》、《氏族志》、《軍事志》、《人物志》等，都有充分體現。

當乙未（一八九五）三月，傳聞「日人索割台灣」時，「台民聞訊，奔走相告，哀籲請止」。㉞當割台成事實時，台灣民衆謀獨立以阻割地之議，電奏淸廷：「伏查台灣爲淸廷棄地，百姓無依，惟有死

㉜ 殷章甫：《中國之土地改革》，台北，一九八四年，頁一六二。
㉝ 《台北縣志》，頁一四。
㉞ 《台北縣志》，頁二二七。

守，據爲島國，遙載皇靈，爲南洋屏蔽」。㉟當成立「台灣民主國」時，建元「永清」，宣告「遙奉正朔，永作屏藩」㊱等等，台灣民衆強烈抗日的民族意識，今日讀來，仍令人感奮不已。

台北民衆領袖林李成、簡大獅、林成祖等先後組織義軍、義民英勇抗日犧牲，民族意識愈演愈烈。台北知識界，「學人高士，閉門不仕，忠義之氣，發爲詩歌」，「流傳國故，寄存族魂。」㊲當時台灣著名歷史家連橫（雅堂），發憤著作《台灣通史》，㊳在《自序》中強調「夫史者，民族之精神，而人群之龜鑑也。」㊴以頂天立地的氣概，亮明著書立說的觀點。

台灣人民的強烈民族意識，日本侵略者也不得不驚駭。一九三九年日本《台灣總督府警察沿革志》第二編《台灣社會運動史總序》中承認，台灣人的民族意識之根本起源，乃係於他們原是屬於漢民族的系統，這是牢不可破的。哀嘆日本統治台灣已四十多年，台灣人仍還保持著漢民族的意識。它無可奈何的供認：「蓋其故鄉福建廣東兩省與台灣，僅一水之隔，且交通往來也極頻繁，這些華南地方，台灣人的觀念，平素視之爲父祖墳墓之地，思慕不已，因而視中國爲祖國的感情，不易擺脫，這是難以否認的

㉟《台北縣志》，頁二二九。
㊱《台北縣志》，頁二二九。
㊲《台北縣志》，頁五〇三三。
㊳連横，《台灣通史》，書成於一九二〇年，記事始於隋大業元年（六〇五），迄清光緒二十一年（一八九五），分爲十二卷（四記、八志），名爲史，實爲志。
㊴《台北縣志》，頁一四。

事實。」⑩所以，他們瘋狂鎮壓台灣人民不屈不撓的抗日鬥爭，強制推行「皇民化」等等，難以奏效，就知其緣由了。

這種深情的「台灣意識」、「祖國情結」，當日本宣佈無條件投降時，就像火山爆發一樣的釋放出來，「縣民以山河重光，欣喜若狂」，⑪來慶祝回歸祖國。光復後立即著手修志。在「凡例」中一再強調：「尤以革命諸役，先烈赴義，志氣磅礡，其人其事，均足爲民族矜式」。⑫樹碑立傳，爲世人所楷模。

大陸許多省分也曾遭受日本侵略者的蹂躪。《蕭志》記述當年國共第二次合作，爲民族生存，一致抗日，蕭山成立縣戰時政治工作隊，組織縣抗日自衛隊，縣長兼團隊司令，中共黨員（鄭至平）任參謀長，下轄二個中隊四個分隊，官兵六百多人。⑬共同禦敵，配合國民軍作戰。一九四〇年二月日軍侵犯蕭山，國民軍一百九十二師一百一十九團英勇阻擊，日軍退居蕭山塘塢村，日軍將指揮部設在村校女教師沈佩蘭家，沈潛出家門奔赴一百一十九團陣地，指明日軍指揮部及火力點方位，該團即用迫擊炮猛轟，炸毀沈家整棟房屋，全殲日軍二百餘人。塘塢之戰告捷，民國中央政府頒發「國而忘家」的匾額，

---

⑩ 引自黃康顯主編：《近代台灣意識的社會發展與民族意識》，香港，一九八七年，頁二七五。
⑪ 《台北縣志》，頁二九六。
⑫ 《台北縣志》，頁二四。
⑬ 見《蕭山縣志》，頁七六一。

褒揚沈佩蘭的愛國主義精神。這類事跡，記載於方志，作爲鄉土教材，進行愛國主義教育，弘揚民族精神，實難多得。

正如《海峽兩岸地方史志比較研究文集》的編者所說：「在地方志方面，海峽兩岸有著共同的華夏源流，有著共同的悠久歷史，有著共同的優良傳統，有著共同的編修實踐。」㊹當今綻放的方志之花，喜在世界文化林中盛開，這是時代的記錄，歷史的結晶，民族的驕傲。

㊹ 天津市地方志辦公室編：《海峽兩岸地方史志比較研究文集》，天津社會科學院出版，一九九八年，頁一。該「文集」是一九九七年底，在天津召開的「中國（海峽兩岸）地方史志比較研究討論會」上，與會的海內外學者提供的論文構成的。

日據時期台灣佛教的認同與選擇

——以中、台佛教交流為線索

李世偉／淡江大學歷史系助理教授

一、前言

台灣佛教源自中國大陸，尤以福建地區的佛教影響爲大，就起源上來說，自明末鄭成功來台鼓勵大批漢民移墾後，佛教勢力也隨之而來。一般而言，明清時期的大陸佛教處於守成、消極之局面，僧團方面亦未曾以強而有力的後盾支援渡台弘法之僧侶，於是台灣早期佛教的推行，多是一般僧侶及居士庶民自發性、個別性的佈教弘法。儘管如此，至日本據台前，台灣地區已有相當成熟的大陸內地佛教的基礎，據劉枝萬的統計，有清一代的台灣佛教寺廟約有一百零二座，若加上民衆信仰極普遍的齋教，①當

①「齋教」即爲一種在家修行的佛教教派，有異於正統之佛教，從大陸傳來台灣的齋教有三派：龍華、金幢、先天。

時在台灣已有齋友數千人，以及遍佈各地的齋堂，佛教的勢力就更爲壯大了。②

一八九五年日本領台後，其佛教勢力隨之大量進入台灣，這固然使台灣佛教受到一定的日本化影響，然而由於文化、語言的隔閡，成爲日本佛教信徒的實爲少數，加上日本當局並不禁止台灣與大陸內地之往來，因此雙方的宗教交流往返極多，不因政權更替而有所隔。遺憾的是目前學界對於此一課題尙少研究成果，本文擬根據新近所出土的史料對此作一探索，其內容除了具體鉤陳中、台佛教交流的型態外，更著墨於殖民體制下的台灣佛教，如何的認同與抉擇？一般所謂認同與選擇涉及一基本前提，即主體性的問題，在殖民統治下的台灣佛教，其主體固然根源於傳統的中國佛教，但同時遭遇新型態的日本佛教衝擊與改造，在無法與傳統斷裂同時又必須改變的拉扯下，會如何的取捨抉擇？這樣的認同又是在什麼樣的環境下所造成的？在這裡我們必須知道，佛教界的認同問題與一般的文人、知識份子有所差別，後者的認同是個別性的認知與行動，這可從他們的議論及書寫來理解；而前者則是由僧侶與僧團集體性的選擇所造成，這必得從其具體活動與實踐面向才能掌握，同時這樣的實踐是逐漸的顯現出來的，因此本文也嘗試探討這種宗教認同的特質性。在過往有關殖民地台灣的認同問題討論中，大多著重於政治、社會的面向，甚少從宗教的角度去觀察，因此也希望本文能提供一點新的研究視野。

② 劉枝萬：《清代台灣之寺廟》，《台北文獻》四期，一九六三年。

二、台灣僧侶在大陸的受戒與留學

乙未割台後，日本以異民族的身份對台灣進行殖民統治，在統治初期，除了以強大的軍事力量大肆鎮壓殘餘的武裝抗日勢力藉以立威外，同時也採用籠絡的手段來安撫台民。在對待士紳舊儒方面，則有「揚文會」、頒發紳章，或透過詩文唱答來加以交結；對於一般人民的傳統事物則採「舊慣溫存」的態度，即包容台灣傳統的舊習慣及信仰等，藉以爭取好感。不過，台灣固有的民間宗教信仰，日人一向視爲迷信者流，不時流露出輕蔑與欲加以改革的姿態。然而，佛教卻是台灣與日本共有的宗教信仰，適可作爲雙方溝通、交結之用。因此當時的日本僧侶便表示過，希望爲總督府服務，藉以掌控台灣佛教界；不過，此一構想一直到西來庵事件後才逐漸實施，至皇民化時期才告完成。

日本在領台之初雖已控制台灣，但對台民之反抗仍極提防，因此各地均有軍隊鎮壓，日本佛教即隨著軍隊入台，此即所謂「隨軍佈教」。當時日本佛教界的各本山均曾派僧侶來台成立臨時局，以慰問軍人及其家屬，待各地平定後，也開始佈教活動，據統計這些來台的日本佛教有八宗十二派之多，③而日

③ 這些宗派分別爲曹洞宗、臨濟宗妙心寺派、眞宗（本願寺派和大谷派）、日蓮宗、法華宗（本門法華宗和顯本法華宗）、淨土宗（鎭西派和西山深草派）、天台宗、眞言宗（高野派和醍醐派），參見總督府文教局社會課編：《台灣之神社及宗教》（台北，一九四三年），頁六〇以下。

本的全國佛教有十三宗四十八派，可以說大半都已傳入台灣。④不過，眞正以信仰日本佛教而被登記的中國佛教徒爲數不多，其影響也有限，江燦騰分析其原因如下：一、語言隔閡，日本僧侶不會講台語，而台灣民衆也不懂日語，雙方溝通困難。二、台灣佛教的信仰方式與日本佛教有差異。三、台灣佛教界，不論在家或出家者，都缺乏與日本佛教交流的經驗。四、台灣初期的抗日行動相當激烈而頻繁。⑤同時間，日本也積極地發展與中國的關係，也希望透過宗教來達到「日支親善」的目的，佛教既爲中、台、日三方共同的宗教信仰，因而日本始終未嘗斷絕台灣與中國佛教的交往，雙方的關係一直相當密切的聯繫著。⑥對於大陸僧侶或居士來台進行宗教活動，日本當局不僅未予干涉，有時還禮遇有加，例如昭和二年（一九二七）十一月十四日，安徽省佛教會長竺庵及閩南佛學院教授蓮如二位法師，爲視察台灣佛教及教育狀況而赴台灣，由當時靈泉寺住持兼佛教中學林校長江善慧法師接待，並得以拜訪當時主管宗教事務最高階的總督府社會課松崎社系主任。⑦另外於大正六年（一九一七）太虛法師來台，也受

④ 中村元等著，余萬居譯：《中國佛教發展史》中册（台北：天華出版社，一九九三年），頁一〇四五——一〇四六。

⑤ 江燦騰：《台灣佛教百年史之研究》（台北：南天書局，一九九六年），頁一一四。

⑥ 事實上，不僅是佛教，日本在「皇民化運動」之前對於兩岸之間的宗教信仰交流活動大都放任其事，少予干涉，如台灣媽祖赴湄洲祖廟進香，或湄洲媽祖來台的情形相當頻繁，參見王見川、李世偉：《關於日據時期台灣的媽祖信仰》，《民間宗教》第三輯，一九九七年十二月，頁三五一——三五六。

⑦ 《台灣日日新報》，昭和二年十一月二十一日，《華僧巡錫寺廟》。

到日本政府及佛教界高規格的接待（詳後述），這一類的例子極多。佛教既然作為日本當局聯結中、台、日三方的接著劑，自然也不會干涉台灣與中國佛教的交流，以下我們將就台灣僧侶赴大陸道場受戒與學佛的情形作介紹。

對佛教的主體出家衆而言，從世俗的社會進入寺院，過六根清淨的僧團生活，首要的一關便是必須經過傳戒與受戒，凡是欲求出家的人，都必得經過受戒，才能夠成為眞正的僧人，也才能取得寺院僧團生活的資格。因此世俗所謂的「出家」，核心即是指受戒，其重要性不言可知。

明清時期，台灣的僧侶幾乎全在大陸佛寺受戒，日據初期這種情形大致不變，至大正時期，台灣佛教道場開始有了自己的傳戒活動，但赴大陸受戒者仍多；一九三七年中日戰爭爆發後，日本加強日本化佛教之政策，僧侶之訓練由日式佛教練成所辦理，不再受中國具足戒，才有所改變。在中國僧侶的心目中，似乎在中國大陸受戒才算是眞正承繼佛教的正統。由於台灣多屬閩、粵之移民，因此二地的道場最為信徒所熟悉，其中尤以福建名剎鼓山湧泉寺為最。鼓山湧泉寺由靈嶠禪師於唐德宗建中四年（西元七八三年）開山，歷任一百三十四代住持禪師，其道統承傳分為兩階段：自開山祖靈嶠禪師起至第九十一代住持明代性聰禪師，大都屬於南嶽之臨濟宗；自九十二代住持博山至今則為曹洞宗法脈，近代著名的法師如虛雲、圓瑛、宏悟等皆曾擔任住持，故為南方一極具盛名之佛教道場，⑧也因此台灣的僧侶多赴

---

⑧ 陳錫璋編撰：《福州鼓山湧泉寺歷任住持禪師傳略》（台南：智者出版社，一九九七年），頁一三——一六。

湧泉寺受戒。日據時代，台灣寺院雖亦曾開壇舉辦四衆傳戒事宜，如苗栗觀音山法雲寺舉辦傳戒會，大正六年及十年（一九一七、一九二一），台南開元寺也開壇傳戒，唯寺院亦允許僧侶或信徒赴鼓山湧泉寺，或其它省市受戒，並無絕對限制，甚至爲求鄭重，經常主動派遣僧侶赴大陸受戒或學習，以下我們舉當時的大道場爲例加以說明，這些道場包括學界所公認的日據時期四大道場。⑨

（一）基隆月眉山靈泉寺

靈泉寺爲善慧法師（一八八一—一九四五）所創建，善慧原是基隆人，俗姓江，十六歲時皈依齋教龍華派，其出家的直接因緣與湧泉寺的僧侶妙性、善智有關。妙性俗名劉火旺，原係基隆船商，家境不錯，持齋禮佛甚虔，遂於一八九七年六月搭船赴鼓山湧泉寺出家。善智，俗姓胡，不知其名，基隆人，早妙性幾個月出家。一九〇〇年爲修繕福建崇林寺，由湧泉寺方丈派二人回台北捐助緣金。⑩善智與妙性二僧來台後，先住錫在基隆玉田街奠濟宮後面的樓上，或爲施主作法會消災，或爲壇信講解法語和經文，善慧便在當時和二師研習佛教典籍。明治三十五年（一九〇二），善智帶善慧回湧泉寺拜景峰法師爲師，同時受三壇大戒。由於善慧在湧泉寺的輩分甚高，加上他回台灣的道場發展相當成功，使靈泉寺

⑨ 這四大道場分別是基隆月眉山靈泉寺、台北觀音山凌雲寺、苗栗大湖法雲寺、高雄大崗山，參見《台灣佛教寺院總錄》（台北：華宇出版社，一九八八年），《前言》。

⑩ 《台灣日日新報》，明治三十二年三月二十九日，《削髮爲僧》。

成爲台灣北部佛教界的重鎭，以致他在海峽兩岸均享有極高的叢林聲望，虛雲法師在其記載鼓山法脈《星燈集》中還特別說明善慧法師：「建台灣月眉山靈泉寺，其子孫繁衍台灣。」⑪

由上可見靈泉寺與鼓山的密切關係，爾後善慧的宗教活動十分積極，不時參與大陸之佛教事務，同時也經常性地派遣其弟子赴大陸學習，明治四十四年起（一九一一），他帶門徒德融師赴大陸，拜訪上海、天童、杭州、普陀山等地重要道場便爲一例。又如在大正六年（一九一七）一月一日（農曆十二月八日）時，相傳爲釋迦牟尼佛得道之日，靈泉寺召集派下各寺院僧徒三十餘人，從農曆十二月二日至八日舉辦一星期之坐禪會，其修行儀式則是模仿江蘇鎭江金山寺。爲了學習正統的坐禪，善慧早於三年前派其弟子德專不辭千里，遠赴金山寺學習，可見善慧之愼重其事與對大陸佛教修行之信賴。⑫

（二）台北觀音山凌雲寺

凌雲寺位於台北縣五股鄉觀音山麓，促成建寺者爲寶海法師，寶海法師俗名林火炎，家住三重埔菜寮，他於明治二十九年（一八九六）皈依佛門，後遊鼓山湧泉寺及受戒，並在大陸叢林修學佛道數年，於明治三十三年（一九〇〇）返台，在自宅設立佛堂，他一直有開山建立道場的想法，但苦於缺乏經

---

⑪ 轉引自江燦騰：《日據前期台灣北部新佛教道場的崛起》，氏著：《台灣佛教百年史之研究》，前揭文，頁一三〇—一三一。

⑫ 《台灣日日新報》，大正五年十二月二十一日，《靈泉寺坐禪會》。

費，至明治四十二年（一九〇九），得知大稻埕富商劉金波喪父，寶海勸其助力以供養亡父，獲劉氏母子贊可，於是自該年十二月開始興建，至隔年十一月完工。不過，由於寶海體弱多病，無法主持事務，遂邀本圓法師協助經營。本圓法師俗姓沈，自幼工漢學，在明治三十年（一八九七）入基隆玉田清寧宮住持釋元清之門，修學經典道理，明治三十三年（一九〇〇）赴湧泉寺受戒（戒師爲振光和尚），至明治四十四年（一九一一）歸台，入該寺爲住持。⑬由於本圓的努力，以及具有溝通中、台、日三方佛教關係的重要角色，促使凌泉寺的佛教事業快速發展。⑭另外，本圓的得力幹部覺淨法師也和湧泉寺有淵源，他原是中壢郡人，十三歲（一九〇六）便到鼓山出家，十八歲（一九一一）和本圓一同回台，共同致力建設凌雲寺和整理西雲寺，民國三十五年本圓圓寂後，由他接任住持。⑮

（三）台南開元寺

開元寺之前身原爲明鄭時期鄭經所建之「北園別館」，清康熙二十九年（一六九〇）由鎮守台灣總

⑬ 台灣社寺宗教刊行會編：《台灣社寺宗教要覽——台北州卷》（台北，昭和八年三月），附錄一之五。

⑭ 關於凌泉寺的崛起與本圓法師的經營過程，參見江燦騰文，同註⑩。

⑮ 見張文進主編：《台灣佛教大觀》（台中：正覺出版社，一九五七年），頁二八—二九。另見朱其昌主編：《台灣佛教寺院庵堂總錄》（高雄：佛光山出版社，一九七七年），頁二二三。

兵王化行等人，捐俸改建爲寺，延聘志中禪師主持，時稱海會寺，後定名爲開元寺。⑯開元寺於日據時期的住持幾乎皆曾在湧泉寺受戒，諸如：

（1）玄精法師（一八七五—一九二一），字法通，俗姓蔡，名潭，嘉義縣布袋鎮人。明治二十八年（一八九五）皈依齋教龍華派，拜台南縣西港鄉信和堂黃普宗爲師，引導他入開元寺爲僧，後渡海至湧泉寺，禮台籍傳芳和尚爲師，並受具足戒，歸台後於明治三十六年（一九〇三）擔任開元寺住持。⑰

（2）傳芳法師（一八五五—一九一八），字清源，號布聞，俗姓陳，名春木，台南市人。光緒七年（一八八一）獲得榮芳禪師引介，赴湧泉寺禮維修禪師出家，得戒於怡山西禪寺復翁和尚，後歷住泉州崇福、承天二寺，再復往鼓山。開元寺於明治四十二年（一九〇九）因故離台赴日，住持因而懸缺，至大正二年（一九一三），該寺監院僧本圓、承定、成圓三人禮聘禪芳返台，擔任住持。⑱由於禪芳法師德高望重，在大陸有二十餘年的修行經驗，因此他的返台成爲地方上之大事，特別傳授男女信徒三皈五戒，日期從該年十月十四日至十八日，台南市地方官員與士紳絡繹不絕於途。⑲

（3）得圓法師（一八八二—一九四六），字印如，俗姓魏，名松，嘉義縣店仔馬稠後人。十八歲

---

⑯ 有關開元寺詳細之沿革與文獻介紹，參見盧嘉興：《北園別館與開元寺》一文，《台灣研究彙編》三輯，一九六七年七月二十五日，頁一二一—二四。

⑰ 陳錫璋：《鼓山湧泉寺掌故叢譚》（台南：智者出版社，一九九七年），頁一九一。

⑱ 同前註，頁一九二。

⑲ 《台灣日日新報》，大正二年十月九日，《開壇受戒》。

時皈依齋教龍華派，明治三十八年（一九〇五）時禮玄精法師爲剃度師，次年前往湧泉寺受比丘戒。德圓在湧泉寺一年後，轉錫泉州崇福寺，至明治四十一年（一九〇八）回台住開元寺，歷任該寺監院及台南水仙宮、關帝廟等住持，大正十年（一九二一）接任開元寺住持，後於昭和九年（一九三四）開壇受戒，台灣著名的青年佛教改革家證峰法師（林秋梧）爲其弟子。⑳

（四）苗栗大湖法雲寺

法雲寺位於苗栗縣大湖鄉觀音山麓，最初乃由地方士紳吳定連、劉緝光等人倡議建寺，在一次偶然的機會中，遇到當時剛從福州參學返台的妙果法師，在一番懇談後，便定下了建寺計劃。不久，妙果重返福州湧泉寺，迎請他的皈依師覺力法師來台，共負開山巨業。自大正元年（一九一二）開工，經三年完成。

法雲寺第一任的住持爲覺力法師（一八八一—一九三三），他原是福建廈門市人，俗姓林，十九歲時禮湧泉寺萬善法師剃度㉑。明治四十二年（一九〇九）初渡台灣，駐錫於淩雲禪寺，後歸湧泉寺。大

---

⑳ 盧嘉興，前揭文，頁二一。

㉑ 根據江燦騰的考訂，覺力雖拜萬善老和尚爲師，但萬善係屬「南山寺」的系統，非「鼓山」系統，另有資料顯示，覺力於光緒庚子年（一九〇〇）得戒鼓山本忠老和尚。氏著：《日據時代台灣北部曹洞宗大法派的崛起》，《台北文獻》，直字一百一十八期，八十五年十二月，頁一八九。

正二年（一九一三）應台灣信衆之迎請，開創法雲寺。覺力來台前已是湧泉寺的首座，擁有相當的聲望，因而台灣四方信徒聞風紛紛來皈依。覺力法師並遵循大陸的叢林體制，行持「百丈清規」，並開辦佛學社，培育弘法的人才。㉒第二任住持爲妙果法師（一八八四—一九六三），桃園縣人，十八歲皈依於大溪齋明寺，投覺力法師剃度出家，大正元年（一九一二）受具足戒於湧泉寺，後與覺力同建法雲寺及中壢月眉山圓光禪寺。㉓

（五）台南竹溪禪寺

竹溪寺爲於台南市，創建於明桂王永曆十五至十八年（一六六一—一六六四），係由當時的州守所構建，初名爲「小西天」，爲台灣最早的佛教寺院。㉔明治四十三年（一九一〇）時，竹溪寺住持虛懸已久，經該寺管理人上官宏、林神等決議，禮聘捷圓法師擔任之。捷圓（一八八七—一九四八）俗姓周名獅，台南市溪頂寮人。早年於開元寺出家，禮玄精法師爲剃度師，可能於明治三十九年（一九〇六）與同寺師兄弟得圓法師，偕同前往鼓山湧泉寺受具足戒，明治四十三年返台後，受邀入主竹溪寺山席，

㉒ 參見佛光山編：《佛光大辭典》下册，頁六七九二—四下上。

㉓ 《佛光大辭典》中册，頁二八四七上，中。

㉔ 有關竹溪寺的相關介紹參見盧嘉興：《台灣第一座寺院——竹溪寺》，《台灣研究彙集》第十六輯，一九六五年十一月。

成爲重興第一代祖師。㉕第二任住持爲眼淨法師（一八九八—一九七一），俗姓林，名看，台南縣下營人。十三歲便出家，禮捷圓法師爲依止師，眼淨的受戒是在觀音山凌雲寺進行的，但後來遠赴大陸參訪名師，並在太虛法師的佛教改革重鎭廈門南普陀寺閩南佛學院進修，長達三年始返台，民國三十七年捷圓法師圓寂後，繼任爲竹溪寺方丈。㉖

以上爲台灣的幾個重要佛教大道場的領導法師赴大陸受戒、或學習的大略介紹，這些宗教活動背後都有僧團集體的力量支持，然而也有不少僧侶是個別性的活動的，也值得一提，我們以斌宗法師與玠宗法師爲例作介紹。

斌宗法師（一九一一—一九五八），俗姓施，名能，彰化縣鹿港人。他早於十四歲時便禮獅頭山閒雲禪師爲剃度師，十七歲結茅於台中汴峰，苦修六年。昭和八年（一九三三）有感於台灣佛法式微，便獨自渡海赴大陸求法，遍歷湧泉寺、南海普陀山等諸山名剎。民國二十三年，於浙江天童寺禮圓瑛、宏悟法師受具足戒，後又前往天台山依止靜泉老和尚，專攻《天台教觀》、《法華》、《四教儀》等。昭和十四年（一九三九），斌宗返台闡揚佛法，並於新竹古奇峰下創建法源講寺，設立佛學研究院，後又於新店建法濟寺。由於他在大陸佛教界結識甚廣，在大陸政權鼎隔之際，許多來台的年輕僧侶來投

㉕ 盧嘉興：《北園別館與開元寺》，頁一一。
㉖ 同前註。

依，斌宗多予設法收容。㉗

另一個與大陸佛教有深厚淵源的是玠宗法師（一九〇〇—？），俗姓林，名資潭，台中縣人。他於大正元年（一九一二）皈信齋教龍華派，大正十一年十一月赴大陸朝禮名山古剎，雲遊江蘇、南京、北京、上海、福建等地，民國十三年畢業於泉州承天禪寺東方因明論理學院，同年四月初八日於福建興化南山廣化寺受三壇大戒，十一月十七日於泉州開元寺承繼「中華佛教會」會長圓瑛法師之法嗣，爲臨濟宗四十一世之法嗣，十二月一日又擔任當時佛教改革團體「中華佛教新青年會」台灣宣傳隊委員，大正十四年返台擔任獅頭山金剛禪寺佛教研究會教務主任。爾後他在台灣與中國佛教界都相當活躍，由於這些經歷，使他光復後更擔任中國佛教會台灣分會的秘書長。㉘

從以上的介紹我們得知，在日據時代，包括「佛教四大道場」在內的各大寺院，其住持幾乎都與大陸佛教有密切的關係，特別是鼓山湧泉寺，更是台灣沙門受戒的重鎭，再加上其它個別的和尚紛紛渡海求法，可充分反映出湧泉寺等其它名刹成爲台灣佛門弟子受戒、求法的聖地，其地位之隆高，未因異族的統治而有所改變。這樣頻繁而綿密的交流，我們還可以從大陸法師來台的盛況窺見，這是下一節所要探討的，其中特別是以大陸著名的法師圓瑛及太虛爲最。

不過，在這邊我們必須留意到，從大正二年（一九一三）開始，台灣佛教已經有了自己的傳戒活

㉗ 釋東初：《中國佛教近代史》下册（台北：東初出版社，一九九二年），頁九一八—九一九。

㉘ 《臨濟沙門玠宗法師履歷表》，手稿。

動，筆者將這些傳戒活動列於下頁：㉙

從這分表中可以得知，從大正年以降，台灣幾個佛教大道場已有能力舉辦傳戒活動，不再全然倚賴大陸的佛教，約略可以看出在中、台佛教持續交往的同時，台灣佛教的主體性也逐漸成形。

三、大陸僧侶來台

在前述中我們看到台灣僧侶不遠千里、絡繹不絕於大陸佛教道場，其道心自然足令人感佩，但並非所有僧侶都具備這種條件，同時一般信衆也難得有機會作這種長途旅行，許多佛教大道場於是開始邀約大陸的法師來台，或傳戒、或主持法會、講經等。這其實也關涉到一個道場能否長期穩固與信衆的關係，相當程度的依賴這一類的宗教活動，這又以傳戒的持續性更爲長久。而大陸旣爲台灣之佛教母國，境內的佛教名剎諸如湧泉寺、普陀山、金山寺等又久爲信徒所敬仰，因此若能請到這些名剎的法師前來台灣，自然對該道場之聲望提昇有莫大的助益，並更能強化與信衆之宗教關係，累積更雄厚的宗教資源。

這一點可以凌雲寺作例子說明之，大正十二年（一九二三）十一月十一日是該寺的首次傳戒，由本

㉙ 本表引自王見川：《日據時期台灣佛教的傳戒活動》，未刊稿。

圓法師主持，他親任傳戒大和尚，聘請鼓山湧泉寺的聖恩老和尚任羯摩師，教授師則是著名的圓瑛法師。而當時的善慧師是擔任導戒師，覺力法師任證戒師，大崗山超峰寺的永定法師任授經師，台南開元寺的得圓法師及竹溪寺的捷圓法師任尊證師，另有幾位日本法師。由此可看出台灣當時檯面上重要的佛教法師幾乎都出現，再加上大陸名噪一時的法師，吸引了全台的四眾戒子共有七百餘位參加，其活動之盛大可以想見，同時間也提昇了信眾對凌雲寺的認同感。㉚

類似的情形在法雲寺也出現過，林覺力的弟子羅妙吉於昭和二年（一九二七）創辦「台灣阿彌陀佛會」，爲使這個新的佛教組織受到重視，他決定於該年農曆四月八日釋迦佛生日時召開七天的彌陀大戒法會，並特別敦聘鼓山與南海普陀山等名剎的高德法師前來傳授。㉛羅妙吉雖然比凌雲寺的

㉚ 參見江燦騰的介紹，同註⑪，頁一五二。

㉛ 《台灣日日新報》，昭和二年三月三日，《台灣阿彌陀佛會傳授彌陀大戒》。

號次	道場名稱	舉辦時間	活動內容	參與法師
1	台南開元寺	大正2、10、9	三皈五戒	傳芳（甫由湧泉寺返台任住持）、本圓、成圓、永定
2	基隆靈泉寺	大正6、4、13	三皈五戒	善慧
3	台南開元寺	大正6、12、15	三皈五戒	傳芳
4	基隆靈泉寺	大正10、4、23	三皈五戒	善慧
5	苗栗法雲寺	大正10、11、17	三皈五戒	覺力、妙果、達玄
6	基隆靈泉寺	大正12、10、21	三皈五戒	善慧
7	台北凌雲禪寺	大正12、11、13	菩薩戒	本圓、圓瑛（大陸）、聖恩
8	基隆靈泉寺	大正15	三皈五戒	善慧
9	台北凌雲禪寺	昭和2、3、3	阿彌陀戒	本圓、覺力、善慧
10	苗栗法雲寺	昭和3、2、19	菩薩大戒	覺力、妙果
11	台南開元寺	昭和9、11、12	落成傳戒	
12	中壢圓光寺	昭和11、10、3	菩薩大戒	妙果

本圓法師小一輩，但它也擁有一定的大陸佛教經驗，他於大正十二年（一九二三）東渡大陸視察佛教狀況，並留學於太虛大師所屬的武昌佛學院，其間結交許多僧俗同道，這樣的背景使他的佛教事業有相當的助益。㉜

除了傳戒外，大陸僧侶來台講經、主持法會或參訪者也不絕如縷，這一類的例子極多，不勝枚舉，以下僅以來台最著名的兩位大陸僧侶圓瑛及太虛爲例，略作討論。

（一）圓瑛法師（一八七八—一九五三）

圓瑛法師，名宏悟，俗姓吳，福建古田人。十九歲於鼓山出家，二十歲依鼓山湧泉寺妙蓮和尚受具足戒，稍後他隨寧波天童寺寄禪和尚習禪定三年，再從通智、諦閑、祖印、慧明、道階等著名法師修習教觀。民國三年組「中華佛教總會」在北京成立，他被推選爲參議長，民國六年任擔任寧波佛教會會長，民國十七年，他被推爲浙江佛教聯合會會長，同年全國第一次佛教代表大會在上海覺園召開，議決成立全國佛教徒的統一組織「中國佛教會」，圓瑛曾七次出任該會的主席或理事長。除了致力於佛教組織，圓瑛也對僧伽教育和講經說法也有相當的成就，宣統元年（一九〇九）他住持寧波鄞縣接待寺，創

㉜《台灣佛教新報》，大正十四年十月一日，《記事》。

辦佛教學習所，後來到南洋檳榔嶼創辦檳榔佛教研究會，回上海後又辦圓明講堂。㉝從這些經歷可見圓瑛在當時已經是一位具有全國知名度的高僧，其活動的足跡遍及中國南北各地，乃至香港、新加坡、檳榔嶼、印尼等。

早在大正六年（一九一七）時，善慧便想邀請圓瑛前來台灣，但適巧圓瑛赴南洋講經，未能成行。到了大正十二年（一九二三）七月，善慧二度力邀，終於迎來這位中華高僧。在圓瑛停留台灣的半年中，受到各地佛寺的熱烈歡迎，不過，圓瑛在基隆地區逗留的時間最久，因此和當地的交流也最密切，諸多政商士紳爭相交結。十月二十二日至二十八日，由基隆士紳許梓桑、顏國年、吳和三等人於靈泉寺發起為期一週的在家受戒法會。㉞

十一月二十一日，基隆佛教團體更公請圓瑛於公會堂演講，與會者涵蓋基隆地區的政商學界要員，如遠藤郡守、山內街長、間瀨憲兵隊長、上野公學校長、許梓桑，這次的演講題目為「佛教與人心之關係」，由善慧介紹，善慧的弟子沈德融翻譯日語。㉟圓瑛在演講的後半段中將話鋒一轉，針對中日關係大所闡揚：

㉝ 明暘：《佛門高僧圓瑛法師》，收於明暘主編：《圓瑛法師年譜》（北京：宗教文化出版社，一九九六年），頁三四九—三五〇。

㉞ 《台灣日日新報》，大正十二年十月二十一日，《靈泉寺受戒法會》。

㉟ 《台灣日日新報》，大正十二年十二月一日，《基隆佛教講演》。

日中兩國，本來是同種同文之國，現在兩國之人，多數但知注重我國家，而不知注重我種族，所以兩國人民不親善。鄙意極望兩國人民念日中兩國，係種族相同之邦，唇齒相依之國，自當注重種族，極表親善。雖說是注重種族，而注重國家亦在其中。兩國既能親善，自可互相愛敬，不生種種國際交涉，豈不是與國家有益嗎?若能輾轉勸化，各國人民，皆知注重我同類，則無論黃種、白種、黑種、棕色種，一切種族，凡是人道，皆我同類，皆應親善。不得互相欺凌，互相殺伐，則槍炮兵戈，皆為無用。自可舉斯世登大同之域共享和平之福，是所深望焉。佛教於有我中比前更進一步，不但注重同類，而且注重同體，不敢相殘……。㊱

這一番話自然不是無端而發，當時大陸的五四運動因日本侵略而發，全國正陷於反日的高潮中，圓瑛雖為方外之士，也不能無所感慨，因此在台下滿是日本官員的演講會場中，透露出希望藉由佛教的力量，來感化日本強橫之心，以期化解中日的仇恨，至於日人是否領略其弦外之音便無由得知了。

圓瑛除了在基隆外，也曾到台中慎齋堂、台南開元寺等地講經。在這次留台期間還發生一件有趣的小插曲，八月，他到新竹州金剛寺弘揚佛法時，因當地有一個名為「湖碑」的池塘，水淺而小，每年都會淹死幾個人，地方上的士紳父老聽聞有中華高僧前來，便恭請他親自超度。圓瑛則提出約定條件，要求全州人士持齋禁屠，以示誠敬。紳耆代表答稱要請示官廳，圓瑛後在台南講經時，得到新竹方面應允

㊱《圓瑛法師年譜》，頁四〇—四一。

的答覆，於是返赴新竹，前來接駕的車夫一見到圓瑛，直稱他爲菩薩，圓瑛十分詫異。車夫才說，在前一天晚上有幾個鬼魂，向他們的家人報告，有菩薩將來超度。等到圓瑛到達湖碑時，受到信徒熱情的歡迎，順利完成超度法會。㊲不論這些地方信徒的說法可靠性如何，對於中華高僧圓瑛的崇敬與歡迎則是十分明顯的。

圓瑛來台得到台灣佛教界極大的重視與歡迎，他本人似乎也相當滿意，於是在他回大陸不到兩個月的時間又應邀來台，這一次邀請者是台南開元寺，寺方定於大正十三年（一九二四）一月七日起二週召開法會，特邀圓瑛來主持。㊳稍後又受法雲寺的邀請，在該寺與覺力法師同講金剛經十五日。㊴

(二)太虛法師(一八九〇—一九四七)

太虛法師出生於浙江省海寧縣人，俗姓呂，一九〇四年於蘇州木瀆滸墅鄉野小庵中落髮爲僧，稍後於寧波天童寺受戒，曾追隨岐昌、道階、寄禪等法師，後因受到近代改革思想之啓迪，提出諸多有關僧伽教育、革新僧侶制度、世界佛化新運動革命性的主張，影響甚廣至今未絕。㊵

㊲ 同前註，頁四一。

㊳ 《台灣日日新報》，大正十三年一月十日，《圓瑛師將到》。

㊴ 《台灣日日新報》，大正十三年一月十七日，《法雲寺請講經》。

㊵ 有關太虛的論著可參見江燦騰：《太虛大師前傳（一八九〇—一九二七）》（台北：新文豐出版社，一九九三年）。釋印順：《太虛法師年譜》（北京，宗教文化出版社，一九九五年十月）。

太虛僅來過台灣一次，其來台的因緣是出自於善慧的邀請，大正六年（一九一七）之秋，善慧因靈泉寺新建三塔完成，擬舉辦一次大型的七壇水陸大法會，原定邀請江浙叢林的法會高手岐昌和圓瑛來台聯合主持，但圓瑛因臨時有事，不克前往，便介紹太虛前往。太虛此時也正想前往日本，了解吸收現代西學後的日本佛教特色，便要求善慧於事畢後赴日本一行，太虛來台因而定行。㊶太虛在台灣的一個半月行程中，密集的拜訪各處道場及從事各種宗教、文化活動。當時太虛每天的遊蹤、吟詩及演講內容，大量地刊載於報端，允稱當時風頭最健的宗教人物。

靈泉寺的法會從十月二十八日開始，參與的信徒有千餘人，主其事者有許迺蘭、顏雲年、張清漢、魏水昌等，皆爲基隆地區的名紳巨商。在靈泉寺的法會後，善慧陪他到基隆、台北小遊一番，基隆區長許梓桑並曾設宴款待。㊷十一月九日至彰化，適逢彰化曇華佛堂舉行法會，太虛乃爲其說法。他同時也會見了齋教龍華派的領導人許林（普樹），期勉他將台灣齋友組織起來；另外當地的士紳聞人也紛紛來訪，如白沙教育會會長李振鵬、彰化區長楊吉臣、崇文社社長黃卧松以及甘得中、施至善、林天爵等人。㊸十八日赴台中愼齋堂，並作了兩次佛教演講，由善慧親自爲之翻譯成台語。太虛所撰的演講辭由

㊶ 印順，前揭書，頁四六。另見太虛：《東瀛采眞錄》，收於《太虛大師全書》（台北：善導寺佛經流通處，一九八〇年），雜藏，文叢。

㊷ 《東瀛采眞錄》，頁三二〇。

㊸ 同前註，頁三三二—三三三。

林杜印刷分送，再加上報紙的宣傳並加以轉載，使會場的聽衆經常爆滿，盛況非常。期間應霧峰望族林紀堂之邀前往訪遊，林獻堂、林幼春兄弟並請他在家中說法。㊹此時鹿港遺老洪月樵風聞太虛游台，函贈個人的詩集《寄鶴齋詩斆》，詩中多故國之思，另有一封信，其內容大要如下：

太虛上人禪座慧鑒：僕處荒海，心在中原久矣，而方外名流，尤不僕所千里神交者也。聞上人本吾儒一派，有託而逃，殆亦如明末王翰、萬壽祺，感憤滄桑，棄冠帶而披緇，一稱頤雲師，一稱萬道人者歟？頃稔上人飛錫台中，吐廣長舌，現菩提身，說蓮花法。僕聞之不覺神往心馳，恨不得皈依玉塵，聽生公講偈耳。爰特寄上近刷小詩二部，聊結香火之緣。昔日白香山託詩集如滿禪師，僕非欲謬希前賢，特以僕在此間，鬱鬱不樂，潛夫雖未遂九州之行，少文終懷五岳之志。他日者表上通台，帕出函關，擬由吳淞口而溯錢塘潮，遊明聖湖而謁普陀山，則與上人拈花握笑，將介此詩爲賓介之方。……㊺

信中洋溢著濃厚的民族意識，一開始便表明雖然身在台灣，卻是心在中原，特別是台灣當時正身處異族統治，對於心懷故國之思，選擇退隱以明志的舊儒洪月樵而言，充滿著沉痛與無奈之情，適巧有太虛這種出類拔萃的中華高僧前來台灣，孺慕之情遂得以一氣宣洩。太虛稍後回贈自己的詩稿及詩錄，並對洪月樵在所贈的詩中所流露的中國情懷也動容不已，直稱「在台灣洵爲難得之才」。

㊹ 同前註，頁三四三。
㊺ 同前註，頁三四五。

太虛在這次的台灣之行受到極高的矚目與歡迎，而對他而言最大的收穫，則是和台灣中學林的教授，談及日本佛教學制和課程的問題，同時也由德融法師教他研讀日本語文，以及由熊谷泰壽告知日本近代佛教發展及學者的成就。這對太虛在大陸的佛教改革事業，特別是「武昌佛學院」的學制創設，極大地受惠於此。㊻再者，爾後太虛的佛教改革思想也一直受到台灣佛教界的重視，這是在異族殖民統治下，中國與台灣佛教交融的一個極重要之關鍵，這一點將在下一節中細述之。

四、殖民體制下台灣佛教的肆應

儘管在前文中，我們不斷地在突顯台灣佛教與中國大陸的關係與交流，但不能否認日本統治台灣的事實與不斷強化的影響，這自然也包括日本佛教在內。尤其作爲台灣的新統治者，以雙方共同的佛教信仰來作爲溝通異民族文化的一個媒介，是十分自然的事。在日本領台之初，各地武裝勢力仍積極抵抗，因此日本派軍隊鎮壓，日本佛教便隨著軍隊傳來台灣，此即所謂「隨軍佈教」。當時，日本佛教界各本山均派僧侶來台成立臨時局，以慰問征討的軍人及其家族，待各地平定之後，也開始佈教活動。

這其中最具有代表性的是最先來台灣的曹洞宗僧侶佐佐木珍龍，他是奉日本「曹洞宗務局」的命令

㊻ 同註⑪，頁一四六。

前來，追隨首任總督樺山資紀視察全台，對台灣的宗教狀況作一調查後，便開始派遣佈教師在台北、台中、台南等地積極佈教。在初期的傳教目標上，這些佈教師希望達成與本島的各寺院間，簽訂歸屬日本曹洞宗的契約，結果有七十餘所寺院同意。稍後其它的宗派眞宗、眞言、淨土、日蓮等各宗也派員來台佈教，積極地擴張勢力。㊼

身處於殖民統治下的台灣佛教，面臨政治母國日本與文化母國中國的雙重作用下，不僅同時接受中、日佛教的影響，也扮演了中日雙方佛教傳播的媒介角色。日據初期，日本僧侶在赴大陸活動前，會先被派到台灣來，藉著台灣與中國同文同種之便，加強對中國的理解，日本眞宗的積極活動便是最明顯的例子。同時日本佛教從明治維新以來不斷的進行現代化的改革，一批批有志振興佛教的青年僧侶奔赴海外，積極攝取西方文化知識，對於佛教制度的改造、提高佛學研究水準，都有相當的成就。這些自然影響到台灣，同時也吸引大陸改革派僧侶的高度興趣，而思加以吸收學習，太虛法師便是一個最著名的例子。

在太虛本人的回憶中提及：「我久圖往遊日本，遂要圓瑛先與善慧函約，若能台灣董畢陪我去日本一遊，方允前去：善慧函覆，意甚殷懇，願陪遊台灣、日本諸處。」㊽由此可知他對日本佛教的發展十分留意，並渴望多所瞭解，才會有以到日本一遊，作爲赴台灣弘法的條件。不過，由於台灣是日本的殖

㊼ 參見江燦騰：《台灣佛教百年史之研究》，頁一一六——一一八。

㊽ 太虛：《自傳》，收於《太虛大師全書》二九，頁二二一。

民地，使他在台灣的逗留期間，便已經大致掌握了日本佛教的特質了。在靈泉寺時，他曾與屬於曹洞宗系統，台北佛教中學林教授熊谷泰壽筆談，詢問明治維新以來的佛教狀況，以及在歐美佈教的成就。熊谷氏出示日本在歐美的佈教分佈圖，並詳介日本佛教各宗宗長，及各宗的佛教學者。㊾另外在台北的佛教中學林盤桓期間，則與中學林教授、善慧的弟子沉德融，以及日僧井上俊英再度探問日本佛教的情形，因爲沈德融所屬的靈泉寺是屬於曹洞宗的系統，因此他和井上便多以日本曹洞宗的發展爲例作介紹，諸如寺院分成叢林、蘭若等大小等級，使主事者人盡其材；而曹洞宗（以及其它宗派）都有學校，小學、中學爲普通教育，大學則爲專宗所辦，如曹洞宗大學；同時曹洞宗還模仿基督教青年會，而發起「佛教青年會」，成效極佳。其它的社會、文化、慈善事業也相當活躍，這些都和太虛佛教改革的構想頗爲符合，對他日後的佛教事業當有相當之啓迪，㊿這不能不歸因於台灣居間所扮演的中介角色。

面對中日佛教本自具足的宗教文化特質，台灣佛教如何抉擇與肆應，是一個令人感到興趣的問題。經過現代化洗禮的日本佛教確有吸引人之處，再加上日本當局政治性的操作，必然對台灣佛教有相當大的影響，舉其重要者包括下述幾項：

㊾《東瀛采眞錄》，頁三二三—三二七。

㊿《東瀛采眞錄》，頁三三五—三四〇。《自傳》，頁八四。

（一）組織化的聯結

日本佛教各宗派都有個別性的組織，因此他們也想把台灣的佛教納入自己的組織系統，其中最積極的便是曹洞宗。大正元年（一九一二）時，曹洞宗透過台南的齋教發起組織「愛國佛教會」，其目的便是想將全島的佛教徒納入這個組織中。對齋教而言，這樣作也可以獲得很大的庇護，因而齋教三派全都參加，取名爲「齋心社」，後再由齋心社加入「愛國佛教會」。大正四年（一九一五）發生「西來庵事件」後，總督府當局在宗教政策上作調整，由原來的溫存放任轉爲監督、管理。在此風聲鶴唳的情況下，佛教、齋教爲自身的安全或撇清嫌疑，一方面申請加入日本佛教組織，如出家衆多加入曹洞宗、臨濟宗妙心寺派等禪宗系統，齋教則多加入東西兩本願寺派的眞宗或淨土宗。另一方面則開始著手進行組織聯合團體，如「台灣佛教青年會」、「台灣佛教道友會」、「南瀛佛教會」、「台灣佛教龍華會」等組織，其中後二者皆接受總督府補助經費，因此具有一定的官方色彩。㊿這種組織化的聯結，是迥異於以往中國佛教的。

㊿ 有關「西來庵事件後」對台灣宗教的影響，參見王見川：《西來庵事件與道教、鸞堂之關係》，《台北文獻》，直字一百二十期，一九九七年六月，頁七一—九一。

（二）佛教學術與教育

中國過往的佛學傳承與教育養成多為師徒相承，無一定制，日本近代佛教則在吸收西方的教育理念，以及運用現代學術方法治佛學，獲得極大的成就，此一變革也直接影響到台灣佛教。大正六年（一九一七），台灣第一所和尚學校「台灣佛教中學林」（今泰北中學前身），便是由善慧、孫心源及覺力合辦於台北東和寺內。同年凌雲禪寺的本圓法師亦設立「鎮南中學林」。又昭和三年（一九二八），由開元寺、法華寺、彌陀寺、超峰寺、赤山龍湖巖及台南市各齋堂合辦「振南佛學院」，聘請善慧法師擔任院長。52另外，相關的佛教雜誌也開始出刊，如《台灣佛教新報》、《亞光新報》、《南瀛佛教》等，這些刊物對於佛學知識的傳播起了極大的作用。

（三）社會事業的發展

日本佛教寺院，其日常所行的教務除了說教、祭典外，也有信徒總代會、婦女會、青年會等非宗教事務性的組織，另附設有主日學校、人事協談所、職業介紹所等社會服務性的機構。在台灣的日本佛教也開設相當多的類似機構，諸如輔導囚犯釋放者的免囚保護所、提供旅外人士寄宿的寄泊所、進行醫療

52 參見瞿海源編纂：《重修台灣省通志》（南投：台灣省文獻會，一九九二年），卷三，住民志宗教篇，第一冊，頁一三二、一四四。

服務的慈愛醫院等。這些專業化的社會服務工作固然是佛教慈悲佈施精神的發揮，卻也能相當程度的擴大其宗教影響力，因此台灣佛教團體也群起仿效，如「台灣佛教龍華會」便標舉設立「免囚保護所」及感化院，作為其教化社會的首要任務，許多佛教人士也擔任監獄教化、以及刑滿出獄者更生保護的工作。53

此外，僧侶的生活型態也受到日本佛教的影響不少，比較明顯的是冠俗姓而非以「釋」為姓，諸如江善慧、沈本圓、林覺力等皆然，還有極小部分的僧侶亦接受日本「食肉帶妻」的作法，破除了中國佛教長久以來的基本戒律。以上所述，大抵是台灣佛教在殖民統治下，主動或被動的接納了日本佛教的特質，而發展出一套新型態的宗教面貌。

儘管如此，我們不能忽視佛教並非一種孤立的產物，它還有其社會性與經濟性的基礎，佛教界不能不照顧這一面向，再加上中國佛教已有千餘年的歷史，其根深柢固的文化特質不可能乍然改變，因此也

---

53 王見川：《日治時期的「齋教」聯合組織》，收於氏著：《台灣齋教與鸞堂》（台北：南天書局，一九九六年），頁一四八—一四九。

不必太過誇大日本佛教的影響力。㊹對中國（包括台灣）佛教徒而言，日本佛教帶有太過濃厚的世俗色彩，因而帶有相當的排斥心理。太虛在台灣與熊谷泰能會面時，便對日本佛教的食肉帶妻頗不以為然，直言果眞如此便不能算是出家僧侶，而應歸屬於如同龍華派的在家佛教之流。㊺太虛這一番批判不能僅視為他個人性的意見，而是代表包括台灣在內的中國佛教徒普遍性的認識，例如昭和四年（一九二九）五月十二日，日本宗教學者增田福太郎到法雲寺作調察時，覺力法師便指出，雖然就佛教知識的教育水平言，日本僧侶高於台灣僧侶甚多，同時也較有服務社會的熱誠，但因為日僧不遵守戒律（娶妻食肉），所以台灣島民皈信者甚少。㊻又如善慧在初建靈泉寺時，也因「從不許葷酒入其山門，且不近酒色，野菜中有葷味者亦不食之。」而為輿論所稱揚。㊼的確，對一個佛教徒來說，出家僧侶之所以值得尊敬、供養，是因為他遵守茹素、禁慾等基本的戒律，忍人之所不能忍，行人之所不能行，具有極神聖

㊹ 一個明顯的例子是林覺力，儘管他受到日本曹洞宗的重視與拉攏，但他其實不通日語，接受日僧打扮或使用日式佛教法器，大多應酬的成分居多，骨子裡還是鼓山那一套。同時，當台灣佛教界紛紛派遣菁英弟子到日本佛教大學深造時，覺力卻將門下最優秀如妙吉、眞常等人送到大陸的佛學院去接受教育。參見李添春：《台灣佛教史資料——上篇曹洞宗史二，大湖法雲寺高僧傳》，《台灣佛教》二十七卷一期，頁一六。另見江燦騰：《日據時代台灣北部曹洞宗大法派的崛起》，頁一九八。

㊺ 《東瀛采眞錄》，頁三二九。

㊻ 增田福太郎：《民族信仰中心——東亞法秩序說》（東京，一九四二年四月；台北，一九九六年八月，南天書局重印本），頁二八六—二八七。

㊼ 《台灣日日新報》，明治四十二年十月二十七日，《秀出島僧》。

性的地位，這一套行諸千年的宗教文化不容小覷。因此，台灣各道場的僧團儘管與日本佛教親近，甚至有組織上的從屬關係，但對他們的修行方式與生活型態則是選擇性的接納，如保留俗性者甚多，但食肉帶妻者極少，若不如此，不僅會喪失佛教的神聖性，更會因而使信徒失望求去，連帶的會影響佛教的社會資源（供養、香油金），最後極可能換來佛教的全盤崩潰，其嚴重性不言可知。在這些佛教徒中又以士紳名流的態度更爲重要，因爲他們既是社會的領導階層，又具有意見領袖的身份，一旦他們發覺佛教僧侶有不守清規戒律者，反應便相當激烈，彰化崇文社所發起的闢佛事件便是最具典型的個案。

大正十四年（一九二五），善慧的弟子林德林和台中的士紳、愼齋堂的護法張淑子因言論不合，發生筆戰。至昭和二年（一九二七），張叔子藉口其妻林氏在林德林住持的「台中佛教會館」逗留過晚，有誘姦的嫌疑，遂訴諸言論批判。這其間的是非並無法定論，但林德林的佛教理念頗具日本佛教與基督新教的特質，其中他主張僧侶可以如同牧師一般結婚，此一立場無疑的強化了這樁佛教界桃色新聞的可能性。於是引發了以彰化儒教團體「崇文社」爲首的全台士紳及儒教人士的猛烈抨擊，達數年之久。崇文社先以此作爲徵文題目，如「矯正佛寺齋堂弊習論」、「振起筆權崇正黜邪論」、「風俗匡正促進文明論」來大肆撻伐，還集結相關詩文編成《鳴鼓集》數種。此外，中部的儒教人士更針對「林德林事件」發起一個「風俗匡正會」的組織，核心人物包括林耀亭、傅錫祺、陳懷澄、林幼春、張棟梁、吳子

瑜等四十餘人，皆是地方上著名的士紳，可見引起的反響甚大，堪稱日據時代罕見的闢佛運動。㊳

不過，闢佛並非反佛，許多士紳原本便是虔誠的佛教徒，如事件的始作俑者張淑子，本身便是台中愼齋堂的護法。或者至少都對佛教教理保持欣賞的態度，如崇文社的主事者黃臥松，在太虛法師來台時登門拜見，並對佛教大大的推崇一番：「儒於人倫道德，固爲粹美；然下之未能使蚩蚩者氓知敬畏，上之間亦未足與饜學者之推求心。唯佛教徹上徹下，能備儒教之未逮，然非孚合儒教，則佛教或未足以利其行。」㊴可知儒教士紳並無反佛之心，實因少數佛教僧侶言行前衛，背離了傳統佛教的戒律，才引來這一次的攻擊。儘管佛教界有所辯護、反擊，卻也有僧侶加以自淸，如萬華龍山寺副住持羅妙吉組織「台灣宗教革新會」，立意革除舊習迷信及違反戒律之僧侶。㊵可見此一事件對佛教界的殺傷力，並逼使他們作出調整之道。也正由於台灣佛教在變革過程中，必得留意本身的社會基礎，這成爲台灣佛教不可能全然轉變爲日本佛教的客觀原因。

相對的，中國佛教自清末以來逐漸沒落，加上清末民初「廟產興學」的打擊，更是雪上加霜，這和經過現代化轉型的日本佛教相較，後者顯得更爲強勢且具活動力，加上有國家力量的支援，便越顯其優勢。以台灣身處日本殖民統治的處境，長久以往，其大陸佛教傳統恐將漸趨衰頹。幸好，民初以來，以

㊳ 參見李世偉：《日治時代文社的研究——以「崇文社」爲例》，《台灣風物》四十七卷三期，頁二一——二六。

㊴ 《東瀛采眞錄》，頁三三三。

㊵ 《台南新報》，昭和三年八月七日。

太虛法師爲首的佛教改革事業漸次展開，在大陸取得極大的迴響與支持；而由於太虛曾經有過與台灣交往的因緣，台灣僧侶也經常往返兩岸，且熱心地傳播太虛一派的佛教理念，逐漸吸引台灣佛教界的目光，使得原本擺盪於中、日佛教之間的台灣佛教，得以大幅地向中國佛教傳統靠攏。

首先就太虛法師的佛教改革事業而言，從十九世紀以來，亞洲各國都被迫面臨西方強勢文化的巨大衝擊，而不得不尋求變革之道，在整體的環境變化壓力下，中國傳統的佛教信仰也必得調整，其調整之主旨則在於：如何進行現代化，又不背離佛教的傳統精神，太虛的佛教改革便是在這樣的歷史背景下展開。太虛雖受舊式的儒佛教育，卻能從中伸出觸角，積極接觸新思想，甚至連無政府主義的理想也不放過，企圖藉「人間淨土」來化解佛教出世與入世的互斥性。其重要的改革成效如下：（一）革新僧制運動——民國四年，太虛有感於「寺廟管理條例」苛刻，欲據教理史以重整佛教制度，乃作《整理僧伽制度》，在組織架構上類似西方天主教的組織模式，並對僧團人數力求減少，重質不重量；在終極關懷上則期許達到「人成即佛成」的人生佛教理想。（二）僧侶教育思想——太虛革新佛教的目的，即在指導僧伽，從舊社會走向新社會的僧伽制度生活。而新社會的僧伽制度，以「建僧」爲根本，首在如何實施僧教育，使每一個僧青年都有接受佛教教育的機會，並能認清時代的趨勢，承擔革新佛教及建設適應新社會秩序的佛教責任。（三）世界佛化新運動——由於佛教以救人救世爲目的，具有世界性的意義，因此太虛欲擴大佛教精神於世界，故倡導世界佛化新運動，如民國十三年於廬山發起「世界佛教聯合會」，民國十八年著手組織「世界佛學苑」等。61

太虛法師的佛教改革雖然失敗，62但他的改革理念卻引起相當大的回響，不僅吸引許多青年僧侶、居士追隨其腳步，也直接、間接的影響台灣。太虛法師於大正六年來台時，其思想尚未成熟，反而是吸收台灣（日本）的佛教經驗，作為日後佛教改革的資糧。至一九二五年十一月初，日本召開「東亞佛教大會」，以太虛法師為首的中華代表團應邀參加，會中太虛多次陳述以佛教達中日親善，以及拯救西方物質文明危機的目的。63會後，台灣代表覺力法師邀請中國方面的代表，定於十一月二十八日前往台灣訪察，同行者有東亞佛教大會副會長道階法師、「北京佛化青年會」會長張宗載、寧達蘊、南京法相大學楊錫慶等人，具為太虛的同道中人64。他們一行人甫下船，便赴由「南瀛佛教會」及「台灣佛教會」於東薈芳旗館所舉辦的歡迎茶會，道階應邀致辭，表明中日親善之意。65爾後他們南下到彰化、嘉義、台南等地訪察，或演講、或賦詩，在地方上都造成轟動與熱烈的歡迎。例如十二月六日，道階一行人前往彰化曇花佛堂，與會者含括地方官紳，如華僑總代表、郡代理庶務課長、郡視學、街長、崇文社社長

61 詳見釋東初，前揭書，頁九六二—九七八。

62 太虛佛教改革失敗的原因有三：一是政局動盪不安、二是教內思想衝突、三是經濟困窘；另外江燦騰特別指出與太虛的思想特質及性格上的弱點有關，詳見江燦騰：《太虛法師前傳》一書，頁二二三—二三四。

63 同前註，頁二一二。

64 《台灣日日新報》，大正十四年十一月十七日，《中華佛教家來台消息》。

65 《台灣日日新報》，大正十四年十二月二日，《佛教代表歡迎會》。

黃臥松及士紳張晏臣、李崇禮、李振鵬、吳茂樹等。晚間，道階應邀作佛教演講，聽衆有千餘人，十點時，空中並燃放煙火歡迎。⑯

道階等人的訪台，我們可視爲延續著太虛藉佛教達到中日親善的理念，⑰以致他在台灣的公開演講中對此一理念再三致意。而在同時間，台灣佛教界也留意太虛的動向及言論，主動而積極的聯繫交往。一個最明顯的現象是台灣僧侶赴大陸留學，如法雲寺派的坦懷（別號今淵）及靈泉寺派的寬海（別號跑普河），分別於一九二七年及一九三一年就讀太虛法師系統的閩南佛學院，坦懷後來更擔任「閩南佛學院同學會」的執委兼總務部交際職。⑱又法雲寺派的僧侶羅妙吉、眞常也分別於一九二三、一九二四年留學太虛所主持的武昌佛學院。⑲另外留學其它佛學院的僧侶亦不可勝數，在這些年輕的留學僧中又以羅妙吉最爲活躍，他除了在武昌佛學院畢業外，也就讀過歐陽竟無所創設的南京佛教法相大學，⑳回台

⑯《台灣日日新報》，大正十四年十二月十日，《彰化歡迎道階師》。

⑰太虛在當時對此一問題十分留心，例如針對日本想運用庚子賠款從事對華文化事業一事，他認爲難免有文化侵略的嫌疑，不如用來聯合中日佛教徒，共同振興佛教，並弘揚於歐美，其陳義甚高，可惜未能得到日本的呼應。太虛：《論華日當聯布佛教於歐美》，《三覺叢刊》，一九二六年三月，頁一—二。

⑱《現代僧伽》，一九三一年十二月十日，附載，「閩南佛學院同學會會刊」。

⑲《台灣佛教新報》，大正十四年九月二十五日，「紀事」，頁一九。及大正十四年十月一日，「紀事」，頁一八。

⑳《台灣佛教新報》，大正十四年九月二十五日，「紀事」，頁一九。

後倍受矚目，不僅擔任台北龍山寺副住持、成立「台灣阿彌陀佛會」、創辦佛教刊物《亞光新報》，更展開全台巡迴演講，其主題有「台灣佛教維新論」、「佛教與人生之關係」、「日本佛教與中國佛教觀」、「佛與教育關係」，「佛教與社會之關係」、「欲世界統一和平非佛法普及不可」、「佛教非消極厭世」、「淨土說」等。⑪從其演講主題看來，幾乎與太虛所主張的人間淨土、世界佛化運動的理念相關，由此可見太虛之影響性。

除了留學僧，還有台灣僧侶加入太虛所屬的組織，例如玠宗法師於一九二四年擔任「中華佛教新青年會」的台灣宣傳隊委員。不過，這個組織並非太虛親自領導，而是前述所提的張宗載、寧達蘊所主導的，⑫然而，我們同樣可以視爲是服膺太虛的理念而來。值得我們注意的是，由於這些僧侶於大陸留學的經歷，累積了豐富的中國經驗，使他們爾後在台灣的佛教事業中經常援引其人脈關係以壯聲勢，同時也扮演中、台佛教及文化交流的積極角色，諸如羅妙吉在昭和二年（一九二七）創立「台灣阿彌陀佛會」時，邀請湖北著名居士徐慶瀾爲之寫序祝賀；同樣的情形，眞常在台灣創辦佛學社時，也藉由曾經

⑪《台灣日日新報》，大正十五年三月三十日，《僧妙吉巡迴講演》。

⑫寧達蘊，四川人，生於一九〇一年，上過大學，屬於新式的知識份子，其生平資料較少。張宗載，原名張善雄，四川人，生於一八九六年。二人於一九二二年於北京成立「新佛化青年團」，後就讀於武昌佛學院，一九二三年於漢口成立「佛化新青年會」，並出版《佛化新青年月刊》。他們與太虛雖無組織或從屬關係，但在佛教改革理念上則相互契合，在言論上亦互通聲息。王見川：《張宗載、寧達蘊與民國時期的「佛化新青年會」》，《圓光佛學學報》第三期，一九九九年二月，頁三二六—三三一。

就學於支那內學院的因緣，而求序於院長歐陽竟無。⑬另一個重要的例子是玠宗，他早年在福建一帶的道場活動，與圓瑛、太虛等一派皆有所接觸，建立相當不錯的人脈關係。民國三十七年，玠宗又赴大陸，訪問江浙一帶著名僧團道場，同年被聘爲台灣省佛教會秘書、監事，以及中國佛教會弘法委員。⑭

上述是偏向於僧侶透過留學等途徑直接接觸太虛一派的改革佛教思想，另外一個更普遍性的作法是，在台灣佛教刊物中大量地刊載太虛等人的論著，隨手引來便有《新式的佛化》（《台灣佛教新報》，大圓）、《學佛者應知行之要事》（《台灣佛教新報》，太虛）、《佛化與教育之關係》（《台灣佛教新報》，智通）、《救世的佛教》（《亞光新報》二年二號，太虛）、《佛法之人生革命》（《亞光新報》二年二號，裕初居士）等不勝備舉。如此大量而密集的刊載與傳播，使得當時的台灣佛教界對於太虛法師的佛教改革理念已十分熟悉，台灣也看到一個迥異於過去守舊、保守的佛教新潮流逐漸在中國崛起，此一新的佛教特質當能替代日本佛教的地位。這是爲什麼在殖民統治下的台灣，儘管面對強勢的日本佛教，卻未被完全同化，甚至還能對中國佛教保持高度的興趣與信心之原因。同時也能解釋光復後的台灣佛教依然能夠認同中國佛教的理念，實有日據時期的兩岸佛教交流背景所致，直到今天，太虛的「人間淨土」理念依然得到台灣佛教界的尊奉與實踐。

---

⑬《亞光新報》，第二年第二號，一九二八年三月一日。

⑭參見釋玠宗：《簡介》，手稿，頁三—四。

五、結論

日據時期的台灣佛教走過一段曲折而多變的歷程，由於身處殖民統治，它不能不受到異族日本佛教的影響（如組織化、社會事業、佛學教育），然而它原本具足的中國佛教傳統又持續的維繫發展（基本修持、戒律），使其出現兼具中日佛教特質的奇特面貌，如同一株果樹同時嫁接兩種枝幹般的生長著。如果殖民當局施展強力的同化政策，加上中國佛教自清末以來的頹勢，台灣佛教極有全然變質成日本佛教的可能。幸好日本當局未作此圖，除了在「皇民化運動」期間有嚴格的限制外，基於日支親善政策的前提，對於中、台佛教的交流未予干涉，甚至還樂觀其成。然而，如果中國佛教沒有長進，依舊固步自封、因循苟且，特別是面對日本經過現代化的新型態佛教，台灣佛教即便對中國仍有所依戀，恐怕只剩下形式上的意義而已。還好以太虛法師爲首的佛教改革思潮興起，並獲得相當的回應，隱然成爲中國佛教的新希望，加上太虛法師曾經來台的因緣，以及赴中國留學的僧侶熱切的介紹傳播，使得此一新興佛教思潮逐漸能替代日本佛教的特質，並能獲得台灣的認同。

此外，台灣佛教雖然源自大陸母國，以致許多佛教活動仍仰賴於彼岸之給養與灌溉，但在日據時期，隨著台灣佛教發展的穩固成熟，已出現反哺的情形，如湧泉寺來台募款便是一顯例。昭和八年（一九三三），湧泉寺因內政紊亂，財務發生困難，方丈遂派遣宗鏡、心月、微臻等弟子渡台募款，他們並於十月十一日會晤森山警務課長、及社寺課等單位，得其同意活動。⑮又台灣雖位於中原文化之邊陲，但此時也已培養了許多出色的佛教人才，如善慧法師便爲其中龍象，他憑其豐厚的佛教學養、經營歷練及聲望，屢赴大陸活動，如曾應鼓山湧泉寺、怡山重慶禪寺之請，赴大陸開壇授戒，皈依即得戒弟子極衆。民國十一年，歐陽竟無創辦「支那內學院」（十四年擴充爲「法相大學」），善慧每年贊助三百元大洋。⑯民國十四年，善慧受邀於福州西門外怡山長發寺大法堂講演心經一星期，當時福建省省長薩鎮冰、將軍黃培松等百餘人聽講；不久，又赴法相大學演講佛學事業。⑰如果台灣捐款湧泉寺、法相大學等可視爲「財施」，那麼善慧赴大陸說法便可說是「法施」，如此財法雙施的情形，可以充分的證明台灣佛教已有相當的實力反饋於大陸內地佛教，也逐漸改變了傳統以來大陸佛教對台灣的單向傳入關係。

附記：本文曾與王見川先生討論，並蒙惠賜相關資料與意見，特此致謝。

---

⑮《台灣日日新報》，昭和八年十月十三日，《鼓山湧泉寺僧侶來台募集淨財》。
⑯ 釋東初，前揭書，頁九一五—九一六。
⑰《台灣日日新報》，大正十四年十二月二十七日，《善慧和尚之講經》。

轉型期的台灣佛教（一九四五—四九）

——以妙果與慈航之合作辦學為視角

王見川／圓光佛學研究所研究員

一、前言

妙果禪師俗姓葉，名阿銘，生於光緒十年（一八八四），桃園平鎮客家人，①是法雲寺第二任住持，中壢圓光寺開山祖師，日據中期至戰後，初期台灣佛教界知名的法師。而慈航法師（一八九六—一九五四）則是民國中期（一九三〇—四〇）大陸、南洋一帶著名的佛教人物。②這二位法師，原本不相識，可是在民國三十七年十一月二人卻合作創辦台灣佛教學院揭開戰後台灣的僧教育運動序幕，並促進光復後台灣佛教的發展及傳統大陸佛教在台的重建，可說是四十年代末期五十年代初關鍵性的台灣佛教領袖。

① 這是綜合妙果法師日據時期户籍資料和禪慧法師《覺力年譜》所附達理法師《妙果和尚傳》所得的說法。

② 董鼐、趙震元編：《慈航法師傳》（中華蓮友週刊社，一九五九年），頁八—一〇。

以往，學者對此，有所討論，尤以江燦騰文最具價值與影響。③然而，受限於史料與當事者法子之回憶，江文對妙果、慈航間因緣、糾葛有些誤解（詳後）。現根據當時書信、報紙、期刊等史料，④嘗試對這一因緣勾勒出輪廓並點出其在戰後台灣佛教史上的意義！不過，誠如台灣著名佛教史家江燦騰所言：「研究台灣光復後的佛教轉型問題中，有一極重要的部分，即民國三十七年十月中壢圓光寺舉辦的『台灣佛學院』的定位問題。根據現有資料來看，妙果法師和慈航法師之間，在認知上，可能有極大的差異。而我們通常是從慈航法師的角度來看問題，所以在理解上，總是和民國三十七年後的發展，加以聯想。如此一來，往往容易忽略了慈航法師來到台灣之前，台灣本島上的佛教概況。」（江文頁四一—四二）所以在下面先介紹戰後初期台灣佛教的概況。

二、戰後初期台灣佛教概況

一九四五年八月十五日日本投降，台灣重回中國版圖。同年十月，台灣省長官公署成立，中國政府

③ 江燦騰：《站在台灣佛教界變遷點上的慈航法師》，收在氏著：《台灣佛教與現代社會》（台北：東大圖書公司，一九九二年），頁三七—七五。另張珣：《妙果法師在台灣佛教教育史上之地位——現代科學主流理論中人性論之反省個例》，《思與言》二十四卷四期，頁三〇—四二，一九八六年，是較早討論此一歷史之文章！

④ 本文所用相關史料，皆收藏於中壢「圓光佛學研究所」特藏室！感謝該單位，讓我優先使用這些資料！

正式展開其對台灣的統治。當時，台灣政治、經濟、文化等頗呈活絡，而佛教人士面對新局勢亦頗覺醒，積極組織教團。在法雲寺大老眞常法師之奔走下，民國三十四年十一月三十一日，「台灣省佛教會組織籌備會」在龍山寺成立。出席人數有十二人，長官公署民政處派林旻之指導，會中選出眞常法師、善慧法師、李添春等人爲籌備委員。⑤

不久，善慧法師、眞常法師相繼去世。在眞常法師臨終之際，「語不及他，遺囑無論如何必須把本省的佛教會組織起來，協助國家社會文化的建設」。⑥民國三十五年二月十日，妙果法師、林學周等人於龍山寺召開第二次籌備會議，議決籌備委員妙果法師等人補遺缺及在二月二十五日開台灣省佛教會成立大會。⑦

根據資料，台灣省佛教會成立當天冠蓋雲集，全省代表共二百五十人參加，會中選出理事長沉本圓、常務理事有宋修振、葉智性、釋無上等六人，而妙果法師與李添春、林錦東、高執德等同任理事職。⑧從理監事名單來看，日據時期活躍的大道場，法雲寺、圓光寺、開元寺、凌雲禪寺等有代表者，而新崛起的勢力則有無上法師、林錦東等。

---

⑤《台灣佛教》創刊號，一九四七年七月，頁一八。
⑥同上，頁一九。
⑦同上。
⑧同上，頁一九—二〇。

照《台灣佛教》的記載，台灣省佛教會在舉辦盛大的浴佛節後，就面臨中國佛教會整理委員會函請籌組「中國佛教會台灣省分會」（五月寄來）之問題。⑨原本太虛法師擬請善慧、覺力二法師領導進行。⑩可是，覺力法師已於昭和八年（一九三三）去世，而善慧法師亦於民國三十五年初往生。⑪在如此情況下，剛成立的台灣省佛教會，並未馬上做出回應。到了一九四六年十月十七日始提出：將台灣省佛教會改組爲中國佛教會台灣省分會，及迎請太虛法師來台弘法等議案。⑫

民國三十六年一月十一日至十二日，台灣省佛教會開理監事聯席會議，涌過改稱爲中國佛教會台灣省分會、派員參加全國佛教徒大會、發行機關雜誌、管理日僧財產等事項。⑬其中第九創辦佛教研究機關，這是爲培植弘法護教人材而考量的。會中決議由佛教會文化組負責籌備，定名爲「台灣佛學院」，預訂一九四七年四月開學，第一期招生三十名。⑭

根據資料，當時的台灣佛教界企圖頗大，不只想辦僧教育機構，亦擬開設國語國文講習會、佛教圖

---

⑨ 同上，頁二〇。

⑩ 同上，頁一八。

⑪ 覺力法師卒年，見張長川：《覺力和尚傳》，《南瀛佛教》十二卷一號，昭和九年一月。善慧法師去世消息，見《台灣佛教》創刊號，頁一八。

⑫ 同註⑤，頁二〇。

⑬ 《台灣佛教》第二號，一九四七年八月，頁二五—二七。

⑭ 同上，頁二七。

書館、佛教醫院等事業。⑮不過，這些決議，大多流於紙上作業，台灣省分會始終未予落實。連在《海潮音》上預告擬請芝峰法師主持、妙欽法師協助之台灣佛學（研究）院，⑯亦因經費等因素，宣告流產。

雖說戰後初期的中國佛教會台灣省分會功能不彰，但其凝聚大老形成的決議事項，卻反映當時台灣佛教界面對新形勢的應對措施，也就是說，發行佛教刊物、辦僧教育機構、設立佛教圖書館等已成爲那時台灣佛教界領袖人物之共識，只要時機成熟，這些佛教領袖就會在自己道場實踐辦理。

妙果法師就在此氣候下，首先在自己道場——中壢圓光寺開辦「台灣佛學院」，邁開戰後台灣僧教育的第一步。

三、「台灣佛學院」成立、及運作始末

以往，有的學者認爲開元寺住持高證光（執德）創辦的延平佛學院，才是戰後台灣佛教界最早的佛

⑮ 同上。
⑯ 《海潮音》二十九卷九期，一九四八年九月，頁二五五。

學院。⑰這一說法，有點問題。據巨贊法師在一九四八年舊曆五月十五日在開元寺的觀察，當時「證光法師擬開辦小規模的佛學院，房子是盡夠用的，可惜經濟尙無著落」。⑱另李子寬在同年八月十七日說：「萬一研究院不能實現，已與證光法師商洽，就開元寺設一學院，小規模做去，招學僧二十餘，該寺可供給伙食」，⑲可見證光法師擬辦的佛學院，至此尙未開辦。那麼，開元寺的延平佛學院何時成立呢？據《海潮音》報導：「台南開元寺近設延平佛學院，學生二十人，一切經費由該寺擔任，住持證光法師自任院長，發願爲中國新佛教造就人才」，訂於三十七年（一九四八）十二月八日正式開學。⑳這一時間，是在中壢圓光寺創辦「台灣佛學院」（一九四八年十一月）㉑之後，由此可見中壢圓光寺的「台灣佛學院」才是戰後台灣佛教界最早開辦的佛學院。

根據當時妙果法師寫給圓光寺大功德主的信件，早在一九四七年農曆冬十一月尾（約國曆一九四八年初），妙果法師即委託返台探視之門徒弘宗法師（俗名余弘宗）回新加坡後，代請人選來圓光寺辦佛

⑰ 高淑玲主編：《跨世紀的悲欣歲月——走過台灣佛教五十年寫眞》（佛光文化公司，一九九六年），頁三一八。

⑱ 巨贊：《台灣行腳記》，頁四五一，收於黃夏年編：《巨贊集》（中國社會科學出版社，一九九五年），頁四五〇—四六〇。該文原刊於《覺有情》九卷十二期（一九四八年刊）、十卷一、二、三期（一九四九年刊）。

⑲ 李子寬：《台灣通訊》，頁二五五，《海潮音》二十九卷九期。

⑳ 《海潮音》二十九卷十二期（一九四八年十二月十日），頁三三一《佛教要聞》。

㉑ 《台灣佛教》二卷十一號（一九四八年十一月一日），頁一六。

學院。在民國三十七年農曆二、三月間，弘宗法師告知妙果法師已在交涉中。迄農曆四月八日他正式函告妙果法師已得「中國人至新嘉坡開教多年最高級法師名慈航大師」允諾，大抵五月間和他一起抵達圓光寺開辦佛學院。㉒妙果法師接獲來信，隨即寫信請求圓光寺大功德主邱葉玉，支持此一辦學計畫，並附上慈航法師之回函。在信中，慈航法師說：

妙果老和尚：今承令徒弘宗大師攜來老人手諭並聘書，一一拜讀，實爲感激，至於院長一職恐不能勝任，有負盛意，不過，有老人及令徒在前領導航亦願意在後學步，可也。此間圓瑛老法師在檳城鶴山極樂寺，開七十晉一千佛壽戒，須至四月佛誕後圓滿，航爲羯摩之職，一時不能分身，須待五月以後，何日動身，另有函告。不□令徒已蓋章，當能負責，望老人不必罣念可也。

把晤非遙，一切面述，並祝

法身康健

後學慈航　頂禮

四月佛誕日㉓

從信中內容來看，慈航法師頗爲謙虛地表達願意來台辦學。他之所以肯放棄南洋大好基業，千里迢

㉒ 該信原件由邱葉玉後代送回圓光寺，複印件藏特藏室，感謝如悟法師提供原件影印。

㉓ 原件佚失，現存妙果法師抄錄稿。這是妙果法師轉給邱葉玉功德主觀看的。複印件藏特藏室，感謝如悟法師提供抄本影印。

迢來台從事僧教育，並非如其後學回憶所稱是被妙果和尚欺騙而來，㉔而是另有考量的。在其來台初期所收徒弟律航法師的回憶中，透露些訊息：

> 僧難解除後，南洋信徒來函，請大師仍回南洋弘法，幷匯兑旅費。大師不允，我密問何故？大師開示：「我在南洋弘法十七年，學校報社，皆付託有人，本願還回閩北建陵，爲桑梓附近三縣，傳佈佛法，將來造成一個佛教區域，爲改良中國佛教的基地。此次來台灣，不過因利乘便，作一橋樑耳，豈可稍遇折難，即變初心嗎？」㉕

由此可知，慈航法師在民國三十六、七年間本有回大陸故鄉「閩北」發展之計畫，所以才答應圓光寺之邀請來台辦學。台灣只是他回大陸改革中國佛教的前哨站罷了！引文中的「因利乘便，作一橋樑」即是此義。而就妙果老和尚來說，誠如江燦騰所言，他是有能力、經驗，獨立興學的，㉖如後來的高證光辦學一樣。可是，妙果法師爲什麼不如此做呢？主要是考慮到戰後台灣佛教面對的新局面。如前所述，隨著政權轉移，台灣佛教在法令上、實際上已受中國政府之管轄，至於形式上也已納入中國佛教會的組織中，成爲地方分會。這些事實意謂著中國佛教傳統已成爲台灣佛教界新的典範與學習對象！在這一價值

㉔ 幻生：《永恆的遺憾》，頁二九八，妙峰：《哭老人——六年來的沉痛回憶》，頁二八六，二文俱收於《慈航大師紀念專輯》（財團法人慈航社會福利基金會，一九八四年）中。

㉕ 律航：《紀念慈航大師回憶錄》頁六，收於《菩提心影》（上）（大乘印經會，一九九七年）序文。

㉖ 江燦騰前引書，頁四一。

趨向下，能操國語的大陸籍法師就顯得炙手可熱。在他們幫助下台灣佛教界才能免除異樣眼光，重新貼近主流價值。這也就是台灣省分會擬辦的佛學院打算聘請芝峰法師之原因。

就妙果法師而言，他是明瞭這一層意義的，所以才在省分會不辦學後，以新竹支會理事長身份，襲用「台灣佛學院」這一稱號，並予以落實。此外，我們也不排除妙果法師有深一層的考慮，即想藉主動用中國籍法師辦學淡化或漂白中壢圓光寺在皇民化時期作爲「台灣佛教會北部鍊成所」㉗的經歷，以免往後道場被波及，及派下弟子發展有陰影。

從另一方面來說，妙果法師住持的法雲寺、圓光寺本來就一直存在中國佛教傳統，如眞常、妙吉法師都在日據時期留學大陸佛學院，㉘妙果法師亦被視爲中國佛教派，㉙而圓光寺在昭和二年（一九二

㉗ 圓光佛學研究所特藏室，現藏有「台灣佛教會北部鍊成所」昭和十九年七月五日開所式紀念、昭和十九年八月八日所生奉仕作業紀念和昭和二十年四月五日第一回第一部修了紀念三張照片。從照片中明顯可見，「台灣佛教會北部鍊成所」是在圓光寺。感謝圓光佛學研究所道成法師提供！

㉘ 王見川、李世偉：《日據時期台灣佛教的認同與選擇——以二岸佛教交涉爲爲線索》，出版中。

㉙ 巨贊：《台灣行腳記》，頁四五九。這是巨贊法師在戰後初期的考察，他說，當時台灣「在這許多僧尼信衆之間，大約分爲兩派。一中國佛教派或稱保守派，以中壢圓光寺的妙果和尚爲中心，其派下的人數約占全台灣佛教徒的五分之二，其中男三成，女七成。這一派的人大都反對日本化，感召力很強，因此在經濟方面也比較充裕。另一派爲日本佛教派或稱革新派，以月眉山靈泉寺的善慧與淡水觀音山凌雲寺的本圓爲中心，此二人雖已先後去世，但其派下的人數亦占五分之一。」由此可略推妙果法師在日據時期仍注重中國佛教傳統。

七）亦派今淵（法名坦懷）到閩南佛學院深造。㉚妙果法師在戰後會主動提倡此傳統，也是理所當然的。問題是在執行這一理念上，妙果法師面臨一個困境，即原有的大陸系法師人脈喪失，而能居中聯繫的派下弟子不是早亡，就是不知所蹤，這乃所以會託在南洋弘法的弘宗法師就近覓才的原因。而慈航法師就以南洋中國籍名僧雀屏中選！

在各取所需互助基礎上，慈航法師和妙果法師合作創辦了「台灣佛學院」。根據報導，慈航法師於民國三十七年十月十三日抵達高雄，在到中壢圓光寺途中，受到極大歡迎。㉛隔日，中壢附近法師、信徒多人到圓光寺拜謁慈航法師，而其時在台之著名居士李子寬等亦於十七日來訪。二十一日，慈航法師應中壢鎮公所等之邀請，以「佛教與救國」爲題，公開演講。當晚在元化院，講演「正式信仰」，僧尼信衆百餘人聽講。二十五日北上台北，接受中國佛教會台灣省分支會合辦之歡迎會。出席者有淩雲寺、靈泉寺、靜修院、龍山寺、十善寺、善導寺等寺院代表六十餘人和德融、心源、黃如初、玄光、達心等分支會理監事，㉜可謂冠蓋雲集，盛況空前。

一九四七年十一月二日上午十時，「台灣佛學院」舉辦開學典禮，縣局長、鎮長、各支會代表、寺

㉚《現代僧伽》四卷四期，一九三一年十二月，頁三四八。
㉛《台灣佛教》二卷十一號，一九四八年十一月，頁一六。
㉜同上。

院住持等一百五十餘人參加，學生六十名，男二十、女四十名。㉝據黃如初的回憶，這六十名學生，全是本地青年僧侶。在開學典禮中，慈航法師曾報告「創辦佛學院的宗旨，洋洋灑灑數千言，其中警句『有人類就不能無宗教，佛法是宗教中最高的眞理，爲人類最後的歸宿』聽者無不動容」。㉞學者以往都將《慈航法師全集》中所收之《創辦台灣佛學院宣言》，當作中壢圓光寺「台灣佛學院」創辦之宗旨。㉟這個看法，並不正確。《慈航法師全集》之《創辦台灣佛學院宣言》一文，並未出現黃如初回憶之警句，且其中只收出家男衆等規則，都與圓光寺台灣佛學院之情況不合，㊱由此可見，《創辦台灣佛學院宣言》一文，並非圓光寺台灣佛學院創辦之宣言，只是慈航法師在台灣事後之構想而已！這一點，亦可從《台灣佛學院畢業特刊》（中壢圓光寺台灣佛學院，一九四九年七月十五日），㊲未見其蹤影推知。根據該刊，當時慈航法師僅寫有院歌和手訂十條院規：

台灣佛學院院規

一、凡圓光寺固有之規約，本院概不干涉，均由本寺住持及職事人員負責管理。

㉝ 同上。

㉞ 律航前引文，頁六。

㉟ 江燦騰前引文，頁四六—四七。

㊱ 另可從組織、經費、每月津貼等處看出，這一宣言與中壢圓光寺台灣佛學院創辦之情形不合。

㊲ 感謝程英哲先生提供此資料，複印件藏「圓光佛學研究所」特藏室。

二、凡本院正班生除旁聽者外，一切行動均由院長及教員指導之。
三、正班生應遵守院長指導及約束。
四、正班生上街時應向院長告假及銷假。
五、正班生早晨應一律齊集禮堂靜坐。
六、正班生上課時不得遲到先退。
七、正班生絕對不能吸煙，違者退學。
八、正班生絕對遵從院長指導，故違者退學。
九、正班生於上課及自修外，不得搬弄是非。
十、正班生如有心中不滿意事，可直向院長要求解決，而院長亦絕對秉公處理。如不奉告院長，自己任意攪群亂衆者，一經查出立即退學。

以上十條奉勸正班生各宜遵守，若有違犯，輕者處罰，重者出院，決不寬貸。奉告諸生，宜各自愛爲要。

院長　釋慈航手訂

中華民國三十七年十一月一日謹立㊳

㊳　圓明編：《台灣佛學院畢業特刊》目錄後第一頁。

由《院規》可知，圓光寺與台灣佛學院是有區隔的，院長慈航法師全權掌理「台灣佛學院」一切事務，而圓光寺僅處於支援者的角色，提供該院師生食宿等費用。據《海潮音》報導（民國三十七年十二月十日刊），當時圓光寺年收入租稻五百多石，全部充作教育經費，㊴投資不可謂不大。至於其課程，亦非學生後來回憶所言，全由慈航法師一人包辦。㊵以下是開學初期的課程師資表：㊶

據資料記載，在開學一個月內，多了因明、唯識、四書的課程，師資多了一位王太太，學生卻暴增至百餘名。㊷到了第二個月滿，學生剩下五十餘名，慈航法師卻多開一門中論，無上法師似乎未再任教，但增聘一位慧三法師教授十宗略說，據說「學僧均極熱心求學，尤其注重戒律，並於課餘分組研討佈道方法，對於復興中國佛教前途，極具信念」。㊸而慧光法師在《台灣佛學院開學後之報告》則供學僧在學二個半月的生活景況。他說：

每日也有一定的時間準守，早晨四點鐘打四板就起來，然後各各自修觀，到

㊴《海潮音》二十九卷十二期（一九四八年十二月十日），頁三三一。

㊵妙峰前引文，頁二七九。

㊶《台灣佛教》二卷十一號（一九四八年十一月），頁一六。

㊷同註㊴。

㊸《台灣佛教》三卷一號（一九四九年一月），頁一六後之《消息》。

課程師資表

號次	教員	教授課程	備註
一	慈航法師	佛學	院長
二	無上法師	佛學	妙果徒弟
三	黃如初居士	黨義	本名黃臚初
四	張陶英居士	國語	
五	張金鑾先生	英文	

五點時上殿禮佛，中間繞佛的時候念七音聲的觀音菩薩，課誦後也有祈禱，下殿就諷戒律，或者好天的時，常常在天外朗誦也許多回。八時慧三法師講華嚴宗，九點張先生教國語，十點院長教甲班生的中論，下午一點，黃老師教三民主義，二點是院長教俱舍頌，三點就是學生互相唯識、因明的問答，四點鐘上晚殿，每到晚上七點鐘鈴聲響了，一組一組的同學速進教室，端正坐著，教室裡點著明亮的燈，教師就是白天講三民主義的黃老師。全院老師，都是才學豐富，有時幫助我們解決書本上的疑難，有的指導我們復興佛教機的計劃，未來佛教應走的新路線，放棄了現狀中腐敗的舊佛教，以求改良的態度，又課程方面：因明入正理論，唯識三字經，二十唯識頌，三十唯識頌，八十規矩頌，六離合釋，眞唯識量。對於課目上我有多多感想，因明是研究佛學最重要的一種利器，就是可以豫防將來宏法時候受人問難啦！尚有時學詩詞歌賦，這老師常說：不會詩文，雖然宏揚佛法的莊嚴法師，逢了難度的信徒，缺少了一種方便攝化。㊹

資料記載，民國三十八年二月，妙果法師在慈航法師的要求下，又聘由上海來台之法師圓明、守成擔任台灣佛學院教職，㊺由於大陸局勢愈來愈緊張，已有一些年輕法師到中壢圓光寺投靠慈航法師。㊻

㊹《台灣佛教》三卷二號，一九四九年二月，頁一四。

㊺圓明、守成是台灣佛學院後期才增聘的老師，見妙果：《台灣佛學院的創辦與展望》，頁六，收在《台灣佛學院畢業特刊》中。至於其上任時間，據學生回憶推斷的。

㊻參見《慈航大師紀念專輯》中所收自立、幻生、妙峰等之回憶。

而慈航法師在授課之餘，亦到處演講結交法緣，據筆者歸納，其間慈航法師的活動如下：

一、一九四九年三月十九日，因大同、宗心法師之請，至台中市參加寶覺寺佛學研究院等成立典禮，後至愼齋堂、靈山寺、佛教會演講佛學，迄二十二日方回中壢。

二、在基隆市佛教會、紅談林寶明寺創辦佛學院。（一九四九年五月一日）

三、在基隆靈泉寺創設佛學院。（一九四九年四月）

四、於獅頭山勸化堂設立「獅山佛學院」。㊼

一九四九年四月，慈航法師在台灣佛學院設立「世界學僧會」，並發表宣言，廣徵同志。㊽大約同時，他和東初法師籌設《人生》月刊，在經濟上得到妙果法師大力支持，其創刊號於同年五月出刊，妙果法師擔任社長。㊾農曆六月一日台灣佛學院訓練班結業，新曆七月十五日台灣佛學院出畢業特刊，這是由圓明法師編輯的。根據該刊《畢業學僧一覽表》，㊿當時畢業學僧如下（見下頁）：

將圓光寺所藏當時的畢業生證書(51)與上引一覽表核對，可知其時正讀生有五十人，十六位外省籍法

㊼ 前二則消息，見《台灣佛教》三卷五號（一九四九年五月），頁一六後之《消息》。後二則新聞，見《人生》一卷三期，頁八，律航《獅山佛學院開課紀實》，一九四九年七月二十五日。

㊽ 《人生》創刊號，一九四九年五月，頁七。

㊾ 同上，頁一〇《編後記》。妙果法師擔任二期《人生》社長後，因故辭卸此職。

㊿ 圓明編：《台灣佛學院畢業特刊》，頁八五—八九。

(51) 複印件藏「圓光佛學研究所」特藏室。

法名	年齡	籍　貫	學　歷	永久通訊處
心達	23	台灣一新竹	高小畢業私塾二年	新竹區關西鎮東安里潮音寺
自立	23	江蘇一泰縣	泰縣光孝佛學研究社畢業、杭州武林佛學院、上海靜安學苑肄業	泰縣曲塘胡家集馬家橋觀音庵
幻生	21	江蘇一泰縣	泰縣光孝佛學研究社畢業、杭州武林佛學院、上海靜安學苑肄業	江蘇泰縣曲塘重慶庵
惟慈	22	江蘇一高郵	常州天寧佛學院、杭州武林佛學院、上海靜安學苑肄業	高郵臨澤東鄉小隱莊三覺庵
寬爵	33	台灣一台北	私塾三年	台灣台北縣文山區新店鎮屈尺里養源寺
眞源	19	台灣一新竹	頭屋國民學校畢業	新竹縣大湖法雲寺
眞照	22	台灣一台中	瑞穗國民學校畢業	新竹縣苗栗區三叉鄉鯉魚村三合寺
眞性	33	台灣一新竹	國語講習所一年、私塾三年	新竹縣桃園區大園鄉和平村四十七號圓明寺
會性	22	台灣一新竹	南莊國民學校畢業、私塾一年	新竹縣竹南區獅山獅岩洞元光寺
達晃	34	台灣一新竹	橫山國民學校、基隆靈泉寺佛教講習會畢業	新竹縣竹南區南莊鄉獅頭山勸化堂
正定	37	台灣一新竹	楊梅國民學校、台北成淵中學畢業	台北縣內湖鄉白石湖圓覺寺
順定	21	台灣一新竹	私塾二年	新竹縣竹南區峨眉鄉獅頭山岩洞元光寺
明玄	20	台灣一花蓮	花蓮國民學校、屏東航空學校初級畢業	新竹縣中壢區月眉山圓光寺
聖悟	22	台灣一新竹	國民學校畢業	新竹縣中壢區觀音鄉新坡村二一五號
聖慧	21	台灣一新竹	新坡國民學校、基隆靈泉佛學林畢業	新竹縣中壢區觀音鄉上大村南海寺
性如	23	江蘇一南通	上海靜安佛學院畢業	江蘇南通掘港西方寺
寬裕	25	江蘇一寶應	武進天寧佛學院畢業	江蘇寶應縣汜水鎮小台寺

法名	年齡	籍　貫	學　歷	永久通訊處
星雲	27	江蘇—江都	焦山佛學院畢業	江蘇栗陽縣戴埠鎮白塔山寺
宏慈	26	江蘇—江都	常州天寧佛學院畢業	江蘇丹徒縣高資鎮香山寺
廣慈	30	江蘇—宜興	焦山佛學院畢業	江蘇東台縣拼茶鎮壽聖寺
妙峰	23	廣東—遂溪	杭州武林佛學院、上海靜安學苑肄業	廣東湛江寸金路荔枝園七號正覺靜室
心然	21	福建—林森	上海圓明楞嚴專宗學院肄業	福州鼓山湧泉寺
心悟	22	福建—林森	上海圓明楞嚴專宗學院肄業	福建永泰縣重光寺
威音	38	遼寧	中學畢業	福州鼓山湧泉寺
能果	19	江蘇—鹽城	上海佛教學院畢業	江蘇寶應射陽鎮大雲寺
以霞	20	江蘇—鹽城	武進天寧佛學院肄業	江蘇秦南倉石傢伙太平庵
果宗	20	江蘇—鹽城	武進天寧佛學院肄業	江蘇鹽城縣泰山寺
印海	23	江蘇—如皋	武進天寧佛學院肄業	江蘇如皋縣定慧寺
靜海	18	江蘇—泰縣	武進天寧佛學院肄業	江蘇儀徵資福寺
普光	19	廣東—增城	上海靜安學苑肄業	廣州市中華北路清泉街關帝廟
淨良	16	福建—福安	國民學校畢業	福建福安龍潭佛慶閣
嚴持	20	江蘇—江都	武進天寧佛學院肄業	江蘇江都高旻寺丈室
雲峰	40	江蘇—寶應	武進天寧佛學院畢業	江蘇武進天寧寺
弘慈	31	江蘇—鹽城	青島湛山佛學院畢業	江蘇鹽城雙手庵
慧光	23	台灣—台北	台北日新國民學校、基隆靈泉佛學林畢業	台北縣淡水區北投鎮中心里法藏寺
智道	23	台灣—新竹	玉里旭國民學校、佛教鍊成所畢業	新竹縣竹南區峨嵋鄉獅頭山萬佛庵
慧眞	27	台灣—新竹	新竹后龍國民學校、基隆靈泉佛學林畢業	新竹縣竹東區芎林鄉新鳳村雲谷寺
修道	28	台灣—台中	北斗國民學校、日本名古屋市大山宗榮尼衆院畢業	台北縣淡水區汐止鎮修院
修滓	29	台灣—基隆	基隆國民學校畢業	基隆市仁愛區玉里成功巷十四號
眞慧	25	台灣—高雄	麟洛國民學校、屏東市日出洋裁畢業	新竹縣中壢市月眉山圓光寺

法名	年齡	籍　貫	學　歷	永久通訊處
眞法	25	台灣—新竹	台中花壇國民學校畢業	新竹縣竹南區峨嵋鄉獅頭山萬佛庵
眞念	31	台灣—新竹	峨眉鄉國民學校、圓光寺佛敎鍊成所畢業	中壢圓光寺
性定	20	台灣—新竹	江毛鄉國民學校畢業	新竹縣中壢圓光寺
慧明	22	台灣—新竹	大湖區國民學校畢業	新竹縣竹東區芎林鄉新鳳村雲谷寺
智慧	30	台灣—新竹	萬山公學校、日本名古屋市曹洞宗第一尼衆院畢業	新竹縣竹東區峨嵋鄉獅頭山海會庵
果哲	24	遼寧—遼陽	前台村國民學校畢業	東北海成縣牛莊街觀音寺
慈觀	31	台灣—基隆	基隆第一國民學校、基隆技藝女學校畢業	基隆市仁愛區英仁里寶明寺
廣聞	21	台灣—新竹	新竹北門國民學校、商業實踐女學校畢業	新竹市德林里境福街一號淨業院
懿融	23	台灣—新竹	北埔國民學校、新竹師範講習科畢業	新竹縣竹東區北埔鄉水磔子村麻布樹排二九號
弘參	21	台灣—新竹	新竹北門國民學校、台北實務洋裁學院畢業	新竹市德林里境福街一號淨業院
普眞	28	台灣—基隆	基隆市國民學校畢業	基隆市中山區仁安里一號仙洞巖
慈和	25	台灣—新竹	國民學校畢業	新竹縣新竹區湖口鄉婆羅文村鳳山寺
普能	21	台灣—新竹	竹東國民學校、台北事務員養成所畢業	新竹縣竹東區商華里東寧路三八八號
修清	24	台灣—新竹	苗栗區公館國民學校、專修學校畢業	新竹縣苗栗區公館鄉福星村一二二號
眞禪	20	台灣—新竹	後龍國民學校、圓光寺練成所畢業	新竹縣竹南區後龍鄉校寄村75號
慧員	16	台灣—新竹	國民學校畢業	新竹縣竹東區北埔鄉麻布樹排淨蓮禪院
慧文	22	台灣—新竹	龍潭鄉國民學校畢業	台北縣淡水區汐止靜修院

師，其餘三十四位為本省籍法師。未在證書上的有星雲、廣慈法師等七人，應是臨時安插進來的。這些人早畢業於大陸知名佛學院，無須再當一次學生，但因需報戶口，故掛名台灣佛學院學生名籍中。

從《畢業特刊》來看，妙果法師是有心繼續辦台灣佛學院研究班的。他在《台灣佛學院的創辦和展望》中即說：

這初期的教育結束後，台灣佛學院，預備改設為正式的佛學研究班；以擬繼續地栽培一般更有抱負的青年，研究佛學，將可以達到造就真正宏法人才的目的。我亦發願，願今後本佛子之責任，多量培植佛教宏法的人才，續佛慧命，以報佛恩，這也是值得告諸佛教同仁的一點。㊷

至於這研究班是由慈航法師等原班人馬繼續辦下去，或是換人興辦？當時妙果法師並未明說，不過稍後在電台廣播中白聖法師的一段話透露一點端倪。他說：「台灣佛學院……原由慈航法師主辦，現擬請道源法師接辦」。㊸由此可略窺妙果法師似乎不想由慈航法師來承辦研究班。或許這也是台灣佛學院研究班未馬上開辦之原因。當然，正如多位學僧反映的，經濟的困窘，才是最終導致台灣佛學院研究班無法開辦之因。這是當時大環境急速惡化，物價快速上漲，加之政府採行土地改革，使得原賴租稻維生的圓光寺遂無能力再辦僧教育。而慈航法師與妙果禪師合力辦學之因緣，至此完結。

㊷ 同註㊿，頁六。

㊸ 《人生》二卷二期（一九五〇年二月十五日），頁四白聖《台灣佛教的動態》。

四、二人辦學因緣之評價（意義）

對於二老這一段辦學因緣，後人較推崇慈航法師，貶抑妙果和尚。學者之所以如此，主要受慈航法師法子後學在《慈航大師紀念專輯》中的回憶所引導。其實，這些學僧的回憶，有不少誇大不實之處，如妙聲云：「台灣佛學院……在六個月的訓練班期間，院方沒有講過半個教員……一院的教務，都是自己承擔」。對照上述的陳述，即是一例。所以，在評價二人這段事蹟時，不能只根據學僧回憶來立論，應從較大層面來考量，才可能點出其貢獻（意義）而不會流於意氣之論。

佛教界一般對慈航法師的肯定，主要在一九四九至五〇年間救僧運動。如印順法師即云：

民國三十八年，值國運艱困之會，舉世危疑之際，中國佛教之憂患可知矣！慈老適於此時，自星洲來台島，闡揚正法，利益當時。雖居處靡常，資用窘乏，而於大陸僧青年之來台者，攝受而教育之，百折不回，爲教之心彌堅。此慈老之不可及而大有造於台灣佛教者，功德固不可量也！㊹

其實，在這一段風雨飄搖的時期，妙果法師亦扮演同樣的角色，容受接納大陸來台之青年僧侶。如早期允許慈航法師隨意安插流亡學僧在台灣佛學院中，後來學院停辦亦收留十餘名大陸青年法師數年，

㊹ 印順法師在《慈航大師紀念專輯》之序言。

對照當時其他寺院不是將青年法師趕走，就是僅給一宿等情形，妙果法師算是盡力在搶救來台青年法師的，星雲法師即回憶說：

我們一行百餘位僧侶上了岸，由北部走到南部，又由南部走回北部，全台灣竟然沒有我們容身之地，所到之處，不是吃閉門羹，便是被白眼相待，這也難怪，在那個動亂時刻，大家都害怕我們之中，匿藏匪諜密探之流。……之後不久，蒙中壢圓光寺收留安單。55

由此可見，妙果法師在接納大陸來台青年法師，是有其貢獻的。

至於僧教育方面，慈航法師扮演的是主導角色，而妙果法師則是支援者。若無他的全力支持，在那個物價多變、經濟困窘的年代，台灣佛學院可能如延平佛學院等一般，開辦一、二個月就結束，不會持續半年之久！也由於台灣佛學院沒有馬上關閉，慈航法師才能接納大陸來台學僧。另一方面，這一段期間讓台籍青年學僧在國語、中文上有了進步，奠定了他們引導大陸籍法師在台立足的基礎，在往後擔任翻譯的會性法師就是其中最明顯的例子。

最後，在文化上，慈航法師不僅寫稿支援，當時的佛教刊物，更與東初法師籌設《人生》月刊。而妙果法師則從經濟上支援《人生》，在那佛刊稀少的年代（僅有《台灣佛教》），他倆這份心力是很難得的。

---

55 星雲法師：《老二哲學》（佛光文化公司，一九九八年），頁一二八—一二九。另見符芝瑛：《傳燈—星雲大師傳》（台北：天下文化，一九九五年），頁五六—五七。

附註：本文之撰寫得到如悟法師、道成法師、中華佛學研究所圖書館、闞正宗、程英哲等之提供資料，在此致上謝意！

初探國家認同的外部因素
——美國因素、中國因素與台灣的國家認同

袁鶴齡／中興大學共同科法政組副教授

一、前言

筆者在上大學部的課程時，如果談論到「國家認同」（national identity）的議題時，總不免好奇的要尋問一下學生的看法。每當要他們從我是「中國人」、「台灣人」、「中國人也是台灣人」、以及「台灣人也是中國人」等四個項目中選擇一項時，毫無意外的，答案是相當的分歧。而如果進一步再問，台灣未來的發展究竟宜走向與大陸統一、宣布獨立或維持現狀時，則答案亦相當分歧。如果對照於歷年來所做的各式有關國家認同民調的結果，則存在於大學生群中國家認同的差異則絲毫不足為奇。若觀察台灣內部實際的政治運作，則這些隸屬於不同認同群體的人，在平常或可相安無事，但一旦進入選舉時期，則往往變為被政治人物動員的對象，且彼此之間更可能造成嚴重的對立。另一方面，若觀察台灣在處理其對外關係時，例如，台灣是否應積極的加入聯合國、台灣是否宜加速與大陸進行政治互動、

或是台灣應不理會中共的反對而直接對外宣布獨立等，亦可發現國家認同的分歧會直接或間接的反應在上述議題的政策選擇。因此，在台灣，國家認同的分歧已不是孰是孰非的問題，而是一個事實存在的現象。台灣民衆的國家認同不但已成爲一個基本的問題，而且其所出現的分歧現象更是逐漸地成爲島內政治與社會分歧的基礎。

在我國，這種分歧的國家認同其存在及逐漸浮現檯面的現象自是有其發展的歷史背景。如果國家認同的內涵可以包括結構制度、族群與血緣、以及歷史文化等三個面向的認同（江宜樺，一九九八），則無疑的，台灣的民主化過程（Wachman, 1994）、族群關係與省籍意識（吳乃德，一九九三）、或台灣與大陸歷史文化的連結，及台灣結與中國結的爭論（施敏輝，一九八八；戴國煇，一九九四）便成爲解釋我國何以會出現分歧的國家認同的重要因素。三者所考量的層面或有不同，但三者所關切的皆是國家的內部因素對認同的影響。然而，如果國家認同是一種個體在回答「我是誰？」，或是個人界定他「自己是誰」，以及個人歸屬感的一種政治信念，則相對的參照團體之存在則成爲界定自己是誰的必要條件。換言之，生活在台灣的人民之所以確認（identify）自己是中國人（或台灣人）乃是因爲世上有另一群的人民視自己爲美國人、日本人、或是德國人。而此種國家認同的確認則必須要藉助於彼此的互動才有存在的意義及價值。因此，本文主要即是從國際政治的角度探究形塑台灣國家認同的外部性因素爲何？是國際體系的結構性因素使然？或是台灣與其他國際行爲者互動頻繁的必然結果？換言之，如同內部因素的研究，本文亦將國家認同視爲依變項，而企圖尋求打造國家認同的外部解釋變數，以及打造台灣國家認同的外部因素。

將國家認同視為依變數而探究其形成或改變的各項因素當然是有效的命題，而在現有的研究成果之中，對於形塑台灣國家認同的外部因素之解釋並不多見。趙建民（一九九三）的研究曾解釋何以兩岸交流的增加反而對台灣造成認同危機的出現，而高朗（一九九八b）亦發現兩岸的非政治領域的擴大交流並未如整合理論所推測使兩岸走向政治整合之路，其原因之一便在於台灣民眾對大陸當局的認知。欲深入探究國家認同的外在影響因素，本文企圖從社會建構主義（social constructivism）與社會認同理論（social identity theory, SIT）的角度出發，並指出何以美國因素及中國因素是打造台灣國家認同的重要外在變數。

二、國家認同的國內因素

「國家認同」的概念首次被引介入政治學是在所謂的行為科學革命的時期，而非常明顯的是與處理發展的問題、整合、與國際關係等議題有關（Dittmer and Kim, 1993：1）。但是要對國家認同下一個令人滿意的定義之前似乎必須先回答何謂「認同」？認同這個概念從哲學領域輸入到社會科學是要來解決心理上與社會上的認同問題（the problems of “psychosocial” identity）（一九九三：三）。相較於個人的認同，在集體認同（collective identity）的定義上其難度就有所增加，如果再予以擴大到國家認同的概念與定義則在處理上就便得更加的困難（一九九三：四—六）。江宜樺（一九九八）便相當清楚的點出了此一概念的複雜及多元性。廣義而言，國家相當於英文中的body politic（政治實體）、political community（政治共同體）、或polity（政治體）；狹義而言，國家則專指近代以後方出現的「民族國家」（nation-state），它一方面表達了「治權獨立」的性格，另一方面亦包含了「民族統一」的族群文化意含（一九九八：六）。然而，事實上，民族是否必須是帶有建國意圖的集體人群的組合，以及國家是否必預預設以民族爲基礎的統一性則相當值得懷疑，因爲所謂的「民族國家」僅是「文化族群」與「政治共同體」相互組合的情形之一，而非唯一（一九九八：七－八）。有關「認同」，江宜樺則認爲有三種不同的意義，分別爲「同一、等同」（oneness、sameness）、「確認、歸屬」（identification、belongingness）、以及「贊同、同意」（approval、agreement）（一九九八：八－一一）。在三種不同意含的認同下，國家認同自然出現三種不同的用法。第一種用法爲「一個政治共同體與先前存在的政治共同體是同一個政治共同體」，應用於實際的問題便是「在台灣的中華民國還能不能代表中國？」而「中華民國如果改名爲台灣是否還是同一個國家？」第二個用法則是「一個人確認自己歸屬於那一個政治共同體，並且指認出這個共同體的特徵」，應用於實際的問題便是「我究竟是中國人還是台灣人？」第三種用法亦可指涉「一個人表達自己對所欲歸屬的政治共同體有何期待」或者是說「一個人究竟贊同那一個國家？願意支持那一個國家？」實際的問題則是「我贊成獨立？還是統一？」（一九九八：八－一二）

除了概念的複雜，在實證的研究上亦面臨了測量國家認同指標分歧的現象。劉義周指出近年來有關國家認同的概念及其測量可分爲三類：以統獨立場爲基礎、以族群認同爲基礎、以及以政治社群爲考量者（劉義周，一九九八）。由於概念的複雜與研究指標的多元，因此國家認同的問題並不是有與無的二分類別變數，且其在本質上應屬多面向的概念（multi-dimensional concept）。無論從那一個面向切入或選用何種測量指標，在探討台灣國家認同議題的諸多實證研究當中，台灣民衆在國家的認同上明顯的出現分歧的現象，尤其是在有關統獨問題的看法上①（徐火炎，一九九六；吳乃德，一九九三；一九九六；游盈隆，一九九六；劉義周，一九九八），或是出現「認同混亂」，即民衆在族群上認同台灣卻贊成統一，或族群上認同中國卻贊成台灣獨立②（王家英、孫同文，一九九六）。台灣民衆在國家認同上的分歧現象究竟是源自於歷史文化的差異（文化認同）、或是種族血緣的不同（種族認同）、還是肇因於結構制度的改變（制度認同）自然可以做相關的研究與探討，但可以確定的一點是這些解釋造成國家認同分歧出現的因素皆屬國家內部因素。然而如果認同隱含著同等及歸屬與確認的意含，則認同便不可被定義爲心理上的用語（psychological terms）而須視爲是一種自我（self）與他人（others）間的關係（relationship）（Dittmer and Kim, 1993：4）。若依此而予以擴大，則國家認同的出現便是存在於本國與他國間的關係之中，也因此由於本身與他國關係的改變而造成國家認同分歧的外部性因素亦有進一步探討的價值。

---

① 但是江宜樺從政治哲學的角度認爲「國家認同」與「統獨問題」不可混爲一談（一九九八），而劉義周亦指出上述三項測量指標的缺陷，並嘗試將台灣民衆的「國家認同」與「統獨抉擇」予以區分做爲未來研究的基礎（一九九八）。

② 江宜樺認爲所謂「認同混亂」的字眼並不恰當，因爲他認爲「統獨抉擇」與「國家認同」不是完全相同的事，而且這字眼帶有負面的聯想。由此，他認爲台灣民衆具有「務實性」的國家認同（一九九八：二二〇）。

三、國際關係中的國家認同

在國際關係的研究中，新現實主義（neo-realism）或結構現實主義（structural-realism）與新自由主義（neo-liberalism）或新自由制度主義（neo-liberal institutionalism）之間在諸如國際體系的本質、國際行爲者的認定、體系穩定的因素、國際合作與集體安全等議題上的辯論一直是研究者所關注的焦點（Keohane, 1986；Baldwin, 1993；鄭端耀，一九九七）。但是在對於國家的假設上卻皆同意理性主義（rationalism）的看法認爲它是在國際體系中的主要的行爲者（dominant actors），雖然在追求利益極大化的動機或有不同（新現實主義所追求的乃是相對利益〔relative gains〕，而新自由主義所追求者乃是絕對利益〔absolute gains〕），但雙方陣營在將國家視爲理性的自利行爲者（rational self-interest actors）做爲理論的出發點這一項上則是一致的。然而接下來對於認同及利益的形成與改變則出現了完全不同的論證。對於新現實主義而言，無政府狀態的國際體系本身即決定了國際行爲者的行爲，至於國家利益與認同的本身則被視爲「既定」（given）或被視爲是一個外生變數（exogenous variable），其形成過成及其內容不但如同黑盒子般的不爲人知，更是不受到任何因素的影響。反觀新自由主義，其已開始重視利益與認同內涵的可變性，且認爲「複雜的學習」（complex learning）（Nye, 1987），或是「改變自我與利益的概念」（changing conceptions of self and interest）（Jervis, 1988），或是「利益的社會化概念」（sociological conceptions of interest）（Keohane, 1990：71，轉引自Wendt, 1992：39

3）在利益及認同的轉換上扮演著相當重要的角色。而此種內涵的改變則是透過國際政治的過程（process）及制度（institutions）或體制（regimes）的運作來完成。換言之，認同與利益已逐漸被視爲是一內生變數（endogenous variable）而受到國際制度及體制規範（norms）、原則（principles）、或是決策過程（decision making process）的影響而不再僅是一既定而諸國皆相同的前提假設。新自由主義論者一反新現實主義者的悲觀論調而認爲國際制度的建構及其宣示的規範可使「自救」（self-help）的理性行爲者改變其原有國家利益的內涵而走向國際合作的道路，因爲對於制度規範的遵循不但可以降低交易成本（transaction costs）及不確定性（uncertainty）、更可以防止被它國欺騙（cheating）（Baldwin，1993；Oye，1986）。然而在對於國際體系本質的假設上，新自由主義仍然接受新現實主義者的看法，即無政府狀態是一個不可改變的事實，而國際行爲者仍然是受制於其中。如此一來，國家利益與認同的形成及轉換仍是擺脫不了結構的限制，自然亦無法以有系統的理論來說明利益與認因的轉變是如何發生的（Wendt，1992：393）。

爲了要擺脫結構對行爲者的限制，建構主義論者（constructivists）提出了另一類的思考模式（Checkel，1998；Finnemore，Katzenstein，1996；1996；Mercer，1995；Wendt，1992；1994）。雖然建構主義論者與新自由主義論者皆論及國家利益及認同的可轉換性，但是前者卻強調結構與行爲者所形成的社會建制對國際政治或國家利益內涵的影響，而後者則仍是強調制度的重要性及國家在面對國際制度時在行爲或政策上所應做的調整。如同此派的主要倡導者Alexander Wendt 的文章標題所示「無政府狀態是國家所造成的：權力政治的社會建構」（Anarchy is what states make of it： The social construction of power politics），他認爲「國家自救的行爲及權力政治在邏輯上與因果上皆非源自於無政府狀態，如果今天我們發現自己在一個自救的世界，則這是由於過程而非結構所造成的結果」（I argue that self-help and power politics do not follow either logically or causally from anarchy and that if today we find ourselves in a self-help world, this is due to process, not structure.）（一九九二：三九四）。他更進一步指出「遠離了運作就沒有一種無政府邏輯能創造出某種認同與利益的結構，而自救與權力政治乃是制度而非無政府狀態的必要特徵。因此**無政府狀態是國家所造成的**」（There is no "logic" of anarchy of apart from the practices that create and instantiate one structure of identities and interests rather than another; structure has no existence or causal powers apart from process. Self-help and power politics are institutions, not essential features of anarchy. Anarchy is what states make of it.）（一九九二：三九四—三九五）。

在建構主義論者的眼中，雖然權力的配置永遠會影響到國家利益的計算，但這絕不能視爲是國與國之間互動差異的根源。至於主要的來源論者認爲決定於「互爲主體性的瞭解與期待」（intersubjective understandings and expectations），進而這又構成了自我與他人的概念（conceptions of self and other）（Wendt, 1992: 397）。國家對待友邦與敵國之所以會不同乃是因敵國會威脅到本身而友邦不會。美國對待同樣擁有核子武器的蘇聯與法國的差異乃是前者爲美國的敵人而後者爲盟友。因此國家在對自我與他人的瞭解與期待，亦即由互動中所衍生的認同，便成爲國家行動的基礎。國家在沒有互動之前是沒有認同、沒有利益、也沒有期待存在的必要，因此兩個國家彼此之間必須要認知到（recognize）自我與他人的差別，國家認同才有意義，因爲若是沒有他人的存在，則國際間的衝突與合作是皆不可能出現（Mercer, 1995：235）。Wendt（一九九二）與Mercer（一九九五）皆進一步指出對於任何形式的社會互動，設身處地的從他人的角度（perspective taking）來相互的確認彼此並且感同身受（empathy or sympathy），則在國際體系中便可建構出有別於自力救濟的安全體系（security system of self-help），稱爲他人協助的安全體系（security system of other-help）。③因此結構乃是過程的產物而不應視爲既定；而在過程中，認同又扮演著重要的角色。

爲了進一步說明國家認同及如何建構一個他人協助的體系，Mercer（一九九五）藉用了社會心理學中研究團體間行爲的社會認同理論（Social Identity Theory, SIT）做爲主要的研究架構。④社會認同理論有別於以個人爲單位的心理研究之處在於其強調「雖然團體是由衆多的個人所組成，但是對於團體行爲特徵的理解，例如團體間的競爭、歧視、優越感、以及團體內部的凝聚力與順從，皆無法從個人的

③ 此種以建構主義爲架構的論述近年已有蓬勃發展的趨勢，主要的論述與討論請參見Martha Finnemore, *National Interests in International Society*（Ithaca, N.Y.：Cornell University Press, 1996）；Peter Katzenstein ed., *The Culture of National Security*：*Norms and Identity in World Politics*（N.Y.：Columbia University Press, 1996）；Jeffrey Checkel, "The Constructivist Turn in International Relations Theory." *World Politics* 50（January 1998）：324-48. 其中Katzenstein ed. 的第1章（Katzenstein）更是相當清楚的將新現實主義、新自由主義、與建構主義三者的差異做比較並說明其重要性。

④ 社會認同理論是由Henri Tajfel 與 John Turner 所創建，在研究團體間行爲的諸多理論中已具有相當大的影響力。有關理論的回顧及評論，請參見 Mercer（1995），尤其是註五十二。

心理層面得知」（Likewise, individuals constitute groups, but we cannot understand behavior characteristic of groupssuch as intergroup competition, discrimination, ethnocentrism, and in-group cohesion and conformityby reference to the psychology of individuals.）（Mercer，1995：238）。由於內群體（in-group）與外群體（out-group）的比較性差異，因此便產生了以群體爲單位的社會認同，而類別化（categorization）的運作則有賴於比較我群的相似之處以及我群與他群之間的相異之處。透過比較人們得以確認其認同，而爲了做比較，類別化則是必要的步驟，但是如此一來，卻會導致群體間的競爭出現。雖然競爭可以不同的形式出現，但是這卻成爲團體間或國家間關係的一個無可避免的特徵（一九九五：二四二—三）。因此，群體內成員認同的程度愈強，個人便愈願意爲群體利益而犧牲個人的利益，但是這亦要付出代價。成員愈是認同其所歸屬的群體便愈會區隔我群與他群間的差異，因而便愈可能導致群體之間的競爭、利益的衝突、以及更加的強調相對獲利而非絕對獲利的重要。⑤雖然社會認同理論似乎與新現實主義一樣在國家利益的追求上傾向於相對獲利的爭取，但不同的是新現實主義者認爲競爭是源自於結構，社會認同理論卻認爲是來自於互動過程中對社會認同的渴望所造成；換言之，前者是命

⑤ 新現實主義與新自由主義對於國家究竟應追求相對或絕對獲利一直爭論不休。雖然基本上前者強調的是相對獲利的極大化而後者強調的是絕對利益的極大化，但是對於是否應有議題的區別、不同議題連結的後果、以及現在獲利與未來獲利的關聯等皆是值得進一步思考的問題。相關文獻及論述的整理請參見袁鶴齡：《兩岸政治互動下的經貿關係》，論文發表於第七屆兩岸關係學術研討會（中國，北京，一九九八年八月四—六日）。

定的而後者卻是可變的。

建構主義雖然在理論的發展上仍有其不足之處，但它卻已成功地拓展了國際關係在理論發展上的界限（Checkel, 1998），而當國際政治的學者逐漸關注認同議題時，社會認知主義亦藉用了社會學與心理學的概念協助來理解國家認同的問題。綜合以上論述，對於國家認同應可得出以下數點結論。首先，國家認同應是關係（relational）的產物。由於國家認同是透過類別化而區分我群與他群間的差異而出現，因此若是沒有彼此的互動，沒有相對應的參照團體存在，則國家認同便沒有存在的價值。至於正面參照團體（positive reference groups）的功用在於使國家確認其在國際社群中的存在價值，而負面的參照團體（negative reference groups）其若對國家生存的持續打壓則會強化國家對防衛自我價值以與其抗衡的重要性（...whose opposition serves to dramatize the importance of defending the values of "us" against "them".）（Mittmer & Kim, 1993：16）。更進一步而言，國際上正面參照團體的存在對於國家的自我認同具有兩項作用。第一，它提供政權的合法性（legitimacy），並且使政權在行使維持國內政治與社會秩序的行動上具有國際的效力（international validity）。第二，它提供領導（leadership），亦即國家一旦與參照團體間產生了親密關係，則對於參照團體的領導則樂於服從並接受其政策建議（一九九三：一六）。如果上述的論述是可以接受的，則一旦國家失掉了其原有的參照團體，則其自我認同便會出現危機，尤其是對國家合法性的影響。

其次，在透過比較而呈現出了不同類別間相互競爭的現象之後，群體內的認同感或歸屬感愈強，便愈容易造成群體之間的相互歧視甚至衝突。第三，順應第二點的推導，則在其他條件不變的情況下，一且認同感增強，則國家在追求相對利益的渴望便愈會強過對絕對利益的追求。然而，在此必須強調的是，認同的本身，無論其程度的高低或歧異的大小，並不是造成國家間關係緊張或和諧的唯一決定性因素。事實上，眞正的關鍵因素，或是中介因素乃在於國家自我的認知及國家利益（如安全）是否有遭受到其他國家（或群體）的威脅，因爲在國家遭受到外在認同威脅或危機的情境下，認同的問題才會浮出表面（Bloom, 1990；Zalewski & Enloe, 1995）。當一國的主體性，尤其對是否爲一主權獨立的國家遭受到來自國際社群的質疑，尤其是來自於原先的正面參照團體的否定時，國家內部自然會產生江宜樺所描述的第三種國家認同意含的困境，即對自已所欲歸屬的政治共同體的期待，或是究竟贊同或支持那一個國家？例如當美國承認中共，並認知到台灣是中國的一部分之後，台灣究竟是否爲一獨立國家？或是須要宣布獨立還是要與大陸統一？皆成爲在認同上的一個具爭議的焦點。另一個對國家認同造成威脅的來外部因素乃是所謂的「涵蓋危機」（crisis of inclusion），亦即有關領土或疆界大小的認定問題，包括邊界的爭議（border disputes over irredentas）、分離的衝突與內戰（secessionary conflicts and civil wars）、以及分裂國家（divided nations）⑥（Dittmer & Kim, 1993：27-29）。如果可以將兩岸的現狀視爲是分裂國家的形式，則此種涵蓋危機的存在自然使得台灣面臨著國家認同的威脅，即在台灣的中

⑥ 除了涵蓋危機之外，Dittmer & Kim（1993）認爲另一種認同威脅的形式可被稱做「自我認同的危機」（crisis of self-identification）（1993：27-30）。但是所謂的「自我認同的危機」主要是探討國家內部對於發展的方向與步驟有所謂路線的爭議時所產生的現象，由於這是國家內部的因素，因此並沒有在外部因素的討論之內。

華民國究竟是否能代表中國，而例如中華民國的領土究竟是否包括中國大陸的各省？

雖然國家認同在國家發展的歷程中因內部對發展的模式與步驟存有不一致的看法，或是在族國建立的歷程中對於我群與他群區別的標準（以歷史文化、種族血緣、或是結構制度來判別）不同因而產生認同問題與危機，但這些似乎僅說明了造成國家認同出現分歧現象的國內因素。此種國內因素的說明及解釋確實有其必要性，但是如果國家的認同是國家互動關係中的產物，則探求造成國家認同改變的外部因素則成爲一有效的命題。依據本節之論述爲基礎，在以下各節中，筆者將要探討造成台灣在國家認同的議題上出現明顯分歧與改變的外部因素爲何？而其理由又何在？

四、打造國家認同的外部因素

從民國三十八年國民政府遷台之後，分裂國家的事實便已然存在。生活在台灣的居民，無論是早期自願的從大陸移民來台，或是三十八年左右隨國民政府軍遷移來台，在種族上雖然大都無異（漢人），但由於語言、文化、生活經驗、政治信仰、以及類似二二八事件等錯綜複雜的因素糾結在一起，而逐漸的發展成「中國意識」與「台灣意識」，或造成「本省人」與「外省人」的「省籍意識」。這些具有不同意識的群體平日或可相安無事並共同打造出了經濟上的「台灣奇蹟」，然而隨著民主化與自由化的開放腳步，以及本土化與台灣化的訴求，每當選舉來臨，在「台灣人出頭天」或是「政權保衛戰」的號召下，這些群體一次又一次的被動員起來，雖然它們使政治人物達到了掌握政權或政治資源的目的，但是一次又一次在意識上的對立終於使台灣居民在國家認同上的分歧現象浮上檯面。從上述社會認同理論的角度觀察，族群之間的差異與競爭確實對社群認同威脅的產生具有決定性的作用。如果將層面從國內延伸至國際舞台，則國家認同威脅或危機的出現自然源於與他國間的互動關係。

無可否認，影響台灣對外行爲最鉅的乃是美國與中共，而美國對於台灣而言正是扮演正面參照團體的角色，而中共卻正好是扮演著負面參照團體的角色。因此從國家互動的角度而言，「美國因素」與「中國因素」正是打造台灣認同的外在變數。

美國因素 自從政府遷台以後，無論是在經濟、政治、或是國防安全上皆深受美國的影響，也正因美國在各方面予以支持，才使得國民黨政府能順利而有效的統治「一個具有敵意的台灣社會」（王振寰，一九八九：八〇）。國民政府撤退到台灣之後，在軍事國防、以及經濟上的窘境終因一九五〇年韓戰的爆發而得以改變。美國基於其在全球對抗以蘇聯爲首的共產主義的戰略考量，不但以第七艦隊協防台灣，並且恢復在一九四八年因國共內戰而中止的軍經援助。從一九五〇到一九六八的美援期間，美援援款實際到達的總額共計十四億八千二百二十萬美元，平均每年約九千八百萬美元（趙既昌，一九八五：三五）。此外，爲了供養國民政府的六十萬大軍及其他軍事裝備，在美援期間，美國政府更是每年約付出一億六千七百萬美元，共計約二十五億美元的直接軍援予台灣（Jacoby，1966：118）。

當美國在二次戰後以其優越的國際政經地位與資源成就了其霸權國家的角色，並企圖以其軍經實力來換取它國的政治效忠及在國際戰略上的配合時（Gilpin，1987），對台的軍經援助自然是遂行其目的的重要手段（文馨瑩，一九九〇）。但是不可諱言的，美國的軍經援助不但使國民黨政府擺脫掉預算赤字的包袱，並減緩了因突然增加的一百萬大陸來台人民所造成嚴重的通貨膨脹，並且爲往後的台灣經濟發展奠下基礎。此外，美國的援助亦支應了國民政府抵禦中共來犯及內部秩序穩定的龐大軍事支出（趙既昌，一九八五；Amsden, 1985；Jacoby, 1966）。此外，除了在軍經援助上的紓困之外，美國在國際社會中對僅占有台灣一省的國民政府的強烈支持，不但使國民政府在聯合國安理會中保有了代表全中國的席位進而確立了國民政府合法主權的地位，更由於美國的強力支持而使國民政府能合理化其對台灣社經資源的壟斷及掌握政權的正當性。

在經濟上，隨著台灣經濟情勢的穩定及好轉，美國終於認爲國民政府應從美援的名單中畢業。此外，隨著蘇聯與中共關係的改變以及全球戰略與地緣政治的考量，美國終於改變其原有「圍堵性」的中國政策，而逐漸的與中共建立起正當的外交關係。當美國決定改變其中國政策之後，在一九七一年十月所舉行的聯合國大會中，國民政府終於被迫退出聯合國，而失掉了國際的「正當」地位。隔年尼克森總統又與周恩來共同發表《上海公報》正式的確定了所謂「一個中國」的政策。一九七八年卡特總統正是接受了中共「斷交、廢約、撤軍」的三項要求，而於一九七九年元月一日起正式與國民政府斷交而與中共建立起正式的外交關係，在美國率先與中共建交的情況下，原與國民政府有邦交的國家就在骨牌效應的激盪下紛紛的承認中共。從表一可以很明顯的看出，我國的邦交國數從一九七二年的四十二個一路下滑而到一九七八年（中美斷交）前後達到歷史的最低點，隨後雖因我國於一九八八年起一改「漢賊不兩立」的一貫立場而改採「務實外交」的策略而使邦交國數目略有回升，但在中共強大的壓力下，其邦交國數目始終維持在三十個上下。反觀中共，自從與美國的關係改善之後，其邦交國的數目便從一九七二年的八十五個一路上升至一九九、七年的一百六十個，國際間對於兩岸政府所擁有主權的正當性的看法便可見一般。

從戰後的承認並支持國民政府，到「一個中國」立場出現，美國對華政策與態度的改變是明顯而深刻的。雖然美國持續的採取戰略模糊的對台政策以確保其在亞洲地區的利益，例如美國從未聲言放棄中華民國，亦未公開宣布維持台灣安全，但其對華關係的轉變，卻影響到了台灣內部的國家認同。如果如前所述，正面參照團

表一：台北與北京邦交國變化趨勢
（一九七二—一九九七）

西元紀年	國家總數	新獨立國	台北邦交國	北京邦交國
72	147	0	42	85
73	149	2	38	89
74	150	1	32	97
75	156	7	27	106
76	157	1	26	111
77	158	1	23	114
78	161	3	22	116
79	164	3	22	120
80	166	2	22	124
81	168	2	23	124
82	168	0	23	125
83	169	1	24	129
84	170	1	25	130
85	170	0	23	133
86	171	1	23	133
87	171	0	23	133
88	171	0	22	136
89	171	0	26	135
90	170	1	28	135
91	187	18	29	138
92	189	2	29	152
93	191	2	29	156
94	192	1	29	157
95	192	0	30	158
96	192	0	30	158
97	192	0	27	160

資料來源：高朗（一九九四）：五八—五九；高朗（一九九八a）：三二。

體的作用在於使國家確認其在國際社會中的存在價值及主權行使的正當性，於是國家一旦與原有的正面參照團體的關係改變，則國家對於「我究竟是誰？」的集體認同便可能會出現分歧的現象。因此，當我國採取務實外交之後，國內對於是否應積極的加入聯合國一事、及以究竟應以中華民國（恢復國籍）或台灣（新興國家）的名義加入皆出現不同的看法，而這似乎又與國家的統獨問題有著相當程度的關連（游盈隆，一九九六）。

當國民黨政府因美國立場的改變而喪失掉維持並掌握政權合法性的外在因素而出現正當性危機之後，如何尋求來自台灣內部社會的支持以維繫其政權的合理化便變得格外的重要。蔣經國時期開始培養及重用台籍青年才俊，並增加台籍人士在黨政重要機關中的比例而開啓了「本土化」或「台灣化」的先河（王振寰，一九八九；田弘茂，一九九二）。「這一連串的『台灣化』措施，一方面反應了國民黨政府在失去了國際支持之後，向內（特別是向台灣社會菁英）尋求支持的努力；另方面亦說明了它必需依賴社會的支持，以強化或彌補原先美國扮演的正當化角色。」（王振寰，一九八九：九一）雖然美國因素不能被視爲造成台灣內部國家認同分歧的唯一因素而具有直接影響的效果，但是卻不能不將美國因素視爲造成台灣內部國家認同出現分歧的原因之一，因爲由於美國從支持國民政府轉而承認中共，致使而相當程度的影響到台灣在國際社群中角色的定位，亦即台灣本身與其他國家對台灣是否爲一主權獨立的國家而其管轄的領土疆界之範圍的認定出現了相當不一致的看法。

中國因素 另一個使台灣出現認同威脅或危機的外部因素便是來自中共。做爲台灣的負面參照團體，中共對台灣認同威脅的影響實大於美國。美國立場的轉變固有其全球戰略因素的考量，但是如果不是中共迫使美國在台灣的立場上接受「斷交、廢約、撤軍」，而美國卻沒有堅持要求中共承諾放棄對台使用武力，則台灣的國際空間或許有另一番較佳的風貌（周煦，一九九八：一三）。如上所述，如果正面參照團體的意義在於肯定自我存在於國際社群中的價值，並且給予政權合理化的基礎，則負面參照團體的存在不但會使「我群」更加堅持的防禦其原有的價值與立場，更會造成兩者之間的對立，而對台灣而言，中國正扮演著這種負面參照團體的角色。

從一九四九年國民政府撤退到台灣之後，分裂的中國就成為一個事實，而分屬海峽兩岸的政治實體便以不同的意識形態，分屬不同的陣營而相互抗衡。雖然兩岸的關係經歷了戰後的軍事衝突對抗時期，冷戰時期的僵持對峙時期、以及隨後逐漸展開的開放交流，但是雙方在三個基本議題上不但無法獲得彼此的諒解，更由於相互競爭的結果而漸行漸遠。這三個議題分別是，一、「代表權」的問題，即究竟是誰才能代表全中國？二、國家疆界的問題，即政府的管轄權究竟可及於何處？及三、國家內部主權的合理性，即在台灣的國民政府究竟是否為一主權獨立的國家？這三個議題彼此關係密切且其形式的意含所代表的即是國家認同。換言之，過去兩岸政府所據以相互抗爭的核心焦點即是所謂的國家認同（趙建民，一九九三：一七〇）。

北京當局在兩岸問題上一向所堅持的看法便是「一個中國」原則，這不但是中共的既定，其更是要求美國及台北當接受此一事實。事實上，「一個中國」原則的三段理證，即世界上只有一個中國、台灣是中國的一部分、中國的主權與領土完整而不可分割，相當程度的道盡了北京當局在這三項議題的立場。換言之，唯有北京政府才有資格代表全中國，而台北當局不過是一地方政府。在領土疆界上，台灣僅是中國的一省，雖然同意「一國兩制」但必須要在統一的前提下才可實行，即江八點中的「統一以後實行「一國兩制」，國家的主體堅持社會主義制度，台灣保持原有的制度。」因此，台灣絕對不是一個主權獨立的國家，「兩個中國」或「一中一台」是無法被接受，而武力犯台的主要關鍵即在於台灣宣布獨立。然而對於中共當局的論調台北方面自然是無法接受。

對於台北當局而言，依據《國家統一綱領》的原則，「大陸與台灣均是中國的領土，促成國家的統一應是中國人共同的責任。」（轉引自邵宗海，一九九六：二八二—三）由此可知，兩岸政府均堅持「一個中國」原則，但雙方所賦予的意含卻有所不同。依據一九九二年八月一日國統會第八次全體委員會的結論，「我方則認為『一個中國』應指一九一二年成立至今之中華民國，其主權及於整個中國，但目前之治權，則僅及台澎金馬。台灣固為中國之一部分，但大陸亦為中國之一部分。」此外，該結論也認為「民國三十八年（公元一九四九年）起，中國處於暫時分裂之狀態，由兩個政治實體，分治海峽兩岸，乃為客觀之事實，任何謀求統一之主張，不能忽視此一事實的存在。」（轉引自邵宗海，一九九六：二八五）由以上陳述可以確認統一目前仍是台北當局的立場，但是在進行有關統一的政治性談判之前，對於台北當局所擁有對台澎金馬有效統治的分裂分治的事實，大陸當局應先予以承認。如果無法認識到「中華民國」存在的事實，則從任何角度來看，台灣民眾皆無法接受中共一廂情願的安排。例如在一九九五年八月間的一項民調，就「中共領導人主張：『台灣是中華人民共和國的一省（一部分）』」

進行電訪，結果發現約六成七的民衆表示反對，僅有不到一成五的人表示同意⑦（游盈隆，一九九六：一八八）。此外，從表二可看出（見下頁），在例次有關以「一國兩制」模式解決兩岸問題的看法，台灣民衆亦呈現一面倒的結果。在贊同的部分，完全沒有一次超過百分之十，而在反對的部分則幾乎每次皆達七成以上（除了八十一年六月的百分之六十八點五）。換言之，絕大多數的台灣人民對於中共所主張的「一個中國」及「一國兩制」皆無法予以認同。

雖然在歷史的源流中，兩岸的人民有著共同的文化起源與種族血緣，但是兩岸分隔的結果，在不同的結構、體制、生活形態、發展模式、及國家與社會不同互動的狀態下，兩岸在各方面皆出現了明顯的差異。這種經由比較而產生的差異，而因差異而造成的競爭自是無可避免，但是在立場明顯對立的情況之下，相對利益的追求便成爲這場「零和賽局」的必然結果。更進一步來看，做爲一個具有敵意的負面參照團體，中共當局對台灣愈是強硬，愈會使台灣更加堅定的防禦其價值，或是離中共當局的期望愈遠。以加入聯合國爲例，在國際空間的打壓上北京當局一直是不遺餘力，除了在邦交國的競爭之外，以主權國家爲單位加入的聯合國，在北京當局的把關下，雖然國、民兩黨間在積極加入上已出現共識，但近幾年卻也一直無法突破。估不論其加入的可能性，但民衆對於加入的看法卻已有明顯的改變。在一九九一年十二月中研院社科所「社會意向研究小組」所做的「二屆國代選舉研究」中就是否「重返聯合

⑦　具體的數字如下：百分之二點九表示非常同意，百分之七點五表示還算同意，百分之十六點九不太同意，百分之五十點三一點也不同意，百分之十四點七不知道，很難說和沒有意見者佔百分之十八點五。

表二：民衆對大陸當局提出『一國兩制』模式解決兩岸問題的看法

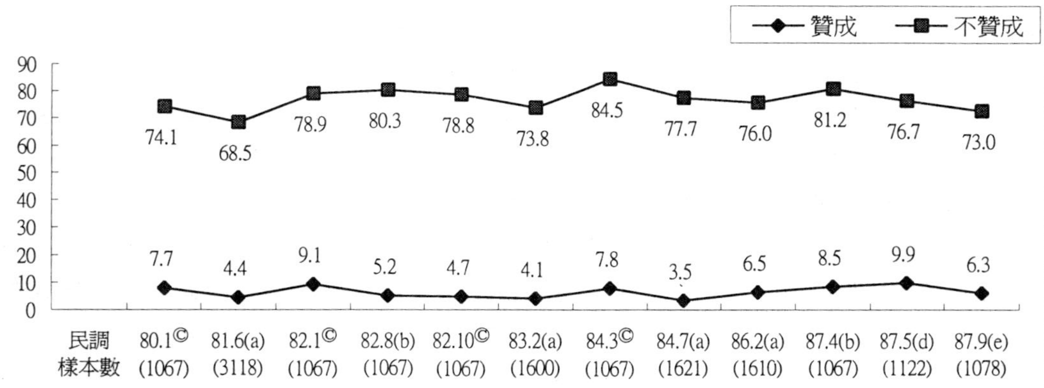

註：調查單位：(a)政大選研中心；(b)柏克市場研究公司；(c)中華徵信所；(d)中山大學。

民調中心；(e)中正大學政治系民調組。

調查方法：樣本1600人以上為面訪，其餘皆為電訪。

調查對象：台灣地區20-60歲的成年人。

資料來源：行政院陸委會(1998, 11)，「中華民國台灣地區民眾對兩岸關係的看法」，〔http://www.mac.gov.tw/pos/871113/8711c8.gif〕。

國」的民意調查中發現有百分之七十的人贊成重返或加入聯合國，但至於以何種名義則相當在意，百分之四十五左右的人「非常堅持」以中華民國的名義重返，有百分之十左右的人「非常堅持」以台灣名義加入，而僅有不到百分之二十的人不介意名稱的問題⑧（游盈隆，一九九六：第一章）。四年之後，在一九九五年七月四日—十三日由「民進黨中央選舉對策委員會」對關於「加入聯合國」問題所做的民調顯示贊成「只要加入，名稱不重要」的一方有百分之三十七點四，反對的一方有百分之三十六點四。贊成的部分由一九九一年的百分之二十（或百分之十三）增加到百分之三十七點四，其增加的比例相當的可觀⑨（一九九六：一七三）。由此可見，負面參照團體的強勢作風不但無法拉近「我群」與「他群」在集體認同上的距離，更會促使我群更加堅定其原有的主張。

這種民眾的認同因外在參照團體的反對而造成改變的現象，從台灣民眾對自我認同看法的歷年變化亦可得到驗證。根據表三的資料顯示（見下頁），從一九九二到一九九八年共計十六次有關民眾自我認同的調查中，雖然認爲自己「既是台灣人、也是中國人」的比例平均都維持在四成以上（僅有四次不及四成），但是自認爲是「中國人」與「台灣人」的走勢卻出現了有趣的現象。首先就認同自已爲「中國人」的部分，其所展現的是一個下滑的趨勢，由一九九二—三年佔將近五成的巔峰（兩次皆超過認同自

⑧ 在此作者並沒有明確的列出數字，而在同書的另一處（頁一七三一），此數字變成一成三。

⑨ 原題目是「這幾年來，加入聯合國已經是台灣社會的共識。最近外交部官員甚至說：『只要能加入，名稱不重要。』（也就是說，不管是用台灣或中華民國的名義）請問您贊不贊成這個說法？」

表三：民眾對自我認同的看法

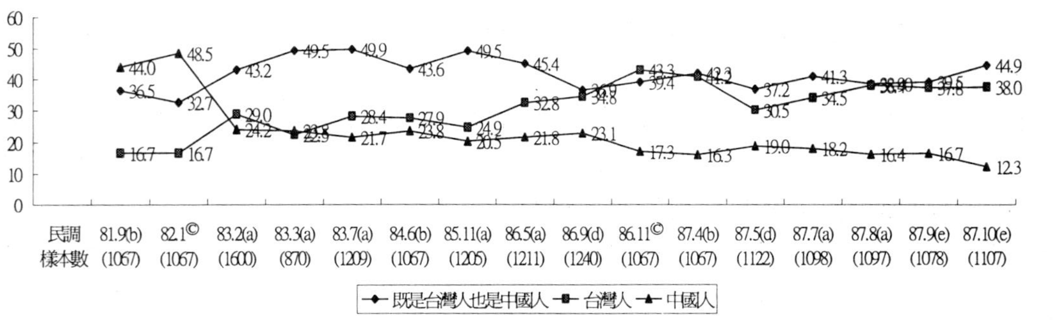

註：調查單位、調查方法、調查對象，同（表二）。

資料來源：同（表二）。

已是台灣人及兩者皆是的比例），一路的下降到一九九八年十月的百分之十二點三。雖然北京當局一直認爲「台灣同胞」爲中國人，⑩但是台灣民衆卻不這麼認爲，尤其在北京當局持續地打壓台灣人民生存的主體性時，這種認同爲「中國人」的可能性更是下降。正好與「中國人」認同的趨勢相反，認同自己爲「台灣人」的比例卻是有逐年上升的現象。在前兩次民調中敬排末位的類別（兩次比例均爲百分之十六點七），在爾後的各次民調中卻有節節升高的趨勢，在一九九八年十月的一次中，相較於「中國人」的百分之十二點三，自認爲「台灣人」的比例已升高至百分之三十八。事實上，從一九九七年起在例次的民調中，認同爲「台灣人」的比例便在三成以上。從以上三種自我認同的趨勢觀察，北京當局在不先認同中華民國所擁有的有效統治的主權，甚至反對「主權共享與治權分治」的主張下（吳瓊恩，一九九八），台灣民衆的國家認同出現這種趨勢自是相當合理。

自一九七九年鄧小平上台採改革開放的經濟政策，並制定「和平統一，一國兩制」的政策，而台北當局亦在一九八七年十一月開放民衆赴大陸探親，並制定一連串規範兩岸經貿、文化交流的規定之後，兩岸之間在經貿、文化、書信、人民往來等各方面皆呈現顯著的正成長。⑪但是由於缺乏政治條件，這

---

⑩ 江八點的第四點「努力實現和平統一，中國人不打中國人。」及第七點「兩千一百萬台灣同胞，不論是台灣省籍還是其他的省籍，都是中國人，都是骨肉同胞、手足兄弟。」皆明顯的道出了北京當局理所當然的視台灣人民爲中國人的心態。

⑪ 自一九八七到一九九七的十年間兩岸各項交流狀況與數據可參見陸委會：《跨越歷史的鴻溝：兩岸交流十年的回顧與前瞻》（台北：行政院陸委會，一九九八年），或陸委會網頁（http：//www.mac.gov.tw）。

些頻繁的交流活動並沒有使兩岸的互動因此而走上整合理論所預測的政治整合的道路，反而是造成更多的分歧及更大程度的相互不信任（高朗，一九九八b）。大陸人將台商視爲「歹胞」或「呆胞」，有錢且趾高氣昂，如同暴發戶，而台灣人民亦視大陸人霸道，老是以老大自居，對台灣不留餘地，再加上民間事故的處理，如千島湖事件、白雲機場失事賠償等，都使兩岸的民衆對對方持有負面的印象。

由於大陸並無相關之問卷調查，故無從得知大陸民衆對台灣的印象。反觀，從台灣地區歷年民調結果的顯示，台灣民衆對大陸當局仍持相當大的負面印象。從表四的資料很明顯的可以看出長期以來（見下頁），幾乎有超過六成以上的台灣民衆認爲大陸當局對我國政府具有敵意，同時亦有平均四到五成的人民認爲大陸當局對台灣人民也具有敵意，至於兩者的走勢皆沒有明顯下降的跡象。無論是事實也好或僅是因長期分隔所造成的錯誤認知（misperception），雙方在現存的高度競爭中，尤其是在政治議題或有關主權議題上，這種相互不信賴的感覺將會持續的存在於人民的心中則是可以確定的。而這種彼此不信任的感覺一旦無法顯著的降低，則兩岸之間的問題欲以和平的方式來解決則將勢必變得十分的困難。

五、結　論

國家認同的形成自有其國家歷史發展的根源，而國家認同的內涵及可能的改變亦受到國內與國外因素的影響。當研究內部因素的論述發現造成台灣國家認同分歧的因素可能來自於歷史文化的發展、種族血緣的不同、甚至是政治結構改變下的結果，本文粗淺的嘗試從國際政治的角度，利用社會建構主義與

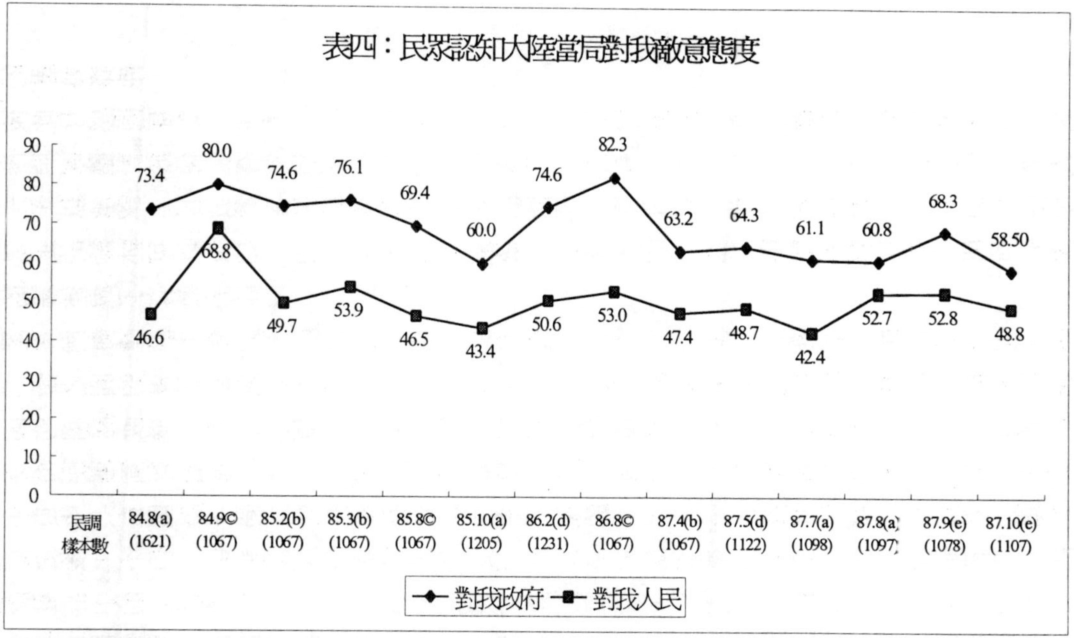

註：調查單位、調查方法、調查對象，同（表二）。
資料來源：同（表二）。

社會認同理論的概念來說明形塑台灣國家認同的國際因素。本文認為做為台灣的參照團體，美國及中共對於台灣在國際社群中的國家認同具有相當的影響力。早期美國對於國民政府正面的支持不但使中華民國在國際社群中的正當性使以確保，亦使國民黨政府具備了對內行使統治的合法性。然而，在美國對華政策改變之後，不但使中華民國的國際地位受到質疑，亦使國家內部產生了「我是誰？」的困惑。另一方面，來自中共在國際空間上的打壓及對台灣主體性的否定，不但沒有使雙方在國家的集體認同上獲得共識，反而距離漸行漸遠。北京當局對台北當局實際有效統治台灣地區的事實主權的否定，使台灣民眾認同中國的趨勢改變，而且亦便得更加堅定其所堅持的價值。而一旦成員對其所屬的群體持續的增強認同，則群體之間的差異便愈全被凸顯，而便愈使雙方之間的競爭出現零和遊戲的結構。因此，本文所採用的台灣案例對建構主義論者所說的結構乃是過程的產物而不應規為既定，而在過程中，認同又扮演重要角色的論述做了有效的詮釋。

從以上的論述可以做如下的推論，即如果統一是雙方的目標，則雙方對於對方所擁有主體的合理性似乎應先予以承認，且彼此皆應給予對方善意的回應。換言之，與其做為對方的負面參照團體，不如扮演正面參照團體對於使現有結構朝合作的方向修正來得有效。因此，如何設身處地的從他人的立場相互地確認彼此且感同身受，便成為將當前兩岸政府追求相對獲利的零和遊戲結構轉換為追求絕對獲利的雙贏局面的重要條件。

參考書目

文馨瑩，一九九〇，《經濟奇蹟的背後》，台北：自立晚報。

王家英、孫同文，一九九六，《國族認同的解體與重構——台灣當前的主體經驗》，《政治科學論叢》第七期，頁三二一——五四。

王振寰，一九八九，《台灣的政治轉型與反對運動》，《台灣社會研究季刊》第二卷第一期，頁七一——一一六。

田弘茂著，李晴暉、丁連財譯，一九九二，《大轉型》，台北：時報。

江宜樺，一九九八，《自由主義、民族主義與國家認同》，台北：揚智。

吳乃德，一九九三，《省籍意識、政治支持和國家認同——台灣族群政治理論的初探》，收入張茂桂等著：《族群關係與國家認同》，台北：業強。

吳瓊恩，一九九八，《中共對台政策的商榷》，《海峽評論》九十七期，頁五六——七。

周　煦，一九九八，《台灣關係法的回顧與檢討》，《理論與政策》第十二卷第四期，頁一一——二七。

邵宗海，一九九六，《兩岸關係與兩岸對策》，台北：時報。

施敏輝編，一九九〇，《台灣意識論戰選集》，台北：前衛。

徐火炎，一九九六，《台灣選民的國家認同與黨派投票行爲》，《台灣政治學刊》創刊號，頁八五——一二七。

高　朗，一九九四，《中華民國外交關係之演變（一九七二～一九九二）》，台北：五南。

———，一九九八a，《評析近十年來兩岸外交競賽（一九八八—一九九七）》，《理論與政策》第十二卷第三期，頁二三—四七。

———，一九九八b，《從整合理論分析兩岸間整合的條件與困境》，台大政治系，兩岸關係理論研討會。

游盈隆，一九九六，《民意與台灣政治變遷》，台北：月旦。

趙建民，一九九三，《認同危機與兩岸交流》，《兩岸交流與中國前途之展望學術研討會論文集》，台北，政大中山所，頁一六七—一八〇。

趙既昌，一九八五，《美援的運用》，台北：聯經。

劉勝驥，一九九六，《從民意測驗看台灣民眾的統獨輿論之變化》，《東亞季刊》第二十七卷第四期，頁一二二—一四九。

劉義周，一九九八，《台灣民眾的國家認同——一個新的測量方式》，台北：中國政治學會八十七年度年會暨學術研討會。

鄭端耀，一九九七，《國際關係「新自由制度主義」理論之評析》，《問題與研究》第三十六卷第十二期，頁一—一二。

戴國煇，一九九四，《台灣結與中國結》，台北：遠流。

Amsden, Alice. 1985. "The State and Taiwan's Economic Development." In Peter Evans, et. al. eds.

Bringing the State Back In. Cambridge： Cambridge University Press. pp. 78-106.

Baldwin, David. ed. 1993. *Neorealism and Neoliberalism*. New York： Columbia Univeristy Press.

Bloom, William. 1990. *Personal Identity, National Identity and International Relations*. Cambridge： Cambridge University Press.

Checkel, Jeffrey. 1998. " The Constructivist Turn in International Relation Theory. " *World Politics 50* (January)： 324-48.

Dittmer, Lowell, and Samuel Kim. 1993. " In Search of a Theory of National Identity. " In Lowell Dittmer and Samuel Kim eds. *China's Quest for National Identity*. Ithaca： Cornell University Press. pp. 31.

Gilpin, Robert. 1987. *The Political Economy of International Relations*. Princeton： Princeton University Press.

Jacoby, Neil. 1966. U.S. *Aid to Taiwan*. New York： Prager.

Jervis, Robert. 1988. " Realism, Game Theory, and Cooperation. " *World Politics 40* (April)： 340-44.

Keohane, Robert. 1988. " International Institutions： Two Approaches. " *International Studies Quarterly 32* (December)： 379-96.

Keohane, Robert. ed. 1986. *Neoralism and Its Critics*. New York： Columbia University Press.

Mercer, Jonathan. 1995. "Anarchy and Identity." *International Organization 49* (Spring): 229-52.

Nye, Joseph. 1987. "Nuclear Learning and U.S.-Soviet Security Regimes." *International Organization 41* (Summer): 371-402.

Oye, Kenneth. ed. 1986. *Cooperation under Anarchy*. Princeton: Princeton University Press.

Wachman, Alan. 1994. *Taiwan: National Identity and Democratization*. Armonk, New York: M. E. Sharpe.

Wendt, Alexander. 1992. "Anarchy is what States Makes of It: The Social Construction of Power Politics." *International Organization 46* (Spring): 391-425.

Zalewski, Marysia, and Cynthia Enloe. 1995. "Questions about Identity in International Relations." In Ken Booth & Steve Smith eds. *International Relations Theory Today*. University Park, Pennsylvania: The Pennsylvania University Press. pp. 279-305.

「中華民族意識」與「台灣意識」

茅家琦／南京大學歷史系教授

一

若干年前，有人提出「台灣人意識」一詞，並用來解釋台灣的歷史。近幾年來，又有人把這個詞發展爲「台灣意識」。《認識台灣》教科書指出這種意識形成的原因：「台灣是由多族群所構成的社會。這種多元族群的現象，加上文化的潛移默化和政治的客觀環境，而凝聚成『台灣意識』。」①這一段話究竟如何理解，作者沒有進一步說明。拙文擬從「族群」、「文化」、「政治」三方面進行分析，以便對「台灣意識」一詞的性質和內涵有所理解。

① 《認識台灣（社會篇）》，頁一一，一九九七年。

二

台灣居民是由兩大部分組成的：除不到百分之二的早期住民外，都是或遲或早渡海移居過去的大陸人士及其後代。

關於早期住民，《台灣歷史綱要》一書有兩段簡要的說明：

台灣早期住民的成分比較複雜，有屬於尼格利佗種的矮黑人，也有屬於琉球人種的琅嶠人，但大部分屬於南亞蒙古人，他們是直接或間接從大陸移居台灣的。南亞蒙古人發源於我國北方，一支從東部沿海南下，散居在東南沿海一帶，古稱百越，另一支從西北南下，散處於我國西南山地，則稱百濮。百越族又分許多支，有東甌、閩越、南越。其中，閩越主要居住在今浙江南部和福建東部沿海，《淮南子》稱「越人習水便舟」，是一個善於航海的民族。有一部分閩越族渡過台灣海峽，直接進入台灣。

早期住民除大部分從大陸直接移居之外，還有一部分是從南洋群島移居來的南島語族。據人類學家研究，古代有幾支越人和濮人經過中印半島到達南洋群島，他們分別與古印度奈西安種人相融合，成爲原馬來人，其中大部分與原住民當地的尼格利佗種人結合。另一些則未同尼格利佗人結合，其中的一支經由菲律賓群島進入台灣，這些人是現在魯凱人、排灣人、雅美人、卑南人的祖先。②

以上兩段論述，概括了迄今爲止人類學家與考古學家有關台灣早期住民研究的成果，應該相信這些論斷。

中原人很早就開發台灣，當然移居台灣的起點，已無史料可徵。《台灣歷史綱要》根據《巴達維亞城日記》以及陳第的《東番記》等資料，寫了下列兩段文字：

> 一五八二年，西班牙船長嘉列（F. Cualle）在台灣遇見一位中國商人「三弟」（Santy 譯音），曾九次到達台灣收購野鹿皮、砂金，運回中國大陸。萬曆三十一年（一六〇三年），陳第跟隨沈有容到達台灣與澎湖，看見「漳泉之惠民、充龍、烈嶼諸澳，往往譯其語，與貿易」。他們用大陸運去的瑪瑙、瓷器、布、鹽、銅簪環等貨，交換當地出產的鹿脯和皮、角。據估計，每年有十多艘漳泉商船往返於台澎各港口，從事兩岸的貿易活動。
>
> 天啓二年（一六二二年），荷蘭艦隊到達澎湖時，發現有三個漢人在看守「小堂」（即天后宮），又在該處看到數只山羊和豬、牛，據說在島的北部還有許多漁夫居住。當他們航行到台灣時，有兩個漢人到船上，引他們到台窩灣。荷蘭人在台窩灣港附近，發現許多漢人與當地土著居民住在一起，大員港附近的許多家庭，常有漢人三至五個人同居。③

---

② 陳孔立主編：《台灣歷史綱要》，頁四—七，九洲圖書出版社，一九九七年。

③ 同註②，頁三〇、二九。

這些記載說明，在荷蘭人到達台灣以前，大陸人士即向台灣移居，並進行開發活動。中原地區人民向台灣移居，曾經出現四次高潮。推動中原地區民衆向台灣移居的原因，基本上有兩個方面：一是迫於生計，或追求財富；二是大陸政權更迭或其他政治原因。從移居民衆的原省籍看，主要來自閩粵兩省，尤以閩南人爲多；閩南人中又以泉漳兩州爲衆。根據日人在一九二六年所做的調查，台灣漢人中有百分之八十三祖籍爲福建，百分之十五祖籍爲廣東。一九五六年的戶口普查結果也說明台灣絕大部分地區閩南人佔優勢。④

根據以上分析，結論只能是：泉州人、漳州人、客家人、以及大部分原住民都是中原人。從族源上說，台灣人就是中國人。中華民族是個大系統，台灣人則是這個大系統屬下的子系統。

三

中華文化也是台灣居民思想、信仰、宗教、禮儀、習俗等方面的依據。

鄭成功政權建立前後，一大批名儒碩望從福建及大陸其他地區東渡。連橫說：「吾聞延平入台後，士大夫之東渡者蓋八百餘人。」《台灣通史》中特列《諸老列傳》以記其事。⑤《列傳》列舉十七人，

---

④ 引自林再復：《閩南人》，頁六一，三民書局，一九九六年。
⑤ 連橫：《台灣通史》，卷二十九，《列傳一》，頁七一四，台北，一九八五年。

其中福建籍十二人；進士六人。名儒碩望入台，給台灣帶去了中原文化。從在朝的角度看，中原文化移植台灣，開花結果的第一功臣當推陳永華。在陳永華主持下，鄭氏政權積極推廣中原文化，以中原模式從事政治、經濟、文化等方面的建設，使台灣社會有了一個飛躍的發展。特別要提到的是陳永華提倡「建聖廟、立學校」，在台灣按中原模式逐步形成一整套科舉教育制度。《台灣通史》記載：永曆二十年（一六六六年）春建成聖廟，又「命各社設學校，延中土通儒以教子弟。凡民八歲入小學，課以經史文章。天興、萬年二州，三年一試。州試有名者移府，府試有名者移院。各試策論，取進者入太學，月課一次，給廩膳。三年大試，拔其尤者補六科內都事。三月，以永華爲學院、葉亨爲國子助教，教之、育之，台人自是始奮學。」⑥康熙二十二年（一六八三年）台灣與大陸統一，清政府在台灣進一步興辦各種學校，嚴格科舉制度，大力倡導以程朱理學爲核心的中華傳統文化，亦即中原文化。

林再復在《閩南人》一書列舉了明鄭時期在台傳播中華文化有貢獻的閩南人士名單，其中有沈佺期、許吉燝、張士榔、諸葛倬、張灝、張瀛、黃驪陛、盧若騰、李茂春、王忠孝、郭貞一等。他寫道：「他們這些人有不少並未出任明鄭政府職官，僅隱居鄉里，以詩書自娛，但當時台灣中華文敎的萌芽生長，正是由彼等所推動。」⑦林再復還描述了中華文化在台灣生根後給台灣社會產生的影響是：「居民

---

⑥ 同前註，卷十一，《教育志》，頁二六二。
⑦ 同註④，頁二七七—二七九。

逐漸儒化，以中國傳統文化爲依歸」。⑧他寫道：

> 總而言之，文教科舉制度的提倡，使富商、地主嚮往士大夫的生活。爲了參加科舉考試，學校因之興起。科舉考試產生了有功名的人物。由於這些人物的增加，也帶動文教事業的發達，更影響到台灣的社會。誠如史學家李國祁所云，道光（一八二一）以後，台灣社會已逐漸由武質變爲文質的社會，士紳的地位愈爲重要。他們呼籲大家放棄狹隘的地緣觀念。如新竹進士鄭用錫鼓吹北台居民放棄源自大陸祖籍的界線，向現住地認同，便是很好的例子，而台北盆地內舉人陳維英與鄭氏交往甚密，亦持相同看法。他們努力化解地緣的界線，放棄械鬥。陳維英亦是盆地內受到尊敬的士紳。士紳階級觀念的改變，使得下層社會亦受到或多或少的影響。此外漳人領袖林維源大力提倡文化事業，也影響地緣觀念趨向淡薄。這些閩南人在文教事業上的努力及新觀念、新作法，對台灣社會的轉型深具影響力。⑨

以上說的是雅文化，下面再說俗文化。

從民間宗教信仰看，隨著中原人士移居台灣，中原地區，特別是福建地區的民間宗教信仰也移植到了台灣，並在台灣生根。

在這方面，提一下媽祖崇拜是很有意義的。媽祖崇拜在福建、廣東與台灣十分普遍。一九四九年以

---

⑧ 同上，頁二九〇。

⑨ 同上，頁二九一。

前，據不完全統計，福建全省有媽祖廟一千多座。據台灣省文獻委員會統計，台灣全島有媽祖廟三百八十三座，其中雲林北港朝天宮爲全台媽祖廟之最。

媽祖故事來源於福建莆田縣湄洲嶼。作爲海神的媽祖，船民出海，希望媽祖消災去難，保佑平安，便在湄洲嶼上建廟祭祀。福建居民大批移居台灣，海難時有發生。爲了得到神的庇護，出發前將媽祖像帶到船上，在後艙立天妃堂早晚禮拜。到台灣後，爲了感激媽祖保佑並祈求往後多福，就在登岸的地方蓋屋奉迎船上的媽祖像，以後逐漸建立了寺廟。媽祖信仰就這樣傳到了台灣各地。

祀奉王爺在台灣也極盛行。據一九六〇年出版的《台灣省寺廟教堂調查表》所列，當時台灣有王爺廟七百一十七所。台灣王爺源於大陸，很大一部分是從大陸分靈過去的。據大陸學者研究，過去福建泉州大大小小的王爺廟不下數百座，而以泉州城南的富美宮最爲著名，有「泉州王爺總部」之稱。所以，台灣學者曾經說過：「王爺廟的分佈，大抵與閩籍移民的開拓步驟一致，即多數集中台灣西海岸，尤其是台南沿海更爲稠密。至於其他各地，也都有零星的王爺廟存在著。」⑩

除媽祖、王爺以外，台灣民間宗教信仰以佛教神祇崇拜最爲廣泛。禮拜觀音、城隍、土地神等等，到處可見，而以觀音香火獨盛。據統計，全台供奉觀音爲主神的寺廟共有四百四十一座，以台北市廣州街的龍山寺最爲著名。台灣土地廟之多無法統計出精確的數目。正如當年連橫所說：「佛教之來已數百

---

⑩ 林文龍：《台灣史跡叢論》上，頁二二八，台北，一九八七年。

年，其宗派多傳自福建。」⑪

台灣民間還以大陸傳說中的神仙和歷史上英雄人物置廟祀奉。關帝廟是一個例子。全台有關帝廟一百九十三座，香火最盛的是台北市的行天宮，即台北人所稱的「恩主公廟」。主神關羽手持《春秋》，表示秉孔子之志，發揚《春秋》的微言大義。行天宮前殿門兩側，有對聯一副云：

關心惟漢室興亡，氣吞吳魏
聖德與尼山伯仲，志在春秋。⑫

台灣地區的雅俗文化與中華文化的關係是一目了然的。

四

意識是以族群、文化爲基礎，並受族群、文化的制約。從族群上看，台灣人就是中國人；從文化上看，台灣文化也是儒釋道融爲一體的中原文化。這樣，在台灣居民中形成兩種十分突出的情結：一是故

⑪ 同註⑤，卷二十二，《宗教志》，頁五五一。
⑫ 黃美英：《台灣文化滄桑》，頁九三—九四、八〇，台北，一九八八年。

鄉情，二是民族情。這兩種情結構成「台灣意識」的主要內容。

(一)從故鄉情結看

早年移居到台灣的人士始終懷念故鄉，他們以故鄉地名命名移居之地。據淸朝劉良璧《重修福建台灣府志》載，台灣各地以福建地名命名的有九十一處。台灣各姓宗祠，都標明祖籍地名，如「江夏黃氏」、「穎川陳氏」、「延陵吳氏」等等，以表示本支出自中原。在宗祠的祖先牌位上也銘刻著祖籍堂號以表達懷念故土、追維祖德、愼終追遠和報本返始的感情。正如謝東閔在爲陸炳文著《台灣各姓祠堂巡禮》一書所作的《序》中所說：

台灣各姓祠堂，……從精神層面而言，它是中國古代的宗族制度的延續，也是台灣與大陸血緣關係的表徵。台灣祠堂載明各姓祖先發祥根源和變遷過程，顯示各姓宗派都源自黃河流域，與大陸有著臍帶相連的宗族血緣關係，而我中華民族係由各宗族統合成爲國族，因此台灣各姓祠堂的存在，有助於增強民族意識和增進民族團結。當各姓後裔瞻拜屬於自己姓氏的祠堂時，便有如投入慈母的懷抱一般的親切與溫馨。⑬

---

⑬ 陸炳文：《台灣各姓祠堂巡禮·序》，頁一——二，台中，一九八八年。

(二)從民族情結看

在日據五十年的漫長歲月中，以連橫、賴和、楊逵等知識份子爲代表的台灣人民，爲保存中華民族文化，對抗日本殖民當局的「同化」政策進行了頑強、持續的努力。

日本殖民當局爲了加強對台灣民衆的統治，發動了「皇民化運動」。台灣總督府通過《國民精神總動員實施綱要》，重點在於「確立對時局的認識，強化國民意識」。陳孔立主編的《台灣歷史綱要》中有下列一段描述：

皇民化運動的目標既在於將台灣人同化爲日本帝國的「忠良臣民」，故破壞中華文化，灌輸大和文化及「忠君（天皇）愛國（日本）」思想便成爲該運動的核心內容。首先，強制普及日語，……其次，生活方式強制日本化。在全島大力推行神社崇拜，民間供奉的神明集中焚毀，不許奉祀。台灣人世代相傳的祖先崇拜伊勢大神宮的大麻奉祀替代，傳統的中元、春節亦遭禁止。家庭中更要設置日式風呂（澡盆）、榻榻米等。同時迫使台灣人改用日式姓名，試圖使人們「在不知不覺中感受皇民意識」，從而達成日本化。再次強化皇民思想教育。在學校，強迫接受日本國民訓練，醜化中國，抹滅學生的故國觀念。提倡敬仰天皇，瞭解「皇國對東亞及世界之使命」，以期樹立「忠君愛國」觀，培養兇猛、好勝、服從、勇敢的日本式國民性格。⑭

皇民化運動的結果如何呢？《台灣歷史綱要》作了全面的分析。它說：「皇民化運動造成了人們心靈的創傷，一部分人對祖國歷史文化缺乏瞭解，而對日本卻有好感，甚至出現了一批日本殖民統治的『協力者』和親日派。」但是這部著作又指出：

除極少數爲虎作倀者外，多數人一面替日人工作，一面爲台人說話。在這種情況下，他們「暗地裡只有祈求神明庇佑，使日本早日戰敗，回歸祖國。及至轟炸日烈，日本節節敗退的消息傳來，本島住民對回歸祖國的願望愈高，信心愈強。」這可以說是這部分人心態的眞實寫照。⑮

中華民族意識深深植根於台灣人民的心中，是磨滅不掉的。林瑞明在《台灣文學與時代精神》一書中寫到賴和時，有下列一段話：

生存在這樣劇烈變化的世代，賴和從小仍留著辮子在傳統環境中成長。直到上公學校，「意識裡，仍覺得沒有一條辮子拖在背後，就不像是人」。這是當時台灣社會普遍留存的現象，顯示台灣不是外來的日本文化所能輕易同化。甚至賴和後來接受當時所能受的最高等教育——台灣總督府醫學校（台大醫學院前身）五年醫學教育——成爲醫生之後，仍有「我生不幸爲俘囚」之嘆。這種強烈的

⑭ 同註②，頁四一四—四一五。
⑮ 同註②，頁四一六。

民族意識，成爲他思想的底流，不論在社會運動或新文學運動中皆貫流其中。⑯

認識到台灣人民的強烈的中華民族意識，自然會體會到抗日戰爭勝利台灣回歸祖國懷抱時，楊肇嘉寫下的一段文字的深厚感情：

台灣人民永遠不會忘記祖國，也永遠不會丟棄民族文化，在日本人強暴的統治下，度過了艱辛苦難的五十年之後，我們全體台灣人民終以純潔的中華血統歸還給祖國，以純潔的愛國心奉獻給祖國。⑰

以上兩種情結，故鄉情結和民族情結，是眞正的「台灣意識」的主要內涵和表現。

有學者以《馬關條約》淸廷割台灣給日本爲例，說明大陸人民已捨棄了台灣。言下之意，大陸人意識中沒有台灣，台灣人意識中自然不必有大陸。這一點，兩岸學者已經作了回應：台灣是被迫割讓給日本。本文擬作補充說明。

當時淸廷與知識界強烈反對割台。一九九二年台灣商務印書館出版的黃秀政撰寫的《台灣割讓與乙未抗日運動》一書，專節寫了「廷臣疆吏的反割台言論」。作者認爲：「疆吏的反割台言論，主要來自總督、巡撫、提督、藩司、道員等。……此外，各省舉人如湖南省文俊鐸等一百二十人、浙江省錢汝雯等三十七人、廣東省梁啓超等八十人、貴州省葛明遠等一百一十人、四川省林朝圻等十一人，以及其他

⑯ 林瑞明：《台灣文學與時代精神》，頁八，台北，一九九三年。
⑰ 楊肇嘉：《楊肇嘉回憶錄》，頁四，台北，一九七七年。

各省舉人，亦紛紛聯名上書，力陳割台之害。其中，尤以四月初七日（五月一日）廣東省舉人康有爲聯合十八省在京舉人一千二百餘人集會討論，商議『拒約』、『自強』，即所謂的『公車上書』，反對聲浪最大。」黃著又稱：「馬關議和前後，由於日本媾和條件的苛刻，朝野同感憤恨，廷臣疆吏上奏反對者爲數甚多，而言及割台者，佔其中之大多數。」⑱

再以當時清廷的軍機大臣、戶部尙書翁同龢爲例。爲了保衛台灣，加強台灣的防禦力量，還在日軍進攻澎湖前，翁同龢就多次向閩浙總督譚鍾麟詢問台灣軍情，並代表戶部決定給台灣撥銀一百萬兩。⑲他還提議調派廣東南澳鎭總兵名將劉永福和福建水師提督楊歧珍戍守台灣。鑒於台灣巡撫邵友濂與布政使唐景崧不能合作共事，翁同龢與李鴻藻商議，奏准光緒皇帝將邵友濂調署湖南巡撫，由唐景崧署理台灣巡撫，統一籌劃台灣防務。

在中日議和過程中，翁同龢極力反對割台，他表示：「但得辦到不割地，則多償當努力。」⑳一八九五年三月一日（乙酉二月初五日），淸廷討論「敕書」文稿時，翁同龢對李鴻章說：「台灣萬無議及

---

⑱ 黃秀政：《台灣割讓與乙未抗日運動》，頁八四—八六，台北，一九九二年。
⑲ 《翁同龢未刊資料》，「隨手記（一）」。轉引自謝俊美：《翁同龢與一八九五年反割台鬥爭》，載《甲午戰爭與翁同龢》，頁九六，北京，一九九五年。以下徵引《翁同龢未刊資料》，均轉引自該文。
⑳ 《翁文恭公日記》，轉引自《中國近代史資料叢刊（五）：中日戰爭》，（四），頁五三八。上海，一九五六年。

之理」。㉑當李鴻章電致總理衙門談及割地事，四月六日（三月十二日）御前會議討論，翁同龢「力言台不可棄，氣已激昂」。㉒四月七日，上諭：「總之南北兩地，朝廷視爲並重，非至萬不得已，極盡駁論而不能得，何忍輕言割棄？」㉓

四月十七日（三月二十三日）李鴻章將《馬關條約》內容電告北京。翁同龢在四月十八日的日記中說：「退與高陽（軍機大臣李鴻藻）談於方略館，不覺涕泗橫集也。」㉔十九日又記：「得台灣門人俞應震、丘逢甲電，字字血淚，使我無面目立於人世矣。」㉕

當時，譚嗣同有詩句云：「四萬萬人齊下淚，天涯何處是神州？」用「舉國悲憤」來形容割地之恥，當不爲過份。

《馬關條約》規定割讓給日本的土地，除台灣外，還有遼東半島是清王朝的「龍興之地」。台灣與「龍興之地」一道割讓給日本，這一件事說明，清廷的確是被迫割讓領土的，並不是視台灣爲「化外」之地而「捨棄」的。

《馬關條約》簽訂以後，引起帝國主義之間矛盾激化。結果，清政府得以三千萬兩白銀贖回遼東，

㉑ 同上，頁五四〇。
㉒ 同上，頁五四七。
㉓ 《光緒朝東華錄》，頁三五六四。中華書局，一九五八年。
㉔ 見《中國近代史資料叢刊（五）：中日戰爭》，（四），頁五四九。
㉕ 同上，頁五四九。

當時清政府乘機逼使日本政府歸還台灣。法國政府向清政府提出「立約護台」，翁同龢認爲「機不可失」，極爲關注，並建議電令正在法國訪問的王之春就此事同法國政府磋商。總理衙門大臣亦訪問法國駐華公使呂班，「囑其電外部立約護台」。㉖由於各帝國主義之間利害不一致，此事沒有成功。

五

衆所周知，一九四九年以後兩岸分離，在政治上沿著不同方向各自發展，政治方面出現了很大的差異，政治文化的差異又帶來意識型態上的差異，「台灣意識」一詞正是在這種條件被提出來的。但是也要看到兩個方面，一是這種政治層次上的差異是在同一個文化基礎上形成的，即是從中華文化的基礎上逐步形成的，從兩岸的政治文化上都可以看到中華文化的色彩；二是兩岸都尊重中華傳統文化，而且都主張發揚中華傳統文化。中華傳統政治文化中的若干內涵，包括內聖外王思想、民本思想、均富理想、大同理想等等，兩岸都有共同的認識。

兩岸文化在政治層面上的差異是客觀存在的，但是政治層面差異不會影響到中華傳統文化的整體。中華傳統文化的特點就在於它的兼容性與多元性。中華傳統文化是一個大系統，它有若干分支，每一個

㉖《翁同龢未刊資料》，隨手記（二）。

分支形成一個有自己特點的子系統。吳越文化、湖湘文化、嶺南文化、巴蜀文化、秦晉文化等等都是區域性文化，都是中華傳統文化大系統下的子系統，台灣文化也是中華文化大系統下的子系統。

意識是一種感情，是一種思想情操，它受到族群、文化以及政治、經濟等因素的制約。台灣同胞在自己的意識中必然要考慮自己的特殊利益。台灣意識，對中華民族意識而言，有它自己的特點，或曰差異，但是，台灣意識畢竟是中華民族意識這個大系統下的子系統。從總體上看，政治文化上的差異，並沒有消滅故鄉情和民族情，也沒有消滅台灣人民對中國傳統文化的情結。請看下面說到的一個例子：上文說過台灣民衆崇拜媽祖，台灣各大媽祖廟都有回湄洲謁祖尋根——進香合火的傳統，特別是由湄洲祖廟分靈的媽祖，必須每年或每三年回祖廟「省親」。日據時期，日本殖民當局禁止台灣人民來往大陸，台灣人民被迫選擇最著名的北港媽祖廟代替湄洲祖廟，作爲進香地點。每年夏曆三月二十三日媽祖誕辰前後，全台各地信徒紛紛向北港進香。同時仍有人不顧日軍禁令來湄洲進香，一九一七年和一九二二年就發生過兩次。

一九四九年以後兩岸來往中斷，台灣人士回湄洲進香又不可能了，但台灣人士的這種文化情結、宗教感情並沒有稍減。一九八四年起，鹿港天后宮董事會決定改以遙祭代替親謁。這一年媽祖誕辰日，該宮謁祖儀仗隊浩浩蕩蕩開到海濱，由當時「監察院副院長」黃尊秋主持，面向湄洲，虔恭祀拜，極爲隆重。一九八七年開放探親以後，台灣居民積極恢復回湄洲進香的活動。一九八七年十月二十三日（九月初九日）「媽祖千年祭」日，台灣大甲鎮瀾宮公開組團到湄洲謁祖尋根，團隊成員達二百人。直到現在，兩岸直航是被禁止的，到湄洲進香要繞道香港等地。但是，在一九八九年五月，二百二十四名「漁夫」，十九艘「漁船」組成的船隊，由台灣宜蘭縣出發，直航湄洲進香，突破了禁令。台灣《聯合報》作了追蹤報導。五月十一日該報頭版，在「媽祖回鑾，迎駕人潮洶湧」標題下，報導了直航船隊返回宜蘭當地民衆「迎駕」的熱鬧場面：「信徒人手一炷香隨後，隊伍長達三公里，一時鞭炮聲和陣頭鑼鼓聲響徹雲霄。」

這一事實不得不使人考慮到一個問題：即使在政治上存在差異，兩岸之間的確存在著一種解不開的文化情結——共同的感情和意識。人爲地突出「台灣意識」，並將它和「中華民族意識」㉗對立起來，實質是誇大一點，掩蓋其餘，亦即以政治文化層次的差異取代整體文化的同一，以政治感情代替意識的整體。

當前兩岸學者和政治家需要運用自己的智慧，實事求是地推動兩岸在意識上的差異在理性的範圍內得到協調：既要顧及子系統的特殊利益，也要顧及大系統的共同利益；既要顧及區域族群的具體利益，也要顧及中華民族的整體利益。這樣，使台灣意識與中華民族意識協調起來，從而實現全體中華民族的自我價值。

㉗ 鄙人不贊成採用「中國意識」這個詞，主張沿用「中華民族意識」。前一個詞，有明顯的政治色彩。

試論台灣意識與中國意識的辯證統一

才家瑞／天津大學教授、台灣研究所所長

對台灣意識與中國意識的研討，近二十年來，台灣的學者比較集中的、大規模的討論就有兩次。由於政治立場、意識型態的分野，特別是由於統獨立場，政治訴求的不同，人們對台灣意識與中國意識各自的內涵、外延以及二者之間的關係，產生了各種不同的解釋。一九七八年特別是一九八七年以後，大陸對台灣的研究從政治領域拓展到學術領域，「台灣研究」成為學術領域中的新興學科成為「顯學」，一些研究「台灣學」的大陸學者也擠身於台灣意識與中國意識的討論之中。由於兩岸的學術交流受制於兩岸政治關係的發展，對於絕大多數不搞台灣研究的大陸同胞來說，他們對於台灣意識在台灣何以被有些人「發展」成和中國意識相對立的「台獨意識」，感到不解甚至憤懣。對大陸同胞來說，台灣意識和大陸各省及各縣各鄉的鄉土意識一樣，是一種地方意識。作為一種地方意識，它既有一種熱愛家鄉，認同家鄉的正面意義，又有排斥異鄉「外地」的保守意識和本地區利益第一的局部意識。二十世紀二〇年代大陸各省曾有人提出過「湘人治湘」、「川人治川」的口號，今天，大陸在發展社會主義市場經濟的前進道路上，還不時受到各種地方保護主義的干擾。這都說明，在大陸依然存在著地方利益至上的地方意識。但在祖國大陸，除了像受外國勢力卵翼如達賴之流的極個別的民族分裂主義者，不管多麼嚴重的地方保護主義，也沒有和作爲祖國意識的「中國意識」對立起來，沒有人因地方意識強烈，而提出過自己不是中國人，更沒有人因地方利益至上，而主張分裂國土，把自己定居的土地也要從祖國的領土版圖上永遠地分割出去，成立一個「新而獨立的國家」。那麼何以同樣是地方意識的台灣意識，由於熱愛台灣和認同台灣，就要和作爲國家認同的「中國意識」割裂開來、對立起來，發展成「台灣人不是中國人」，甚至把幾百年來從大陸陸續到台灣定居的祖宗以及所有大陸的中國人污蔑爲「中國豬」呢？因此，從學術的層面，對台灣意識與中國意識及二者之間的關係進行深層次的再探討，使大陸人民認識並理解台灣同胞在長期苦難的歷史，不幸的遭遇中，所形成的不同於大陸各省的特殊的地方意識、群體意識，以便大陸同胞和台灣同胞能求同存異，既樂助台灣人民把台灣建設成中華民族的科技島、民主島、文明島、幸福島，同時也爲實現孫中山先生和平統一、振興中華的遺願，團結起來共創中華民族更加美好的明天。這也是筆者撰寫此文，求教於各位專家，包括主張台獨的同胞的立場和感情。

一、從台灣近代歷史的軌跡，看台灣意識與中國意識的互動發展

只要尊重事實，尊重歷史，我們必須承認，今日定居在台灣的同胞，除少數的原住民外，絕大多數都是從大陸渡海移民到台灣的中國人的後代，而且主要是來自閩粵的漢族移民。到十七世紀二〇年代，來自大陸的漢族移民總計還不到十萬人，和原住民族的人口差不多。一六六一年鄭成功收復台灣後，開

始了有組織的移民，一六八三年施琅平台後，又湧起了更大規模的移民浪潮。到十九世紀末，來自大陸的漢族移民已劇增至二百九十萬人左右。今日自稱為「本省人」的祖先，主要是一六六一年後移民的後代，而不可能多數是十七世紀二〇年代前移居台灣的漢族的後代，那種把「本省人」說成是考古發現的，兩萬年前就在台灣生活，和大陸無任何關係的「左鎮人」的後代，這是「台獨狂」病患者的瘋言妄語。

十七世紀二〇年代前的早期移民在篳路藍縷以啓山林的生存奮鬥中，他們扎下根來，開拓出家園，生兒育女，首先形成了熱愛家鄉的鄉土意識。台灣作為一海島，與大陸中間隔著波濤洶湧的台灣海峽，這種特殊的地理因素和渡海來台的經歷，使早期移民都有著共同的「島民」意識——大家都生活在遠離大陸故鄉的一個海島上。早期移民的「家鄉」意識，儘管在初期僅是對定居地及其周圍的一個具體概念，還沒有對全島形成一個共同的地域意識，但生產生活交流的實踐，特別是荷蘭、西班牙一南一北的侵略，使島民在反抗異族侵略的鬥爭中，逐漸形成了明確的整體意識和稱全島為「台灣」的固定名詞。一六六一年鄭成功收復台灣前夕，「何斌所進台灣一圖，田園萬里，沃野千里」。①我認為這裡的「台灣」一詞就是全島的地名。先有人們在生產生活交流往來的實踐中對全島的認識，形成對「台灣」總體的意識，然後才會有知識份子繪成「台灣」一圖，才能被何斌將該圖進獻給鄭成功。

---

① 尹章義：《台灣地名個案研究之一——台北》、《台北文獻》直字七十二期，一九八五年六月，台北。另據楊英：《先王實錄》，陳碧笙校注，「八閩文獻叢刊」，福州，頁二四四。

鄭成功收復台灣前，台灣的早期移民除了有開拓進取、披荊斬棘的拼搏意識，對用血汗建成的家鄉的熱愛意識，同是島民的共同意識外，其認同台灣全島的共同意識，形成的前提和紐帶，正是來自大陸的漢民族共同的民族意識。正由於都是來自大陸，他們把福建、廣東故鄉的文化、風俗習慣帶到台灣，對家鄉無法忘卻的共同的情懷，來到台灣後共同的文化和生產方式，自然形成了都認同中華民族都自認是中國人的「中國意識」。當他們生活中的共同體「台灣」遭到荷蘭、西班牙的異族侵略時，何斌自然要閩南祖家的鄭成功率軍來台驅逐異族侵略者，爲此提供了台灣的地圖。

施琅平台後，對於台灣百姓則謂「皆中國之人」「納款而後，台人即吾」。②清朝統治台灣的二百多年間，一方面，設府縣，立學校，興科舉，強化了知識份子對大陸中央政府的向心力，密切了兩岸聯繫，中試者紛紛以「開台進士」「開蘭進士」自傲，熱愛台灣的地方意識，自我認同的漢民族意識與認同祖國的中國意識是融爲一體的，這是台灣同胞所以能在兩次鴉片戰爭、中法戰爭中奮起保家衛國，以及在馬關割台後掀起武裝抗日鬥爭的基礎。但是另一方面，清朝統治期間，台灣同胞也受到地方官僚的封建壓迫和剝削，他們爲反壓迫掀起了一次又一次的起義，所謂「三年一小反，五年一大亂」，表現出了不能忍受一切壓迫和剝削的頑強意識。在這些起義中，很多台胞受到鄭成功「反清復明」和漢民族傳統文化中「夷夏之辨」的影響，在起義中以大明人自居，視清廷爲「外來政權」，認爲明朝才是中國的

② 施琅：《平台紀略碑記》，高拱乾：《台灣府志》卷十《藝文志》。

正朔，但他們始終反的是清政府而不是中國，起義人民中的漢民族意識和中國意識是同一的，台灣的起義和大陸同胞反清復明的起義一樣，是以農民爲主體的反封建鬥爭，說到底是中華民族內部的階級鬥爭。但台灣孤懸海外，台灣同胞的反封建鬥爭無法和大陸同胞的反封建鬥爭緊密聯繫，互相支援，這就使台灣同胞在反封建鬥爭中形成了只能靠自己，只能靠台灣的自主意識和帶有排外心理的地域意識。

台灣同胞自十六世紀下半葉以來的四百多年中，前後有十六次遭到日、美、英、法、荷、西諸國的霸占或侵略，其中有兩次淪爲外國的殖民地，第一次是一六二四年至一六六二年淪爲荷蘭的殖民地，第二次是一八九五年至一九四五年淪爲日本的殖民地。台灣同胞所受外國侵略之多，時間之長，災禍之慘，在大陸的各省市自治區是找不到先例的。特別是甲午戰敗，馬關割台，清廷的出賣無疑在台灣同胞的心上扎了致命的一刀，在當時的歷史條件下，我們不能要求台灣同胞一定能分清清廷與人民，清廷與祖國，而只恨出賣台灣的封建統治者。「中國把我們台灣人出賣了」，主張台獨人士的這種說法雖然是錯誤的，但我們不應責怪他們，大陸同胞雖然也有著國土淪喪倍受帝國主義欺辱的慘痛歷史，但我們更理解台灣同胞的不幸，我們要用愛心溫暖撫平他們心靈上的創傷，使他們從歷史的悲情中走出分離主義的陰影，去共創中華民族光明的未來。

在一八九五—一九四五年的日據時期，台灣同胞在一九一五年以前堅持了二十二年的武裝抗日鬥爭。武裝抗日失敗後，又通過台灣文化協會、農民組合等活動，進行反抗日本殖民同化政策和奴化教育，傳承中國文化，不忘中華祖國的民族鬥爭。日據時期台灣同胞不忘中華祖國的漢民族意識是做爲抗日意識的台灣意識的主流，和「中國意識」是同一的。③另一方面，在日本殖民統治者長期進行皇民化教育的毒害下，以及少數人背叛民族，忘記祖宗，由於認賊作父而得到某種利益，也形成了極少數甘當二等公民媚日的皇民意識。具有皇民意識的台灣人雖然是少數，但他們對以後台灣意識發展成爲中國意識相對立的「台獨意識」也產生了不可忽視的影響。

二、台灣光復後，台灣意識在國家認同上的變異及其與中國意識的辯證統一

一九四五年台灣光復之時，台灣家家戶戶燒香祭拜列祖列宗，人們含著喜悅的淚水「像孤兒等待著溫暖的母親般的心情等待著祖國軍隊的來臨」，④表明雖然經歷了五十年之久的殖民統治，台灣人民的那顆中國心始終不渝。當然，也有少數台籍漢奸和皇民化份子如喪家之犬，惶惶不可終日。然而，從大陸派來接收的國民黨貪官惡吏的營私舞弊，軍警憲特的霸道橫行，失業嚴重，物價飛漲，糧荒威脅著人們的生存，台灣同胞「對政府由希望到了失望」，⑤台灣同胞當家做主願望的落空和憤懣的積蓄，終於

③ 參閱筆者：《日據時期台灣同胞的民族意識與國家認同》，見夏潮基金會一九九八年三月《認識台灣歷史（一八九五——一九四五）學術研討會論文集》，PA2－1～A2－14。

④ 見吳獨流：《無花果》，頁一二六。

⑤ 見張琴：《台灣眞相》，引自《文萃叢刊》一九四七年四月五日。

引發了反抗暴政，要求自治民主的暴動。在「二二八」事件中，許多日據時期的抗日菁英，愛中國的知識份子和成千上萬的無辜百姓慘遭殺害，使部分台胞由憎恨國民黨的暴行而憎恨外省人、大陸人，近而激發出省籍矛盾和分離主義情緒。但是正如因為「二二八」事件中有極少數皇民化份子要求台灣由美國或聯合國托管，甚至要求公投台獨，就把整個事件的性質歪曲成「台獨」是錯誤的；同樣，認為「二二八」事件和台獨運動的滋生有著必然的、內在的因果關係也是缺乏根據的。「二二八」事件後，台灣同胞對國民黨來台人員的憤恨，不等於對所有國民黨員的憤恨，台灣同胞對國民黨政權的失望，並非對中國的失望。如王曉波教授所言，台灣同胞在對「白色祖國」失望之餘轉向期望於「紅色祖國」。⑥事件後廖文毅之流的海外台獨運動，是國際帝國主義為了控制台灣、分離中國，而對其卵翼支持的結果。同樣是在「二二八」事件後，相當多的愛國志士和台共黨員奔向「紅色祖國」，為完成祖國的統一大業奮鬥了一生。因此「二二八」事件後，台灣意識從事件中的自治民主意識，向台獨意識的變異不能完全歸罪於反對台灣獨立的國民黨。對一九四五年雅爾塔會議後美蘇爭奪世界的冷戰格局進行分析，台獨意識、海外台獨運動，主要是美、日等國際帝國主義控制台灣、分裂中國政策的產物。

一九四九年後，國民黨政權敗逃台灣，從大陸背景離鄉來到台灣的六十萬軍公教人員及眷屬如何安置，唯有運用公權力安排在各級政府機構中，故出現了上自省主席，下至基層的區公所職員和警員，幾

---

⑥ 見《海峽評論》第九十七期社論，一九九九年一月。

乎清一色安插外省人，台灣省籍的人員出任各級政府公職的微乎其微。這樣，本來是統治者與被統治者的矛盾就被外化爲省籍矛盾。同時，國民黨政權實行反共第一的用人標準，寧可起用日據時期反共媚日的皇民化份子甚至是台籍漢奸，卻拒用日據時期堅決抗日卻缺乏反共意識的抗日志士和社會活動家，嚴重傷害了台灣同胞的民族感情。五十年代初，國民黨遷台人員多只會講國語、英語，而台灣的民衆只會講閩南語和日語，一位會講國語、英語的國民黨軍官和一位台灣農民談話，居然要請會日語的美國人居間翻譯。遷台人員與台灣人民語言不通不僅造成隔閡，還發生諸多糾紛和誤會，而長期受日本文化教育的台灣同胞，在由日文轉用中文的過程中，難免發生脫序，產生心理和文化生活上的障礙，少數受日本「皇民化」毒害較深的台灣人本來就存在著對「支那人」的偏見，他們從遷台官吏和軍隊中一些人的胡作非爲中得到「驗證」。因而他們既以「支那人」鄙視國民黨遷台人員，又被部分遷台人員以「被日本奴化」而受歧視，從而產生了「寧作富家犬，不作窮國奴」的戀日心態。深究台灣意識從「二二八」事件後分離意識，發展到一些人產生了戀日、媚日的台獨意識，這和清廷違背全中國人民的意志馬關割台、出賣台灣，給台灣人民的心靈上造成的創傷是分不開的，更是日本人五十年奴化教育的嚴重後果，我們要永遠記住清廷和日本軍國主義者對中華民族欠下的這筆債。但是從五十年代到八十年代，台灣意識的主流仍然是堅持實現國家統一，認同中華民族的「中國意識」，這是和蔣氏父子時期，國民黨堅持反對台獨，堅持傳承中華文化，認同中華祖國的教育政策是分不開的。四十多年來，國民黨當局利用宣傳教育陣地，從幼兒園起就向台灣人灌輸中國意識並開展中華文化復興運動。這種教育政策，雖然未能達到也不可能實現要台灣同胞認同台灣的國民黨政權、「萬年國代」就是中國的「法統」，就是代表包括大陸人民在內的「中央政府」的目的，但在客觀上卻起到遏制台獨意識，宏揚中國意識，使堅持大陸和台灣，都是中國領土版圖不可分割的一部分的「中國意識」，成爲台灣社會的主體意識。否則，或者台灣早已獨立，或者台灣化成一片廢墟，大陸沿海最發達的地區也遭到重創，使中華民族實現現代化的步伐又要滯後幾十年，這就會成爲全體中國人的不幸，成爲中華民族的悲哀。

國民黨在台灣四十年教育政策的積極面還表現在對人才培養的重視方面，在五十年代，在人均產值還不足一百美元的困難條件下，國民黨堅持勒緊褲帶辦教育的政策，台灣的「憲法」規定，每年教育、科學、文化的經費占預算的比例：「中央」百分之十五，省爲百分之二十五，縣市爲百分之三十五。教科文經費還隨著經濟的發展而逐年增加，到一九八五年，台灣省及台北、高雄兩市，教科文經費分別占總預算的百分之十九點二、百分之二十八和百分之三十四，而各縣市的平均百分比則超過了預算總額的百分之四十五。⑦可以說，沒有國民黨保證教育經費重視人才培養的政策，就沒有台灣經濟在八十年代後的騰飛。

但是，國民黨的教育政策是在「反共復國」的教育宗旨和堅持反共第一的人才標準下進行的，它出現了國民黨意想不到的負面效應和嚴重後果。國民黨的反共教育發展到反對大陸的一切，封鎖大陸的一切，醜化大陸的一切，在台灣人們的心目中，大陸成了恐怖的「匪區」，在「匪諜就在你身邊」的白色

---

⑦ 見《中央日報》一九八八年四月五日。

恐怖下，任何了解大陸的行爲都會有「通匪」的嫌疑。在兩岸的長期隔絕下，年青一代「只知有島，不知有國」，「台灣就是他們心目中的中國」。但是這種台灣的國民黨政權就是中國的法統教育，到一九七一年台灣被驅逐出聯合國後，引發了人們思想的混亂，何以世界上多數國家不承認台灣的「國府」反而承認被醜化爲「匪區」的中華人民共和國？一九七九年中美建交，台灣的法統教育徹底失敗，經過反共仇共教育成長起來的一代人既害怕，也不可能認同「匪區」，又不再認同台灣的國民黨政權爲中國，當然台灣的出路就只有走「台獨」的道路了。國民黨反共仇共的教育既培養了一批認同中華祖國，堅持統一理念，又堅持反共意識形態的如馬英九式的人才；又培養出一批因反共、恐共、拒共而「告別中國」的「台獨」菁英，如出身寒苦，成績優異主張「公投台獨」的陳水扁，以及一度作爲國民黨的「青年才俊」而被刻意培養過的許信良。既培養了一代爲民主理念和台灣人民的福祉不謀私利努力打拼的知識份子，又卵育出一代只認金錢只知有個人利益，不知有民族，國家，動不動就「退黨參選」的極端民主個人主義人士，和在議會大打出手還美其名曰「做政治秀」的政客。國民黨反共仇共的教育居然培養了國民黨執政地位的掘墓人，這是蔣氏父子萬萬沒有想到的。

國民黨堅持「中國意識」的教育，又是在長期堅持一黨獨裁的專制戒嚴體制下進行的。國民黨對台灣同胞出頭天的長期壓制，激起了深受西方資本主義多黨民主政治影響的青年一代，向專制統治進行衝擊。在這種衝擊中，信仰西方民主理念的人士爲實現民主政治而把矛頭指向國民黨政權；堅持「告別中國」的台獨份子也把矛頭指向國民黨政權，雖然二者的終極目的不同，但現實的鬥爭目標只有一個，於是民主意識和台獨意識交織，組成了衝擊國民黨一黨獨裁體制的「黨外」勢力。蔣經國晚年用大禹而不是緐的辦法，用加速推進「本土化」「民主化」的政策，疏導黨外勢力對國民黨執政地位的衝擊，爲了緩和省籍矛盾，他發出了「我是中國人，也是台灣人」的呼籲，爲了防止台獨勢力在他身後的惡性膨脹，他深謀遠慮地開放兩岸探親。但這一切爲時已晚，一九八八年李登輝主政後，在維護日本在亞洲的領導地位，堅持以大陸台灣化作爲兩岸統一的先決條件，視一切分裂國土的台獨行爲合法等理念和政策下，不僅使國家統一遙遙無期，而且使台灣意識變成了和中國意識相分離，甚至相對立的社會意識。

三、對「台獨意識」「新台灣人意識」的反思和期盼

首先，作爲熱愛台灣、關心台灣的學者，作爲一個中國人，我爲台灣經濟的發展和民主政治的進步感到自豪和喜悅，也爲台灣分離主義情緒的漫延和父子相殘等慘絕人倫的社會亂象而感到憂心如焚。在統獨爭議，事關中華民族的根本利益的大是大非問題上，我們堅決反對台獨；但對台灣在特定的歷史條件下產生的「台獨意識」和走上台獨道路的人，則不能一概以漢奸和敵人視之。在台灣的選舉政治中，投票給台獨人士的群衆，多數是出於對國民黨公務員政績的不滿，而主張換個人做做，以解決群衆在生產生活中的各種現實問題，對於這些群衆，不能把他們視爲台獨份子。在眞正以台獨爲政治訴求的人士中，對很多人來說，他們既不是要把日本人重新請回來的辜顯榮式的漢奸，也不是要把台灣重新變成一艘爲國際反華勢力效力的「永不沉沒的航空母艦」。對他們來說，台獨只是手段，而終極目的是爲了台灣人民的福祉。儘管他們不承認自己是中國人，我們仍要以台胞待之。他們的心上還留有清廷「馬關割

台」、日本殖民統治、「二二八」事件，以及國民黨一黨獨裁時代所留下、所積累下的各種創傷。我們大陸同胞要用愛心和耐心，撫平他們心靈上的傷痕，同時我們也希望他們能理性地對待歷史，看到大陸人民在帝國主義、封建主義的侵略、壓迫下，也有著和他們同樣不幸的歷史遭遇。不能把清廷和反對馬關割台的大陸人民等同，也不能把鎮壓「二二八」事件的國民黨軍隊和中國、中華民族混同，也不能因爲實行白色恐怖、獨裁的國民黨政權是從大陸來的，於是就仇視所有來自大陸的中國人，甚至仇視他們的後代，甚至敵視大陸的十二億同胞。要知道，歷史是已經發生過的客觀眞實，我們不能改變歷史，但我們可以吸取歷史教訓，總結歷史經驗，去共創中華民族的明天。

在台灣還沒有獨立，還在中國人手裡的現狀下，通過排除大陸的十二億五千萬同胞，僅以不足中國人口六十分之一的台灣居民的「公民投票」，就要把台灣從祖國的領土版圖上永遠分離出去，這是絕對行不通的。作爲同胞，我們不僅樂見，更要樂助台灣同胞把台灣建設成中華民族的科技島、民主島、文明島、幸福島的願望能早日實現，但這一目標的達成，有賴於通過談判正式結束兩岸的敵對狀態，實現台海的永久和平，沒有這一條件，台灣同胞的美好願望是很難實現的。

對於雖然堅持反共意識形態，但堅持台灣人是中國人，堅持台灣和大陸都是中國領土，堅持和平統一立場的台灣同胞，我們希望他們也從國共內戰、兩岸對立的歷史悲情中走出來，從兩岸歷史發展形成的不同的客觀實際出發，互相尊重兩岸同胞的歷史選擇，不要堅持以大陸台灣化這種一廂情願的作法，作爲兩岸實現統一的先決條件。歷史發展到今天，要求我們這一代中國人站在中華民族復興的立場上，爲實現孫中山先生和平統一、振興中華的遺願而共同奮鬥。

在台灣幾百年的近代歷史中，台灣意識和中國意識是剪不斷、理還亂的對立統一關係。日據時代，日本殖民者曾強迫台灣人改換日氏姓名，但在主張台獨的人士中，不是還有叫邱永漢、陳唐山的嗎？陳婉眞也依然叫陳婉眞，而沒有改成陳蘇珊、陳瑪麗甚至改叫陳愛日美子嗎？為了台獨夢，居然不惜把自己的祖宗污蔑爲豬，這在各國的分裂運動史上都是絕無僅有的。當年從閩南、兩廣渡海來台的中國人，自然會有人把家中飼養的豬也帶到台灣。這些豬在日後的歷史中，即使和荷蘭豬、西班牙豬、日本豬、美國豬進行過雜交，但豬的後代永遠是豬，恩格斯寫過「勞動在從猿轉變爲人中的作用」，但還沒有任何人寫過「勞動在從豬轉變爲人中的作用」。所有定居在台灣的居民，不管是四百年前來的，還是五十年前到的，都是中國人的後代，既然如此，怎麼能用豬來稱謂中國人、稱呼自己的祖宗呢？把血淋淋的豬掛在高雄的旗杆上，在民主的選舉中把豬拋來拋去，在「中國豬滾回去」的聲浪中，我們看到了台獨運動的水平，這只能激起大陸十二億五千萬同胞堅定的支持政府不承諾不使用武力的政策！上帝叫誰滅亡，必先叫誰瘋狂，我們勸這些瘋狂的人冷靜下來，千萬不要玩火。

對李登輝先生前不久爲馬英九助選時所提出的「新台灣人」意識，我們眞誠希望這是一種促進台灣族群和解，實現台灣居民大團結的一種新意識。我們希望這和台獨人士爲了台獨早在八十年代就提出過的「族群和解」有別，也和少數人曾提出過的台灣人結成和大陸對抗的「生命共同體」不一樣。新台灣人意識是既和大陸的廣東意識、福建意識等地方意識不同，有著自己特殊性的地方意識；又是既認同台灣也認同中國，和中國意識統一，而不是截然對立的意識。若堅持用新台灣人意識肆意割斷與中國意識的聯繫，使局部意識與整體意識、地方意識與國家意識完全對立起來，在地方利益、個人利益高於一切的社會意識的無限膨脹中，即使台灣脫離中國而獨立，也會如李敖諷刺的那樣，又會分裂出台北共和國、台南共和國等「新而獨立的國家」，何況這種情況不僅會遭到定居在台灣的所有中國人的反對，更會遭到定居在大陸的十二億五千萬中國人的一致聲討，我們但願新台灣人意識是台灣意識和中國意識的辯證統一。

有關中國意識與「台灣意識」的幾點淺見

朱天順／廈門大學台灣研究所教授

一、中國意識解析

任何時代的社會意識都是社會存在的反映，中國意識亦然。從當代來說，中國意識是以漢族爲主體，融合五十六個民族爲一體的中華民族的民族意識，中國意識和中華民族的民族意識是相通的，二者之間沒有多少差別。

中國意識和特定範疇的意識型態不同，它是綜合性的社會意識，它作爲一種立場、方法和情操，浸透到政治、哲學、宗教、文學、藝術等特定範疇的意識型態之中。中國意識的最主要的內容就是對中國、對中華民族的愛國主義。中國意識的愛國主義，存在於中國人心中，平時是潛在的、隱性地，作爲一種動力，在人們的一切活動中起作用。中國意識中，除了民族觀念、血緣觀念、文化觀、歷史觀之外，國家觀念占有重要地位，其中包括維護中國疆域完整和國家統一的觀念，以及促進社會進步發展，使中國強大起來的思想。因此，當國家遭到外國侵略和面臨分裂威脅時，中國意識就會喚起人民起來進行反侵略、反分裂的鬥爭。另外國內外發生損害國家和民族利益的事件時，中國意識的愛國主義就會成爲一種保護國家民族利益的凝聚力，促使人民團結起來消除國家發展上的障礙。中國意識的主要社會作用，就是發揮愛國主義的凝聚力。這種高度的愛國主義凝聚力，是建立在絕大多數國民對國家民族的共同的文化、歷史和現實的社會經濟、政治等的多層面的統一認識的基礎上的。所以中國意識是由上述多層面的統一認識構成的綜合意識。由這種綜合意識產生了人們的共同立場和統一的價值體系，以及發展國家、提高民族地位的理想和責任感與自豪感。這是一般情況，但是，因爲中國意識的載體——國民情況複雜，所以會產生種種特殊現象。作爲中國意識的載體的中國人民，在社會結構上是分爲不同階級的，在民族上是多民族的合成體，在文化上是多元文化的統一體，文化素質上也有差異。由於認識主體方面的這種階級利益的不同和矛盾，各民族的歷史傳統和發展程度上的差別，地域文化的特殊性和人民文化素質的不齊等，都會影響到對中國意識所包含的各個層面的主觀認同從而產生中國意識的覺悟程度的差別，甚至也會發生背離中國意識的傾向。因爲認識主體的情況複雜，必然在認識形成中國意識所含有的多層面的內容的主動性和能動性會有所差別，特別是階級的利益與國家民族的利益是否統一、各民族間是否融和等因素，常會在認識中國意識所包含的各個範疇中，起正負不同的作用。如果認識主體沒有接受中國意識的障礙，利害關係一致，對於中國意識所包含的各個層面的認識就會越廣泛、越深刻，其中國意識就越強烈，其愛國主義就有堅實的基礎。如果階級利益與國家利益相矛盾或存在著民族的或政治上的偏見，就會成爲認識中國意識的障礙，甚至會陷入排斥中國意識的境地。

由上可知，中國意識做爲一種社會意識，不可能整齊浸透到每一個國民心中，其中有覺悟高低之分，甚至會發現少數排拒者。但從普遍性方面看，絕大多數中國國民，在中國意識的最基本面具有高度的統一性，即對中華人民共和國的認同和對中華民族的認同以及熱愛祖國、熱愛中華民族，做爲中國國民和中華民族的一份子，具有無限的自豪感是理性的東西，則建立在每個人接受中國文化的、歷史的傳統和實現共同理想的自覺基礎上的。因此，對於國家的歷史、社會制度、生活方式和文化等傳統的繼承的態度是批判性的。中國意識只繼承了中國歷史和社會制度的進步的內容，否定其反動方面；對人民的生活方式和文化，是繼承其精華而揚棄其糟粕。全民的理性認識，把中國的優良傳統集中爲中華民族的民族精神。由此可知，中國意識的愛國主義不是盲目的、狹隘的愛國主義，愛國不是簡單化爲對現政權盲目效忠和排外。中國意識對現政權是以全民族的利益做爲衡量標準，其方針政策能促進國家發展，能爲人民謀福利的就對它效忠、擁護它，反之則打倒它、推翻它，歷史已證明了中國意識的這種批判性的作用。

中國意識具有廣泛的兼容性，如果不具有廣泛的兼容性，就不可能發揮團結全民族的凝聚力。中國意識的兼容性來自多民族統一爲中華民族、多元的區域文化統一爲中華文化的客觀要求。中國境內的五十六個民族要形成爲統一的中華民族，各民族不分大小必需兼容，互相尊重，政治上平等，文化上也平等，互不歧視，維護各民族的團結。文化上也必須兼容多元的文化，才能有內容豐富的中華文化。中國地域廣大和多民族情況更需要促進多元文化的共存共榮。從民族角度上講，有漢族文化和少數民族文化，從區域角度和文化性質看，歷史上有中原文化、齊魯文化、荆楚文化、嶺南文化、吳越文化、西域文化等等，都被集納在中華文化之中，百花齊放，互相交流，共存共榮。與中國意識的兼容性不相容的是大漢族主義和狹隘民族主義。中國五十六個民族中，因其居住地區的自然條件、經濟發展程度、文化教育水平等，多參差不齊，因此存在著先進與落後的差別。總的來說，在占中國人口百分之九十三點三的漢族各方面的情況都優於少數民族。這是歷史形成的無法否認的客觀事實。解放前，漢族利用自己的優越地位和掌握的政治、經濟權利，壓迫剝削少數民族的大漢族主義，因爲中共的民族政策的實施已被消除，但大漢族主義的殘餘時而會冒出來作祟，破壞中國意識的愛國主義的凝聚力，因此尙須人們警惕。另一方面，少數民族的狹隘民族主義的極端保守或不顧大局的排外心理和狹隘的權益觀，也是與中國意識格格不入的東西，因此爲了中國意識深入人心，發揮愛國主義的作用，必須通過宣傳、教育消除大漢族主義和狹隘民族主義，以防止發生民族糾紛，影響中華民族的大團結。

與中國意識相對立的是地方分裂主義和民族分裂主義。這兩種思潮是地方主義和狹隘民族主義惡性發展的結果。如前所述，中國意識的核心是國家認同和民族認同，以及由此產生的維護疆域完整和國家統一的愛國主義思想。一般的狹隘民族主義和地方主義，片面強調本地方和本民族的特殊因素和局部的權益，不利於國家事業的全局並影響民族團結，但還認同國家，認同中華民族，認同本區域是整個領土的組成部分，認同本民族是中華民族的一員。地方分裂主義和民族分裂主義是極端片面地以本地區、本民族的特殊性和本地區、本民族的利益至上爲理由，以否定國家認同和民族認同，認爲解決矛盾的唯一辦法是從中國統一的國土分裂出去另立一國或脫離中華民族。地方分裂主義和民族分裂主義，是一種以局部來與全局對抗，所以其本身的勢力總是處於劣勢地位，爲了達到分裂主義的目的，必然要求助於外國勢力，外國勢力為了遏制中國或為其殖民主義要求，也樂意援助地方分裂主義勢力和民族分裂主義勢力。現實存在於西藏、新疆、蒙古、台灣等地區的分裂主義活動，就是在這種情況下發生的。

二、中國意識是台灣社會的主導意識

十七世紀以前的台灣社會處在原始社會階段，它是一種封閉的社會，不但台灣本島與外界隔離，島內各原始群體之間也處於封閉狀態。所以談不上存在著統一的、能影響全島的社會意識。當時台灣的原始群體的意識型態，與大陸上的還處於封閉狀態的落後的少數民族相似，是以群體意識和原始文化和習俗為主要內容。台灣原住民各部族，都以維持原始社會所必需的集體觀念為基礎，通過其特殊的道德規範、宗教、文化、習俗等，表現出其原始社會意識型態的特徵。這種在原始社會的經濟基礎上產生的意識型態，幾百年來，從未在整個台灣社會中，起過主導作用。但它經過清朝二百年的統治和國民黨五十年的統治，受漢族的文化和意識型態的影響，平埔族群已經融合於漢族社會，絕大部分其他原住民也已脫離原始社會生活方式過著現代生活，從而逐漸確立了國家意識並和台灣漢族一樣認同中國，認同中華民族。

（一）中國意識在台灣本島傳播和扎根階段（一六二四年至一六八三年）

中國意識在台灣傳播始於一六二四年前後，當時鄭芝龍與顏思齊等一批人到笨港築寨定居，並招募鄭氏一族及漳泉一帶移民開墾台灣南部，實行「王田制」收租剝削。大陸去台灣移民多單身不帶家眷，大陸有家庭，家中有父母妻兒，為了維持家庭生活才到台灣，因而和故鄉聯繫不斷，他們帶去了大陸的意識型態和家鄉文化、習俗，使中國意識在台灣扎了根。如前所述，中國意識的核心是國家意識和愛國主義，初期移民社會，在鄉情濃厚的情況下，中國意識不可能因隔海而模糊起來，不可能一方面承認在大陸的親族是中國人，自己在台灣就不是中國人。荷蘭殖民者占據台南之後，雖然帶來一些西方文化，在文化上對中華文化有所干擾，但在二十八年期間並沒有實施同化政策，在政治上是依靠轄域內原住民長老實行各社自治，對漢人則依靠「大結首」、「小結首」，實行政經合一的「結首制」來管理基層，而且意識型態上未壓制或消除中國意識，所以荷蘭殖民者的二十八年統治，並沒有削弱移民社會的中國意識。相反地，由於漢族移民受到的是異民族的壓迫和剝削，所以漢人與荷蘭人之間因矛盾不可調和，區隔就會加深起來。把荷蘭人稱為「紅毛人」或「紅毛番」就是這種區隔加深的標誌，也是當時移民社會中，祖國意識與中華民族意識起著主導作用的具體表現。中華民族愛國主義的突出表現是一六五二年九月發生的郭懷一領導的企圖驅逐荷蘭殖民者的大起義。起義雖遭到鎮壓而失敗，數千人遭屠殺，但其捍衛鄉土，不讓外國侵占的愛國主義義舉，將永載史冊。總之，閩粵赴台墾民在荷蘭殖民統治下，其中國意識沒有淡化，其社會條件和自然環境，也不存在促使移民社會產生背叛祖國的分離主義的因素，移民帶去中國意識扎根之後，就成為移民社會的主導意識。然而史明卻違背史實，認為在荷蘭殖民統治時，就為分離主義的「台灣意識」打下了基礎。史明把台灣的地理環境當作產生分離主義「台灣意識」的特殊條件，說什麼大陸移民只要踏上台灣這塊土地，性格就會改變，大陸性風俗習慣也會一一被拋棄，其中國意識也會消失。①這種謬論不難駁倒，從初期移民至今，台灣漢族人民並沒有因台灣的地理環境與大陸不同，迫使其拋棄中華文化，今天台灣島上漢族的風俗習慣與宗教，仍跟閩粵故鄉沒有多大差別，台灣同胞的尋根謁祖熱等，也說明了中國意識並沒有消失。

荷蘭殖民統治時期在台灣本島扎根的中國意識，在鄭成功一六六一年收復台灣以後，得到了鞏固。從鄭氏治台起到一六八三年降清的二十三年期間，台灣社會的中國意識，由於中國人政權的確立，文化上排除了西方文化的干擾，而更加根深柢固。這時期中國意識既是居於統治地位的社會意識，又是起主導作用的社會意識。這個時期的中國意識，由於得到統治集團的提倡和利用，其主導作用，更明顯、更強有力。這是因爲鄭成功及其子孫三代是移民的帶領者和組織者，爲反攻大陸恢復明朝政權，對台灣居民加強灌輸不忘大陸祖國的意識，還爲了海上貿易與荷蘭、西班牙等殖民主義鬥爭而灌輸中華民族的民族意識。鄭氏利用掌握台灣的政權，實行中國大陸上的行政制度，設學院、建孔廟，提倡中華文化，廢除教堂，致力於消除荷蘭殖民文化的影響。在軍事上還幾次渡海攻略大陸沿海地區，把台灣和大陸聯繫起來。所以說，這二十多年的台灣歷史進程，不但不會使台灣移民社會把中國意識淡化起來，反而會有所強化。但應該指出，這時台灣社會主導的中國意識，存在著排滿的大漢族主義，因而在中國國家觀念上，存在著明朝的中國和清朝的中國的區別，然而既不否定國家是中國，也沒有否定雙方都是中國人。

① 參閱鄭興：《評史明所虛構的「台灣意識」》一、二節，收錄於許南村編：《史明台灣史論的虛構》。

史明在虛構其分離主義的「台灣意識」時，認定「鄭氏王朝和荷蘭人幾乎同樣，無非是外來統治集團。」「鄭氏在台灣開拓者的社會上，無非是殖民地性的、外來剝削性的一個統治集團。」②因此給「台灣意識」塡充了排外意識和反殖民統治意識與反中國意識。這裡，很明顯的事實是，史明抹煞了鄭氏統治人物既是統治者又是移民帶領者和墾荒組織者的雙重身份，鄭氏集團內的人，都是堂堂正正的中國人，又是移民主要人口的同鄉，怎能把他們視同外來的荷蘭統治集團呢？

（二）清代二百一十二年是中國意識在台灣不斷充實、加強的階段

一六八三年康熙統一台灣以後，台灣和大陸都在唯一的清朝政府統治之下，消除了明朝中國人和清朝中國人的觀念上的分歧。清朝廷是統治全中國的政權，掌握國家政權的階級和民族變了，國家的根底並沒有變，過去的經濟、政治制度多被繼承下來，以漢族文化爲核心的中華文化依然存在。統治階級變了，中國還是中國，中國人還是中國人，人民並沒有因爲改朝換代而不認同自己的國家。

一六八三年康熙統一台灣時，台灣社會的移民人口只有二十多萬人，以後閩粵大陸移民又不斷來台，到一八九八年增加到二百八十九萬人，這二百八十九萬人中，約二百五十萬人是福建省籍的移民及其後代，約四十萬人是廣東省籍移民及其後代。他們渡台時，把故鄉的中華思想、文化、帶來台灣，構

② 史明：《台灣人四百年史》，頁一〇六—一〇七。

成台灣社會意識的基礎，並不斷補充、充實、擴張，成了台灣社會居於統治地位的社會意識。台灣的社會意識，實際上是大陸社會意識的轉移，轉移之後，因爲台灣社會經濟基礎與大陸一致，才有可能生根發展成爲居於統治地位和起主導作用的社會意識。台灣人民在二百年期間，受著封建政權的壓迫和封建地主階級的封建地租剝削，這與大陸的情況並無二致。台灣地方制度上的細微差異，租佃形式上的大同小異，也未超出封建剝削的性質。社會的基本矛盾，同樣是封建地主階級與農民階級的矛盾。當矛盾激化時，台灣農民就會起來抗爭，甚至發生武裝鬥爭。這時在社會意識形態方面會有所反映，所謂「異端思潮」的出現。這種「異端思潮」在文化、生活習俗也會有所表現，但其最突出的是政治思想的「異端」。如流行「眞命天主誕生」、「改朝換代」的變天思想、「反淸復明」的思想、天地會之類的政教合一異端，等等。這種異端思潮並沒有超出中國歷代農民起義時的思想範疇，只是帶有特殊的時代性和台灣地方性的特點而已。台灣人民反抗封建統治階級，企圖推翻他們的政權，但他們沒有忘記或否定自己是中國人。他們要改朝換代或反淸復明，但他們的中國意識、中華民族觀念並沒有改變，並沒有企圖把台灣從中國分裂出去。台灣人民的反封建鬥爭，是以台灣是中國的一個地方爲前提的，因爲台灣的歷史條件和經驗，以及鬥爭現實告訴台灣人民，台灣的統治者和大陸的統治者是一體的，當台灣的政府因人民抗爭發生危急時，大陸的淸軍就來鎭壓台灣人民。客觀現實證明，台灣和大陸農民是命運共同體，只有打倒共同的敵人，才能擺脫壓迫。一七二一年朱一貴起義時，就有這種覺悟，號召起義人民。橫掃台灣的統治者之後，準備「橫渡大海，會師，北伐，飲馬長城」。台灣人民和大陸人民的一體觀念，還有兩個因素使其增強：第一，來台灣的墾民，多數在大陸是同族、同村，或同地方的人，他們到台灣以後還聚居在一起，且與大陸故鄉不斷來往，加上文化、習俗上濃厚的血緣、宗族觀念以及兩岸共同的祖先崇拜和神緣關係等，使台灣人民始終保持著故鄉情懷，加固其海峽對岸「唐山」是祖國的觀念；第二，十九世紀以後的中國歷史進程，證明了台灣與大陸的一體性。一八四一年和一八四二年英艦侵犯台灣的事件，是鴉片戰爭的組成部分；一八七四年牡丹社反日鬥爭，是由於清政府的妥協而終；一八八四年台灣人民抗擊法軍侵犯基隆、淡水的事件，是中法戰爭的組成部分；一八九五年日本帝國主義侵占台灣是清政府打敗仗的結果；上述歷史事件證明，台灣的命運和國家的命運分不開，台灣地方史是中國歷史的組成部分，同時也證明了台灣人民有深厚的中華民族觀念和高度的愛國主義精神。

如上所述，清代台灣的社會情況，從政治、文化、人文角度看，都是有利於中國意識延續和擴大的因素。然而「史明認爲產生『台灣意識』的母體是『台灣殖民地社會』，因此必須把清代台灣看作清王朝的『殖民地』。」「史明爲了捏造清代『台灣意識』產生的社會基礎，故意把台灣社會的主要矛盾——封建地主與農民大衆的矛盾，說成是『外地人』與『本地人』的矛盾，說『外地人』是殖民統治者，而農民遭受殖民統治和榨取。」「大陸漢族人、唐山人是中華思想的載體，『台灣人』、本地人是『民族意識』（即『台灣意識』）的載體。」③史明認爲「台灣意識」就是「本地人」受外來人殖民統治壓迫的「共感意識」。史明「理論」的最大矛盾是忽視了台灣的「本地人」是由帶著中華意識的「外

③　見註①第四節。

地人」一批又一批到台灣成爲「本地人」的。

(三)日本殖民統治時期的中國意識

日本殖民統治台灣五十年期間，是中國意識、中華民族意識與日本殖民主義奴化意識對立和鬥爭的時期。日本侵占台灣之後，爲了經營台灣這塊殖民地的需要，採用各種手段企圖抹掉台灣人民的中國意識，灌輸奴化意識，以利其殖民主義政策之實施。台灣民間在二百多年間形成的根深柢固的中國意識和民族意識，不可能隨著台灣被迫劃歸日本版圖而消失。日本的殖民主義的奴化意識有台灣總督府統治機構作後盾，是居於統治地位的意識型態，利用行政力量向社會散布、灌輸，並禁止中國意識的傳播，企圖消除中國意識的社會作用。這種社會意識型態的對立，是殖民主義社會民族壓迫的反映，也是反殖民主義民族鬥爭的組成部分。人們所遭遇的現實是殖民制度的不平等，所以強制的力量不可能使台灣人民認同日本國。在被罵爲「清國奴」的情況下，誰也不會去「享受」「日本國民」的「榮耀」，而是對謾罵者和日本殖民者回敬「四腳仔」、「臭狗仔」來區隔，來表示中國人的自尊。

日本對台灣的殖民統治是一種異民族對台灣人民的民族壓迫，同時又是日本壟斷資產階級對台灣社會各階級的壓迫。宣揚「大和民族是世界上最優秀的民族」，把中華民族視爲劣等民族的民族觀，必然受到擁有五千年文明史而自豪的台灣人民的反抗。名義上被劃入日本國民，實際上把台灣當殖民奴隸對待，一方面把台灣人劃入日本國民，另一方面政治上無權，差別待遇懸殊的現實，更使台灣人民發揚中華民族的凝聚力來和殖民主義進行抗爭。在日本殖民統治的五十年期間，殖民主義奴化意識，雖然居於統治地位，但始終不是眞正起主導作用的社會意識。中國意識雖然受到日本殖民主義奴化意識的壓迫，但它做爲社會思想的暗流，在台灣人民的心中起著主導作用。一九三七年抗日戰爭爆發以後，日本殖民統治者爲了充分利用台灣的人力、物力資源補充戰爭需要，改採「皇民化」政策，一方面加強壓制中華民族意識，另一方以「皇民化」能享受平等待遇來收買人心。這種政策，收效並不大，到日本戰敗時，全台灣只有極少數人把漢族姓名改成日本姓名，只有少數家庭全家能講日本話成爲「國語家庭」。由此可見，中國意識、中華民族意識，是台灣社會的主流意識。這種主流意識，表現在日本統治五十年期間，台灣人民不斷的反日鬥爭。反割台的武裝抗戰被鎭壓之後，是零散的游擊戰，直到一九一五年組織武裝起義的事件不斷發生，一九一九年以後則進入反殖民主義政治壓迫和反剝削的文化運動和工農運動。這些反日鬥爭的意識型態的基礎是中華民族的民族主義，並且直接間接地受到大陸「五四運動」和孫中山三民主義的影響。

關於日本殖民地時期的社會意識，我們和史明的主要分歧點在於：「史明認爲日本殖民當局企圖壓制和消除的不是台灣人民的中華民族意識，而是『台灣意識』。一切台灣人民反抗日本帝國主義鬥爭，都被史明看做不是中華民族意識的表現，而被看做『台灣意識』的表現，史明認爲在各種反日社會運動中起革命、進步作用的是『台灣意識』，而『中國意識』、中華民族意識只能起阻礙或破壞作用。」④

---

④ 見註①第五節。

鄭興在文章中已對其謬論作了批判，在此不再贅述。

（四）台灣光復後五十年來的中國意識

國民黨統治台灣五十三年期間，中國意識居於統治地位，並在社會意識中起主導作用，這個問題，用兩個事情是可以說明清楚。第一，給台灣社會新增加的政治勢力，其帶到台灣去的是三民主義，以及幾百萬帶有濃厚中國意識和各省地方意識的人員，這對增強台灣社會的中國意識起了作用。第二，台灣光復時台灣人民的歡呼聲響遍了全島，做爲中華民族一員的光榮感充滿每一個人的胸懷。這種狀況表現了因抗戰勝利而使台灣人民解脫異民族的壓迫而產生對祖國的熱愛，同時也證明了日本五十年的殖民統治沒有動搖民族意識的根基。一九八〇年以前，國民黨當局爲維持「中華民國」統治的需要，宣揚「三民主義」，在教育、文化領域，還堅持以中華文化爲主軸的路線，對維持中國意識在社會上的主導作用，也起了一定的作用。但是由於國民黨在接收過程中的貪污舞弊，政治上腐敗，使台灣人民對國民黨大失所望，加上在意識型態領域的高壓政策引起反彈，造成中國意識的主導作用削弱，隨著廢除戒嚴令和政黨政治的實施，本未存在於意識型態領域中的否定中國意識的分離主義的暗流公開化，並與海外的「台獨」思潮合流，成了與中國意識抗爭的意識形態。但目前中國意識仍居於主導地位。

三、台灣地方意識與分離主義的台灣意識

首先應該劃淸台灣地方意識與要求台灣獨立的分離主義台灣意識的界線。表面上，二者間存在共同性，都強調熱愛台灣、熱愛故鄉，從台灣本土出發，謀求台灣人民的福祉，但實質上是二種根本對立的社會意識。台灣地方意識是把台灣看成中國的一部分，是中國意識兼容性涵蓋下的地方意識。換一句話說，台灣地方意識是中國意識在台灣地方的具體表現，可說是中國意識的特殊構成部分。台灣地方意識與中國意識具有互容性，而分離主義台灣意識是反中國的地方意識，與中國意識具有對抗性。

帶有地方性特點的社會意識，在全中國各個地區都存在著。人們在同一個地區長期共同生活必然存在著共同的利害關係和感情上的共同情懷，因而會產生爲維護本地區的共同利益或謀求本地區的發展，反對外來損害的共同意識，即地方意識。具體地講，形成這種地方意識的主要因素是：（1）維護地方性共同利益的連帶性和責任感；（2）讚美本地區特殊自然環境的共同感情；（3）地方史上特殊的共同遭遇所產生的命運共同體意識；（4）長期在特殊環境中共同生活所形成的群體意識；（5）共同的宗教信仰和生活習俗，以及對地方性偉人共同崇拜所產生的凝聚力，等等。由這些因素形成熱愛本地區鄉土，做爲本地人而自豪，願爲保護和增進本地區而獻身的地方意識和情懷。台灣的地方意識也是由這些因素形成的，其中最突出、最主要的因素是：（1）今天台灣社會的繁榮，是由自己的移民祖先及其後代在特殊歷史條件下共同流血汗創造出來的，每人都有熱愛它、維護它的責任感；（2）幾百年來台

灣人民共同經歷了台灣地方史上的特殊遭遇所產生的命運共同體意識；（3）當今台灣處境特殊，其光明前途有待全體台灣人民努力去爭取的客觀要求等。除了上述主要因素之外，台灣地區的言語文化、宗教、血緣關係等的共同性，也是形成台灣地方意識的因素，但不是構成台灣地方意識的主要內容。

台灣地方意識與中國意識有寬廣的互容性，因為二者是局部與全局，特殊與整體的關係。維護台灣的社會利益是維護全中國利益的組成部分，中國意識如果沒有各地區的地方意識，就會變成沒有客觀基礎的抽象概念。台灣地方意識所要維護的地方利益，與維護全中國利益具有一致性，是構造廣泛互容性的堅實基礎。所以，愛地方、愛台灣，可以更愛國家，維護台灣利益與維護祖國利益相通。愛祖國不排斥愛家鄉，祖國的繁榮昌盛會給包括台灣人民在內的全國人民帶來好處，立足於台灣鄉土，把台灣建設好，也是台灣人民對祖國的一份貢獻。台灣意識與中國意識，既然是局部與全局、特殊與整體的關係，當然存在發生矛盾的可能性。發生矛盾常有兩種情況，一種情況是台灣意識過分強調其特殊性，超過相容性的「度」，另一種情況是中國意識過分強調其統一性，忽視台灣意識的特殊性。不論是在何種情況下發生矛盾，都會削弱中國意識和台灣地方意識發揮有益的社會作用。台灣「解嚴」之前，曾發生過為宣揚中國意識而在政治思想、哲學、文學、藝術、教育等領域，採取高壓手段，否定排斥台灣地方意識的特殊性的「大中國主義」傾向。近幾年情況相反，台灣地方意識反彈過分，在上述領域裡發生了以地方意識的特殊性來否定中國意識的統一性的傾向。

分離主義的台灣意識是一小部分台灣地方勢力的政治、經濟訴求，在社會意識形態上的反映，是被「台獨」勢力利用來與中國意識對抗，以實現其政治目的的鬥爭工具。分離主義台灣意識，以突出反中國、反中華民族的政治內容爲其特徵。這一點從史明所闡釋的分離主義台灣意識的主要內容就可以看得很清楚。史明認爲：（1）「台灣意識」是台灣本地人反對外來殖民統治的意識。（2）「台灣意識」是本地人反對「唐山人」大陸中國人的意識；（3）「台灣意識」是與中國意識、大中華思想相對立的意識；（4）「台灣意識」是「台灣民族」的民族意識，等等。⑤史明的分離主義台灣意識，是違背台灣歷史事實，把近四百年的台灣地方史虛構爲殖民地社會發展史而創造出來的。一言以蔽之，史明認爲台灣四百年台灣人民的殖民地處境和反殖民統治的鬥爭產生了要求「台灣獨立」的台灣意識。不但鄭氏三代、清朝統治台灣是殖民統治，連今天國民黨統治也是殖民統治。除了歷史盲和政治偏見者，誰也不會苟同史明的這種觀點。遠的不說，今天二千一百多萬台灣人民中，不會有多少人承認自己還在過著殖民地生活。類似史明這種以外來人和本地人，「蕃薯仔」（在地人）和「唐山人」（大陸中國人）等的族群分類，正毒害著台灣社會的團結和人際關係。特別是在政爭和各級選舉中，應用上述族群界線，其危害性尤爲明顯。「這場選戰進行迄今，『統獨』議題已被僞裝且窄化成了徹頭徹尾的族群事件。『台灣優先』幾乎成了納粹似的血統沙文主義，這種血統優先的邏輯是台灣本地人才愛台灣，才知道台灣優先，外省族群則只因血統因素，不但天生沒有愛台灣的能力，甚至沒有愛台灣的資格。」⑥看到這種危害性，最近李登輝提出了「新台灣人」的說法，鼓吹不管先來後到都是「新台灣人」。官方媒體也大力

---

⑤ 見註①第七節。

⑥ 台灣《聯合報》一九九八年十月二日「社論」：《從「台獨」論述變遷談民進黨的轉型工程》。

宣傳：「無論四百年前、五百年前來的，或是四十年前、五十年前來的都是新台灣人。」李登輝的「新台灣人說」，對化解台灣社會的族群對立，或許有所助益，但因爲沒有說明「新台灣人」也是中國人，其對兩岸關係有何作用則有待觀察。

台灣民進黨和由民進黨分裂出去的建國黨，是以分裂主義的台灣意識爲思想武器，企圖實現「台灣獨立」的政黨。分離主義台灣意識在政治上的最突出表現是：「認定台灣不是中國的一部分」，「台灣人不是中國人」、「台灣民族是獨立的民族，不屬於中華民族」，「台灣是主權獨立的國家，海峽兩岸邊一國」等等。由於分離主義意識成爲政黨鬥爭的思想武器，依靠其「理論家」的修飾加工，通過其媒體和政壇上的宣傳，並在文化、教育等領域與中國意識爭奪陣地，已成爲台灣社會不可忽視的一股思潮。從目前情況看，「台灣獨立」的分離主義意識，還沒有占台灣社會意識的統治地位並起主導作用，但根據一些調查情況看，其在台灣人口中已占有約百分之十三的社會基礎。因此，如果以中國意識爲主導的思想陣營掉以輕心，不針鋒相對採取有效的辦法與其鬥爭，分離主義思潮則有進一步蔓延擴大的可能。

談兩岸文化淵源與歷史發展

李　仁／北京航空航天大學人文學院教授

中國是世界文明古國之一，五千年燦爛的中華文化，被國人引爲自豪。同時，她又是一個從未中斷過自己歷史，延續時間最長久的文明古國。隨著各朝代的興衰更替，逐步形成了自己的歷史，並由此創造出豐富的中華文化。

中華民族是一個偉大的民族。中華民族不僅有華夏子孫共同的血統，並且被源遠流長的歷史發展所形成的中華文化所緊密維繫。在中華民族長期歷史發展過程中，傳承、融合、發展起來的中華文化，具有強大的凝聚力。它深深植根於中華兒女的心中，成爲民族認同的靈魂。

中華文化博大精深，傳承久遠，重視人倫道德，反對民族壓迫、熱愛祖國、熱愛和平等中華文化的優秀傳統，從教育、文學、藝術到民間信仰、風俗習慣等，兩岸均一脈相承。

古代大陸先民遷移至台灣後，隨著他們在台灣的生存、發展，即把中華傳統文化帶到台灣。明清以來，在台灣建立了大陸的政治制度，同時也移植了大陸的文教制度，從而促進了中華傳統文化的傳播。隨著社會歷史的變化、傳承與發展，中華文化始終是在台灣人民生活中生根發展而不可磨滅的傳統文化。

我們可以從兩個方面來考察兩岸文化的歷史源流。一是從民間文化（如民間信仰、民俗等）；二是從社會生活中的上層文化（如教育、文學藝術等）。不論從哪個方面來考察，我們都可以看到：兩岸文化既有共同的歷史源流，又在共同的社會歷史發展中密切聯繫和相互影響。

一、台灣民間文化的中華文化淵源

民間信仰與習俗，是以不同形式反映人民心聲的文化現象，它是經久不衰的。台灣民間信仰、習俗、文化活動等，都有很深的中華文化淵源，雖幾經社會變動仍能流傳至今，就十分明顯地反映出中華文化所具有的強大生命力及凝聚力。

中華的民間信仰，從古代的自然崇拜、神靈崇拜、靈魂崇拜等原始宗教，到道教、佛教等多神教都包括在內，形成了龐大的民間信仰體系。神靈信仰：以信仰和儀式為核心，以酬神祈福的活動，達到娛神娛人的目的。這些活動，呈現著神聖與世俗的交融，人與神的溝通交流。人們往往透過具有象徵意義的儀式活動，來表達社群意識和文化認同，這就使神靈信仰超越了迷信，表達了極為深層的社會訴求。

從台灣的民間信仰，我們可以清楚地看到兩岸關係、兩岸文化的聯繫。台灣住民所信仰的神佛，大都淵源於中國古代的自然神和氏族神，以及道教、佛教的神佛。信仰的靈魂，也和大陸一樣，從最崇高的祖先靈魂崇拜到歷代忠臣、烈士、鄉賢、精靈、餓鬼、野鬼——不僅種類多，而且地域性強，護海神及與水相關的神靈更備受崇拜。

媽祖信仰就是兩岸歷史文化淵源的一個極具代表性的文化現象。媽祖信仰起源於北宋年間，相傳媽祖係福建湄洲島上羽化登天的林默娘；媽祖不僅護航，而且救災、御亂、護衛婦孺、占卜吉凶，是中國東南沿海一帶居民信奉的水神。台灣的媽祖信仰和台灣的開拓歷史密切相關，相傳漢人先民分別來自大陸東南許多不同的方言群體。十七世紀，他們冒險渡海來台，媽祖扮演了守護神的角色。在早期移民社會中，台灣信奉媽祖的風氣更甚於大陸東南沿海。正因爲媽祖信仰蘊含著台灣民衆對開拓歷史的認知，才使媽祖香火到祖廟進香的就有五十個團，人數達一千一百三十三人。而台灣各地大小媽祖廟至今不衰。據報道：一九九九年頭兩個月，台灣同胞組團上福建湄洲媽祖的慶典活動，則更是持續不斷。台灣民衆常把閩粵移民共同的神明信仰——媽祖，與「開台聖王」鄭成功相提並論，從聖王信仰與媽祖信仰中，可以明顯看出，漢移民的社群意識，對台灣開拓歷史的認知及對本土社會的重視。

學甲鎮慈濟宮上白礁的回鄉謁祖祭，也是台灣最爲壯觀的祭典活動之一。從鄭成功來台至今，已連續了三百多年，每年農曆三月二十一日，位於台南學甲鎮的慈濟宮，都要舉行上白礁拜謁祖先的祭典，人數最多時超過二十萬人。衆多香客、僧侶和遊客雲集於此，一來爲了追念大陸的祖先；二來爲了遙拜福建省同安縣白礁鄉的慈濟宮祖廟。兩岸同根同源的同胞親情，盡顯在這莊嚴的拜謁儀式之中。

因爲有神靈崇拜，必然要舉建寺廟以供奉這些神靈，據一九三六年調查顯示，當時台灣寺廟約三萬七千所，寺廟成爲村民共同的祭祀場所，也是集聚村民自保、互保、互助的村落自治機構，隨著社會的發展，它又成爲村落住民、行會會員的社交、教化、娛樂的場所。

兩岸的民間習俗、衣、食、住、行、敬祖、信仰、年節、娛樂等風俗習慣大體相同。從人們的出生、婚喪到葬祭、慶典等，兩岸習俗都表現了中華民族文化的特色。

每年在春節、元宵節、清明節、端午節、中元節、中秋節等節日的活動、儀式中，都反映了中華民族的民間信仰、民族心理及文化內涵。如每年的春節，是除舊迎新、團聚歡樂、祈盼祥和的節日、祭祖、敬天、敬神活動，表現了對祖先、自然界和神明的崇敬、感激，企盼平安、富足、風調雨順。團圓歡聚，一家老幼過年都回到家中吃團圓飯，敬拜長輩，互相祝福，拜訪親友，這一切都表現了重倫理、重親情的文化傳統。張貼春聯：「天增歲月人增壽，春滿乾坤福滿門」、「詩書習禮，耕讀傳家」、「五穀豐登」，……這一切則表達了對新生活的祝願和追求。

每一個節日，每一個慶典，都有具體的內涵。這些民間信仰與習俗，對於薰陶民族感情，形成民族凝聚力和社會風氣，具有潛移默化的作用，它成為維繫中國人心靈的紐帶。隨著社會的發展，在活動內容和方式上也會逐漸有所變化，但它所包含的民族文化的傳統總是一脈相傳，中國人不論在大陸，在台灣，在海外，不論走到那裡，都把它帶到那裡，以此作為自己身為中國人的象徵。它產生著深深的民族凝聚力，任憑朝代的變化，任何力量也難以阻隔。

二、台灣民間戲曲多自大陸閩粵傳入

民間戲劇的產生，始於人們以歌唱、舞蹈的形式再現人們生產勞動的活動，它體現人們戰勝自然界的願望及勞動之餘的歡樂，後又發展成豐富的慶典及祭祀活動。中國戲曲發展源遠流長，在歷史發展過程中，經過各民族的交流、變化及中外文化交流，內容更爲豐富，形式更爲多樣。十七世紀以來，漢人大規模移墾台灣，戲劇活動也隨農耕經驗和信仰文化一併傳入台灣，成爲民間的文化形式，也影響了許多原住民部落。

台灣戲劇的形式，三百多年來，多採用演員裝扮，含歌舞、演故事等戲曲形式。有七子戲（梨園戲）、潮州戲、亂彈戲、四平戲、九甲戲、京戲，還有演員操縱、戲偶演出的布袋戲、傀儡戲、皮影戲等。這些戲曲，多傳自閩粵，所演的戲文也多以中國傳統劇目爲主，但在長期流傳中，又與台灣社會及民衆生活緊密結合，成爲台灣本土化的戲劇活動。

流行於台灣的布袋戲，其源流可追溯到中國商代以來傀儡戲、皮影戲等的歷史。由於布袋戲不需要大的舞台，也不需要多少名伶參與，故事情節也不複雜，故而更易在民間流傳。說起布袋戲，人們不能忘記台灣雲林地區他里霧社潮州傳統布袋戲連台串演的盛況。沈氏開台基祖——沈誠，是明監國鄭克塽（鄭成功之孫）的侍衛總鎮。明永曆三十六年，他來到他里霧社，與洪雅族酋長的女兒相愛，遂定居於此，現在斗南鎮舊社里沈姓宗族皆爲沈誠的後裔。甲午戰爭後，清割台於日的的消息傳來，人們失望、憤恨之餘，轉而起兵反抗，出於愛國之舉，成立了「台灣民主國」，台灣人民以此對抗日本殖民統治。但終因寡不敵衆，大部分義民壯烈殉國。日軍攻進他里霧社，濫殺無辜，屍橫荒野。宣統三年，龍虎堂主人沈國珍，忠正仁義，惠澤鄉里，因感義民殺身成仁，捨生取義的壯舉，遂將忠骨收埋，建置公墓，後擇他里霧社北隅建起萬善同歸——「寒林廟」。每到農曆四月二十八日祭祀之日，香客達數十萬人，連續三天演唱梨園、布袋戲。後沈氏皈依佛教，先後在斗南、嘉義等地，建立多處佛廟。連年都有數十萬香客來斗南鎮龍虎堂進香，並有布袋戲連台串演，尤以潮調古典布袋戲最受歡迎。觀賞之餘，人們的民族恨、鄉土情，不禁油然生起。

對於歌仔戲和號稱「客家歌仔戲」的採茶戲的淵源形成及發展變遷，台大曾永義教授曾作了縱貫性的歷史考察，獲得這樣的結論：由中國大陸閩南傳入台灣的「歌仔」（一九四九年後閩南改稱爲錦歌），在宜蘭地區落腳生根，稱爲「本地歌仔」。而歌仔小戲「歌仔陣」則距今約有百餘年的歷史。野台歌仔戲（即歌仔大戲），二十年代又向京戲、福州戲學習身段、連本戲等，一九二五年進入內台演出，稱爲「內台歌仔戲」。一九二七年後，因受日本殖民政府壓迫，最終被禁演。其間，它曾回流福建廈門，成爲今日之「薌劇」。一九四五年，台灣光復，歌仔戲才重見天日，劇團如雨後春筍發展起來。一九四八年，福建都馬戲班來台，又以其都馬調豐富了台灣歌仔之腔調音樂，一九五六年，是其發展高峰。後又有「電影歌仔戲」、「電視歌仔戲」，一九七四年後，歌仔戲完全淪落外台。一九八一年後，歌仔戲又得以恢復，並多次在台灣大劇院演出優秀劇目，均得到很高評價。歌仔戲源於福建，又在台灣落腳生根，成爲台灣本土文化最具體，最生動的象徵。由此亦可看出，大陸文化與台灣文化的同根同源及相互影響。

三、海峽兩岸文化歷史發展的密切聯繫和影響

兩岸文化同根同源，不論民間文化或社會生活的上層文化都是如此。中華文化既隨著移民開拓傳入

台灣，又隨大陸政治文教制度移植來台而不斷發展。

鄭成功收復台灣後，一批文人學士隨之入台，將中華文化傳播到寶島台灣。同時，鄭氏即移植了大陸的文教制度，建孔廟、設學校、推行科舉制度、培養選拔人才，從而促進了中華傳統文化的傳播；鄭氏還自上而下設學院、府學、州學和社學，並多方鼓勵土著居民兒童入學。

至清代，由於移民的不斷來台，中華傳統文化也進一步傳入，至乾隆嘉慶年間，新設書院十四所；道光年間，又設立十二所。在書院內，以朱子（朱熹）爲精神偶像，同時還祭祀有傳播中華文化的先驅如沈光文、王忠孝等人。書院以傳播中華文化爲重點，儒家學說爲主體。以後又相繼建立了鄉學、府學、縣學，這些學校的建築風格，也均採用福建等地的中華風格。

十九世紀六〇年代至七〇年代，中國在列強侵略壓迫下，面臨生存危機。有識之士紛紛上書，重視海防，訓練精兵，實行自強，推行新政，隨之開展了救亡圖存的洋務運動。一八七四年，台灣也開始了近代化的建設，創辦新式學堂。一八八七年，在台北大稻埕創立了西學堂。在學習西學同時兼習中國經史文學，以培養既通曉近代科學，又善於對外交涉的人才，後又相繼設立電報學堂及番學堂，以培養電訊專業人才及提高土著居民的文化素質。

近代的一百多年，中華民族經歷了爲民族存亡而長期奮鬥的歷程，台灣和大陸都經歷了曲折的歷史變遷。儘管台灣經歷了日本殖民者占領時期，後又經歷了兩岸長期隔絕的時期，但兩岸文化的發展，卻始終與中華民族共同的歷史命運緊密聯繫，台灣文化與中華文化始終是血脈相連。

日本殖民者占領台灣後，爲切斷台灣人民與祖國大陸的聯繫，爲了使台灣人成爲日本的「忠良臣民」，推出了「皇民化運動」。企圖從思想上消除台灣人民的祖國觀念，灌輸大日本臣民意識，並爲其發動的侵略戰爭效力。破壞中華文化，灌輸大和文化及「忠君（天皇）愛國（日本）」思想是該運動的核心內容。在學校教育中，存在著明顯的種族歧視；在課程設置上，推行日語、修身、讀書等日式教育課程；在社會教育方面，則以強化日本大和精神和普及日語爲兩大宗旨，企圖以此同化台灣人民。

面對日本殖民者的侵略，台灣人民不斷發起武裝的反抗鬥爭，在思想文化方面，富於愛國心的台灣人民，一直沒有放棄祖國情懷。他們堅持用中文寫作，並在《台灣文學》雜誌翻譯介紹祖國文學作品；在家裡仍講台灣方言（閩南話），不少民衆還延聘教師教育自己的子女研習中文，「不忘自己是中國人」，保持中華傳統文化。接受「日本情結」的只是極少數。

辛亥革命後，隨著新文化運動、五四運動的發展，使中國近代反殖民反封建的鬥爭步入了一個新紀元。「台灣文化協會」於一九二一年十月在台灣成立，它是留日學生愛國運動與台灣島內反抗鬥爭合流的產物。其中心任務是：響應祖國新文化運動、五四運動的號召，對台灣民衆進行新知識和新文化觀念的灌輸，實施文化啓蒙宣傳，以促進台灣民衆民族意識的覺醒。台灣文壇有名的作家賴和、楊華、朱點人等人，他們不屈服於日本殖民者的壓力，在日據時代也堅持用中文寫作，他們是鄉土文學的代表者。他們的作品，反對日本殖民者的侵略和奴役，宣傳了民族意識，暴露了日據時代台灣社會的黑暗，具有強烈的愛國精神，是中國民族解放運動的組成部分。七七事變後，日本殖民者對台灣思想文化界加緊了控制，致使許多進步書刊被停刊，進步作家也受到迫害。

抗日戰爭取得最後勝利，台灣光復，全島歡慶，台灣文壇也出現了繁榮景象。作家們出於對祖國的熱愛，積極學習祖國文化傳統和語言文字，介紹大陸文學，加強兩岸文化交流，並積極投入到台灣新文學的復興工作中。據統計：當時新創辦的報刊就有四十三家，如雨後春筍般發展。在扎根台灣，建立自主性文學的基礎上，同時積極介紹祖國大陸的文學、話劇、京劇、電影等，以促進台灣文化界與大陸文化界的交融。但不久發生的「二二八事件」的陰影，也波及到台灣文壇，使不少人遭到迫害。

國民黨撤退到台灣後，兩岸又處於長期隔絕，使台灣知識界和大陸文化界的聯繫中斷，五十年代，反共文學泛濫一時，美國文化、西方文化影響不斷加深，傳統價值觀念受到巨大衝擊。六十年代，出現了「全盤西化論」，出現了「現代派」文學，思想文化界圍繞著如何對待傳統與西方展開了一場「中西方文化論戰」。現代派文學作家聲稱：要下「五四」的半旗，不要民族文學傳統的「縱的繼承」，而要西方現代主義的「橫的移植」。另一派則主張：中國的情況，環境、問題與西方不同，不能全盤西化，而應當超越傳統、超越西化、超越俄化，提出了「超越前進論」。這場本屬學術觀點上的爭議，在台灣當局介入和干預下，討論未能充分展開。六十年代，現代派文學成爲文壇主流，但一批鄉土派文學作家也重新活躍起來，他們堅持扎根於勞動群衆，根植於現實生活的創作道路，創作出一批頗有社會影響的鄉土文學作品、七十年代，台灣社會思潮發生很多變化，台灣文化界隨者「保土愛國」的「保釣運動」的開展，掀起了「回歸傳統，關照現實」的思潮，再次興起鄉土文學運動，並發生了有關鄉土文學的論戰。鄉土文學作家論述了文學應建立民族本位，「回歸鄉土」，反映現實，爲社會和大衆服務，「回歸台灣本土的感情與大中華的民族意識是融匯不可分的」。鄉土文學作家黃春明、陳映眞、王拓、尉天聰等人的作品具有強烈的社會批判性及對祖國文化、民族傳統的深深眷戀。有評論指出：這次論爭，使七

○年代的鄉土文學和抗日民族文學「接上了血緣」，「疏通了被隔離三十多年的反帝愛國的脈絡，從而尋到了台灣鄉土文學的『根』——五四精神」。

八十年代，台灣社會已經形成多元意識的社會，文化領域也不例外。隨著兩岸關係逐漸解凍，兩岸人員往來，經濟、文化交流日益發展，台灣文壇出現了「探親文學」，這反映了兩岸同胞濃濃的鄉情、親情和友情，反映了台灣同胞長期被隔離於祖國大家庭的彷徨與苦悶，渴望結束民族分裂的悲劇，盼望祖國早日統一的眞摯感情。兩岸文化各個領域的交流熱潮，反映了對民族文化的認同。一曲《黃河大合唱》，把台灣同胞又帶回到如火如荼的抗日烽火年代；一曲《阿里山之歌》，使多少人深深爲之動情，兩岸同胞情、民族情，是任何力量也難以隔斷的。改善兩岸關係，實現兩岸人員的正常往來，是兩岸中華兒女的共同願望。近年來，兩岸文化、科技、學術、體育等交流活動廣泛開展，從間接到直接，從學者交往到組團交流，在文學、電影、電視、戲劇、音樂、舞蹈、繪畫、文物、出版、圖書等領域廣泛展開。近年，台灣出版的大陸學術著作上千種，大陸出版界也出版了不少台灣文學作品及學術著作。台灣許多文化團體和機構不斷組團來大陸尋根、考察、從事學術文化交流，台灣學生到大陸讀書，教授到大陸講課，影視、歌星、藝術家來大陸拍片、獻藝活動也大量增加。大陸文化、教育界、科技界人士和團體也相繼赴台交流、考察、演出。

兩岸文化交流的發展，促進了兩岸人民的相互瞭解和共識，增進了友情、同胞情、民族情，有益於中華傳統文化的弘揚，有利於促進民族融合和祖國統一大業的早日實現。

四、結束語

台灣的歷史是一部台灣同胞開發寶島的奮鬥史、建設史，又是一部中國人民特別是台灣同胞反侵略、反壓迫、反殖民統治的鬥爭史。兩岸同胞被共同的歷史，共同的奮鬥，共同的使命聯繫在一起，兩岸文化同根同源，兩岸文化在歷史的發展中始終密切相聯繫；中華文化的民族精神，愛國主義傳統，始終是維繫著兩岸同胞心靈的精神紐帶。在近代，日本殖民者五十年的殖民統治，一九四九年以後兩岸長期的隔離狀態，都沒有也不可能隔斷兩岸人民的同胞情、民族情、愛國情，台灣是中國不可分割的一部分。兩岸同胞共同創造了中華民族燦爛的歷史和文化，它是兩岸同胞的共同財富，這是歷史和現實的客觀存在，也是任何人無法否認的事實。推動兩岸關係的發展，實現祖國的和平統一，結束兩岸分離的局面，是兩岸人民的共同心願。

今天，我們面臨新世紀的挑戰，廿一世紀將是世界各國、各民族之間激烈競爭的時代，我們面臨爭取中華民族振興，國家強盛的新的歷史使命而努力。進一步加強兩岸文化交流，有利於中華民族歷史和文化的認同；有利於繼承和發揚中華民族歷史和文化的優良傳統；有利於進行更偉大、更美好的歷史的再創造，使一個統一、富強、文明的現代中國，屹立於世界民族之林，爲人類的進步做出更大的貢獻。

一九九九年三月於北京

台灣文化的淵源

許佩琴／上海通益培訓中心校長

台灣文化源於中華文化。直到現在，台灣文化就其本質而言，仍然是中華文化的重要組成部分。雖然台灣在歷史上曾經有過被荷蘭人侵入殖民和被日本帝國主義割據佔領的慘痛經歷，但是她的文化，無論是在自然、社會、人文方面或是在語言文字、文學創作和獨特的「鄉土文學」方面，都沒有因外來侵入、奴化教育和「皇民化運動」而割斷與中華文化的緊密相連。本文試從台灣文化的變遷來探討台灣文化與中華文化的脈絡關係。

一、台灣早期文化

在遠古時代，台灣和大陸本來連在一起。後來由於地殼運動，相連結的部分沉爲海峽，使台灣成爲海島，考古學家在台灣島上發掘出土的舊石器時代的長濱文化和新石器時代的大坌坑文化、圓山文化、鳳鼻頭文化、麒麟文化爲代表的石器、黑陶、彩陶和殷代兩翼式銅鏃等大量遺物，經碳十四測定證明，同屬於閩台地區以幾何印紋硬陶和彩陶共存爲特徵的古文化遺存。①表明台灣的史前文化與中華文化同屬一脈。

考古發現，生活在中國東南沿海的「飯稻羹魚」的古越人。在六、七千年前即敢於以輕舟航海，主要是向東和向南遷移。台灣的先住民高山族係古越人的一支。②三國時的《臨海水土志》和隋代的《隋書・琉求傳》詳細記載了山夷、琉求人的社會生活和文化特點。③

據史籍記載，公元六一〇年（隋大業六年）漢族人民開始移居澎湖地區。到宋元時期（公元九六〇—一三六八年）漢族人民居住澎湖地區的已經相當多。漢人開拓澎湖以後，開始向台灣發展，帶去了當時先進的生產技術。元代時，元世祖在澎湖設置了巡檢司。巡檢司的出現，表明元朝政府在這個地區有了行政管理機構。朱元璋建立明朝以後，大陸漁民遷往台澎地區的不斷增多。他們在那兒搭寮居住從事墾荒、農耕、漁獵，成爲常住民。此外，航海家鄭和率領的艦隊，途經台灣給當地居民帶去工藝品和農產品。大陸與台灣日益緊密的關係，使中華文化逐漸在台灣生根。

一六二四年至一六六二年荷蘭殖民者對台灣殖民統治了三十八年。在文化教育上，爲推行殖民教育的需要，以新港爲基地，主要向原住民宣傳基督教教義，並修建教堂，開設宗教學校，灌輸宗教思想。

---

① 彭適凡：《中國南方古代印紋陶》，文物出版社，一九八七年，頁三五九。

② 林仁順：《大陸與台灣的歷史淵源》，文匯出版社，一九九一年，頁二六。

③ 胡友鳴、馬欣來：《台灣文化》，遼寧教育出版社，一九九五年，頁二二。

但是，荷蘭殖民文化對台灣的影響，總的來說，還不是很大的。

就在荷蘭殖民者侵占部分台灣的時候，卻發生了大陸到台灣的歷史上第一次移民高潮。公元一六二八年（明崇禎元年）鄭芝龍就撫於明朝政府。此時，福建年年旱災，飢莩遍野，鄭芝龍奏請朝廷允許，帶數萬飢民到台灣，開始了對台有組織的開墾。到了一六六一年四月，鄭成功以南明王朝招討大將軍的名義，率二萬五千將士進軍台灣，攻打荷蘭殖民者並於一六六二年二月從荷蘭殖民者手中收復了中國領土台灣，同時對台灣進行文治建設，形成大陸向台灣移民的第二次高潮，中華文化進一步在台灣扎根。

二、清代台灣文化

一六六六年一月，還在鄭氏奉明正朔經營台灣的時候，台灣的第一座孔廟和明倫堂在台南建成，標誌著中國的封建教育體制開始大規模移植至台灣。一六八三年，清朝政府統一台灣後，在台灣設立了儒學學宮。一六八七年，台灣實行科舉制度，由此決定了當時台灣教育的內容和形式。各級各類學校均祭孔孟、尊理學、灌輸儒思想，以「明大義、崇經倫、慎交遊」作爲學生治學爲人的行爲準則，教學內容都由淺入深地授以《三字經》、《論語》、《大學》、《中庸》、《孟子》等。

一六八三年，清政府統一台灣後，出現了第三次大陸向台灣移民的高潮。從康熙到嘉慶歷時百年移民熱潮，也是台灣由漢族移民社會發展成爲漢族移民定居社會的成熟期。移居台灣的漢人因反對滿清而抵制官學轉而傾向書院，台灣書院發展與清政府管理台灣的歷史是相始終的。在清朝統治期間，台灣書院大致可分爲三個階段：

第一階段自康熙二十二年到雍正末年（一六八三—一七三五年）計五十三年，新建書院二十二所。④這一時期書院建設的特點是所有書院淸一色由各級地方官員創建，反映了政府對書院的重視，同時，也反映出淸政府對教育的控制是十分嚴厲的。

第二階段自乾隆初年到咸豐末年（一七三六—一八六一年）計一百二十五年，新建書院三十四所。⑤這一時期書院建設的特點是民間力量涉足書院，書院的分布面迅速擴大，由南及北遍布全台灣。這與當年台灣土地的開發進程和方向是基本相一致的，同時表明獲得土地，生活開始安定下來的台灣同胞對中華文化的要求，顯示了台灣墾殖社會文化傳播的特點。

第三階段自同治元年到光緒二十一年被迫將台灣割讓給日本爲止（一八六二—一八九五年）計三十三年，新建書院十一所。⑥這一時期書院建設的特點是受光緒十一年（一八八五年）台灣建省和土地開發、人口增加的影響，書院創建猛然出現一個高潮。據連橫《台灣通史·戶役志》記載，台灣的漢人由康熙年間幾十萬，嘉慶十六年（一八一一年）的二百餘萬，到光緒十一年達到三百二十餘萬。若不是日本帝國主義的侵佔，相信台灣書院的歷史篇章將會是更加燦爛的。

---

④ 黃新憲主編：《傳統文化影響下的台灣教育》，福建教育出版社，一九九三年，頁二二。

⑤ 同註④，頁二三。

⑥ 同註⑤。

書院是中國士人的文化組織，自唐宋以來，不斷向世人展示了其對中華民族文化建設的巨大貢獻。比如，書院對漢字及官話的重視與推廣，使中華文化在台灣的繁衍發展獲得了廣泛而深厚的基礎。這也是中華文化移植台灣獲得成功的重要標誌。可見，在清代中華文化對台灣文化的影響力是巨大的。

三、日據時期的台灣文化

一八九五年四月十七日，清政府李鴻章與日本代表伊藤博文簽訂了喪權辱國的《馬關條約》，割讓台灣於日本。它既嚴厲破壞了中國領土主權的完整，又使台灣人民陷入日本殖民統治深淵長達半個世紀之久。

日本殖民統治台灣時期實施了一系列旨在隔離兩岸中國人政治、經濟乃至文化聯繫的施政措施。在文教體制方面，他們以普及日語逐步消弭台灣人固有的漢字和蘊含在文字中的民族思維方式，「欲以教育的力量同化台灣人及先住民」。⑦具體來講，台灣人民在日本殖民統治下，經受了從「奴化教育」到「皇民化教育」的辛酸歷程。

從一八九五年六月至一九一九年三月，是日本殖民統治確立開展「奴化教育」時期。由於日本剛剛

⑦ 東鄉實、伊藤四郎：《台灣殖民發達史》，台北晃文館，一九一六年，頁四一六。

佔領台灣，一切處於草創，因此，首先從語言文字入手，把台胞接受日本語作爲鞏固其統治的手段之一。

從一九一九年至一九三一年，是日本殖民統治全面實施「奴化教育」的時期，也是台灣人民在精神上遭受日本殖民摧殘很嚴重的時期。因爲，日本殖民者發展教育的目的，並不在於提高台灣人民的整體文化素質，而是爲了培養可供其利用的特定的人力資源。

一九三一年至一九四五年，是日本殖民統治從「奴化教育」轉向「皇民化教育」的深化時期。特別是一九三七年以後，日本殖民統治者一方面加強對台灣資源與經濟的掠奪，同時，在「皇民化」運動下，加緊了對台灣人民「精神資源」的剝奪，採取了全面封殺中華文化的政策。

對此，台灣人民爲維護中華文化與日本殖民統治展開了英勇的鬥爭，譜寫出可歌可泣的篇章。使異民族接受自己的語言，是征服者的共同手段。台灣人民爲抵制「日語普及運動」，許多尊崇中華民族文化的家長和學童寧願選擇書院，也不進日本殖民者設立的國語（日語）講學所或公學校。衆多的愛國人士變換形式，繼續以傳播中華文化爲己任。受一九一九年五月四日發生於北京的「五四」運動影響，在台灣的文學史上發生了從一九二〇年到一九二五年間，台灣的文言文與白話文的爭論。這場爭論，不論在理論上或是在創作上都自覺地、深刻地受到「五四」新文化、新思想運動的影響。爲「助長台灣文化之發展」，一部分島內知識份子和留日學生於一九二一年十月成立了台灣文化協會。⑧台灣文化協會成立後，積極宣傳中華文化和開辦有關漢文漢字的講座、演說和學習班，並大力提倡白話文等等。

進入三十年代，日本帝國主義在步步擴大對中國的侵略的同時，加緊經營台灣這塊殖民地，推行「皇民化運動」，企圖把台灣人民「化」爲日本天皇「忠誠的臣民」。對此，台灣人民或正面反對，或陽奉陰違，予以抵制。例如「改姓名」。一九三七年起日本殖民者在台灣推行「改姓名」，即叫台灣人民放棄原來的姓名改用日本姓名，並以增加日用品和生活燃料配給量等條件誘使之。然而大多數台灣人民以「大丈夫行不改姓，坐不改名」爲信條對待「改姓名」，表現出台灣人民的愛國情操和對中華文化的依戀，更表現出強烈的中華民族意識。⑨

在這期間，台灣人一方面接受漢學傳統教育及家庭中華文化的繼承；另一方面則接受近代教育和日本「皇民文化」的灌輸，兩種文化的撞擊、衝突、磨擦，對新一代台灣知識份子發生了不同的影響。他們中有些人竭力保持中華文化傳統，吸收近代科學文化，並以做一個堂堂正正的「中國的台灣人」爲榮。⑩但也有一些人受到殖民教育的較深影響，他們的親日情結在異族強制同化下，一時難以消除。然

⑧ 陳孔立主編：《台灣歷史綱要》，九洲圖書出版社，一九九六年，頁三八八。
⑨ 汪毅夫：《中國文化與閩台社會》，海峽文藝出版社，一九九七年，頁六六。
⑩ 同註⑧，頁三八四。

而，台灣文化根植於中華民族文化傳統之中，是儒家文化的一部分和延伸，加之帶有閩粤地區文化的特色。因此，中華民族傳統文化的精神，深深地埋藏於台灣人民的思想深處。日本殖民統治者企圖以自己的文化在短時期改變和同化中華民族的文化，其結果雖然在表面上使當時的台灣社會得到一定程度的治理，同時也蒙蔽了一部分台灣人，產生所謂的「日本意識」。但是，台灣人民的中華文化根基沒有根本動搖。

四、光復以來的台灣文化

一九四五年日本戰敗，台灣光復後，一批大陸的有志之士東渡台灣以及國民黨軍政人員約二百萬人退踞台灣，形成了歷史上第四次大陸向台灣移民的高潮。自此，台灣又在中華文化的直接影響下開始了新的歷程。

光復之初，一個最現實的問題就是要清除日本殖民統治在台灣文化和精神方面留下的後遺症。當時接管台灣的國民黨政府採取了一系列措施，其中主要有：調整學校制度、增加學校數量、修訂學校課程、編訂教材，推行國語教育，訓練行政人員，加強學術研究，改進媒體報道等等。

一九四九年以後，海峽兩岸特定的政治，軍事嚴重對峙的局面，給台灣文化抹上了極其濃重的政治色彩，並成爲台灣文化現象的重要基調。

從教育角度來看，台灣文化在一系列政策、方針制訂上得到集中、突出體現在：

一九四九年制訂了《非常時期教育綱要》。

一九五〇年頒訂了《戡亂建國教育實施綱要》，對加強三民主義教育、修訂各級學校課程，獎勵學術研究等作出了規定。

一九五二年初，爲推行《非常時期教育綱要》，頒佈了各科教育的改革綱要，共有《台灣省加強民族精神教育實施綱要》、《台灣省各級學校課程調整辦法》等五種。

一九六〇年八月，召開「第五次全國教育會議」，通過《復國建國教育綱領》。同時制定《教育改革方案》、《加強科學教育方案》、《加強文化建設方案》和《光復大陸教育文化重建方案》等四大中心議題。⑪

國民黨從大陸到台灣，帶去台灣社會經濟進一步發展所需要的中華文化。在國民黨政權的高度重視下，台灣文化的確得到了前所未有的發展。尤其是借重於儒家文化來規範台灣民衆的言行，以穩定台灣社會，加強在台灣的統治地位。並把儒學貫穿於「復國建國」的政治文化中，對青年學生進行「篤行」、「倫理」和「民族精神」教育。⑫「篤行」教育以培養青年學生踐履篤實，力行服從爲目的。「倫理」教育以培養學生「四維八德」爲核心。「民族精神」教育以培養學生「莊敬自強」、「自尊自信」爲主旨，其中，民族精神也是中華文化的核心。

---

⑪　同註④，頁六〇。

⑫　樓杰：《中華文化與祖國和平統一》，武漢出版社，一九九九年，頁七九。

此外，台灣六〇年代的「中西文化論爭」和「中華文化復興運動」，對抨擊「全盤西化」論，倡導繼承和發展中華文化和中國傳統文化，對台灣文化和國民黨領導人對教育文化的決策均產生一定影響。

一九七七年至一九七八年間，台灣發生了一場鄉土文學論戰。至此，作爲意識形態的文學，鮮明地劃分爲兩個陣營：一是官方文學，站在台灣當局一邊，成爲維護其統治的輿論工具。一是民間文學，站在反獨裁、反專制的民主運動一邊，成爲台灣歷史潮流的推動力量。⑬

鄉土文學作爲台灣文學的新生力量，外反掠奪，內反獨裁，努力謳歌工人、農民、小知識份子等普通勞動者的形象。湧現出一批現實性、理論性較強的文章，如陳映眞的《建立民族文學的風格》、《文學來自社會反映社會》，尉天聰的《什麼人唱什麼歌》、《文學爲人生服務》、王曉波的《中國文學的大傳統》、高準的《中國現代文學的主潮》、王拓的《擁抱健康的大地》等等反映出台灣人意志的作品。

一九八七年台灣當局宣布解除《戒嚴令》，進而開放黨禁、報禁，開放兩岸人員交流、互訪、探親、探病、奔喪，台灣社會開始了多元化的進程。台灣文化在台灣社會各種領域的表現形式空前活躍，各種政治力量分化組合。曾經在七〇年代參加鄉土文學論戰的活躍人士，一部分在社會變遷中被「台獨」勢力所利用，甚至認爲「台灣文學是日本文學和西洋文學的一部分」、鄉土文學逐漸變質衍生出

---

⑬ 耀亭：《回顧、鑒衡、展望——台灣鄉土文學論戰二十周年》，摘自《台灣研究》，一九九七年第二期。

「住民自決」、「台灣民族本質論」、「獨立建國目的論」等種種觀點。

爾後，隨著侯德健的《龍的傳人》的成名曲，在島內又展開了「台灣意識」與「中國意識」的論戰。論戰主要圍繞著「台灣意識」涵義及其產生的歷史背景和現實根源、「台灣意識」與「中國意識」的關係而展開。論戰的參加者包括政論家、經濟學家、歷史學家、社會學家以及文化界人士，爲數衆多，觀點各異。「台灣意識」與「中國意識」論戰表明島內思想界在文化主體認知上存在著尖銳的矛盾和分歧。

一九九四年七月，台灣當局發表《台海兩岸關係說明書》，宣稱「一個中國」只是歷史上、地理上、文化上、血緣上的中國」，意即不是政治上的中國。然而，歷史上、地理上、文化上、血緣上的一個中國，同政治上的一個中國是密切相連，同中華文化的特質更是密不可分的。正是由於中華文化的根基蘊含在海峽兩岸人民的情感中，因此，當一九八七年十一月二日台灣當局開放台灣居民赴大陸探親後，兩岸人員往來，兩岸經濟、文化交流如魚得水，並很快形成熱潮。

一九九五年二月，台灣文壇進行了一場有關「本土化」的論爭。在「本土化論爭」中，反「台獨」論述著重從歷史事實立論。而獨派論述則是從西方理論和自我理論系統出發。這場論爭規模雖然不大，但在意識形態中的影響不小。延續至一九九六年以後，海峽兩岸關係出現緊張狀況。儘管如此，在兩岸人民的共同努力下，兩岸之間的各項交流，交往仍在朝向好的方面發展。

五、海峽兩岸文化交流、交往

十多年來，海峽兩岸的文化交流逐步發展，交流範圍日益擴大，充實了兩岸人民的精神生活，提高了兩岸人民的文化品位，增加了對中華文化的認同，成爲兩岸關係發展的一個重要基礎。

——在兩岸文學、藝術交流方面，自八〇年代以來，反映中華文化傳統和現代社會生活、社會心態的小說、詩歌、散文等文學作品交流有數千種數千萬冊之多。兩岸戲劇音樂交流和文藝團體互訪、兩岸文物和書畫展出、兩岸攝影和影視藝術交流等等，從單向到雙向再到合作，在影視界先是一九八九年台灣攝製組到大陸拍攝外景，到一九九二年大陸攝製組也到台灣拍攝外景。然後還在北京、上海、台北、高雄等地舉辦電影周並合拍電影《霸王別姬》等。

——在兩岸科技文化交流方面，一九八八年九月，經過多方面的努力，台灣的蘇仲卿、周昌弘和葉永田三位科學家，出席在北京召開的第二十二屆國際科學會總年會，兩岸科學家第一次在一起進行科技交流活動。一九九〇年七月，兩岸科學界在上海召開「第一屆世界華人有機化學研討會」。在這之後，兩岸的科技交流每年都有不同形式、不同內容的交流和合作，特別是在高科技領域的合作開發，其效果是令世人關注的。

——在兩岸教育文化交流方面，從海峽兩岸大學生共同參加在新加坡舉行的「一九八八年亞洲大學生辯論會」到大陸高等院校招收台灣青年學生；從兩岸中學校際交流、競賽到一九九六年台灣成功大學邀請兩岸五十所大學校長聯合召開「海峽兩岸高等教育發展現狀研討會」，並共同發表《二十一世紀是中國人的世紀》的宣言，呼籲兩岸以學術交流保證二十一世紀屬於中國人，為全球華人創造「歷史性的一刻」。兩岸教育文化交流的同時，一些台灣同胞紛紛來到大陸興辦各類學校，從幼兒園到大專院校應有盡有，所有這些對於兩岸人民體認中華文化，互鑒有益的經驗，可謂是善舉。

——在兩岸學術文化交流方面，多年來，海峽兩岸學者就台灣開發、辛亥革命等歷史問題、兩岸關係和祖國統一等問題進行研討、交流，此外諸如法律、政治、經濟、經貿等問題，進行範圍廣、層次高、影響深遠的交流活動，深受兩岸學術界人士的歡迎。

——在兩岸新聞、出版和體育文化交流方面，兩岸掀起一陣陣「大陸熱」和「台灣熱」。比如，台灣記者到大陸爭相報導全國人大、全國政協和中共黨代會情況，把台灣新聞媒體對大陸的報導推向高潮。又如，大陸於一九八八年成立了中華版權代理總公司，促進兩岸出版和版權交流一萬多項。再如，台灣以「奧運模式」和中華人民共和國一起參加洛杉磯第二十三屆奧運會，兩岸運動員一起出現在領獎台上。一九九三年五月兩岸聯合登山隊成功地登上珠穆朗瑪峰。⑭

從以上海峽兩岸文化交流、交往的現實可以看出，海峽兩岸無論在政治上、經濟上和文化上，都存在不少共識。這些共認，為邁向二十一世紀的兩岸關係，奠定了堅實的基礎。同時也印證著「海峽兩岸

---

⑭ 同註⑫，頁二四一。

需要繼承和發揚我們中華民族文化的優良傳統。中華民族有著悠久的歷史和燦爛的文化，對世界文明有著偉大的貢獻。這……燦爛文化凝聚著我們，是國家統一的基礎」。⑮

六、幾點思考

如上所述，台灣文化在其長期發展過程中，形成了獨特的文化特質。由於台灣文化是隨同大陸漢族移民台灣而根植於台灣社會的中華文化。因此，台灣文化不是游離於中華文化之外的獨立的台灣文化。鑒於當前台灣文化發展的態勢和海峽兩岸關係的現狀，提出幾點思考意見：

（一）關於對台灣文化的認識

（1）台灣文化繼承了中華文化的特質，是中華文化在台灣傳播的一種地域文化形態

自古至今台灣文化萌生、定型和成熟發展的歷史長過程，客觀具體地繼承了中華文化體系的特質，並具有中華文化政治、經濟、法律、道德、科技、教育、宗教、文學和藝術、少數民族、民俗、體育、軍事等十二個子文化體系的內涵。由於台灣文化是在特殊歷史背景條件下存在和發展的，因而，台灣文

⑮ 摘自一九八八年七月十六日《人民日報》——中共中央負責人在會見美國國務卿舒爾茨時的談話。

化不僅具有中華文化的民族性、時代性和歷史繼承性的特徵，而且具有獨特的地域性。雖然海峽兩岸人爲地長期隔離，但根植於中華文化土壤之上的台灣文化並沒有割斷與祖國大陸的血脈聯繫。台灣文化所表現出愛國、愛鄉的中華民族傳統精神，正是中華文化中的一個永恆的主題。

（2）台灣文化源於中華文化，是中華傳統文化和現代文化的有機統一

台灣文化源於中華文化，涵蓋中華傳統文化和現代文化。廣義的台灣文化是中華傳統文化移植台灣流傳下來的文化，中華文化在台灣確立過程中，雖然曾數度遭到外國殖民文化的侵擾，這些災難給台灣文化和台灣人民精神上留下深刻的創傷，但由於台灣與大陸之間很早就有了文化聯繫，中華文化對包括十二個子文化在內的整個台灣文化的影響是極其巨大的。因此，絕不能將台灣文化看作是「外來文化」。狹義的台灣文化，是台灣土著民族（或稱原住民）獨立的語言和文化，由於各族群社會發展不平衡的原因，積澱下來的台灣土著民族的文化是古老而富有魅力的。因此，更不能把台灣土著文化同「台獨意識」等同起來。

隨著台灣社會經濟制度和政治制度的變化，建築在中華文化基礎之上的台灣文化，呈現出發展的歷史階段性。這也是中華文化所使然，並不意味著台灣文化由中華傳統文化發展到現代文化而失去其中華文化在台灣社會發展的連續性。所以，中華傳統文化和現代文化在台灣是一種繼承和發展的關係，其中不乏有利用發展走向反面的個別「台獨意識」者，但中華傳統文化和現代文化作爲一個有機整體在台灣發展，並寓於中華文化之中，是歷史的必然。

（二）關於海峽兩岸文化交流中所存在的問題

江澤民總書記在《爲促進祖國統一大業的完成而繼續奮鬥》的講話中指出：「中華各族兒女共同創造的五千年燦爛文化，始終是維繫全體中國人的精神紐帶，也是實現和平統一的一個重要基礎。」十多年來，海峽兩岸文化在中華文化的體系下進行交流、交往取得了很大的進展，但還存在著一些問題，其主要方面有：

一是，台灣當局的兩岸文化交流政策與台灣民衆要求同大陸進行文化交流的願望之間存在著較大差距，還處於比較消極、被動和保守的狀態。

二是，台灣當局在開放兩岸經濟，文化交流的時候，一方面希望向大陸推銷「台灣經驗」，另一方面卻又唯恐進一步受到日益發展的中華文化的影響。因而，採取了緊縮兩岸文化交流的政策，使兩岸文化交流難於順利進行。

三是，大陸方面出於加速經濟建設的需要，在兩岸交流、交往上，經貿方面交流合作的力度大於文化方面的交流合作。近幾年雖然採取一系列措施，加大兩岸文化交流的力度，但還有待加強。

四是，海峽兩岸文化應該都是中華文化，既有同根同祖的中華傳統文化，又有兩岸長期分離狀態下和在兩種不同社會制度下形成和發展的現實文化，在兩岸不同的立場、觀點和思想方法下，兩岸文化交流尚存在某些分歧和障礙。但是，經過兩岸人民的共同努力，兩岸的文化交流將會產生積極作用，並增強兩岸人民之間的共識和互信，這也是不可阻擋的時代潮流。

(三) 加強海峽兩岸交流的重要性和緊迫性

美國的塞繆爾·亨廷頓先生在其新作《文明的衝突與世界秩序的重建》一書中寫道：「由於二十世紀九〇年代出現了一些國家分裂乃至解體，一些民族對抗乃至戰爭的現象，一些區域裡包括國旗在內的許多文化標誌遭到改變，文化認同感也遭到肢解。」由此看出，研究和推廣中華文化，增強中華民族的認同感和凝聚力是多麼的重要和緊迫。

(1) 加強兩岸文化交流有利于抵禦國際上分裂中國的預謀

海峽兩岸由於種種原因目前還沒有統一，這就給國際上的分裂中國的敵對勢力提供了空間：「中華民族具有團結統一的優良歷史文化傳統，具有獨立自主的優良歷史文化傳統，具有愛好和平的優良歷史文化傳統，具有自強不息的優良歷史文化傳統。」⑯這四種中華民族的優秀的歷史文化傳統，是中華民族認同的文化理論標誌，也是中華民族共同的精神財富。在意識型態上還存在著差異，兩岸尚未統一的情況下，通過兩岸文化交流可以互相溝通、求同存異、共同發展。待國際上分裂中國的空間逐步縮小了，分裂中國的預謀無立足之地時，兩岸人民才能眞正共享中國的國際地位和中華民族的尊嚴。

(2) 加強兩岸文化交流有利於推進中華民族的文明進步

---

⑯ 江澤民：《增進相互了解，加強友好合作》——江澤民總書記在美國哈佛大學的演講。

海峽兩岸文化都蘊涵著傳統的中華民族精神，這也是中華文化和台灣文化共有的思想淵源，如「優化人格、恪守尊嚴，齊家治國、修身正心、仁者愛人、永存愛心、禮義廉恥、行己有格，求是務實、求知善讀、倡孝重親、家庭和睦……。」⑰都深刻反映出中華文化的精神實質。因此，兩岸文化都認同中華民族優秀傳統美德，兩岸文化交流不僅有力於推進中華民族的文明進步，並能對世界文明的發展多作出貢獻。

（3）加強兩岸文化交流有利於繁榮和發展中華文化

海峽兩岸的社會制度、經濟和文化發展狀況雖然不盡相同，但兩岸文學藝術需要在交流合作中取長補短、共同繁榮和發展，兩岸的經濟、科技文化需要在交流合作中互惠互利，兩岸的教育文化需要在交流合作中互鑒共進，如此等等。因此，加強兩岸的文化交流對發展和繁榮中華文化是極其有利的。

（4）加強兩岸文化交流有利於穩定和發展海峽兩岸關係

十多年來兩岸關係有了較大的發展，並在一些方面有些突破，兩岸經濟合作，人員往來和各項交流取得了很大的進展。當前，擺在兩岸人民面前的重要課題是，如何將一個和諧、穩定的兩岸關係帶入二十一世紀，文化係人類在社會歷史發展過程中所創造的物質財富和精神財富的總和。中華文化的紐帶和作用，構成了中華民族凝聚力的基礎。通過兩岸文化交流，可以使兩岸人民知己知彼，減少誤解，增進

---

⑰ 劉介民編：《中國傳統文化精神》，暨南大學出版社，一九九七年，頁一三一。

感情，有利於弘揚中華文化，也有利於穩定和發展海峽兩岸關係，促進中華民族完全統一的進程。

從以上台灣原住民和大陸移民共同耕耘的足跡可以得出如下結論：台灣文化在其發展的歷史長河中，中華文化始終伴隨著她走過各個歷史階段，在異族文化的猛烈衝擊下，台灣文化有過辛酸的歷史過程，然而正是強烈的中華文化的根基意識和不屈不撓的抗爭性，台灣文化始終未曾從中華文化中分離出去，當今在兩岸還處於分離狀態的時候，唯有加強兩岸文化交流，中華文化及其源於中華文化的台灣文化，才能在溝通、理解中得以繁榮和發展，唯有加強兩岸文化交流，海峽兩岸關係才能穩定向前。

參考書目：

王曉波：《台灣史與台灣人》，台北：東大圖書公司印行，一九八八年。

陳映眞：《陳映眞文集》（文論卷），中國友誼出版公司，一九九八年。

施敏輝編：《台灣意識論戰選集》，台灣出版社，一九八五年。

陳國強：《高山族風情錄》，四川民族出版社，一九九七年。

宋　強：《文化的回歸、立場的回歸——評台灣的鄉土文學論戰》，《統一論壇雜誌》一九九八年第二期。

張炎憲主編：《歷史文化與台灣》，台灣風物雜誌社，一九八八年。

試論中國意識在台灣的困境與台灣意識中的外力因素

毛鑄倫／夏潮基金會執行長

一

（一）戰後台灣地位問題與美國對台灣政治的影響

美國於珍珠港事變後對日本宣戰，隨即與中國結盟介入中國的抗日戰爭。但美國並非爲無償的援助中國抗日。美國因爲與日本展開太平洋戰爭，而有取代日本掌控亞洲的雄心。這一戰爭對中國而言，是爲了不亡於日本，對美國而言，則除了取得太平洋地區的海空霸權，進而也要營造一個戰後中國的親美政府，但由太平洋戰爭獲勝而取得的戰利品——台灣，乃必須作爲美國在此一區域的利益，而不宜任之回歸中國與大陸統一。

美國在抗日戰爭末期積極推動基於上述企圖的對華政策，事實上卻使得他與國、共兩黨的關係均告破壞，而一個由所謂「第三勢力」組成的親美政府則是全無可能的。一九四九年國、共內戰在大陸勝負分野，蔣介石與國民黨退守台灣。此一事實導出二項後果：其一，美國喪失他在中國大陸的可能的槓桿；其二，美國取佔台灣的想法亦頓告破滅。不過蔣介石仍相信美國的反共國策與美、蘇對抗的全球形勢，必將有助於他領導的中國的反共力量重返大陸，統一國家。

但蔣介石的此一心願與美國在此一地區的（戰略）利益與其對華政策全盤思考是相衝突的。美國在中華民國政府與國民黨的軍事、經濟主力撤守台灣後，雖然使他無從扶植台灣本土力量以「自決」或「獨立」訴求傾覆國民黨政權。但台灣之與中國分離對敵，仍符合美國的基本利益，因此重行借用遷台國民黨的組織與實力來鞏固此項利益，便爲必要手段。基本上，美國對台政策是防衛台島的不被赤化或被中共拿去，同時影響台灣，在相當時期之後，台灣與中國完全分離，而成爲確定的西方的一部分或西方在亞太地區利益的可靠代理人。因此，非共的台灣僅爲手段，最終的非中國的台灣才是目的。台灣被課以永遠承擔圍堵（遏制）中國的西方基地任務。

韓戰爆發後的台、美關係，是上述蔣介石與美國之間矛盾的勉強妥協。而兩者在台灣進行的不公開對抗，長期來看，也是蔣運用其權力在台灣主持與推動其「台灣中國化」的各種措施努力，抵抗美國在台灣部署進行的各類「非中國化」或「去中國化」運動。這個對抗的關鍵或核心在於，台灣是或不是中國的一部分。衆所皆知，在蔣介石統治時代，台灣內部任何「台灣不是中國的一部分」的主張都是非法的，並須承受程度不同的懲罰，但是不同階段的台灣「反對運動」所推出的主要「理論依據」，則始終是「台灣地位未定論」及其不同版本，此一反映美國對台灣前途安排的政治口號。

蔣介石與所領導的國民黨政權，一方面代表中國（主權）在台灣與美國對此一領土染指野心作周旋；另方面則以堅決反共立場交換美方的支持援助，充當美國的「西太平洋前線」。這使得台灣處在一種複雜的情況下，亦即如果蔣介石與其國民黨無法在一定期間之內解決在中國的「反共」問題，或者能夠與中共達成解決雙方對峙分裂問題的協議，則以台灣一島的資源能力與其特殊的歷史條件，勢將難以抵擋美國對台灣出於利益目的之用心用力，最後難免於被其馴服，而完全以西方利益觀點定位其與中國的關係。台灣也因此而成為中國大陸之敵。

（二）蔣介石治台時代美台關係癥結

追隨蔣介石與國民黨來台的中國大陸各省人士，大多以為只是來到中國的一個省分，因此也大多不能深入察覺與體會本地人士的所謂「省籍意識」中包含的較嚴重的問題，即視中華民國政府（中央政府）為外來統治集團的排斥心態，嚮往於爭取自主自治權利。但事實上，一旦台灣恢復做為中國的一個省，屬於中華民國，在當代，便同時肩負恢復中華民國憲法體制「光復大陸」的重責大任，必須在中華民國中央政府統轄指令下，盡其非常時期的國民義務。這種矛盾使得蔣介石時代台灣「反對運動」的主要訴求，偏重在要求台灣能解除其「反攻大陸」的責任，俾使台灣在當代全中國的範圍內，得以追求（局部的）「民主化」，但是這無異意味國民黨戒嚴體制一黨獨大以及蔣氏威權的終結。這是蔣介石不可能接受的。

五〇年代台灣「白色恐怖」時期之後，蔣介石與這一「反對運動」的衝突，主要表現在來台文化學術界人士的「西化論」與「中國民族主義」兩派主張的論戰上。但當年落敗的「西化論」派人士卻以政治受害者與民主政治眞信仰者的正面或烈士形象，反而在台灣的知識份子社會建立其信譽與正確性，從而持續的發生影響作用，而成爲此後現實上中華民國「反攻復國」政策不可能執行下台灣的另一個選擇。

蔣介石掌政時期的此一情況，其之所以如此的關鍵理由似在於，蔣介石威權體制高壓的要求其成員效忠於「光復大陸」最高國策，但幾乎每一個人都在等待美國是否肯大力支援（台灣的軍事反攻行動），以及中國大陸的是否會因爲中共統治失敗而崩潰。一項至高使命的復國任務，中國偉大前途的追求，竟然近乎完全被動的要依靠難以預期的外力、外在因素，方有可能實現，因此，何不在台灣建立一個非共的、安和樂利的新家園，以有別於或優越於中共統治下的大陸，乃成爲退守台灣國民黨人多數的心願。這無異是對領袖蔣介石的「軟性背叛」。

而爲達成此一心願，國民黨又有何理由排除本省籍人士的參與？

終其有生之年，蔣介石抵擋美國以其「兩個中國」政策圖謀台灣，也有效地約束了他的政府與黨跟美國在「兩個中國」主張上的應和，但這只是蔣介石個人意志與權術的勝利。蔣介石生前，台灣與大陸的尖銳敵立，在另一個意義上，則無異是消耗掉或關閉了他身後台灣主政者拒絕美國「兩個中國」政策的可運用能力或機會。

蔣介石爲防範台灣在他身後從中國分離出去，並維護其個人的歷史地位，將權位交由其子蔣經國繼承便爲必要。但事實顯示，蔣經國在台灣的統治，是他父親的對美、對大陸政策與美國的對台政策的一種妥協調和。這是不是蔣氏父子跟美國做的利益交換？但也可以視爲，蔣經國能取得美方認可接受而接班繼任元首，並非易事。蔣經國放棄了他父親念茲在反攻大陸的希望，轉而致力於務實的台灣經建發展，在美國的規畫下，強化與日本的經貿聯繫，引進日本資金技術，較快的取得經濟建設績效，奠定他的政治聲望，其實應屬先人外人的庇蔭與協助。

與其父相較，蔣經國時代的台灣具有較明顯多起來的台灣本土色彩。有些人認爲，這是台灣擺脫中國認同（身份）走上民主完成獨立的濫觴或契機。在這一階段，美國擁有了他在蔣介石時代所沒有的對台灣大局的影響力，美國在台灣各界都有了可資運用的槓桿。七〇年代保釣運動興起後，台灣新的民主運動繼之拉開序幕，但同時也點燃統、獨之爭的火種。中國民族主義從此在台灣開始面對它的危機與試煉。

（三）中國民族主義（意識）或中國認同在台灣的困境

國民政府或國民黨一九四九年退守台灣之後，台灣雖然因此而較一九四五年光復之後更爲明確的成爲中國的一部分，但此後卻又因遲遲無法解決中共「竊國」問題而與大陸重歸一統，此則提供台灣內部各種分離主義理論與心態孳生茁長的條件。此亦成爲美國干涉影響中華民國內政的重要槓桿。蔣介石、蔣經國父子在中華民國的法理上，應屬於全國範圍政權的領袖，二人具有特定的對全中國的象徵意義，這也連帶使台灣具有中國的性質，但兩岸長期的僵持敵對與各自發展，使得兩岸在許多方面的差異趨於明顯，美國在七〇年代開始後推動其新的中國政策，促使台灣內外傾向或支持分離主義的勢力，提出與中國做明確區隔的主張。「台獨」主張者以其維護台灣安全與台人福祉的論述，在這一時期瓦解了之前官府與法律長期視彼等爲非法的認定，他們也進而取得在台灣島內從事各類分離主義活動的非正式合法性。

一直到蔣經國亡故之前，台灣的中華民國執政當局雖然未曾改動「一個中國」政策，但其在島內實際施政作爲上，已令人感覺到所流露的有意運用「台獨」以抗衡由於美國與中共接近所造成的對台灣的壓力的若干跡象。所以，一旦「台獨」竟然可以搖身變爲對抗中共對台統戰的一種「戰術」，則國民黨政府何異於事實上解除了自己在島內禁制或鎮壓「台獨」主張者的道德與威權的合法性。值此時期，國民黨當局一方面承受美國施加的要求走上民主化的沈重（關切）壓力；另方面則除了將「台獨」詭辯解說爲中共爲求統一台灣而迫使台人做出的選擇；也同時因有見大學青年的「保釣運動」，而以有計畫的淡化與扭曲此一運動所喚醒的台灣新生代中國民族主義感情或覺悟，來預防中共可能的以中國民族主義爲訴求的對台統戰措施。事實上，在一九七九年之前，一九四九年後被國民黨政府帶到台灣來的那一個中國民族主義或國家認同，已因此而江河日下，逐漸異化。

七〇年代的國民黨主政當局，經歷了從被驅逐出聯合國到跟美國斷交的巨大打擊，造成至少兩項明顯後果：其一，放棄重返大陸的任何想法，深恨也恐懼中共在國際上取得的益多的中國合法代表身份；其二，更嚴重化地對美國提供台灣安全保護的依賴與期盼。這些都有助於台灣朝野的主流意識與思考方向，朝中國認同的相反或對立面滑動。由於他們不認爲中國（兩岸統一）並非不可能是台灣的前景或出路，這也連帶的造成他們探求尋索台灣其他前途的焦慮與躁進，致無法冷靜持平的看待此後中共在兩岸關係問題上的新主張與作爲。可以看得出，在華盛頓與北京關係正常化的發展過程中，台北是更加向華盛頓傾斜而與北京刻意保持較長距離與較冷關係。由八〇年代、九〇年代期間，此一三角關係的演變可知，台灣是越發的「遠離中國」，其值得憂慮之處，尤其是九〇年代期間，台灣朝野聯手進行的在台灣內部的「主權獨立」主張與系列「去中國化」計畫。這應該是認眞的從事分離主義的步驟。

綜合的看，蔣介石以及蔣經國應不可能同意九〇年代期間台灣朝野主流所自稱的「台灣是一個主權獨立的國家，他的名字叫中華民國」，但一九四九年迄今的台灣政治歷史的發展，無寧是給予此一「自稱」佈置了所需的若干條件。這裡面，台灣主流政治勢力對此是頗有貢獻的。一方面，早期親西方、親美的國民黨上層，來台之後或許曾寄望於美國之力助其「復國」，但即便不然，他們仍可移居美國養尊處優。至於故國大陸之事，若連美國都無力無法處理，當然也只有任由中共了。另方面，國民黨因內戰落敗，大陸易手，既然必須依賴美國維持在台的生存安全，則怎能以拖延拒絕美國要求的政治民主化？而台灣交由台人治理，並不違反民主政治原則，只要這些台人能反共親國民黨尙自認爲中國人，便有何不宜？另方面，台灣光復與國府中央遷台後，選擇與日據時代親日皇民階級仕紳合作，以整肅清洗具中國民族意識的抗日左傾份子，換取反共統治的安全與有效。但皇民階級在國民黨「本土化政策」佑掖下逐漸掌握黨政經文力量的多數，終於使國民黨脫胎換骨，不再以故國爲念，專以眼下既得利益爲務，與民進黨等互爲親美、親日、「獨台」、「台獨」之分合競爭，並托庇於美國軍力保持其實質「非中國」的怪異「實體」地位。

時至今日，台灣主流社會實已遠離中國民族主義與國家認同，下一代或將更甚於此。我們看不出在台灣島內今後有可能經由民主程序產生回歸中國民族主義或國家認同的政權或政治領袖，因此，除非兩岸獲致統一，台灣在未來似乎只可能繼續走向「去中國」、「非中國」，以及「中國友邦化」或「中國敵國化」的道路，落實其「新興民族」的自我定位。其眞正的目的或許只在建立一個親美的或美國利益代理人的中國人建成的新國家，可以與中國爲鄰，而中國不得不接受。

(四)小　結

以上各節係針對中國民族主義或中國認同在近五十年之間，在台灣所大致遭遇的困境與受到這些影響後的情況等問題，進行論述。而在最後，我們要提出以下幾點作爲結語：

（1）中國民族主義或中國認同在此並不包含複雜費解的含意，而旨在於維護十九世紀中葉迄今中國人國家的安全與利益，以及抵抗對此安全與利益的任何危害。

（2）中國的分裂是不符合中國民族主義，也造成中國民族主義或國家認同問題的分歧與爭執，是有害於國家（兩岸）安全與利益的。

（3）中國民族主義或中國認同在台灣的困難處境以及被嚴重扭曲破壞，主要是使中國（兩岸）的分裂問題難以解決，並在中國人之間製造敵對仇恨，提供外力可介入牟取利益的狀況與機會。

（4）在現階段情況下，由於台灣的轉變，解決上述問題須做的絕大部分工作，已成爲中國大陸的責任，而他解決此一問題的決心與智慧，則關係到兩岸中國人在未來長期歷史中的禍福。

二

（一）「台灣意識」與台灣作為美國的棋子

美國前總統卡特的國家安全顧問布里辛斯基在他一九九七年出版的《大棋盤》一書中針對台海兩岸問題，有如下一段文字：「由歷史及地理因素來看，中國幾乎必定會堅持統一台灣。我們也可以合理的假定，當中國勢力上升，繼經濟、政治消化吸納香港之後，將以統一台灣為二十一世紀頭十年的主要目標。或許以『一國多制』方式（由一九八四年鄧小平倡導的『一國兩制』變化出來）的和平統一，可以令台灣接受，也不會被美國抵拒，但是要以中國能成功維持其經濟成長並採納重大的民主改革為前提。否則，即使是在區域稱霸的中國恐怕還是缺乏軍事力量貫徹其意志，尤其是面臨美國反對下，更不能順心遂意；但是美國果眞干涉的話，必然會繼續刺激中國的民族主義，並且使美中關係變壞。」①

而我們從一九九五年六月李登輝總統訪問其母校康乃爾大學以來迄至晚近的兩岸關係，以及美國方面在此一過程中所施加的各種影響（干涉）來看，布里辛斯基之所言應屬事實，或是一種被美國所規範的事實。布氏這一論述中包含有這樣的重點，即指出如果中國不能在經濟上維持成功的成長，不能採納重大的民主改革，在美國的反對下，二十一世紀的頭十年，中國大陸希望跟台灣達成統一，仍為不可能的事，主要因為「缺乏軍事力量貫徹其意志」。

① 見布里辛斯基著：《大棋盤》，林添貴譯，頁二一九，立緒文化出版。

布里辛斯基的上引論述同時也表示，美國在兩岸統一的問題上，有自信可以使中國與美國的軍力做比較時，在一定的時期裡總是相對不足的一方，以致中國大陸在追求經濟成長與民主改革時，便不得不忍受或屈從美國的評價標準，此無異是迫使中國人要求國家統一的民族使命，被人爲的搞成一個弔詭的遊戲，即如果不能遵照美國的意旨來演變塑造中國的政治、經濟體制，就只有以中國民族主義爲籌碼，以遂行跟美國之間的軍武競賽對抗豪賭。在這裡，布氏淸楚的預告了新階段的美國對中國戰略構想，在非此即彼的策略運用下，中國將進退兩難，最終難免臣服於大美霸權，美國則因此坐實其全球霸主地位。也因此，我們可以理解，兩岸關係的現狀，是美國今後一段時間對中國政策戰略棋盤上的關鍵佈局，台灣非常可能是美國刻意用來贏棋的一枚棋子。也因此，我們觀察到，從一九九五年下半年以來迄今的兩岸關係，在台灣這一邊的表現，其實是克盡其扮演或充當美國棋子的角色罷了。而今天我們所討論的「台灣意識」與此一角色是有關的嗎？如有，二者之間又是什麼樣的關係呢？

（二）主流「台灣意識」中反中國情結的成因

一九四九年國共內戰終於在大陸分出勝負，中國卻因隔著台海持續敵對的國共政權而告陷入分裂。歷時半個世紀，兩岸的中國人仍舊未能解決國家結束分裂重歸一統的問題，而這裡面的一個重要原因是，造成中國分裂始作俑者的國共雙方，竟然在長達五十年的歲月之中，一直不曾建立眞正的溝通機制或渠道，因此雙方當然的無法達成足夠的互信，同胞之間的在許多關係到國家與人民重大利害與合理前途的要務上，兩岸當局基本上是以片面假想與揣測推斷來決定屬於己方的因應手段與政策。這種情況長期的提供大量的空間或機會，可讓外人鑽空子上下其手，進行其妨害與扭曲中國民族近代以來所追求的歷史使命——國家的統一與富強——罪行。②時至今日，台灣當局更爲配合或聽命於美國與日本在東亞的反中戰略部署，包括總統、行政院長、國防部長等，均已公開宣稱，有意參加美國的「戰區飛彈防禦系統TMD」，與美、日結成實質的以中國爲敵的軍事聯盟，寧冒戰火焚身之禍，也要表態其執意由中國分離出去的企圖。試問，這是不是所謂「台灣意識」在當前現實層面所衍生出的一種表現？它爲什麼如此？

我們在台灣，同時也是在今天的兩岸關係背景下探討「台灣意識」問題，或許應該誠實的檢討現今主流「台灣意識」之中反中國情結形成的原因。這是一個追究責任誰屬的工作，當然是很具爭議性的，但也因此，爭議的各造亦將無法掩飾其眞正立場，這至少可以幫助人們較清楚的認識問題本身，雖然未必能夠獲致問題之解決。

可以認爲，一九四九年後退守台灣的國民黨政權主要面對三種「敵人」：台灣本土傾向「紅色祖國」的各種政治團體或地下勢力；「二二八事件」平定後對外省人或中國人心懷怨恨的台灣本地各階層親日人士；來台外省人中親美反蔣與厭惡國民黨人士。在蔣介石總統掌政時代，他一方面穩住了與美國結盟反共的關係，另方面則很有效的清除與鎮壓了上述三種「敵人」。蔣氏知道美國對他的不具好感，

---

② 參見毛鑄倫著：《海隅微言集》，頁三—一六，《論近代中國民族主義運動之曲折發展》；頁三七—四二，《論大陸和台灣的國際籌碼》。海峽學術出版社。

但他聰明的扮演冷戰高峰時期親美反共的中國領袖角色，而台灣作爲美國在西太平洋地區的反共戰略基地，則成爲美國接受蔣氏在台灣威權統治地位的交換。美國反對蔣介石高唱的「反攻大陸」與「一個中國」政策，但始終自制與容忍，主要是疑忌與防範蔣的可能與大陸「和談」致結束兩岸的敵對分裂，動搖或危及美國在西太平洋的既得利益。③

歷史事實說明了美國的消極抵制，使蔣介石「反攻大陸」夢碎，而在一九六四年中國大陸取得核武自主之後，蔣氏更無立場說動美國冒核戰危險支持國民政府對大陸的武裝行動。同時，美方也逐漸修正其對中國大陸的政策與態度，此一趨勢發展到一九七一年的中國大陸進入聯合國與一九七二年的《上海公報》，美國與中國大陸正式達成「一個中國」與「和平解決台灣問題」的協議，台灣則從此時到一九七九年華盛頓—北京關係全面正常化的期間，陷入完全對自己前途無能爲力的焦慮困境，但是在這一情況下，台灣內部出現要求「革新」的呼聲，據信這是由蔣經國主導的，也是配合頗爲樂觀的經濟發展形勢的民主化起步。也有人認爲這是驚恐於華盛頓與北京關係改善可能導致美國坐視台灣被大陸併吞而進行的取悅美國的忍痛選擇。事實上在蔣經國主政的七〇年代，從七〇年代初的「革新保台」與「本土化」政策的開始推行，到了七〇年代後期，一種新的有別於此前的對台灣前途的意見，已隱然居於主流，它應該是接近於「兩個中國」論的「獨台」論。這種論點在一九七九年美國與中國大陸建交，與中

---

③ 參見蘇格著：《美國對華政策與台灣問題》，頁二一八—三一〇，《美台軍事同盟形成內幕》；《中美對峙中的接觸》。世界知識出版社。

華民國「廢、斷、撤」之後，隨即推出「對台灣關係法」之後，即確定的在台灣取得主流優勢，但也因此爲「一中一台」論開啓了發育的空間。在台灣內部民主的基礎上，「台獨」當然有權跟「獨台」競爭。在這個時期，台灣社會在政治論述上轉型與進入一個熱切於淸算一九四五年光復以來國民政府統治記錄與蔣氏父子國民黨黨國威權的狂飆時代，這是衆所周知的「台灣民主」的濫觴，暗示了長期存在的原國民黨體制與其情治系統的走上「中立化」，以及終止其對蔣氏一姓的忠貞。在蔣經國的晚年，台灣的政治風貌的巨幅改變，指向對其父子兩代所經營的時代的否定，但這一切竟然發生在蔣經國的生前，因此，國民黨體制以及其情治系統新的認同傾向或服從對象便應該是一値得注意的問題，而其何以如此則更値得重視。

在這一段時間，它同時出現的一個重要現象，乃是台灣各界對中共政權全新的對台政策發言與表態，所表現出的僵硬草率的回拒，甚至故意的誤解。在這樣的氣候下，台灣湧現出一批人物，他們相信去宣揚「台獨」是可能的。「台獨」將成爲台灣新的「明天」。他們也不認爲應該正視與思考有關「台灣前途」問題裡面無所不在的「中國因素」，他們並且明白的表達對台灣跟中國大陸間任何形式的接觸或接近的反對與敵意。事實上，這確實阻攔與拖延了台海兩岸關係朝向正常化發展。因此，檢視一九七九年以來，中共因爲完成了與美國「關係全面正常化」而主動採取的對台新政策，二十年之間卻並未曾獲致重要或基礎性的成就。

人們可以發現，所謂「台獨」或「獨台」因素在台灣面對兩岸關係與自己前途的思考與選擇時，所起到的不容小視的對「中國統一」這一選項四兩撥千斤的作用力。

有人或謂，把上述種種歸爲「台灣意識」是不全面的或不盡公平的；但能說上述種種不是今天「台灣意識」中的主要部分或產物嗎？

(三)「台灣意識」在台灣的不同理解與影響

基於以上論述可知，自七〇年代初期美國逐步改變其對中國（其實是兩岸）的政策開始，形成在台國民黨的嚴重不安全意識，而積極以進行紮根台灣延續香火命脈的因應策略或政策，國民黨必須努力拉攏所謂省籍人士參與其反共事業與組織陣營，省籍人士則多以此作爲交易而取得外省籍當權勢力向他們開放或下放的（政治）權位權力。這已是一個衆所共見的台灣當代史的過程。弔詭的是，國民黨內的省籍「同志」則不免認爲外省人因爲是中共的手下敗將故仇視中共，此時卻將反共或光復大陸的不可能任務讓本省人來分擔，在內心頗爲啼笑皆非，而且也因此益增其對外省長官同僚的輕視。

事實上，台籍人士不論廁身國民黨內外概皆不存「反共復國」之念，「反共」對彼等的意義僅止於「自衛」，「復國」則更是從何說起。美國與日本之「關心」台灣者，對此點甚爲有會於心，他們相信國民黨一旦「本土化」就是蔣氏政權「光復大陸」國策的結束。美國人並不吝於向台籍人士指出，蔣氏與外省人當權的國民黨，無非是利用「反共」爲理由維持其對台灣的「戒嚴統治」體制，以長期把持政權，耽誤台灣人「出頭天」的權利。因此，只要美國繼續保護防衛台灣，則一改「反攻」、「反共」國策，有何不可能與中國（大陸）和平共處。因此，結束蔣氏的國民黨體制改弦更張另謀台灣前途，其實是當年國民黨內外的省籍人士的共同深層心態。諷刺的是，這確是蔣氏威權領導下的國民黨老中青外省籍黨員幹部難以理解或深不以爲然的，這一矛盾在李登輝先生正式掌權施政後不久明朗化，其所引發的各類政潮亦屬衆所周知，餘波至今仍蕩漾未平。

蔣經國於七〇年代初決定推動國民黨的黨、政「本土化」後，該黨即註定趨於分裂，而且將以省籍之別作爲分裂的具體標誌。因此，如果美國人已經早有預見或事前安排，他們當然會在台灣作各種可能的嘗試以促成此一發展。我們在研究這一台灣當代歷史的關鍵性轉捩（選擇）問題時，仍不免感到神秘與具趣味的在於：蔣經國做此決策的眞正原因有哪些？什麼人或事對他的決策發揮了影響？他預期什麼？

（四）小　結

以上文字企圖通過討論而闡述的，正是因爲美國改變了他五〇、六〇年代的對中國（大陸）政策，在七〇年代從主動接近北京到完成與中華人民共和國的關係正常化，此一過程對台灣造成的影響是雙重的，一方面當時的國民黨主政當局在嚴重的驚恐中，下意識的嫉恨中共絕望於大陸，也在心理上更加依賴美國祈求不被拋棄。五〇年代以來，蔣介石當權時代的尙能與美國方面避免卑屈的交往交涉的「國格」，一夕粉碎。另方面，有相當數量的各界人等，竊喜於見到國民黨當局之無從再以其「中國法統」與「反攻復國」爲藉口與美國周旋，同時「合法的」壓抑台灣內部的各種異議或反國民黨人士。美國在七〇年代對待在台國民黨的方式、手段，間接的提供台灣反對人士振作自信的一種啓示或鼓舞。在蔣介石時代幾乎已經彌平了的台灣反對勢力，在七〇年代獲得了再生的機遇。而美國以支持民主的台灣爲其持續庇護國民黨在台政權的條件，取得了他在七〇年代以前所沒有的可以理直氣壯公然關心與介入台灣當局與反對份子之間關係事務的特權。無庸諱言的，美國所「憐愛」與「照顧」的對象主要是「台獨」主張者或活動份子。美國知道什麼樣子的「台灣意識」是符合其利益的。

一九七二年二月，美國尼克森總統與中共周恩來總理在上海簽訂的公報，是中共與「美帝」之間石破天驚的一項條約文件。華盛頓以其因應並消滅所面對的蘇聯軍備擴張壓力爲考慮而選擇與北京結盟的決策，使之在「一個中國」原則問題上採取讓步而與中共取得協議並行諸文字，周恩來也投桃報李的接受了「台灣問題」和平解決的要求。但這一公報與爾後的兩個公報只是讓美國更加確信，「台灣問題」對中國的重要性，因之必須始終將台灣留在自己手上，這有助於在與北京角力遊戲時能掌握主動進退自如。也因此，就在與北京逐步建立正常化關係的同時，將台灣更徹底更有效的納入美國掌控，使能完全與充分的聽命配合，不致有損美國與中國「交往」過程中的美國國家利益，自是華盛頓各方的重大業務。使台灣的主流意識是配合美國所期望的尤其是重要的。

在這個課題上，台灣能發展出「脫中國」或「去中國」的意識，使中共明白台灣早非蔣介石父子主政時代的精神狀態，以中國民族主義或同胞感情、血緣文化等「廉價」統戰理論、手段已無可能奏效，則一方面可以讓美國放心於台灣的不會輕易的傾向中國；另方面，中共如嘗試「和平統戰」之外的其他對台政策，所可能引發台灣的疑懼，只會使台灣更親美、更依賴美國。也只有如此，作爲中國內政問題的台海兩岸問題，便不得不變成美國與中國間的問題。而之所以如此，其關鍵在於吾人所討論的「台灣意識」，其當今的主流其實是美國的對華戰略大佈局下的衍生物，它反映的是中國的敵人的利益考慮。

令人質疑的是，主流「台灣意識」在標榜台海或台灣的美國國家利益之同時，是不是會犧牲或危害台灣本身的利益?也就是說，「台灣意識」難道可以不以台灣利益爲根本或主體嗎?

美國清楚的知道一旦他所敎導、培育、鼓勵的「台獨」運動在台灣執政，爲了不引發跟中國眞正的戰爭，便只得壓抑他們宣佈獨立的的衝動與剝奪他們宣佈獨立的成就感與光榮，這無寧是不人道與僞善的，事實上，這也揭穿了美國在這個問題上的全然自私自利，而以信仰美國精心製作的導向「台獨」的「台灣意識」的人爲芻狗的眞相。我們認爲，懷抱著類似這樣「台灣意識」的人應有所省悟，「台灣意識」無權將台灣人民推向戰禍與毀滅，也不應自貶爲帝國主義霸權戰略的工具。

中國大陸與台灣的許多位學者，很費苦心的訴諸理論企圖指出「中國意識」與「台灣意識」二者的密切與互通關係，他們的學術研究動機是値得欽佩的，他們的論點也是無可反駁的。但是我們知道，一九四九年以後，兩岸五十年的分離敵對，以及此前日本殖民統治的五十年，提供了外國人對付台灣同胞遂行異化其意識的大好機會，而這個異化的主要目標，就是要使台灣人背棄祖國認同。最近十年間，利用「台灣意識」的名目，突出其對「中國意識」的敵對性與優越性，藉以確定兩岸的無可和解統一，這種論點亦已凌駕與掩蓋了前面所說的那些兩岸學者的論述，這是令人憂慮與痛心的台灣面貌。我們因此希望藉由「夏潮基金會」主辦的這場《中國意識與台灣意識》學術研討會，能對這個必將影響兩岸中國人的禍福與前途安危的問題，貢獻正本清源撥亂反正的助益。

台灣意識的複雜性及與中國意識之關係

趙玉福／國家信息中心國際信息研究所台灣研究室主任

關於「台灣意識與中國意識」的問題，是一個非常現實、非常深刻又非常複雜的問題，七、八十年代台灣政壇和學術界曾經發生過激烈的論戰。何爲台灣意識？它與中國意識的關係究竟如何？這些問題究竟是屬純學術問題還是有相當複雜的政治背景？會對兩岸關係帶來什麼影響？發生在《前進》、《生根》與《夏潮》等諸刊之間的論爭已經過去了十六、七年，但這些問題似乎仍然未十分明朗，難有定論。隨著時間的推移，台灣政治生態發生了深刻的變化，這些問題似乎又增添了新的內容。因此，重新提出進行一些深入討論，是很有必要和很有意義的事。筆者過去對這一命題缺乏關注和了解，這次接受「夏潮」的課題後認眞地閱讀了大量的論著和資料，進行了深入的思考。拙作擬就台灣意識和中國意識的含意、形成及發展；台灣意識的複雜性及其政治背景；台灣意識與中國意識之關係等問題談些粗淺的看法，以就教於在座的師友們。鑑於台灣意識與中國意識之命題，往往會牽動或導致情緒化，而筆者由於生在大陸、長在大陸，從未到過台灣，難免亦有情緒化的因素，因此，筆者在思考和分析這一問題的時候，會有意識地克制個人感情因素，盡量做到客觀、公正地加以分析，這是需要事先加以說明的。

一、台灣意識的發展過程及其內涵的複雜性

（一）台灣意識的涵義及其形成

台灣意識，台灣學者又稱之爲「台灣現實意識」（如陳樹鴻：《台灣意識——黨外民主運動的基石》，一九八三年七月《生根》雜誌第十二期），按照陳先生的解釋，它應該是台灣人在長期的經濟和社會生活中逐漸形成的「共同意識」，它是台灣的資本主義經濟發展到一定水準、社會生活整合到一定程度的必然產物；而葉阿明則認爲：討論台灣意識只談經濟基礎是不夠的，還要注意人的主觀意識，即上層建築與經濟基礎的交互作用（見葉阿明：《意識與存在——再論台灣意識》，一九八三年八月《生根》雜誌第十五期）。我們不妨將二位學者的論述來一個「拉郎配」，即將陳先生所強調的「客觀基礎」和葉先生強調的「主觀願望」合二爲一，沿著「客觀＋主觀」的思維方式，對台灣意識這一概念的內涵、形成及其發展進行研究和分析，既看到台灣意識形成的客觀原因，也不忽視產生這一概念的主觀因素，也許會得出更加確切的結論。

台灣意識不同於「台灣人意識」，二者有重疊又有區別。「台灣人意識」是一個很寬泛的範疇，而台灣意識是一個特定的概念。在開始形成的初期，也許只是鄉土的、地理的，但發展到今日已成爲一個敏感的思想政治概念。究其涵義，簡言之，即人們（包括台灣人和非台灣人，以台灣人爲主體）在思想

感情上和意識深處對台灣的認同和定位。它不僅表現在血緣、地理、歷史、社會、文化、心理等諸多方面，也明顯地表現在政治上。由於對這一概念的解釋者，在政治理念、立場方法、知識閱歷等諸多方面存在差異，使這一概念明顯地存在著模糊性和複雜性。對此，筆者將在後面一部分——「台灣意識的複雜性及其政治背景」裡加以分析，這裡只對其形成和發展談些粗淺的看法。

據台灣學者介紹，台灣意識作爲一種思想概念，最早出現於七〇年代中後期，大約在關於台灣鄉土文學論戰前後。一九八三—一九八四年關於「台灣意識與中國意識」的論爭，則使這一概念初步成形，並在台灣思想學術界爭得一席之地。但作爲一種思想體系，其產生卻是非常久遠的事，最遲在日據時代便已經存在於台灣人民的思想感情之中，體現在台灣人民的行動之上。台灣人民對日本統治者連續不斷地反抗和鬥爭，即是在這種意識的驅使下進行的。

(二)台灣意識發展的三個時期

作爲一種思想體系，台灣意識的形成和發展過程，筆者在研究中試將其分爲三個時期：第一個時期，是在台灣光復之前。該時期屬自然的不自覺的雛形時期，其表現基本上是地理的、鄉土的；第二個時期，是在李登輝先生主政之前的蔣氏父子時代。該時期又可分成兩個階段，即從台灣光復到國民黨遷台爲第一個階段，蔣氏父子在台主政爲第二個階段。該時期以台灣意識與中國意識關係的激烈論爭爲標誌，爲台灣意識的逐步成形時期，其突出表現是關於民族認同的政治性內容逐步凸顯；第三個時期，是從李登輝先生主政之後至今，亦可以郝柏村先生下台、非主流派淡出政壇爲標誌，分爲前後兩個階段。

該時期爲台灣意識由與主政者相對立的非主導地位向與主政者相融合的主導地位過渡的時期，非主流派的淡出政壇則爲其主導地位確立的重要標誌。台灣意識在這一時期的突出表現是原有的地理、鄉土素質逐步弱化，而政治素質逐步強化以至成爲主導，即關於台灣前途和定位的問題逐漸成爲台灣意識的核心問題。關於台灣意識在這三個時期的發展變化、複雜的內含及其深刻的政治背景，筆者將在後面的章節中詳述。

（三）台灣意識的複雜性及其政治背景

作爲一種思想體系，台灣意識在產生之初，更多地表現爲一種鄉土意識。由於地理的原因，居住在台灣的無論是早期的還是後來的，無論是高山、平埔族，還是福佬、客家人，由於長期的生活關係，生於斯，長於斯，隨者經濟的發展和社會的進步，產生了熱愛台灣、認同台灣，「台灣是我美好家園」，這種與台灣休戚與共的思想感情，本來是無可厚非的，當屬人之常情。値此之時，台灣意識也許是幼稚的、單純的，並未呈現十分複雜的內容。但隨著時間的推移，政治生態的變遷，特別是政治人物和學者們對這一概念的各色各樣的解讀，時至今日，台灣意識似乎已形成一種思想體系，其內容已不再那麼單純，而是相當複雜，有時讓人感到含混不清，其政治背景也越來越複雜了。

我們說台灣意識具有十分複雜的特徵，是因爲它的產生和發展不僅受著地理、歷史、文化、心理等諸多因素的影響，而且還受著思想情緒和政治理念的制約。它的內涵不僅具有多元的、變化的、不確定的特點，而且有著深刻的政治內蘊。這裡筆者從歷史、現狀及未來發展的角度，對其複雜的內涵做一個簡要的分析，而對它與中國意識之關係則在後面的章節裡詳述。

（1）台灣意識在歷史上曾經起過一定的積極作用，其存在有其合理的一面；但其濃烈的感情色彩，很容易走向極端。一種意識的產生，有其深刻的歷史、社會根源。台灣意識正是在長期殖民統治和國民黨強權壓迫下逐步形成的。在日據時代，即台灣意識發展的第一個時期，台灣人民正是在強烈的台灣意識的驅使下，去積極反抗殖民統治，去爭取自由和獨立的。無疑，那個時代的台灣意識，曾經促使台灣人民團結、奮起，起到了促使台灣人民覺醒、凝聚人民力量的作用。在蔣家統治時期，即台灣意識發展的第二個時期，也曾在一定程度上起到過反對威權統治、爭取民主的作用。但這種意識的形成和發展過程中，充滿了濃烈的感情色彩，情緒化的成份很重，很容易引出極端化的結果。台灣意識發展的第三個時期，即李登輝先生主政以來，這種傾向表現得越來越明顯。台灣意識已發展成爲「新台灣人主義」，原有的那種樸素的鄉土意識已不復存在，而代之以「走出埃及」，「脫離中華民族」的政治訴求。

（2）台灣意識不僅蘊含著悲情意識，而且體現著反叛精神，其發展往往有其對立面及排他性。《馬關條約》是中華民族的不幸，它使台灣成爲遺棄的「孤兒」。長期的殖民統治和兩岸隔離，使台灣人民萌生了悲情意識，同時也滋長了反叛精神，無論是日據時代初期的「台灣民主國」運動，還是貫穿於整個日據時代的武裝抗日事件如「北埔事件」、「西來庵事件」等，都是這種悲情和反叛精神的具體表現。縱觀台灣意識的發展過程，其存在和發展往往有與之對立的一面，有著強烈的排他性，這種意識正是在一種矛盾狀態中逐漸形成的，如日據時代即台灣意識發展的第一個時期，其對立面是日本殖民統治和清朝政府的遺棄；蔣家統治即台灣意識發展的第二個時期，其對立面是國民黨的專制和「中華民國」的「法統」；李登輝先生主政以來即台灣意識發展的第三個時期，雖然台灣尚無人明確宣示，但稍加分析即不難發現，其對立面已成爲祖國大陸及「一個中國」的原則。

（3）台灣意識經歷了一個從非主導地位到主導地位的發展過程。台灣意識產生之初即第一個時期，即受到了殖民者的反對和壓制，根本不可能成爲主導社會意識的公衆意識；在這一意識逐步成形的第二個時期，儘管其詮釋者們時有遮掩，欲言又止，但其深層次的實質內容與執政者的理念和政策，存在著激烈的對立和衝突，所以也難以成爲主導公衆的社會意識；但是到了第三個時期，隨着國民黨的逐步本土化，執政者不僅認同和接受了台灣意識，而且採取具體措施極力加以倡導（如教育改革、心靈改革、推行「新台灣人主義」等），使台灣意識逐步成爲具有主導性的社會思潮，誰欲反對竟成了大逆不道的事。

（4）台灣意識的內涵雖然具有一定的不確定性，但其政治傾向卻愈來愈鮮明。說它具有一定的不確定性，主要表現在四個方面：一是其內涵表現爲動態的，隨着歷史的進程在不斷變化，其發展趨向難以預測；二是不同類型不同觀念的人對其解釋並不完全一樣，仿佛是「公說公有理，婆說婆有理」；三是其本身似乎左解釋右解釋均可，具有很大的彈性空間；四是在對其詮釋的時候，似乎難以暢所欲言，有許多只能靠思而得之的「潛台詞」，時而呈現出一種「模糊狀態」。這種不確定性貫穿於其整個發展過程中。儘管如此，其內涵的政治傾向卻始終不難窺見，而且有愈來愈鮮明的趨勢。它自始至終強調的是「台灣優先，台灣第一」，這種強烈的「唯我其誰」的意識有力地抵制過日本殖民者的「皇民化」，現在又基本同化了國民黨執政者，下一個抵制的目標，毋庸諱言，顯然是中國之統一。回顧台灣意識的發展過程，似乎常常是與「統獨之爭」聯繫在一起的。

（5）未來台灣意識的發展趨勢是難以預測的，既存在著惡性發展之可能，也存在著回歸本性之希望。從目前看，台灣意識是朝著脫離中國意識的方向發展，其終極的政治目標是「台灣共和國」，這種發展趨勢倘若得不到遏制，而任其惡性發作，將是包括台灣人民在內的整個中華民族莫大的悲哀；而如果這種本來是客觀存在的、應該良善發展的台灣意識，朝著理性的方向，即那種樸素的鄉土意識，即熱愛台灣、建設台灣的追求，即人民當家作主的願望，諸如此類，把它的政治追求限定在中華民族的大家族裡，把它的意識追求限定在中華民族的思想體系中，那將是包括台灣人民在內的整個中華民族之大幸矣！

二、中國意識的涵義及其政治分歧

筆者認爲，中國意識不像台灣意識那樣具有如前所述的複雜性，所以這裡不擬做細緻的闡述，只對這一概念的內涵及目前兩岸對此存在的政治分歧談一點看法。以爲我們下一章——台灣意識與中國意識之關係，從概念上有一個明確的界定。

中國意識的含意，套用台灣意識的說法，應該是中國人（包括祖國大陸、台港澳及海外華僑所有的中國人）在思想感情上和意識深處對中華民族的認同。對這種意識的產生，筆者沒有做過深入研究，據戴國煇先生研究後認爲，它萌芽於十九世紀四〇年代初，經過辛亥革命的催生，成形於日本侵華時期。鑑於其產生和形成年代對我們現所論述的問題沒有至關重要的影響，我們姑且認定戴先生的研究是準確無誤的。或者更實用一點說，這一概念是相對台灣意識同時產生的亦無不可。

在八〇年代島內關於台灣意識與中國意識的論戰中，當提到中國意識的概念時，總是牽涉是「中華人民共和國意識」還是「中華民國意識」的問題，而對此問題又很難達成共識，如今兩岸學者就更加莫衷一是，甚至南轅北轍，各說各話。筆者認爲，在討論「台灣意識與中國意識之關係」的時候，一定要分清是「中華人民共和國意識」還是「中華民國意識」是沒有意義的，既不可能也不必要。思想意識雖然與政治有聯繫，但畢竟是兩個範疇的問題，這種非要扯進「中華民國」和「中華人民共和國」的作法，筆者認爲是硬把政治問題扯進意識型態的討論，對研究問題有害無益。因此，筆者這篇文章中所提到的「中國」均指「中華民族」，而「中國意識」則是超出所謂「政府」之外的「中華民族意識」之謂。

三、台灣意識與中國意識之關係

（一）討論二者關係之基礎

筆者在前面章節裡對台灣意識和中國意識的內涵做了簡略的界定，並對其形成及發展過程進行了具體分析。這裡擬對二者的關係，從歷史、現實乃至未來的角度做些初步的分析和探討。

筆者在文章的開頭曾經表示，將採取客觀、公正的態度分析問題，避免情緒化。但並非隱藏觀點，採取曖昧的態度，即使是一些不易爲他人接受的觀點，只要不是爲了某種政治的需要亦應暢所欲言，言無不盡。所以必須說明，筆者是在這樣的前提下分析「台灣意識與中國意識之關係」的，即：台灣是中國的一部分，台灣各族人民均是中華民族大家庭的族員（當然這是有根據的，但並非此文要論述的問題）。這並非預設前提，因爲這是討論問題的基礎，否則就無需進行討論。

關於台灣意識與中國意識的關係，台灣政界和學術界曾經有過激烈的爭論，有人認爲中國意識與台灣意識是相輔相成的，是「母意識」與「子意識」的關係，或者說是「主意識」與「次意識」之間的關係，即「包容」與「被包容」的關係；但也有人認爲二者是完全對立的關係，甚或是「兩個民族」的平行的平起平坐的關係。筆者對上述觀點不擬做簡單的肯定或否定，只想對二者的關係做些具體的回顧和分析。

(一)第一時期：二者的關係是相輔相成的，沒有明顯的矛盾衝突

台灣意識在形成之初，與中國意識基本上是相輔相成的，沒有明顯的矛盾和衝突，這種情形直到台灣光復也沒有本質的改變。台灣意識表現在民族認同上，從未否認台灣人是中國人，也沒有認爲台灣獨立於中國版圖之外。這一點貫穿於整個日據時代的反殖民、抗日的民族運動中。譬如日據初期以「永清」爲年號的「台灣民主國」運動，實際上是「獨立」於日本統治之外，而並未因清政府的「遺棄」而

要從中國版圖獨立出去，這不僅表現在以「永清」為年號上，更直接表現在給清廷的電文以及「台灣民主國總統」唐景崧的就任文告中。主張成立「台灣民主國」的台灣紳民在通過當時的兩江總督張之洞給清廷的奏電中一再宣稱「遙戴皇靈」、「此舉無非戀戴皇清，圖固守以待轉機」；唐景崧則在就任文告中宣稱：台灣割讓日本，「全台士民不勝悲憤，當此無天可吁，無主可依，台民公議自立為民主之國」，「惟是台灣疆土，荷大清締造二百餘年，今雖自立為國，感念列聖舊恩，仍應恭奉正朔，遙做屏藩，氣脈相通，無異中土。」甘為清廷子民之情昭昭可視。此後的歷次抗日運動亦基本上是視大清為本，抗日而不反清（即中國）。如一八九六年詹振、林李成的抗日檄文稱「開台灣，助清國，明君正道，正稅律，遵古例，絲毫無私，實稱恩主光緒帝」；同年的柯鐵抗日，則高舉著「奉清國之命，打倒暴虐日本」的旗幟；一八九七年黃國鎮、阮振的抗日檄文稱：「一為清國主人申冤，二為全台人民雪恨」；同年在嘉義、雲林一帶抗日的曾春花、翁輝煌則高呼：「匡正清帝，共作良民」，……諸如此類，不勝枚舉；再如一九〇七年北埔、一九一五年西來庵等著名的抗日事件，均以「收復台灣歸復中國」為目的。二〇年代之後的歷次社會、政治運動，雖然也打出過「台灣獨立」的旗幟，但也多是針對日本殖民統治而言，而基本是以歸復中國為目標。那時體現在各類政治運動中的台灣意識與中國意識的關係，即使不完全是被包容與包容的關係，二者也是融合貫通，緊密結合在一起的，那種以血緣、種族、文化為依歸的民族認同，表現得是那樣的根深柢固。

（二）第二時期：台灣意識出現同中國意識分離的傾向，但仍未脫離中國意識的框架

在蔣氏父子在台主政的時期，即前文所稱台灣意識發展的第二個時期，是台灣意識發展過程中最爲複雜的時期。它與中國意識的關係，不僅表現在本省人與外省人之間，亦表現在統治者與被統治者之間，同時還交織著島內與島外「台獨」運動的聯繫，此一時期，國民黨執政者堅持了「一個中國」的政策，對與大中國意識相牴觸、相對立的思想和行爲，採取了嚴酷的封殺政策。因而，台灣意識中的「分離主義」傾向雖較前期有明顯滋長，但仍然沒有脫離中國意識的框架，受著中國意識的制約。國家認同仍然以大中國爲認同對象。即便是表現較爲激烈的「二二八事件」，其對立面也主要是國民黨的專制統治而沒有脫離認同中華民族的軌道。這從一九四七年三月六日「二二八事件處理委員會」發表的《告全國同胞書》中可以得到證實。該文告明白地宣稱，「二二八事件」的「目標在肅淸貪官污吏，爭取本省政治的改革，不是要排斥外省同胞」，並稱「我們同是黃帝的子孫，漢民族」，云云。台灣意識在這一時期由於島內外呼應，其分離傾向有很大程度的發展，在某些群體中可以說是惡性膨脹，但並未成爲社會的主導意識。在這一時期，台灣意識發展過程中一個突出的特點，是分離傾向的滋長同反對國民黨的專制交織在一起，有些人是反對國民黨而不反「中」，這是需要我們在分析台灣意識與中國意識之關係時加以注意的。

（四）第三時期：台灣意識開始向著徹底脫離中國意識的方向發展，其發展方向存在變數

台灣意識在蔣氏父子之後，逐漸發生著質的變化。國民黨當局對台獨言論和台獨活動的縱容，以及對「一個中國」原則的曖昧態度，爲台灣意識中的分離主義傾向提供了滋生的土壤。所謂的「新台灣人主義」可以說使台灣意識發展到了一個高峰期。這一概念雖然在融合島內族群矛盾方面起到了一定的正面作用，但用在處理兩岸關係上，卻顯然隱藏者極大的危害性。台灣意識發展到今天，已經不是原來意義上的思想概念，它與中國意識的關係，其包容、融合性已大大削弱，甚或消失殆盡，而其對立性卻大大增長，甚至潛伏著激烈的對抗，這是每一個中國人都應該不願看到的結果。

台灣意識的未來發展並不一定按者某些人的主觀願望進行，它將受著島內政治生態變化和思想意識的動向、兩岸關係的發展以及國際大環境的影響。其發展方向存在著不確定和難以預測性。台灣意識與中國意識之間的關係既存在台灣意識惡性發展，最終徹底脫離中國意識的可能，更存在台灣意識最終回歸理性，有自己的特色而不失本性，同中國意識更加融合的希望。雖然思想意識未必導致政治實踐，這尚需許多客觀條件，即台灣意識未必最終導致「台灣獨立」，但我們仍不願看到台灣意識與中國意識徹底分離。何去何從，這要看兩岸的領導者及人民群衆的智慧和努力。

台灣主體性的辯證

郭正亮／東吳大學政治系副教授①

你有你的江南，我有我的嘉南。

——訣別信：陳芳明致余光中

我們必須在今後幾十年內，在中國還在學習發展她的國家力量和潛力的時候，搞好和中國的關係。否則總有一天，我們將面對世界史上最可怕的強大敵人。

——尼克森

有關台灣主體性的爭論，歷來常以國家認同分歧出現。如江宜樺（一九九八：一二一—一三）所說，「認同」（identity）是一個主體如何確認自己在時間空間上的存在。這個自我認識、自我肯定的過

① 發表於夏潮基金會主辦「中國意識與台灣意識」學術研討會，一九九九年七月十三—十四日。

程，不只包括自我的主觀了解，同時也包括他人對此一主體的類似認識。主體性（subjectivity）的證成，必將涉及其他主體對自己的承認和肯定，主體的自我界定，必將涉及不同主體之間的互相界定，亦即內涵了「互爲主體性」（intersubjectivity）的成份。

長期面對中國大陸的威脅，有關台灣主體性的爭論，往往同時受制於台灣形勢、兩岸形勢、國際形勢的變遷，國家認同的分歧，內涵並非一成不變，而是隨著台灣政治勢力的消長、中共對台政策的思維、美國對華政策的思維，不斷產生微妙複雜的變化。

台灣主體性的辯證，不管是統獨之爭，或是中國意識和台灣意識之爭，並非孤立自在、各行其是的對立（antinomous）概念，而是具有內在聯繫、相生相成的對偶（coupled）概念。每一個「統一概念」，都和另一個「獨立概念」相生相成，正如每一種「中國意識」，都和另一種「台灣意識」相生相成，在特定的歷史脈絡下，互相激盪、凝結爲獨特的內在聯繫。在不斷前進的歷史運動中，台灣的國家認同分歧，逐漸從「統一」與「獨立」的對立想像，邁向「統中有獨」和「獨中有統」的互動辯證。每經過一次否定，概念就深化一步，內容也更具體，每一階段的概念轉化，都吸納了更多的歷史合理性。

就此而言，台灣主體性的辯證，其實就是台灣與中國同時展開自我認識和互相認識的過程，亦即兩岸經由衝突辯證，不斷克服矛盾、保留合理成份、自我提升和互相提升的歷史認識過程。不過，這個辯證過程未必都是直線前進，也可能因爲偶發事件的干擾，迸生出蜿蜒倒退的歷史波折，但總的來說，尋求台灣主體性的整體運動，歷史合理性仍在不斷累積，向前摸索著國家前途的可行選擇，以及歷史意識的綜合答案。

一、台灣意識的崛起：從「鄉土文學」到「台灣人出頭天」

民族運動的發展，大致可分為三個階段：（Hobsbawm, 1990：12）

一、首先出現鄉土文化運動，與政治運動或民族意識，並無特別關連。

二、然後出現民族意識的啓蒙者和運動家，開始具有政治運動的屬性。

三、最後出現群衆支持的政綱，結合文化和政治，轉為民族主義運動。

作為一種民族運動，台灣意識或台灣認同的發展，也經過類似的三個階段。七〇年代崛起的鄉土文學運動，起初並未標舉台灣意識或台灣人意識，而是試圖捕捉台灣的社會眞實，尤其偏重對中下層人民的關懷，包括市井小民的悲歌、外流農民的無奈、工商人的疏離等等（呂正惠，一九九五）。作品中呈顯出來的台灣認同，主要是本土語言的自然流露、諷刺不知民間疾苦的統治階級、批判來台洋人的囂張跋扈等等，並未以「台灣v. 中國」或「台灣人民v. 外來政權」的對抗方式，襯托出台灣民族主義的政治訴求。

但從八〇年代中期後，鄉土文學卻隨著反對運動的激化，逐漸產生質變。一九七九年美麗島鎮壓，可說是鄉土文學激進化的轉捩點，部分作家因此投身黨外運動，導致鄉土文學與反對運動的合流。隨著政治和文化反對運動的同步開展，宋冬陽於一九八四年首度標舉「本土文學」對抗陳映眞的「第三世界文學論」，初步凸顯出反對運動內部民族主義與階級鬥爭的路線分歧。至一九八九年爆發鄭南榕自焚事件，林雙不更進一步在《台灣文藝》的「鄭南榕專輯」中，公開呼籲台灣作家應勇敢投入建國運動的行列。隨後的台語文學論戰，基本上也是鄉土文學轉爲民族主義運動之後的延續（游喚，一九九三；彭瑞金，一九九五）。

從強調人道關懷的鄉土文學運動，轉爲呼籲衆志成城的新國家運動，「台灣」作爲新興的認同符號，已經從「社會意識」轉向「國家意識」，從「地理概念」轉爲「政治概念」。隨此而來，不同出版社的年度文學選集，也從八〇年末起泛政治化，開始標舉涇渭分明的國家認同，新地版《台灣當代文學精選》與九歌版《中華現代文學大系》，恰好呈現出對立的歷史論述，但弔詭的是，二者所呈現的邏輯結構，卻似鏡像反射，都帶有濃厚的沙文基調。爲了反抗完全否定台灣意識的中國民族主義，鏡像反射產生的「台灣人出頭天」論述，也複製出完全否定中國意識的台灣民族主義（郭正亮，一九九六）。

作爲一種台灣認同的論述，「台灣人出頭天」自始即具有濃厚的反抗性質，混合了四種認同要素：

（郭正亮，一九九九）

一、土地認同：本土v.外來。

反對中原優越意識，要求確立台灣社會主體，尊重本土意識。

二、國家認同：獨立v.統一。

反對中華民國法統，要求確立台灣國家主體，承認事實領土。

三、族群認同：本省v.外省。

反對外來族群統治，要求確立本土族群統治，少數服從多數。

四、政治忠誠：保台v.賣台。

反對中國國族認同，要求確立台灣國族認同，劃清敵我界限。

四種認同要素中，排他性由一到四遞增。「土地認同」是從社會主體意識切入，是一種具體素樸的愛鄉意識，包容性最大，排他性最低。「政治忠誠」則從國族認同意識切入，是一種抽象絕對的敵我意識，排他性最大，緊張度最高。就族群關係而言，「族群認同」所以引發外省族群反感，是因爲隱含了多數壓迫少數的可能性。「政治忠誠」所以最令外省族群恐慌，是因爲把政治分歧上綱到敵我矛盾，使外省族群害怕淪爲任人扣帽的境內異類。

有人以彭明敏早在一九六四年《台灣人自救宣言》即已標舉「族群融合」，或是民進黨也在一九九三年《族群與文化政策綱領》中標舉「多元融合、族群共榮」爲由，認爲「台灣人出頭天」的「台灣人」，其實並未排斥外省人。問題是，人們判定論述的眞實內涵，並不只從表面文字觀察，更會從實際言行加以判斷。

以民進黨爲例，政治菁英至今仍少有外省人，公開場合仍多用河洛話，歷史訴求也多以本省人的悲情體驗、多數外省人未曾經歷的二二八爲主。即使有部分菁英曾於一九九六年提出族群「大和解」，但也因爲黨內分歧而難以推動。這些實際的政治言行，才是各界判定民進黨爲「本省人黨」的根據。

由於言行落差，「台灣人出頭天」即使在論述上常以「不分族群」爲開頭，卻始終難以避免被理解爲「本省人出頭天」。有人認爲這種「誤解」是「外省人不認同台灣」所致，但所謂「不認同台灣」，卻又混淆了「不認同這塊土地」（土地認同）、「不認同台灣獨立」（國家認同）、「不認同台灣祖國」（政治忠誠）三種迴異成份。「台灣人出頭天」把三種不同的台灣意識或台灣認同，視爲理所當然的不可分割，認爲台灣認同的確立，必將取決於土地認同、國家認同、政治忠誠的互相強化，這種自以爲是的歷史和政治觀點，自然使多數外省人把「台灣人出頭天」等同爲本省人的「族群民族主義」（ethnic nationalism）。

畢竟，認同台灣這塊土地（土地認同），未必等於認同台獨作爲國家前途的唯一選項（國家認同），也未必等於接受台灣作爲國家認同的唯一抉擇（政治忠誠）。台灣作爲地名，確已成爲台灣住民的共同家鄉，但台灣國號至今仍爲中華民國，台灣是否更改國號，成爲名符其實的主權國家，並不只取決於意識型態的主觀想像，同時也涉及國際現實的客觀衡量。「反對台灣獨立」未必表示「堅持中華民國法統」，更未必等於「親中共」，更可能只是擔心中共武力犯台的理性反應。因此，塑造台灣意識或台灣認同的力量，並不只是內發性（endogenous）的國內政治邏輯，同時也包括外發性（exogenous）的國際政治邏輯。

二、國家認同的力量拉鋸：內升外落的政治矛盾

國家認同的要素，包括人民情感和國家定位，但二者走向卻未必一致。如Connor（1994）所說，「人民」（people）是民族主義的對象，但「國家」（state）卻是民族主義和國際政治共同運作下的產物。同理，塑造台灣國家認同的力量，並不只是源自內部、以人民的歷史情感認同爲基調的台灣民族主

義，同時也包括源自外部、以國家的現實利益選擇爲基調的國際地緣政治。

一九九〇年後，台灣逐漸面臨了「內升外落」的政治矛盾：一方面，民主化導致台灣內部主體性的高漲，「主權在民」成爲新興潮流，人民當家作主成爲普遍要求。另一方面，經濟發展導致中國國力的膨脹，更因爲蘇聯瓦解和亞洲經濟的崛起，使中國的國際地位益形鞏固，台灣的外部環境因此更加惡化。

內升外落的政治矛盾，反映在台灣國家認同的建構，也產生人民自我認同和國家定位選擇的落差。首先就人民的自我認同來說，如表一所示：

最主要的轉折，是一九九三年二月閣揆郝柏村下台後，國民黨政權的全面本土化，導致「中國人認同」比例迅速下降。從一九九三年一月百分之四十八點五，急劇降到一九九四年二月百分之二十四點二。一九九四年四月千島湖事件，更成爲台灣人民自我認同的轉捩點。由於中共草菅人命，善後工作極爲無理，迅即引起廣大憤慨，「台灣人認同」在五月首度超過

表一、台灣人民的國家認同變遷
（一九九二、九—一九九七、九）

	自己是中國人	自己是台灣人	既是中國人也是台灣人
1992.9	44.0	16.7	36.5
1993.1	48.5	16.7	32.7
1994.2	24.2	29.0	43.2
1994.5	22.5	23.8	49.5
1994.7	21.7	28.4	49.9
1995.6	23.8	27.9	43.6
1996.11	20.5	24.9	49.5
1997.5	21.8	32.8	45.4
1997.9	23.1	36.9	34.8

資料來源：行政院陸委會（1997）

「中國人認同」（百分之二十三點八比百分之二十二點五），至一九九四年七月，二者比例更竄升到百分之二十八點四比百分之二十一點七，自此即不斷拉大差距。

一九九六年十二月，國家發展會議做出「台灣優先」的朝野共識，「台灣人認同」比例更有持續升高的趨勢。一九九七年九月，「台灣人認同」比例升至百分之三十六點九，首度超過「既中亦台」比例，「中國人認同」比例只有百分之二十三點一。

但台灣人民自我認同的變遷，並未反映在國家定位的選擇上。如表二所示：

弔詭的是，即使自一九九四年起，「台灣人認同」比例已經超過「中國人認同」比例，但主張「未來統一」的人民（約二成），卻仍然一直領先主張「未來獨立」的人民（約一成）。從一九九五年至今，支持「急獨」和「急統」的比例，始終在一成以下。即使主張「急獨」和「未來獨立」的人民，已經有所增加，但總和仍然只有二成左右。絕大多數的台灣人民，仍然對國

表二、台灣人民的國家定位選擇

（一九九五、二—一九九七、九）

	暫時維持現狀未來再做決定	暫時維持現狀未來統一	永遠維持現狀	暫時維持現狀未來獨立	急獨	急統
1995.2	34.9	21.4	21.2	7.4	2.4	3.2
1995.6	32.4	23.1	13.8	6.7	6.4	3.4
1995.9	42.8	24.2	12.2	8.0	3.7	3.3
1995.11	32.4	23.9	12.3	10.6	3.4	1.9
1996.2	41.2	20.7	13.9	8.5	4.4	1.8
1996.3	33.9	17.3	16.8	12.7	7.8	1.5
1996.8	34.1	22.0	19.3	9.9	6.3	4.8
1997.2	24.8	21.7	21.0	12.6	8.7	5.0
1997.8	35.4	13.9	21.6	11.2	10.0	5.1
1997.9	34.3	21.5	13.8	10.7	9.0	3.1

資料來源：行政院陸委會（1997）

家前途心存觀望，主張「未來再做決定」和「永遠維持現狀」的比例，始終都高達半數。

人民自我認同和國家定位選擇的落差，正反映出台灣意識並不只具有情感認同的成份，同時也包括利益評估的成份。換言之，即使在民族情感上已經認同自己是台灣人，但在國家定位上仍可能基於現實政治的考量，對台灣走向獨立有所保留，對標舉台灣共和國為唯一公投選項的民進黨，也保持距離。

三、中華民國在台灣：台灣意識的權變

民主化的深化，使台灣意識不斷增長，但內升外落的政治處境，卻又使台灣意識的發展，多停留在社會文化層次，並未成熟到國族建構的政治層次。國際政治現實的限制，導致多數人民即使在民族認同上已和中國疏離，但在國家定位的選擇上卻頗為謹慎，並未打破「一個中國」的既有架構。

李登輝的「中華民國在台灣」，正是掌握台灣獨有的內升外落處境、巧妙因應多數民心的新政治論述。一九九〇年李登輝就任第八任總統時，由於權力基礎仍待鞏固，就職演說內容明顯繼承了舊國民黨數十年來的中華民國法統和中華文化道統。②但到了一九九六年就任首屆民選總統時，隨著領導權威的鞏固，就職演說已公開標舉「主權在民」和「經營大台灣、建設新中原」為施政理念。其中的主要轉

② 該演說後來編入李登輝文選時，標題為「開創中華民族的新時代」。

折，是在既有的中華民國論述之中，添加台灣主體意識的成份。

如Horowitz（1994：41）所說，民主化將使人民要求重新界定政治共同體的性質，人民將針對舊政權提出兩大質問：「舊政權從何而來」（where）和「誰統治舊政權」（who）。針對兩大質疑，李登輝直到新黨出走之後的一九九四年，當他接受日本作家司馬遼太郎的訪談時，才不諱言指出舊國民黨政權是外來政權，也坦然表示舊國民黨政權長期都由外省人主導。

「外來政權」之說源自民進黨，原意乃在挑戰舊國民黨的「一個中國」論，因而引起北京的抨擊。其中以一九九四年六月十六日香港《文匯報》社論《警惕李登輝的「台獨」言行》，以及同日中國社科院台研所李家泉《還有多少中國人的感情？》，最能看出北京的政治定性。

爲了平息軒然大波，李登輝隨即展開重新解釋，再三表示「外來政權」與國家認同或台灣獨立無關。他的解釋有三：

一、「外來政權」只是民主與否的問題

「國民黨原先並非台灣本地所培養成長的政治力量。但當政權做到以人民爲主體、主權在民的時候，自然能得到人民支持，也就不再是外來政權了。」③

二、「外來政權」只是了解歷史的問題

---

③《自由時報》，一九九四年五月二十日。

「對談的用意是告訴大陸人民，在建立兩岸關係之際，有必要對包括台灣歷史在內的台灣深入了解。」④

三、「外來政權」只是台灣人尊嚴的問題

「我是爲一些台灣人講出內心的話。但我眞正的意思是，不要看過去，要向前看，告別悲哀，重建台灣人的尊嚴。」⑤

從看似接受民進黨觀點的「生在台灣的悲哀」，到飽受爭議之後的不斷修飾，正可看出李登輝在國家認同上的左右爲難。李登輝的困惑，事實上也造成台灣人民的困惑，一九九五年十一月，蓋洛普民調即顯示，高達百分之三十六點九民衆認爲李登輝的統獨立場不明確。⑥隨後在一九九六年二月總統大選期間，《聯合報》的民調更顯示，認爲李登輝主張統一者只有百分之二十六，認爲他主張獨立者百分之二十一，不知道他的統獨立場者，則高達百分之四十五。⑦

顯然，即使李登輝不承認自己在路線調整上觸及國家認同的問題，但他所引入的「中華民國在台灣」新論述，卻足以造成舊中華民國論述的認同危機。日本學者若林正丈即指出，李登輝其實已把台灣

---

④《自由時報》，一九九四年七月十三日。
⑤《聯合報》，一九九四年七月二十九日。
⑥《中國時報》，一九九五年十一月六日。
⑦《聯合報》，一九九六年三月一日。

帶入「中華民國第二共和」，新政權和舊政權的正當性已經產生明顯區別。⑧問題是，針對已經實質誕生的「中華民國第二共和」，李登輝所提供的正當性論述並不完整，並未正視國家認同的潛在問題，因而導致政治共同體的認同危機（郭正亮，一九九八c）。

作爲一種綜合論述，「中華民國在台灣」試圖使台灣和中國居於同等地位，否定二者的上下位關係。其中，中華民國作爲「歷史的延續」，強調在國家認同上接受中國和中國統一的終極目標；台灣作爲「地理的現實」，則強調在政治經濟上以台灣爲生存發展的基本前提。由此出發，一方面強調在現實問題上應標舉台灣優先，另一方面則在歷史認同和兩岸終局上強調中國連帶，因而產生模稜兩可的「兩個祖國」：一個祖國是「現在的台灣」，另一個祖國則是「過去的中國」和「未來的中國」。

就此而言，「中華民國在台灣」並非中共所抨擊的「兩個中國」，因爲並不主張「現在的台灣」只是「過去的中國」的單純延伸。台灣作爲地理的現實，既包括了數千年的中華文明，也涵攝了四百年來台灣的特殊遭遇，因而產生了有別於中國大陸的現實條件，「中華民國在台灣」並不等於「另一個中國」。

不過，「中華民國在台灣」也不同於民進黨的「一中一台」，因爲只強調「現在的台灣」，並未從「過去的台灣」的歷史經驗中，焠鍊出台灣成爲政治共同體的基本條件，也未展望「未來的台灣」可能

---

⑧《自由時報》，一九九六年五月二十一日。

形成的政治共同體面貌。「中華民國在台灣」並不等於「獨立的台灣」。

結果在「中華民國在台灣」的論述中，「現在的台灣」所接續的歷史認同，仍是「過去的中國」，所展望的歷史終局也是「未來的中國」。儘管比「兩個中國」更強調台灣化，卻拒絕發展到「一中一台」的新國家觀；儘管比「一中一台」更強調中國連帶，也拒絕發展到「一個中國就是中華民國」的法統。

歷史認同（中國）和地理認同（台灣）的斷層，導致在國家認同上強調中國，卻在社會認同上偏向台灣的矛盾論述。用Linz（1978：31）的話來說，「中華民國在台灣」其實只是李登輝「方便改革」（for reform）的概念工具，並未發展出足以自我證成（self-justified）、攸關「改革本身」（of reform）的完整理論。李登輝權變改革的結果，使台灣人民陷入社會認同（台灣）和國家認同（中國）的斷層，很難避免統獨拉鋸的認同危機。

四、新台灣人：從「族群民族主義」到「公民民族主義」

李登輝對中國意識和台灣意識的權變綜合，基本上是因應台灣內升外落的獨特處境而來。一方面，他必須因應台灣民主化的內部壓力，提出符合主權在民的台灣認同，另一方面，他又必須因應中國崛起的外部壓力，提出符合國家安全的務實論述。由此衍生的「中華民國在台灣」，固然可在統獨選民之間左右逢源，但並未根本解決台灣人民的認同困境。

不過，隨著台灣民主化和國民黨本土化，傳統反對運動既有的「台灣人出頭天」論述，也開始產生變化。朝野矛盾已不再是台灣人民和外來統治者的敵我矛盾，逐漸轉變爲台灣人民內部的矛盾。台灣人能否出頭天，已從能否推翻外來政權的內部問題，轉爲能否共同面對中國威脅的外部問題。邁向執政的民進黨，已經必須面對國家安全的挑戰。

一九九五年九月十六日，李登輝提出「新台灣人」，表示「只要認同台灣、疼惜台灣，願爲台灣努力奮鬥就是台灣人」，並以先認同台灣再追求國家統一，說明國民黨對當前台灣認同問題的立場。⑨同年十月二十五日光復節，他又呼籲大家認同「新台灣人」，表示「數十年來的同甘共苦，台澎金馬早已成爲生命共同體，大家應該拋棄地域情結，共同以『新台灣人』的身分，爲台人開創更繁榮進步的第二個五十年，爲中華民族開啓更光輝燦爛的歷史新頁。」⑩

這個強調共同生活經驗、追求生存發展的「新台灣人」概念，隨即因爲兩位外省民選菁英宋楚瑜和馬英九的接受認同，順勢成爲馬英九打敗陳水扁的重要口號，因而廣受矚目。

「新台灣人」的崛起，意味著台灣在內升外落的矛盾下，已經逐漸找到解決之道，亦即將台灣意識從「族群民族主義」轉向「公民民族主義」。台灣認同運動的性質，已經因爲台灣民主化而產生質變。

這種針對台灣認同的嶄新理解，和一九九七年民進黨新生代的新台獨論述，頗有異曲同工之處。面

⑨《自由時報》，一九九五年九月十七日。
⑩《自由時報》，一九九五年十月二十六日。

對國民黨本土化和台灣民主化的挑戰，民進黨新生代也開始重新思考台獨運動的內涵。一九九七年提出的《新生代台獨綱領》，開宗明義即指出「台獨運動可能將不再只是反對運動，而是國家的整體目標」，進而表示「台獨運動以凝聚台灣人民的國民意識爲優先目標，因此應該推行社會大和解。沒有大和解，就沒有台獨運動。當更改國體、國號等與凝聚共同意識的目標發生衝突時，可以暫時放棄更改國體、國號。」

民進黨新生代把台獨運動和反對運動脫鉤，認爲「台獨運動的成功與否，與民進黨的執政與否，並無必然關連」、「台獨不是民進黨或任何團體黨派的私產，而是台灣人民的公共財。」這種嶄新見解，顯然已經從「民族國家」論轉向「公民社會」論，從強調對抗、歷史、正統、悲情、民族的「族群民族主義」，轉向強調團結、未來、務實、希望、民主的「公民民族主義」，重新界定了台灣民族主義的內涵。

畢竟，二二八悲劇既然不能涵蓋所有台灣住民的歷史體驗，強調以二二八或四百年來的歷史悲情作爲凝聚台灣內部團結的基礎，很可能過度擴大了本省族群的歷史感受。凝聚台灣認同的共同基礎，應該選擇更有普遍性、多元包容、未來導向的共同體驗，例如渡海移民、中國威脅、經濟奇蹟、民主化等等，才能營造台灣內部的民主團結。

就此而言，「新台灣人」顯然具有克服「族群民族主義」的積極意義。「新台灣人」意指「凡是認同台灣、願爲台灣前途打拼的台灣住民」，亦即以「土地認同」爲集體認同的主軸，完全清除「族群認同」和「政治忠誠」的排他成份，進而在維持主權現狀的基礎上，淡化統獨認同的情感對抗。

「新台灣人」是典型的「公民民族主義」（civic nationalism），有別於「台灣人出頭天」的「族群民族主義」（ethnic nationalism）。「新台灣人」以「共創公民社會」爲主軸，並不區別族群多數和族群少數，而是以具有公民權的個人作爲政治共同體的構成單元，個人並不因爲所屬族群的特殊歷史遭遇，因而更有權利享有優勢，或者更有義務背負原罪。「新台灣人」的確立，並不取決於個別族群歷史悲情的細懷，而更取決於跨族群的所有住民共享的歷史經驗，以及所有住民共同解決問題、共創未來的希望。

就此而言，「新台灣人」概念其實是從不同方向重新理解台灣認同，和民進黨新生代一九九七年的新台獨論述，可說是殊途同歸。

參考書目

呂正惠

一九九五　《七、八十年代台灣鄉土文學的源流與變遷》。收於張寶琴等編：《四十年來中國文學：一九四九—一九九三》，頁一四七—一六二，台北：聯經。

江宜樺

一九九八　《自由主義、民族主義與國家認同》。台北：揚智。

郭正亮

一九九六　《在衆聲喧譁之中悠揚：本土化運動的變奏》。發表於「青春時代的台灣：鄉土文學二十週年回顧」研討會，春風文教基金會／《中國時報》主辦，一九九七年十月二十四—二十六日。
一九九八a 《民進黨轉型之痛》。台北：天下。
一九九八b 《新台灣人：重構台灣認同論述》。《中國時報》，一九九八年十二月九日。
一九九八c 《李登輝現象：民主轉型與政治領導》。收於殷海光基金會主編：《民主／轉型？台灣現象》，頁一〇三—一四二。台北：桂冠。
一九九九 《新台灣人：從「族群民族主義」到「公民民族主義」》。《新世紀論壇》，第六期。
陳昭瑛
一九九五 《論台灣的本土化運動》。收於黃俊傑編：《高雄歷史與文化論集》（第二輯），頁三八七—四四六。
游　喚
一九九三 《八〇年代台灣文學論述之變質》。收於林燿德編：《當代台灣文學評論大系：文學現象》，頁二二五—二七三。
彭瑞金
一九九五 《台灣文學探索》。台北：前衛。
楊開煌
一九九七 《兩岸關係中的歷史悲情與悲情歷史》。《中國評論》，第十一期：六〇—六五。

趙建民
一九九七　《民族主義的戰爭：面對二十一世紀的兩岸關係》。收於政大選舉研究中心編：《兩岸關係問題民意調查研討會論文集》。

廖咸浩
一九九五　《在解構與解體之間徘徊：台灣現代小說中「中國身分」的轉變》。收於張京媛編：《後殖民理論與文化認同》，頁一九三——二一二，台北：麥田。

葉石濤
一九九二　《台灣文學本土化是必然途徑》。《文學台灣》，第四期，高雄。

Breton, Raymond
1988 " From Ethnic to Civic Nationalism: English Canada and Quebec ", *Ethnic and Racial Studies*, 11 : 1, 86-102.

Connor, Walker
1994 *Ethnonationalism*, Princeton University Press.

Hobsbawm, Eric
1990 *Nations and Nationalism Since 1780*, Cambridge University Press.

「台灣意識」辯析

曾健民／台灣社會科學研究會會長

前言

「台灣意識」這個用語，最早是出現於六〇年代，當時是作爲在日本的台獨運動的一個重要的思想武器被提出的。①在一段很長的時間內，它僅局限在海外的台獨社團中，對於台灣社會並未產生明顯的作用；直到七〇年代末，才以一種文學的觀點首次登上台灣的文化舞台。至於，它被黨外運動的獨派積極運用並廣泛地鼓吹起來，則是八〇年代以後的事了。到了九〇年代，在某種意義上，它幾乎成了朝野兩大黨的共同口號，成了主流意識的代名詞。

① 參看史明：《台灣人四百年史》，一九六二年，東京音羽書房。許世楷：《台灣人意識的形成》，一九六四年，「台灣獨立建國聯盟」機關刊物《台灣青年》三十九期。

「台灣意識」是什麼？它有一個明確的意含嗎？

八〇年代以來，隨著台灣社會的劇變以及台獨運動的蓬勃發展，「台灣意識」不斷地被反覆宣傳，已成爲台灣近二十年來成長最快且影響最深遠的社會意識；但是總的來看，它的意含卻一直未有一個全面的明確的闡述；就這點來說，這場研討會是十分有意義的。

談到台灣意識，難免會在腦際浮現一大堆混雜的名詞、概念、事件、人物，抓不到頭緒，但是絕大部分的人也大概都會先想到如開頭所敘述的，近二十年來成爲主要社會意識之一的、作爲台獨運動的核心理念的那個台灣意識，也就是所謂的台獨理念的「台灣意識」。這個一般人通稱的台灣意識是什麼？如果歸納台獨人士的說法，簡單地說它大概有下列的意含：首先，它既非相對於世界也非相對於美國或日本，而是專指相對於中國的意識；其次，它與「台灣人意識」或「台灣民族意識」相近，因此是與「中國人意識」或「中國民族意識」相對立的意識；還有，它不僅是現實意識，而且是生成於台灣四百年的特殊歷史過程中的歷史意識；最重要的，它還是全體台灣人必然共有的精神特徵。

雖然這是目前最常見、最常聽到的，最常被論述的台灣意識的意含，但是如果把它等同於在台灣的社會意識領域中存在的所有的台灣意識的則是有問題的；畢竟它只是台獨團體的政治理念，是意識型態化的台灣意識，只是現實中存在的或歷史上存在過的諸多台灣意識的類型之一，亦即它只是特殊化的台灣意識，並非台灣意識的全部。

譬如就現實來說，台獨的「台灣意識」既然是一種政治理念，就必然存在一個產生這個政治理念、並且作爲這個理念的運動對象的一般社會心理層面的台灣意識；這個社會心理層面的台灣意識與政治理念的台灣意識雖互為表裡，但卻有很大的區別，在實際的內容上也有很明顯的不同；必須把兩者區別又聯繫地來考察，才能更完整地認識台灣意識的眞貌。

還有，即使同稱為「台灣意識」，在不同時期，不同的政治經濟條件下，也有不同的內容；譬如從海外台獨運動時期的台灣意識到今日成為朝野兩黨共同口號的台灣意識，它們之間在內容上就有很大的變化。何況，台獨理念的台灣意識登上台灣的文化、政治舞台也只不過才二十年的時間，如果把視野擴大到近百年的台灣歷史來看，那就更突顯出當今主流的台獨理念的台灣意識，只不過是許多台灣意識的特殊型態。實際上，歷史地來看，台灣意識未必是與中國對立的意識；有與中國意識相通的台灣意識，也有與日本對立的台灣意識。而從社會科學的觀點來看，與中國對立的台灣意識（台獨理念的台灣意識），也並不是四百年歷史中形成的，而是五〇年代以後，在國際冷戰與中國內戰的歷史規定下特殊的政經過程中產生的一種特殊意識型態。

基於上述思考，本文嘗試從歷史的角度和社會科學的觀點對「台灣意識」進行辯析；把「台灣意識」放在更大的歷史中，闡明它在近百年的歷史變化中，每一歷史時期的特徵和具體內容；並且特別著重在戰後時期，在美國冷戰與中國內戰的特殊歷史規定下，台灣的政治、經濟與社會意識三者的辯證進展過程中，去考察台灣意識的變化；並且區分意識型態化的台灣意識與社會心理層面的台灣意識，在兩者的互動關係中去掌握台灣意識的眞貌。

一、從海外台獨運動的「台灣意識」到當今成為兩大黨共同口號的「台灣意識」

首先，讓我們簡單地回顧「台灣意識」這個用語，從出現至今，在各個時期的內容及其變化歷程。

（一）史明的史觀式的「台灣意識」

史明是最早使用這個用語的人之一，他的論述對台獨運動起著深遠的影響。如果依他的著作——《台灣人四百年史》各章節關於台灣意識的內容，可把他對「台灣意識」的說法要約爲：②

「台灣意識」是台灣本地人的「特殊意識」；是台灣本地人在開拓台灣的過程中形成的「共同意識」；是台灣本地人「反對外來殖民者以及中國大陸人的意識」；是與「中國意識對立的意識」；是「台灣民族」的「民族意識」。

要約來說，史明所論述的「台灣意識」就是指一個四百年前就開始自然形成的，與「中國大陸」對立的「台灣人共同意識」；這個台灣人的共同意識，明白的說，就是指「台灣民族意識」。這樣的「台

② 許南村編：《史明台灣史論的虛構》，頁三〇三，人間出版社。

灣意識論」其實是「台灣民族論」的基礎，是爲了台灣獨立建國的終極目標而建構的，因此，它是屬於政治性的概念。至於它在台灣四百年的歷史中是否必然存在呢？它與每一歷史時期客觀存在的台灣社會意識之間的關係如何，是不是一致的呢？或是乖離的呢？那是另一回事。但是，我們可以說，至少在那個時期（六〇年代到七〇年代），它是實際存於海外的台獨運動人士的主觀意願中的。這種「台灣意識」可說是屬於史觀式的「台灣意識」。

（二）葉石濤的「台灣意識」

一九七七年的台灣鄉土文學論戰中，葉石濤發表了《台灣鄉土文學史導論》，③該文是首次在台灣比較深刻地從文學的觀點論及「台灣意識」。它指出：「台灣意識是帝國主義下在台中國人的精神焦點」，是「居住在台灣的中國人反帝反封建的共通經驗。」在這裡出現的台灣意識，不但不與中國意識對立，而且是與中國意識相通的，它的具體內容便是「帝國主義條件下的反帝反封建意識」。不管這種台灣意識是葉石濤在特定的時空下的主觀意念也好，或是歷史的實存也好，至少它顯示了，所謂的「台灣意識」並不一定如史明所說的是與中國對立的意識，可見得與中國對立的「台灣意識」只是「台灣意識」中的一類型，而非全部。

---

③ 葉石濤：《台灣鄉土文學史導論》，一九七七年，《夏潮》第十四期。

（三）反國府獨裁爭民主的「台灣意識」

進入了八〇年代，在新的政經條件下，與中國意識對立的「台灣意識」首次以「中國結、台灣結」的思想文化論戰的形式出現在黨外雜誌上；④同時，新生的黨外獨派也開始運用省籍情結，把台灣人民高漲的反國府獨裁、爭民主的熱潮，以「台灣人意識」、「本土意識」之名上綱到與中國對立的意識；並且運用台灣人民根深柢固的反共恐共的感情和當家作主的願望，提出了以台獨爲終極目標的「住民自決」的主張。總之，在這台灣的政治轉型期，「台灣意識」主要的是作爲黨外獨派或初創的民進黨對台灣社會進行政治動員的工具，爲了向國府法統體制奪權和抗拒大陸和平統一的壓力，它把光復後的歷史過程中形成的省籍意識與現實的反國府獨裁爭民主的熱潮結合，把它說成是「台灣人意識」的表現，進而推到與中國意識對立的層次去。因此，主要以「台灣人意識」或「本土意識」爲名的這時期的「台灣意識」，實際上包含了複雜的成分；它包括社會心理層面的省籍意識、反共恐共意識、反獨裁爭民主的意識等等的作用，也包括了黨外獨派宣傳的反中國的意識的作用。但是「反獨裁爭民主」的意識仍是這時期的「台灣意識」的主要內容，而與中國對立的或反中國的意識則只是次要的部分。

④ 主要的文章收集在施敏輝編的《台灣意識論戰選集》，一九八八年，前衛出版社。

（四）準國家意識的「台灣意識」

九〇年代以後，國府的法統政權轉型爲資產階級性質的政權，使「反獨裁、爭民主」的訴求失去了現實的政治動力。這樣，對民進黨來說，「台灣意識」的主要內容，便成了台灣與中國對立的意識的總稱，甚至於等同於「台灣民族意識」；這些都表現在民進黨正式把「建立主權獨立自主的台灣共和國」的理念列入黨綱這件事上。另一方面，爲了維持與中國大陸的對抗局面鞏固政權，轉型後的國府政權則以「去中國化」的「台灣意識」來統合國民意識，使「台灣意識」上升爲準國家意識。譬如，李登輝在接受日本《產經新聞》的訪問時便說：「台灣意識愈強愈好！」；還有，朝野兩大黨共同推動的國中《認識台灣》教科書的內容也是典型的例子，⑤書中所呈現的台灣史觀、社會觀便是去中國化的史觀和社會觀，在國定的教科書中首倡「台灣意識」、「台灣精神」、「台灣魂」，這就宣示了新的準國家意識的出現；至於表現在政治經濟政策上的便是採取「戒急用忍」、「政治偵防」，並且高倡「台灣第一」、「台灣優先」、「新台灣人」……等口號。上述朝野兩大黨表現在政治、經濟、文化、教育領域的準國家意識，它的總標誌便是與「中國意識」對立的「台灣意識」。

---

⑤ 國立編譯館主編：《認識台灣（社會篇）》。

（五）政治理念的「台灣意識」與社會心理的「台灣意識」

由上可知，「台灣意識」這個用語，從出現至今，在台灣的社會變化中，呈現了複雜的面貌且包含著多重的意義。在針對面上，它既可爲一切與「中國意識」對抗的意識的總稱，也可爲與「中國意識」互通的意識；雖然，所佔的比重很小既可爲反中國的意識，也可爲反帝反封建反獨裁的意識。在內容上，它既可上綱爲「台灣民族獨立意識」，也可轉化爲「愛台灣」、「認同台灣」、「愛這塊土地」、「本土精神」、「台灣第一」等民粹式的訴求。在政治運動中，它既可作爲獨立建國的理論武器，也可作爲推動反獨裁爭民主的運動武器，甚至成爲民主的對立面，而被用來作爲推動政治偵防、戒急用忍、國家安全的國家政策的工具；它既可喚起台灣人民的受害意識或悲情意識，也可激發與中國的對抗意識或優越意識。他既被鼓吹爲歷史意識，也被說成是現實意識；既可爲文學爭論的主題，也可被當作一個判定民族認同或國家認同的議題；既可爲在野意識，也可爲當權者的意識。

從這樣多重複雜且互爲矛盾的現象中，只要能夠區別政治理念層次的「台灣意識」與社會心理層次的「台灣意識」，並且掌握它們之間的互動，就可以進一步認識到：實際上，從海外獨派、黨外獨派到民進黨，這些政治團體的「台灣意識」，隨著台灣政經現實的變化，在對民衆的政治動員的口號內容上雖有很多變化（如愛台灣、愛這塊土地……等），但是它的核心仍是與中國．大陸對立的意識；而一般民衆的「台灣意識」（社會心理層次的），其實質則是愛鄉愛土、反獨裁爭民主、反共恐共、省籍、資產階級……等的複合意識，這些複合意識在政黨或政權的有力宣傳動員下，往往會被投射爲「台灣意識」，甚至轉化爲與中國對立的台灣意識，而成爲政黨發展或政權鞏固的力量。

二、五〇年代以前的「台灣意識」

獨派的台灣意識論主要由歷史論和現實論組成，歷史論就是認爲：與中國對立的「台灣意識」是自然生成於四百年來台灣的特殊血緣、地緣、風土以及反殖民反中國壓迫的歷史中。然而，這種意含的台灣意識在台灣歷史中存在嗎？

若不存在，那麼，從六〇年代開始才以「台灣意識」名之的，上述的與中國對立的意識是起源於何時？它產生的歷史條件是什麼？

爲解決這個問題，有必要先概括地考察五〇年代以前，台灣各歷史時期的「台灣意識」的特徵與內容：

（一）馬關割台以前——屬於中國地方意識的「台灣意識」

除了原住民族以外，馬關割台之前的台灣社會是中國華南社會的拓延；從民族、歷史、語言、習俗、宗教信仰一直到經濟制度，都與大陸相同，兩岸經貿也是密不可分的。清朝統治期間，不論在行政制度（省、道、府、縣、廳）、軍事制度或是科舉制度上，都與全中國大陸的任何地方相同；占統治地位的社會意識也是以地主封建制度爲基礎的封建意識；而俗稱「三年一小反，五年一大亂」的農民暴動，絕不是如史明所說的反唐山反中國的台灣意識的作用，而是與大陸任何地區相同的中國農民反封建地主的階級意識的作用。⑥如果說這漫長的三百多年有所謂的「台灣意識」存在的話，那它只不過是一個中國的地方意識，當然是與中國意識相通的。鴉片戰爭、中法戰爭開啓了西方列強入侵中國的歷史，台灣的安平、淡水等地的開港與大陸的廈門、上海等地的被迫開港一樣，同是全中國淪入半殖民地半封建社會的歷史的開端的一部分，在相同的歷史條件下，台灣與大陸是所謂眞正的的命運共同體。

（二）日據期——漢民族意識為基礎的「台灣意識」

百年來，造成台灣與中國大陸長期隔絕，迫使台灣走與大陸不同的特殊的社會進展（殖民地社會），其根本原因是帝國主義對台灣的支配；這種支配是近百年來帝國列強侵奪中國的歷史過程的一個特殊組成，雖然形式不同，全中國人民也同時處於同樣的帝國列強的各種各樣的壓迫之下。因此，台灣人民的特殊歷史命運是全中國人民普遍的歷史命運的一組成部分；換言之，台灣的特殊歷史同時也內含著近代中國全體歷史的普遍性格。⑦從割台到一九一五年的二十年間，台灣人民的武裝抗日鬥爭是慘烈的，它在中國現代史上，除了義和團外，是首次大規模且長期的反帝武裝鬥爭，而這種反帝武裝鬥爭是以漢民族意識爲基礎的。

---

⑥ 請參考註②書，頁二八三。

⑦ 陳正醍：《台灣的鄉土文學論戰》，《台灣近代史研究》第三號，一九八一年。

在帝國主義的殖民體制下產生的「台灣意識」必然有兩種類型；一種是承認、妥協或維護殖民體制的「台灣意識」，另一種則是反殖民體制反帝的「台灣意識」。在日據期，前者表現在「同化會」、「六三法撤廢運動」、「台灣議會期成運動」、以及「台灣自治期成同盟」等運動的性格上；後者則表現在「農組」、「文協」、「民衆黨」等團體的性格上。但不論何者，日據期的「台灣意識」都是相對於日本殖民者的（當然絕對不是相對於中國），它們之間容或在程度上有所不同，但都是以「漢民族意識」（某種意義上的中國民族意識）爲實體的，恰恰與五〇年代至今的以中國爲對立面的「台灣意識」相反。

一九三七年，日本發動全面侵華戰爭後，台灣進入日本的軍國殖民時期，日本軍國殖民者爲遂行對中國以及東亞各國的侵略戰爭，在台灣強力推行了戰爭總動員體制，徹底動員台灣人民的精神、人力、財力和物力爲侵略戰爭消耗。皇民化運動是其中的重要一環，它企圖連根拔起台灣人民的漢民族意識，植入日本皇民意識，製造憎惡自己的民族蔑視中國人的意識（如「淸國奴」、「支那」、「膺懲暴支」等蔑視、仇恨中國的稱呼口號），這是台灣歷史上反華意識、仇視中國、蔑視中國意識的開端（實際上，史明所宣揚的反中國的「台灣意識」，也正是在這時候才出現的），特別在日本法西斯瘋狂的灌輸下，使皇民化運動時期的一些台灣菁英們，雖然身爲殖民地人，但在心靈上已成了徹底的反中國蔑視自己民族的日本皇國民；這種反中國蔑視中國的意識的幽靈，雖然在光復初期一度消失，但是在二二八事件以後，在台灣的不幸又曲折的歷史過程中再度躍上了政治舞台。

（三）光復——中國意識的勝利，皇民意識的敗亡

歷史的事實說明了，史明所宣揚的生成於台灣四百年的歷史中，沛不可當的反殖民反中國的「台灣民族意識」，不但沒有鬥倒日帝驅除日本殖民勢力，進而光復台灣獨立建國，反而徹底的在皇民化運動中成了日本的皇國民意識，為日本天皇的侵華戰爭所用。

甲午戰後，日本逐步擴大在中國的勢力，終至引發侵華戰爭，激起了現代的、戰鬥的中華民族意識，它不但戰勝了日帝而且驅除了所有在華的帝國主義勢力，包括驅除了占據台灣的日本殖民勢力，使台灣復歸中國，使台灣的歷史命運又與全中國的歷史命運結為一體。

光復後，台灣人民殷切要求良質的中國化以及高度自治的願望，與國府集權腐敗的體制之間產生了極大的矛盾（這矛盾也是當時全中國人民要求民主和平的願望與國府的獨裁腐敗的體制之間的矛盾的特殊部分），爆發了二二八事件（當時，中國各地也爆發了許多國府鎮壓人民的事件），自此埋下了深刻的省籍矛盾，在這同時，大陸的國共內戰的煙硝也逐漸籠罩了台灣。

（四）二二八之後——與中國對立的台灣意識的出現

由上可知，有一部分的殖民期的台灣菁英中存在的反華蔑視中國的意識，是日本的皇民化運動所灌輸的，這種意識隨著殖民體制的敗亡而消散，但是，二二八事件以後，在新的歷史條件下，它又以與中國對立的「台灣意識」的新貌出現。

日本投降後，廖文毅等人立即組成了「台灣留學國內學友會」，在一九四五年十月二十五日台灣光復當天出版了《前鋒》雜誌，他在發刊辭《告我同胞書》中如此寫道：⑧

親愛的同胞，……我們是明末漢民族中最有血氣、最有革命精神、最有民族意識、最有奮鬥力、最有精銳的子孫。我們不可忘記了我們有這樣的高尚的血統，有這樣榮耀的祖宗。我們不可忘記，我們是遺傳著有大陸民族血統，我們的國家是世界五大強國中的大中華民族……。

同期上，他寫的另一篇文章《光復的意義》中也說：

我們在台灣光復的這個時候，所發現的第一個事實是民族精神的振興，……第二是國土重圓，……第三是家人再聚，……第四是統一的國家和統一的政府……。

這樣一個熱情洋溢的「中國民族意識者」，在二二八事件後，距他發表文章不足二年的時間，在香港籌組了「台灣再解放聯盟」，第二年向聯合國提出了託管台灣的要求，然後於一九五〇年在日本組成了海外第一個台獨團體「台灣民主獨立黨」，提倡台灣人在血緣上有別於「支那人」（中國人）的「台灣民族論」。

由前述日據期的台灣意識的內容來看，以及由廖文毅在光復後在短期間由一個滿懷「中國民族意識」的人轉向積極的「台灣民族論」者的事例來看，所謂的與中國對立的「台灣意識」實際上是在二二

⑧ 《前鋒》雜誌光復紀念號，頁二，台灣舊雜誌覆刻系列四之二。

八事件以後才出現的，並非如史明所說的四百年來就存在了的。並且在當時，像那樣的「台灣意識」，也只不過是一些流亡海外的台灣人知識菁英主觀的腦海中的觀念；眞正的使這種與中國對立的「台灣意識」具有現實的意義，並且成爲台灣的社會意識領域中的一特殊部分，其決定性因素，還是在二次大戰後立刻浮現的國際冷戰與中國內戰的大歷史潮流。

這種歷史的浪潮，使台灣社會在五〇年代後被編組成國際冷戰與國共內戰的基地，再度與中國大陸長期隔絕對峙，並且在社會經濟上發展爲世界資本主義體系的「國際加工基地」；與中國對立的台灣意識是在這樣的特殊的政治經濟過程中產生的特殊意識。

三、五〇年代後的政經過程中產生的「台灣意識」

（一）台灣社會（在國際冷戰與國共內戰下的）雙戰基地化

一九五〇年六月二十五日韓戰爆發，美國重新介入中國的內戰，積極扶植遷逃台灣的國府政權，確保台灣留在美國的陣營扮演圍堵中國大陸的角色。因此，台灣社會被編組入美國在東亞冷戰中的前線基地，以及國府（爲了反攻大陸統一中國）的「復興基地」，台灣海峽則成了冷戰與內戰交匯的雙戰線。這把台灣社會推上了世界史罕見的、極端的、長期的、反共反中國大陸的歷史的開端；在與中國大陸的長期隔絕與對峙的條件下的政治經濟發展，以及作爲維持這體系的雙戰意識型態的作用，形成了恐共、反共和與中國大陸對立的社會感情和意識，這種感情和意識又進而成爲維持這體系、強化這體系的意識型態。

爲了維持在台灣的利益，美國從外交、軍事、經濟、文化意識型態全方位地扶植國府，也透過這力量影響國府的政策走向；它一方面防止國府渡峽「反攻復國」，使兩岸隔絕對峙長期化，亦即使台灣長期處於「反共反大陸」的前線基地的狀態（使中國內戰長期化、固定化），另一方面，則促使國府走「政治獨裁與經濟發展」的路線，亦即在政治上維持高度的獨裁在經濟發展資本主義經濟的路線。這便是五〇年代以後台灣社會的「特殊政經條件」，它規定了往後的台灣社會從政治、經濟到社會意識的主要內容。

（二）「政治獨裁與經濟發展」的路線與社會意識

國府的「政治獨裁與經濟發展」的路線，有下面的幾個特徵：以封建的中國意識和反共意識作爲統合人民的國家意識；在政治上，表現爲個人獨裁、以及主張代表全中國人民並誓言「反攻復國」的「法統體制」的專政、中央集權、對人民的思想與社會生活的戒嚴、政治權力的省籍不均……等；在經濟上，則強力改造台灣社會舊有的經濟關係（如農地改革等），奶育依賴美日的資本、市場與技術的資本主義經濟，使台灣成爲世界資本主義體系的「國際加工基地」。

台灣社會的雙戰基地化，首先進行的是五〇年代的白色恐怖；它滌清並且湮滅了所有從日據到四九年的台灣社會歷史中生成的反帝、反封建、反腐敗、反內戰、爭民主的人與社會意識。跟著，長期的戒嚴體制，使台灣的社會意識進入了漫長的白色化時期。在這期間，國府的內戰意識和美國的冷戰意識，再加上隨著資本主義經濟的發展所必然產生的資本主義意識，共同構成了台灣社會意識的主要內容。它的共同特徵便是「蔑視大陸（如匪區、阿共等稱呼）、反共恐共、親日崇美」；而與這些並存的，便是封建的中國意識，以及由於政經權力省籍不均，再加上二二八事件的歷史傷痕和白色恐怖所產生的省籍意識。

（三）在反國府獨裁的民主化運動中，與中國對立的「台灣意識」的登台

一九七九年是一個歷史的轉捩點；當年，美國與中國大陸建交，同時與國府「斷交、撤軍、廢約」，取而代之的是以美國的國內法《與台灣關係法》來規範美國和台灣之間的關係。這使五〇年代以來受美國庇護並堅稱代表全中國法統的國府政權頓失外部的正當性；在內部，由於資本主義經濟的發展，使茁壯起來的台灣新興資產階級（或中產階級）與國府的獨裁政治之間逐漸擴大的矛盾，以及全社會長期間在國府獨裁的政經政策下蓄積的各式各樣的矛盾，全都匯集為「反獨裁要民主」的民主化浪潮，不斷地衝擊著國府政權及其國家意識。接連著發生的「美麗島事件」、「林義雄母女案」、「陳文成案」、「江南案」更激化了反對的聲浪，這使以「反國府獨裁要民主」為旗號的黨外運動急速壯大；這期間，美國也以《與台灣關係法》中的人權條款和軍售條款牽制國府影響民主化運動的走向和局面。在國府處於內外交攻的勢頭上，長期間被徹底「白色化」的台灣社會意識領域，以史明為教本的「台灣意識論」開始登上了台灣的文化、政治舞台；順著一般人難以區分「國府」與「中國」的異同的狀況，

把高漲的反國府的感情推到了「反中國」的地步；並混同國府的「封建的中國意識」和「一般意義的中國意識」，把原本是挑戰國府的「封建的中國意識」的感情推到反「中國意識」的範圍；而黨外運動的獨派則在反國府獨裁的民主化運動中突出省籍矛盾，使運動轉化到台灣人對中國人的問題上。簡單來說，就是把反國府獨裁的民主化運動化約成這樣的對立程式：

國府＝獨裁＝外省人＝中國人＝中國意識＝中國民族主義

台灣人民＝民主＝台灣人＝台灣意識＝本土意識＝台灣民族意識

總的來說，以反國府獨裁爲總標誌的台灣政治轉型期，黨外獨派或初創的民進黨在洶湧的大潮流中，一面打著爲「全民的民主」打拚的旗號，另一方面卻運作著以台獨建國爲終極目標的「台灣意識」。

這從一九八二年黨外人士共同主張「住民自決」，並提出「自決、民主、救台灣」（注意：「自決」的口號是放在「民主」的前位）的政治口號，一直到一九八七年解嚴後，民進黨第二屆黨大會決議：「人民有主張台灣獨立的自由」；其間的變化便說明了上述的事實。

（四）辨別政治層面的意識型態化的台灣意識與一般社會心理層面的民粹的台灣意識

從社會科學的觀點來看，屬於社會意識範疇的「台灣意識」必定有一般的社會意識的特性。因此，可以將台灣意識分二個層面來看；亦即，屬於系統化的意識型態（如法律、宗教、政治主義……等）層面的「台灣意識」，和屬於一般社會心理層面的「台灣意識」。以台灣獨立爲終極目標的「台灣意識」

屬前者，而後者則是很難明確定義且互相重疊的一般人的感情、思考或意志，譬如省籍意識、悲情意識、本地人意識、鄉土意識、反共意識、恐共意識、美國意識、日本意識、資本主義意識……等，它們交織、複合在一起，一般又稱爲「民粹的台灣意識」或簡稱爲「民粹意識」。兩者是在一定的歷史條件下產生的同一社會意識的兩種型態；前者是後者在特定的政經條件下意識型態化的東西，但後者不一定會意識型態化，但是一旦意識型態化的前者一定會以各種力量（法政權力等）將後者轉化爲自己，這之間有複雜的互動過程。

在台灣的政治轉型期，「民粹的台灣意識」（社會心理的台灣意識）在政治上主要集中地表現爲反國府獨裁的民主化意識，與中國對立的意識並不明顯；而台獨理念的「台灣意識」則主要侷限在黨外獨派或初創的民進黨的政治主張中。然而，其後隨著台灣資本主義的經濟經歷了一次大膨脹，以及國府的法統政權轉型爲台灣資產階級的政權，所謂的「民主化」逐漸完成了其階段性的歷史任務後，這才使與中國對立的「台灣意識」全面的登上了前舞台。

（五）國府政權性質的轉型、經濟膨脹和「台灣意識」的變化

我們知道，處於外部正當性危機以及內部民主化的挑戰的國府政權，從八〇年代中期開始，企圖以「國際化、自由化、制度化」的三化政策來化解危機；接著解除戒嚴、開放黨禁和報禁，自此國府的轉型便一瀉千里。在這過程中，李登輝上台，在與老法統的鬥爭中，乘著民主化浪潮的勢頭，拉攏台灣地方派系、財團、利益集團、甚至利用民進黨的力量，共同脫去了國府的法統外衣，台灣的資產階級從原

本扈從的地位躍升到舞台前，直接掌握政權。在這過程中被巧妙地運用的民粹的台灣意識，也起到了很大的作用，所謂的「李登輝情結」便是這樣的產物。當然，作為法統國府的國家意識型態的重要部分的「封建的中國意識」，也跟著失去正當性成為衆矢之的，接著，反映台灣資產階級政權的新國家意識型態也正等著上台。

另一方面，從八〇年代初開始，台灣經濟的對外貿易總額以及貿易順差都呈現了急速的膨脹（在短短數年間，貿易順差從十億美元急速上升到百億美元以上）。⑨接著，台幣對美元的匯率也急速升值，這使得以美元計價的平均國民所得倍數躍升，國民的對外購買力也一夕間呈數倍的膨脹。同時，通貨發行量也呈數倍增大，造成「台灣錢淹腳目」的現象，爆發了全民的金錢遊戲。在經貿的「國際化、自由化」的政策下，外國商品如洪水般湧入，使台灣人民的消費生活「第一世界化」。林林總總的這些由台幣購買力的膨脹以及房地市股市膨脹所引起的富有的幻覺，造成了台灣人民的「先進國意識」、「有錢人意識」；再加上傳播媒體的大幅開放（特別是有線電視），使美國日本的影視、資訊大量湧入，快速佔領了台灣人民的大部分精神生活，造成美國中心價值觀或日本式價值更加在台灣的社會意識領域確立其重要的地位。以上這些，就共同構成了九〇年代以後台灣的社會心理的新內容；若再加上原有的反共恐共心理以及初獲得的部分「民主、自由」的自滿心理，當面臨與中國大陸的關係時，便顯現為「富

---

⑨ 劉進慶、涂照彥、隅谷三喜男共著：《台灣之經濟》，頁二七七，人間出版社，一九九三年。

有、先進、民主」的優越意識，這便是當前社會心理層面的「台灣意識」的實際的內容。

（六）政黨與政權共同推動「台灣意識」

一九九一年，民進黨把建立台灣共和國的主張正式列入黨綱，台獨的「台灣意識」更成為民進黨主要的政治武器。為了取得政權獨立建國，在現實的政治競爭中充分使用台獨的「台灣意識」，全力把上述的社會心理推向與中國對立的意識（譬如「台灣中國、一人一國」的口號）；並且為了打造新國家的意識型態，把這種「台灣意識」擴大到歷史、文化論述上，宣傳多族群說、非中國血緣說、外來殖民政權說、日治有功論、皇民文學有理論……等，進行民衆心靈的去中國化。

但是，在現代社會，任何意識型態唯有透過國家權力的推動才能發揮更深遠的影響。資產階級化的國府，為了鞏固政權，繼續把民粹的台灣意識當作統合國民意識的絕佳工具（取代已失效力的「反共復國」）。譬如：命運共同體、認同台灣、台灣優先、台灣第一、新台灣人……等口號；更具體表現在《認識台灣》教科書上的歷史觀、社會觀上；反映在政策上的便是：在經濟上的戒急用忍、南向政策、前進中美洲……，在政治上的國家安全、政治偵防……等政策。

當前，台獨理念的「台灣意識」和國府的民粹式的「台灣意識」互為作用推波助瀾，將一般的社會心理層面的「台灣意識」推上了與中國對立的台灣意識。它起了維持台灣社會繼續與中國大陸隔絕和對峙的作用，鞏固了政權、黨權，並且使「國家安全」（恍如兩蔣時代的口號）凌駕了所有的社會議題，再度成為兩大黨的最高政綱，掩蔽了資本主義社會所必然內含的諸多問題。因此，它是五〇年代起的雙戰意識的衍續而非克服；是後冷戰時代中，在美國的「與台灣關係法」羽護下的政權或政黨的準國家意識。

結　論

由上面的討論，我們大略地辨識了「台灣意識」的輪廓，下面簡單地作一點總結。

一、「台灣意識」只是許多不同內容的特殊的台灣社會意識的總稱；基本上，它是反映台灣的特殊政治經濟處境的特殊社會意識。在不同的歷史時期，會有不同內容的「台灣意識」。因此，在討論它時，要放在具體的歷史中討論才能掌握它的眞義。

二、台灣意識既屬於社會意識的範疇，它就是客觀的社會諸條件的反映。因此，必須與具體的政治、經濟、文化或相關的其他社會意識聯繫起來討論，抽象的形而上的，與其他的社會條件孤立起來的討論是很難掌握眞義的。

三、任何歷史時期的台灣意識都有兩個層面；包括一般的社會心理（感情、思考或意志），如恐共反共、省籍……等，以及系統化的意識型態（政治、法律、文學、藝術），如台獨的台灣意識或國府的準國家意識等。討論台灣意識時，一方面要區分兩者，另一方面也要聯繫兩者，它們是互爲作用的；社會心理是意識型態的基礎，而意識型態也反過來強化社會心理的傾向性。

四、追根究底，台灣意識的根源，是百年來帝國主義掠奪或圍堵中國，把台灣置於其殖民統治或其勢力範圍下的歷史；在這歷史過程中，台灣處於與中國長期分離、隔絕或對峙的狀態，這種狀態下的特殊的政治經濟社會的進展，產生了各種不同內容的台灣意識；其中，有維持帝國主義條件的與中國意識對立的台灣意識，也有克服帝國主義條件的與中國意識相通的台灣意識。台獨的台灣意識只是其中的特殊型態；它的歷史起源是戰後的國際冷戰和中國內戰，它的社會根源是在這樣的歷史條件下，國府的「政治獨裁與經濟發展」路線中成長的台灣資本主義社會。

五、社會意識的性格有二種，既有維護既存的社會條件的社會意識，也有變革社會的反抗的社會意識；因此，在諸多型態的台灣意識中，日據期的反日反帝的台灣意識或八〇年代的反獨裁的台灣意識是屬於後者；而與中國對立的台灣意識，因爲它起了衍續並鞏固五十年來規定台灣命運的特定的歷史條件的作用，因此是屬於前者。

台灣意識在新形勢下的發展與凸顯

——淺析「新台灣人」概念

黃中平／上海市台灣研究會副秘書長、副研究員

一九九八年底台北「市長」選舉中，李登輝再次提出「新台灣人」概念爲國民黨候選人、外省籍的馬英九站台助選，在台灣社會引起反響並產生廣泛共鳴。雖然，「新台灣人」概念不是李的獨創，也不是什麼新東西，是厚植於台灣社會的「台灣意識」在新形勢下的發展與凸顯。但是，從去年底選舉投票後即進行的民調顯示，有百分之四十六點七的民衆認同自己是「新台灣人」（台灣《中國時報》一九九八年十二月十三日），到今年三月底的民調顯示，有百分之六十點四的民衆表示贊成「新台灣人」的說法（台灣《自由時報》一九九九年五月七日），這說明目前台灣社會已普遍接受「新台灣人」概念。本文擬對此提出一些膚淺的看法，求教於各位專家、學者。

一、「新台灣人」概念的意含有差異

十多年來，先後有不少台灣學者和政治人物提出「新台灣人」概念或與此相似的概念，它們的意含

有很大的差異，不同的人有不一樣的解釋。主要有三種：

（一）從文化層面上詮釋

一九九三年，新黨黨員楊泰順提出「新台灣人」概念，並著書從政經、文化、哲學等角度予以闡述。學者出身的新黨召集人陳癸淼很重視楊的這個主張，爲此成立「新台灣人研究中心」，雖然由於經費原因，「中心」只有幾個月的壽命，但陳在當時的廣播節目中做了十幾次的演講，主要從文化層面上詮釋「新台灣人」概念。他認爲「新台灣人」就是「現代台灣人應有的心理建設」，努力摒棄「舊台灣人」的好勇鬥狠、重利輕義、悲情心態、爲鄉不爲國、情理法失衡等心理（台灣《聯合報》一九九八年十二月十四日）。自一九九四年二月號以來，以「定位台灣，人文優先」爲宗旨的台灣《新觀念》雜誌，每期都有一個「新台灣人的驕傲」的封面人物報導，該刊刻意與政治、經濟區隔，至今已報導了五十幾位定居台灣、不分族群與性別，分別在人文、藝術、環保等領域有傑出貢獻的「新台灣人」。一九九四年十月號的台灣《遠見》雜誌發表高希均教授的文章《新台灣人：改寫台灣生命力的新劇本》，他在文中談及「新台灣人」要將島嶼性格提昇爲包容開放的海洋性格，走出「不睬政治，只重經濟」的順民性格，以及建立環保意識、擴大世界關懷等文化層面的看法。一九九八年四月，高希均在其新著《新台灣人之路》的《自序》中指出，「新台灣人」要建構一個「乾乾淨淨的社會」，才能扭轉當前重財富不重道德、重價格不重價値、重名位不重原則、重當前不重將來的病態（台灣《聯合報》一九九八年十二月十四日）。

（二）強調不分省籍、族群融合

一九九四年底台灣「省長」選舉時，宋楚瑜將「新台灣人」作爲競選口號提出，強調不分省籍、族群融合。一九九六初，李登輝勝選後，宋楚瑜稱之歸功於「新台灣人主義」。他解釋所謂「新台灣人主義」是指「政治追求自由民主，經濟追求開放發展，不分族群，和衷共濟，一起爲台灣這塊土地打拚的精神」，而這種精神是四百年來陸續來台的漢人和台灣原住民一起，「在長期因地緣關係、人脈互動以及胼手胝足發展出來的感情」（台灣《中國時報》一九九六年四月七日）。今年五月二日，宋楚瑜在台北的演講中再次強調：「不論來台先後，不分族群，大家都應珍惜這樣的成果，都一直同樣的眞心誠意爲台灣這塊土地奉獻，更需珍惜這五十多年來，在這塊土地打拚的成就，而這樣的精神就是『新台灣人主義』」（台灣《聯合報》一九九九年五月三日）。馬英九在當選台北「市長」後接受記者專訪時表示，「新台灣人」與「中國人」是不同的概念，不互相排斥；「新台灣人」應是促進台灣民衆融合的說法，主要用於台灣內部（香港《亞洲週刊》一九九八年十二月十二日）。今年四月，馬英九捐出競選補貼經費成立「新台灣人基金會」，他表示，「新台灣人」最簡單的定義就是認同台灣，關懷本土，願意全心全力爲台灣打拚的人。「新台灣人」不是政治意識的產物，它所投射的是台灣民衆長久以來所渴望的眞正族群融合與社會進步的遠景（台灣《聯合報》一九九九年四月十二日）。新黨創建人之一王建煊表示，大家都是「新台灣人」，但未來兩岸統一後，他不會爲了說自己是台灣人就否定身上流的是中華民族的血液，因此，大家未來也都是「新中國人」（台灣《中央日報》一九九八年十二月四日）。台灣前「監察院長」王作榮撰文呼籲李登輝在「國民大會」上宣示：「第一，新台灣人是中華民族或中國人。第二，新台灣人是中華民國的國民。第三，凡戶籍設在台灣省各縣市、台北市、高雄市的所有中華民國國民都是新台灣人」（台灣《聯合報》一九九八年十二月十日）。

（三）凸顯「新台灣人」不是中國人

民進黨人與激進「台獨」勢力也曾先後提出不同形式和內涵的「新台灣人」或類似的概念。如早在一九八七年一月，民進黨人謝長廷與國民黨人趙少康就「台灣與中國之前途」舉行大辯論時，謝提出建立「台灣島命運共同體的台灣意識」和「新的台灣人」概念。還有史明的「台灣民族主義」、許信良的「新興民族」、彭明敏的「台灣國民主義」、蔡同榮的「新台灣人不是中國人」等等，這些理論的核心是強調現在的台灣人已經不是中國人、台灣人已經形成了與中國人不同的民族。另外，台灣某些傾向分裂的媒體亦大肆渲染「新台灣人」對「共同主權」的認同。如《自由時報》發表的社論稱，「『新台灣人』意味大家有一個共同主權的認同，視台灣為一個主權獨立的國家，台灣的主權獨立並不附屬也不臣服於中國」，「這種政治認同，比『族群認同』的文化認同更為深刻且重要」（台灣《自由時報》一九九九年五月八日）。

二、李登輝的「新台灣人」論調有其特定政治意含

與一般學者及政治人物對「新台灣人」概念的詮釋不同，李登輝的「新台灣人」論調，是在其以往強調的「台灣生命共同體」、「心靈改造」等理論基礎上的再發展，既有文化層面的意含，又有豐富的政治內容；既有化解省籍矛盾、促進族群融合的一面，又是其兩個中國政策的重要組成部分。其中最典型的有兩點：

一是「建構」像「美國人」那樣的「新台灣人」概念，即「台灣國民意識」，來對抗「中國意識」。一九九五年以來，李登輝在不同場合大談「新台灣人」、「新台灣人主義」的意含，強調最多的是台灣所有居民，「無論是原住民，或是四五百年前渡海來的，或是四五十年前從大陸遷移來台的，只要愛台灣，就是新台灣人」。毫無疑問，其目的之一是爲了化解省籍矛盾、促進族群融合，但聯繫李其他的講話就不能不看到，他的「新台灣人」、「新台灣人主義」是要建立套著「中華民國國民」外殼的「台灣國民意識」，亦即「中華民國在台灣」的「現代民族意識」。李登輝曾在多個場合宣稱，「我認爲台灣與美國非常相似，統稱的美國人包括了英國、德國、匈牙利、俄羅斯、亞洲等來自各國和各地區的移民。因此，他們身爲美國人身份識別的憑據不是祖國或民族，而是在追尋「自由」與「民主」遠渡新大陸到達的地方」。就在一九九八年底「三合一」選舉時李登輝再度大談「新台灣人」不久，台灣《中央日報》發表署名「辛在台」的題爲《關於新台灣人主義論述的內涵》長篇專論，系統地詮釋李的

「新台灣人主義」，稱「台灣今天毫無理由再去建構『台灣民族』。恰恰相反，二千一百八十萬人只能建構像『美國人』概念一樣的『新台灣人』概念，以呈現其組成成員爲開放多元社會的公民。那些公民是基於對民主生活一致認同而共同生活於此地的，而不是以這種或那種省籍、血緣身份而隨機結合的」（台灣《中央日報》一九九八年十二月三十一日）。顯然，李登輝的「新台灣人」、「新台灣人主義」的意含就是，承認自己的祖先來自大陸，但又要斬斷對中華民族的認同，如同美國人那樣是個新的現代民族，而「中華民國在台灣」是個如同美國那樣的移民國家。對此，「辛在台」的文章又作了很透徹的註解，它稱《出埃及記》的核心思想，並不在前部分脫離埃及人統治的敘述，而在於後半部以色列人當家作主，以主體身份建構進步文明的實踐過程，「而這，正是『新台灣人』當前處境最貼切的寫照」。

二是以「新台灣人」爲符號，建立新的「國籍認同」。雖然李登輝反覆講的「新台灣人」概念，並未說明其與中國人的關係，也不談「新台灣人」也是中國人，創造了不倫不類、可統可獨的模糊空間。但是李登輝一再強調「新台灣人」、「新台灣人主義」「不只是對內，對外也是」，「可以當成國家認定和共識的開始」，「外交也可藉此找出國際地位」，有助確立「對等國家地位」，「是國家進步的起點，世紀的出發」。由此可見李登輝的「新台灣人」意含絕不如同「新香港人」、「新上海人」那樣，僅是個地域居民概念，其實質是向中國人說「不」的「身份認同」，即「新台灣國人」，否則就沒有理由將其提升到「國家認定」的高度。建國黨主席、老牌「台獨」份子許世楷指出，李登輝的「新台灣人」論調「其實具有國籍認同的意含」。

三、「新台灣人」概念在台灣有相當的社會基礎

（一）省籍、族群情結在某些特定人群、特定場合、特定時期依然存在

台灣的族群矛盾由來已久，以祖籍地緣關係組合而成的各個移民社會群體爲維護各自的利益而產生族群矛盾和爭鬥。先是漳州人與泉州人之間、閩南人與客家人之間矛盾爭鬥，後來演變成台灣本省人（一九四五年之前移民至台灣的大陸人）與外省人之間的矛盾爭鬥。雖然，居住在台灣的本省人和外省人在相處半個多世紀後，從師生、同事、朋友到夫妻、親戚，相互之間關係已經相當融合，因而在日常生活，如學習、工作、婚姻、社交等方面，本省人、外省人相處得很好，並不凸顯省籍、族群情結，然而，一到選舉，在某些特定人群中，省籍、族群情結隔閡乃至衝突就會冒出來，不同程度地影響選情。

形成這種現象的根本原因，一是國家認同有差異，二是政經資源分配不均，因此只要此種差異與不均繼續存在，島內的省籍、族群情結就不可能完全消失。省籍、族群問題成爲台灣社會「最敏感的那條神經」（馬英九語，台灣《財訊》雜誌，一九九九年一月號），時時影響著台灣社會的和諧穩定，任何政黨想要在台灣社會生存、執政，都必須正視此一問題。爲了勝選的需要，國民黨確有必要用「新台灣人」概念來拓展票源。

（二）民衆厭倦省籍分化，期盼族群融合

求安定、求發展、求維持現狀是台灣社會的主流民意，台灣民衆「已極度厭倦統獨之爭、族群分化的遊戲」（台灣《聯合報》一九九八年十二月六日），希望先來後到台灣的各個族群能夠和睦相處，溶爲一體，共同建設這塊自己熱愛的土地。因此，儘管島內各種政治勢力對「新台灣人」概念意含的詮釋不完全一樣，但它提倡族群融合，超越黨派、政見、族群，讓居住在台灣的多數人可以找到最大公約數和最大交集點，而某些政治勢力不滿意卻可以接受。

（三）對少數政客為了勝選而打「族群牌」確有破解作用

基於部分民衆中存有省籍族群情結，故而一到選舉，特別是省、市以上的重要選舉，總有少數政客及其支持者打出「族群牌」，大炒族群問題，什麼「本省人不選外省人」、「台灣人不選中國人」，攻擊競爭對手爲「賣台集團」，等等。而「新台灣人」概念確能對「族群牌」產生破解作用，爲國民黨外省籍政治人物吸納不少本省籍選票。其典型例子就是李登輝分別在九四年底台灣「省長」選舉和九八年底台北「市長」選舉中，用「新台灣人」概念爲宋楚瑜、馬英九排解省籍障礙，讓他倆高票當選。

（四）外省人有危機意識

由於國民黨及其政權的本土化，占人口不足百分之十五、一九四九年前後去台的外省人及其後代逐

漸成爲弱勢族群。由於國家認同上的差異，加上一些「台獨」份子對外省人的排斥，使他們不同程度的有「不安全感」與「焦慮感」。而「新台灣人」概念的提出使其從中找到對於自己所居住的這塊土地的自我認同，當李登輝承認「懷有中國情」的馬英九是「新台灣人」時，不少外省人有被肯定的「歸宿感」和「被赦免的幻覺」（台灣《聯合報》一九九八年十二月九日）。

（五）可統可獨的模糊性與人們維持現狀的願望相吻合

近年來，統獨議題在島內已經漸趨一致，國民黨主張「中華民國在台灣是個主權獨立的國家」，兩岸是「一個分治的中國」。民進黨主張「台灣已經是一個主權獨立的國家，執政後不必也不會宣佈台獨」，多數台灣民衆則主張不統不獨、維持現狀。而「新台灣人」概念迴避統獨認同，有個可統可獨的模糊空間，符合多數台灣民衆的期望。

總之，「新台灣人」概念主張族群融合，「有較多的善意和包容力」，不僅擁有相當的社會基礎，而且是當今台灣社會主流所需要的。正如台灣媒體指出，「新台灣人」「與其說是一種由上而下的政治口號，不如說是一種由下而上的社會願望」（台灣《聯合報》一九九八年十二月三日社論）。

四、「新台灣人」是個複雜、模糊和仍在變化的概念

（一）對台灣內部來說，「新台灣人」概念基本上是正面的

（1）「新台灣人」主張認同台灣、消弭省籍矛盾和族群隔閡，提倡不分先來後到，不分語言地域，不論外省人、本省人，只要認同台灣，「共同在此地爲台灣、爲『中華民國』打拚、奮鬥、奉獻的一切人民」，都是「新台灣人」。從而推動各個政黨理性競爭，使台灣社會安定、繁榮。

（2）在選舉中，對國民黨來說，「新台灣人」這個超越省籍、族群的訴求，確有破解在野黨競爭對手打「族群牌」的作用。在即將到來的「總統」大選中，「新台灣人」概念可能還會發酵，廣泛吸納選票，把國民黨中生代核心人物推上台。

（二）在兩岸關係上，「新台灣人」概念具有雙重性

（1）「新台灣人」概念吸納包容了認同大中國或認同「中華民國」、認同台灣的民衆，重塑了一個新的集體認同，並得到多數民衆的認可，這樣，世紀之交無論哪個政黨執政，兩岸關係發生劇變的可能性不大，兩岸關係將繼續維持有交流、有往來而不統不獨的現狀。

（2）「新台灣人」概念對台灣的未來是模糊的，又具有相當民意基礎，因而各類政治人物爲了不同的政治目的，對其意含作不同的詮釋。急獨勢力強調「新台灣人」與中國人的區隔；暗獨勢力用「新台灣人」取代「我是台灣人也是中國人」，企圖將其發展成爲與中華民族對立的認同；而有大中國情結的人會強調其與中國人不矛盾的一面，堅持「中華民國法統」，堅持打統一旗號。

（3）李登輝構思已久的「新台灣人」、「新台灣人主義」不僅僅是爲國民黨多拿選票，更重要的是營造「台灣國民意識」、「爲國家定位」，與以往的「台灣生命共同體」是一脈相承的，而且比其更具體、更淺顯，更易爲普通民衆接受。它會使台灣社會強化海峽兩岸是兩個對等國家的觀念，削弱台灣同胞的中華民族意識和對祖國的認同。

如前所述，作爲台灣意識在新形勢下的發展與凸顯，「新台灣人」概念意含複雜，不同的人有不一樣的解釋，而多數台灣民衆對「新台灣人」概念意含的理解與李登輝提出的「新台灣人」、「新台灣人主義」本意又不完全一樣，台灣民衆因爲對自己出生、居住土地的認同而對「新台灣人」概念產生的共鳴是客觀存在的，有其現實性、合理性。在複雜多變的台灣社會，如何定位「新台灣人」概念或對其詮釋，仍存有許多變數。「新台灣人」概念既有「是台灣人、也是中國人」的一面，有可能納入大中國主義，但也有可能發展成爲與中國意識、中華民族對立的「台灣民族意識」、「台灣民族主義」，成爲台灣獨立國家建立的基礎。對此，筆者以爲，省籍、族群融合是中華民族傳統文化「和爲貴」的具體表現，對「新台灣人」概念主張省籍、族群融合，應予肯定；同時也要警惕別有用心的人企圖用「新台灣人」概念否定台灣人也是中國人，否定台灣是中國的一部分，利用地域上的區別，人爲地把台灣人與中國人對立起來，製造兩岸同胞之間的矛盾、隔閡和台海緊張氣氛，這將直接威脅到台灣民衆的根本利益。

淺析「省籍矛盾」與李登輝的「新台灣人主義」

蕭　敬／全國台灣研究會研究員

李登輝先生在九八年十二月一日台灣「三合一選舉」進入白熱化的關鍵時刻，突然提出「新台灣人主義」，從而引發了島內政壇、社會的一番熱烈討論。時至今日，這場討論仍在進行，可見這一話題切中當前台灣社會的要害。

筆者認爲，「新台灣人主義」的提出並引起如此熱烈的反響不是偶然的，顯然與戰後台灣社會普遍存在的「省籍矛盾」以及李登輝先生主政後的台灣政治發展密切相關。本文試圖就此問題作一粗淺探討，向各位專家學者求教。

一、「省籍矛盾」的產生及其異化

衆所周知，台灣是個典型的移民社會，百分之九十八的人口是從大陸遷入台灣的。移民社會如治理失當，較易因不同族群之間的利益衝突而產生矛盾與對立。在早期台灣歷史上便普遍發生過閩客

（粵）、漳泉、姓氏和行業等之間的流血械鬥，其中也包括「省籍矛盾」。不過這種「省籍矛盾」顯然與「國家認同」無關，說到底乃是人民內部不同族群之間的非對抗性矛盾。甲午戰後，馬關割台，台灣人民不分族群，同仇敵愾，掀起了英勇悲壯的反割台鬥爭，便是證明。其後日本五十年的殖民統治，始終都無法泯滅台灣人民強烈的民族意識。台灣光復，台灣人民歡呼雀躍，簞食壺漿，迎接來自祖國大陸的「國軍」接收人員，更是明證。

然而戰後情況卻發生了重大變化：早期遷台的大陸人以及原住民被稱爲「本省人」，光復後隨國民黨來台的大陸籍人被稱爲「外省人」。新的「省籍矛盾」迅速產生、激化乃至逐漸異化爲「國家認同」問題。而「省籍矛盾」一旦異化爲「國家認同」問題，矛盾的性質也隨之發生變化，由較易解決的「非對抗性矛盾」轉化爲難以解決的「對抗性矛盾」。由此，台灣社會的族群分裂與對立也就不可避免了。

戰後台灣社會新的「省籍矛盾」之所以產生激化與異化，主要源於以下三方面的因素：

一是國民黨治台政策的嚴重失誤。陳儀政府治台政策的失誤引起了台灣民衆對國民黨腐敗統治的強烈不滿，由此也產生了新的「省籍矛盾」，並終於釀成了「二二八」事件的發生；而國民黨對「二二八」事件的處理不當則激化了「省籍矛盾」，少數台胞由對國民黨失望而絕望，接受了美國分裂中國的政策，走上「台獨」之路。五〇年代的「白色恐怖」更強化了台灣社會的「省籍矛盾」，並爲日後省籍矛盾的進一步異化準備了條件。

二是海峽兩岸的長期隔絕。一九四九年國民黨自大陸敗退台灣，不久朝鮮戰爭爆發，美國第七艦隊進入台灣海峽遊弋，企圖「劃峽而治」，從此兩岸同胞隔絕。這實際上是「割斷了台灣與大陸母體聯繫的臍帶」，使戰後成長起來的年輕一代對祖國大陸完全陌生，產生了一種日益嚴重的「疏離感」。更爲嚴重的是，國民黨在「反攻大陸」無望的情況下，在台灣實行「反共偏安」政策，一方面竭力向台灣人民進行反共、恐共和仇共宣傳，採用一切手段千方百計地醜化大陸，並對國民黨稍有不滿的台灣人民戴上「紅色」帽子而進行鎭壓，致使台灣同胞「談共色變」，視祖國大陸爲「魔窟」；另方面台灣當局逐步偏安於台灣一隅，自稱爲「國」。如此長期的宣傳教育，潛移默化，在一些台灣同胞的心目中，也習慣於自稱爲「國」，從而只知有台灣，不知有祖國大陸。

三是「台獨」運動的推波助瀾。台灣社會普遍存在的「省籍矛盾」，是「台獨」運動的社會基礎；而「台獨」運動的興起與發展，則對省籍矛盾及其異化起到了推波助瀾的作用。長期以來，海內外「台獨」人士爲爭取台灣民衆的認同與支持，爲其台獨活動尋找依據，便蓄意歪曲、篡改台灣歷史，極力宣揚「台灣人不是中國人」、「國民黨是外來政權」、台灣已形成了不同於中華民族的新興「台灣民族」等等，將「省籍矛盾」煽動加溫爲「國籍矛盾」。特別是一九八八年蔣經國先生去世後，「台獨」運動合法化，「台獨把『中國人統治台灣人』的『中國人』乾坤大挪移爲『中華人民共和國』。由於外省人—中國人—中華人民共和國的推演，在台的外省人遂成爲有潛在危險的『賣台集團』、『中共同路人』、『中共代言人』。」（台灣《海峽評論》第九十九期社論）於是他們被視爲新時期的危險份子。

由於上述三方面的原因，省籍矛盾不僅未能因時間的推移而逐漸淡化，反而被人爲地不斷激化和異化，並成爲台灣社會正常發展的嚴重障礙和困擾。

二、省籍矛盾的主客易位與「新台灣人論」的提出

（一）蔣經國的「本土化」政策及「新台灣人論」的濫觴

考察「新台灣人論」的形成過程，不難發現，此論的源頭，最早可以追溯到蔣經國主政時期。人們記得蔣經國先生在其晚年，曾公開聲稱「我是中國人，也是台灣人」。蔣先生講這話當然不是無的放矢。衆所周知，七〇年代初國際形勢發生了重大變化，中華人民共和國取代了台灣國民黨政權恢復了在聯合國的合法地位；尼克松訪華，中美關係改善，一年之內有三十個國家與國民黨政權斷交，使國民黨在島內的統治面臨著空前嚴重的內外交困的局面。爲挽救危局，維持和鞏固統治，蔣經國在一九七二年出任「行政院長」後，隨即開始推行一系列的「革新保台」措施，其核心是國民黨的「本土化」和台灣政權的「台灣化」。意在向台灣社會內部尋求支持，迎合「本省人」要求「出頭天」的強烈願望，提拔了大批優秀台籍人士出任黨政要職，以擴大國民黨的統治基礎。通過這次改革，國民黨當局與台灣民衆的矛盾有所緩和，省籍矛盾在一段時間內得到一定程度的緩解。

然而七〇年代後期，伴隨島內外政治形勢進一步演變發展，黨外反對運動迅速崛起，而國民黨則採取高壓政策，終於釀成了嚴重的政治事件——美麗島事件。黨外勢力雖因「美麗島事件」遭受重挫，但台灣社會的省籍矛盾也因此重新激化。

黨外反對運動在沈寂了一段時間之後，又重新抬頭並大有燎原之勢。為因應新的形勢，維持國民黨在島內的統治地位，一九八六年三月，蔣經國在十二屆三中全會上又提出了「政治革新」的主張，進一步加速推動國民黨的「本土化」和台灣政權「台灣化」。故此，當年九月，當黨外反對勢力突破「黨禁」宣佈成立民進黨時，國民黨並未予以取締而是加以默認。正是在這種背景下，蔣經國先生公開聲稱「我是中國人，也是台灣人」。表示像他這樣在台灣生活、工作了幾十年的「外省人」，應該也是「台灣人」了，不論「本省人」、「外省人」，其實都是「中國人」，大家應該消除隔閡，彼此不再有矛盾。蔣經國作此宣示顯然意在消弭省籍矛盾，促進族群融合，破解黨外反對勢力所謂「國民黨是外來政權」、「中國人壓迫台灣人」的說法，建立國民黨在島內統治的「正當性」，與其正在大力推行國民黨「本土化」政策是一脈相承的。

蔣經國先生雖然沒有使用「新台灣人」這一詞彙，但卻成為日後「新台灣人論」的濫觴。

（二）李登輝的「本土化」政策與省籍矛盾的主客易位

李登輝接掌政權後，加速進行「本土化」政策，但隨著時間的推移，人們逐漸發現，李登輝的「本土化」與蔣經國的「本土化」已有實質上的差別。蔣經國推行的「本土化」，目的是促進省籍融合，不分本省人與外省人共同建設台灣，以台灣為基地，反共復國，在對台灣有利的情況下實現中國的統一。而李登輝的「本土化」是要實現「台人治台」，排除所謂「國民黨的外來政權」。李登輝執政之初，羽翼未豐，地位不穩時，尚能堅持蔣經國的「基本國策」，曾經信誓旦旦要繼承蔣經國的遺志，堅持反共反台獨，「使中國統一的大業，早日完成」（一九八九年元旦祝詞）。並在多次講話中一再強調：「本人是台灣人，但也是中國人」（一九八八年一月十八日與美國衆議員索拉茲的談話），還明確表示：「只有一個中國，必須要統一」，「台獨問題，將絕對依法處理」等等（一九八八年二月二十二日李登輝上任首次答記者問）。但在這同時，他刻意加深培植個人勢力，在黨內拉一派打一派，甚至不惜藉助以民進黨爲代表的「台獨」勢力，大造所謂「外省人欺侮台灣人總統」的輿論，利用和擴大「省籍矛盾」，動員社會力量，「以黨外衝擊黨內」，把國民黨內以李煥、郝柏村爲代表的「外省」勢力，甚至包括具有中國意識的本省人如林洋港等，逐步排擠出權力核心，以致造成了國民黨的分裂和內鬥不止。一九九四年四月，李登輝與日本作家司馬遼太郎的對談，正是李登輝在權力鞏固之後內心眞實感情和理念的一次傾吐。在這次對談中，李登輝傾瀉了「生爲台灣人的悲哀」的眞實感情，指認國民黨政權「是外來政權」，甚至說「連『中國』這個詞也是含糊不清的」，並自比「摩西」，聲稱要帶領台灣人「出埃及」，建立所謂「眞正屬於台灣人的國家」等等，與他一九八八年上台時的言論，判若兩人。

李登輝外聯民進黨排斥黨內異己，取得了黨內的絕對勢力，鞏固了自己的地位。但台灣的省籍矛盾也因此雪上加霜，族群分裂進一步加劇。以郝柏村被迫辭去「行政院長」職務和國民黨非主流派團體「新國民黨連線」的出走爲標誌，表明新一波的「省籍矛盾」已經主客易位。從此，「外省人」不再掌握實權，政治社會地位與本省人易位並逐步「邊緣化」。

（三）外省人的危機意識與「新台灣人論」的正式提出

由於省籍矛盾的加劇和外省人地位的邊緣化，使許多外省人內心深處產生無可名狀的「失落感」。更有甚者，由於李登輝「台獨」路線的不斷推進和縱容台獨勢力發展壯大，兩岸關係日益惡化，致使外省人不僅「邊緣化」，而且進一步「原罪化」，只要是「外省人」，即使是反共反了一輩子的大陸籍國民黨元老及其後代，也動輒被指爲「賣台集團」、「台灣的吳三桂」，遭到無端的懷疑和打擊。這種反常的社會政治氛圍，促使僅占台灣人口百分之十五的後到台灣的外省人頗感無奈，危機意識陡然增長，於是由新黨和外省人倡導的「新台灣人論」被正式提出來了。

（1）最早使用「新台灣人」這一詞彙的是新黨「立委」、具有「本省人」身份的陳癸淼和楊泰順，陳癸淼還爲此專門籌組了一個「新台灣人基金會」。衆所周知，新黨的成立是國民黨內一批與李登輝獨台路線志不同道不合者反抗的結果，也是外省人危機意識的產物，該黨成立後便一直被人戴上了「外省人的黨」和「中共代言人」的帽子，因此而備受打擊。陳癸淼、楊泰順以「本省人」的身份出面鼓吹「新台灣人論」，顯然是意在爲「外省人脫困」，爭取「本省人」對新黨的支持，爲新黨的發展尋找依據。

（2）較爲系統的提出「新台灣人」這一概念的當屬「外省人」的高希均等人。一九九四年十月，由高希均創辦的《遠見》雜誌第一百號專門推出特輯，發起了一場有關「新台灣人」的討論，從新台灣人的性格、歷史弔詭經驗、深入到探索集體意識與情感的形成，進而釐清未來共同面對的挑戰（王力行：《從「新台灣人」到「大和解時代」》，見《遠見》一九九六年一月號，頁二〇）。

關於「新台灣人」的意識，高希均先生爲文指出，「必須從歷史灰燼中重生，從意識型態中破繭，從悲情中跨越：他們沒有省籍、年齡、性別、方言的限制，只有充滿信心、包容、視野的胸懷，爲共同理想與未來打拼」。顯然，高希均等人提出這一概念，是有感於李登輝主政以來台灣社會族群的分裂愈演愈烈，對台灣的前途憂心重重，希望藉助於「新台灣人論」的鼓吹，使台灣社會從歷史悲情和意識型態掛帥的迷惘中擺脫出來，促進不同族群之間的彼此包容與融合，以新的視野、開闊的胸懷與信心，去共同面對台灣的未來。

（3）一九九四年以高票當選的外省人台灣省長宋楚瑜，可謂對「新台灣人論」心領神會。他在當選省長的第一天即公開宣揚「新台灣人主義」。宋楚瑜之所以在這個時候鼓吹「新台灣人主義」，顯然是要讓「本省人」對他這位「外省人省長」放心，表明他是「認同台灣、疼惜台灣」的，願同「本省人」一起共同爲台灣打拼，當然也盼望「本省人」能支持他這位外省人省長順利施政。

從以上情況可以看出，由新黨、外省人主導的「新台灣人論」並不涉及統獨問題，他們只是呼籲包容與融合。

三、李登輝提出「新台灣人主義」的弔詭

李登輝先生是「省籍情結」的最大受益者。可以說，台灣社會如果不存在「省籍矛盾」和「省籍情

結」，便不會出現一個不管做好做壞都具有絕對權威的李登輝。那麼李登輝又爲什麼在九八年底的「三合一選舉」中一反常態，公開爲「外省籍」的國民黨台北市長候選人馬英九助選，並大談「新台灣人主義」，主張台灣民衆「走出悲情」，消除「省籍矛盾」呢？

其實，李登輝先生不是不懂得，「省籍情結」是一把「雙刃劍」，用它既可以傷人亦可傷己。當初他煽動、利用「省籍情結」，使自己鞏固了地位，登上了權力的巔峰，但與此同時也造成了國民黨的嚴重內鬥和分裂，以及台灣社會「省籍矛盾」的日趨尖銳。因此，早在幾年前李登輝就曾提出過所謂「台灣生命共同體」的口號。高希均等人的「新台灣人論」提出後，李登輝也曾說過：「認同台灣、愛惜台灣、願爲台灣努力奮鬥的就是新台灣人。」（轉引自王力行：《從「新台灣人」到「大和解時代」》）可見，李登輝不是不瞭解族群分裂對台灣社會的危害。然而，現實的政治利益畢竟更加誘人，更何況在「台獨」肆虐、兩岸關係低迷、「外省人」被「原罪化」的社會氛圍之中，所謂「生命共同體」、「新台灣人」的口號是不具任何現實意義的。

近幾年來，隨著民進黨的不斷發展壯大，國民黨的勢力嚴重下滑，其在島內的統治地位岌岌可危。九七年底的縣市長選舉，國民黨丟失了大半江山，假如被稱爲二〇〇〇年的「總統」選舉前哨戰的九八年底的「三合一選舉」再敗，下屆「總統」寶座國民黨勢必難保。作爲國民黨主席，竟在自己的任內丟失了政權，將來歷史如何定位？李登輝當然不能不有所顧忌。因此，儘管李打心眼裡不喜歡、不信任「外省人」的馬英九，但在朝中無人敢與陳水扁爭鋒的困境下，他也不得不接受馬英九自告奮勇代表國民黨參選台北市這一既成事實。有消息披露，在選戰過程中親信幕僚已向李登輝報告：內部民調顯示，馬英九極有可能勝選。既然如此，又何不送個「順水人情」？於是，十二月一日晚，正值選戰白熱化時刻，李登輝才突然拋出「新台灣人論」，爲馬英九站台助選。

實事求是地評估，馬英九之所以能擊敗陳水扁，關鍵在於新黨支持者的「尊王保馬」，據選後民調顯示，有百分之七十九的新黨支持者把票投給了馬英九。過分強調李登輝的「新台灣人論」對台北市長選情的影響並不客觀。然而，在陳水扁陣營力打「省籍情結牌」、「悲情牌」，攻擊馬英九是「賣台集團」，鼓吹台北市長選舉是所謂「兩個中國人打擊一個台灣人」、「不要讓中國人入主台北市」，企圖依靠挑撥省籍矛盾開拓中間票源的關鍵時刻，李登輝以其特殊身份，突然拋出「新台灣人論」，這等於是向陳水扁陣營殺了個「回馬槍」，這對於穩定國民黨的傳統票源確有正面效果。

那麼，李登輝先生的「新台灣人主義」具體內容是什麼？提出「新台灣人主義」的眞實動機又是什麼？我們不妨先看一看李登輝先生的有關說法：

十二月一日晚，李登輝先生在替馬英九站台助選時說：「以前說『台灣人的悲哀』已經解決了」，「不管早來晚來，所有人到這裡生活是最重要的，都是『新台灣人』，只要是人才，選票就要投給他。」（中央社台北一九九八年十二月二日電）

十二月八日，李登輝先生在「國大」答詢時，較爲詳細地詮釋了他的「新台灣人主義」。他說：「新台灣人主義」是一項不限時間先後和土地區分的概念，「不要分本省人或外省人」，「台灣過去的成就就是大家共同奮鬥的成績」，「大家要走出悲情，告別過去的事情」。他特別強調：「『新台灣人主義』並不是單純在選舉時爲台北市長當選人馬英九拉票所提出的競選策略，不只是對內，對外也是」，「『新台灣人主義』可以當成國家認定和共識的開始」。又說：「對『新台灣人主義』國際上愈關心愈好，……外交也可以藉此找出國際地位」。並推至大陸政策，說：「對等國家的地位要確立」，「『新台灣人主義』是國家進步的起點，世紀的出發」等等。（台灣《聯合報》一九九八年十二月九日報導）。

十二月十八日，李登輝先生在接受日本《讀賣新聞》專訪時，再次論及他的「新台灣人主義」。他除了重彈四年前與司馬遼太郎談話時的老調，說什麼「台灣原是（中華文明所未及的）『化外之地』，是被捨棄之地」外，又說：「現在台灣已能自己開創未來，因此有關本省人和外省人之間曾有過的省籍情結不應再提出，應團結一致」，「在『新台灣人主義』下，大家可以團結，也可對大陸表明台灣的立場。」並強調：「台灣已擁有獨立主權……大陸應承認這個事實」云云。（中央社東京一九九八年十二月十九日電）

以上述說中不難看出，李登輝先生的「新台灣人主義」有以下兩方面意含：

（一）對內，不管早來晚來，不分本省人或外省人，只要是生活在台灣這塊土地上，大家都是「新台灣人」，要「走出悲情」，團結一致，重新凝聚台灣獨立主權的「國家認定和共識」。

（二）對外，「新台灣人」要團結起來，共同對大陸表明「台灣擁有獨立主權」立場；並藉此在國際地位上尋找確立「對等國家的地位」。把兩方面的意含聯繫起來看，李登輝先生宣揚「新台灣人主義」的眞意，是企圖化解島內的「省籍矛盾」，並將其引向對大陸的「國籍矛盾」，說穿了，就是要求「新台灣人」「團結起來，共同對抗大陸」。

李登輝先生的上述宣示，和他四年前與司馬遼太郎的談話有兩點明顯區別：一是宣稱「台灣人的悲哀」已經解決，現在應當「走出悲情」，面向未來；二是他把原先挑起本省人對外省人的矛盾改爲爭取和團結外省人，宣佈「赦免」了外省人的「原罪」。這實際上反映了李登輝急欲擺脫近幾年來因國民黨分裂和族群衝突所造成的諸多困擾。不過，李登輝的最終目標並沒有絲毫改變，即要帶領全體「新台灣人」脫中國化，「出埃及」，建立「眞正屬於『新台灣人』的國家」。這也正是李登輝先生的「新台灣人主義」與高希均等人所倡導的「新台灣人論」本質上的區別。李登輝深知自己年事已高，任期將屆，難以完成將台灣人帶出「埃及」的任務，便將希望寄託在民進黨中堅持台獨主張的陳水扁身上。李在約見參選台北市長落選的陳水扁時，建議他讀《聖經》，告訴他讀了《聖經》的《出埃及記》，就會瞭解摩西率領以色列人民到麥加勝地的過程有多艱難，這和現在領導「國家」沒有兩樣。鼓勵陳水扁克服困難，東山再起。

李登輝先生的「新台灣人主義」拋出後，引起了台灣政壇、社會的強烈反響，這恰好說明了廣大台灣民衆對李登輝上台以來一再煽動、利用「省籍矛盾」、製造族群分裂的深切憂慮、反感與不滿。或許，該論的提出，會使一部分「外省人」備受壓抑的心情一時有所抒解，感覺到某種解脫和輕鬆，「失落感」會在一定程度上得到消除；同時也可能會促使「本省人」進一步「走出悲情」，增加「包容」，這對緩解當前台灣社會的「省籍矛盾」具有正面作用。但問題在於如果眞的將島內的「省籍矛盾」引向對大陸的「國籍矛盾」，勢必會把廣大台灣民衆引向與大陸十二億同胞對抗的方向，這不能不引起人們的深思和警惕。今年一月二十八日，錢其琛副總理在紀念《告台灣同胞書》發表二十週年，暨江澤民總書記對台發表重要講話四週年紀念大會上的講話中語重心長的說：「我們希望台灣同胞和祖國大陸同胞密切往來，加深瞭解，團結合作，共同為推動兩岸的發展和祖國統一而努力。我們也希望台灣同胞不分省籍和睦相處。如果有人企圖利用所謂『新台灣人』口號，製造和加深兩岸同胞之間的隔閡，我們是堅決反對的。」筆者認為，這才是海峽兩岸同胞應取的正確態度和立場。

中國意識與台灣意識

——一九九九澳門學術研討會論文集

編　者　夏潮基金會
發行人　黃溪南
出版者　海峽學術出版社
登記證　局版台業字第五九六三號
通訊處　（一〇六）台北市金山南路二段二二二號六樓
電　話　（〇二）二三二一八五五二
傳　眞　（〇二）二三二一八六一一
印刷所　松霖彩色印刷事業有限公司
初　版　一九九九年六月
定　價　五〇〇元
劃撥帳號　一四六八九二三六　方守仁帳戶
ISBN　957-97930-3-4
※缺頁或裝訂錯誤請寄回更換
※版權所有，翻印必究※